Atlas de carreteras

España
y Portugal
2004

geoPlaneta

Atlas de carreteras
de España y Portugal
Road Atlas. Spain & Portugal

Sumario / Contents

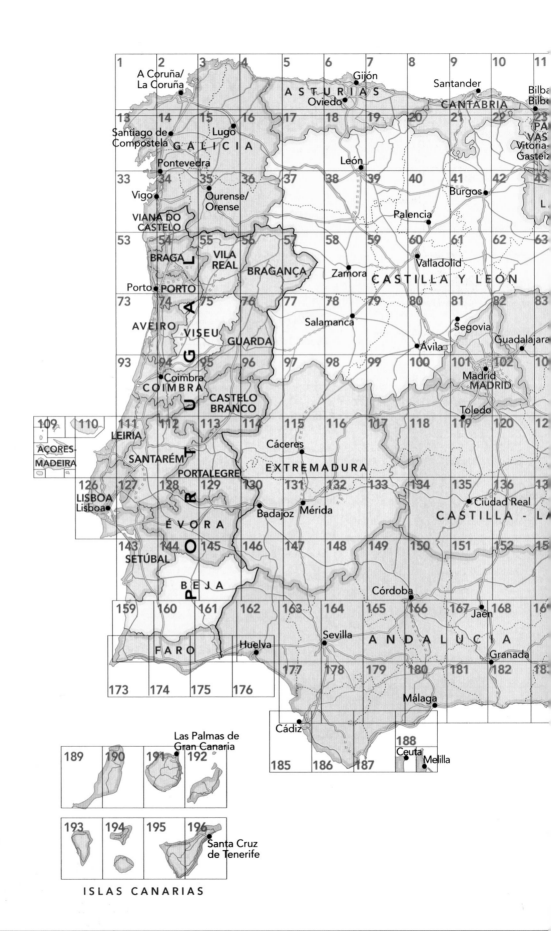

ISLAS CANARIAS

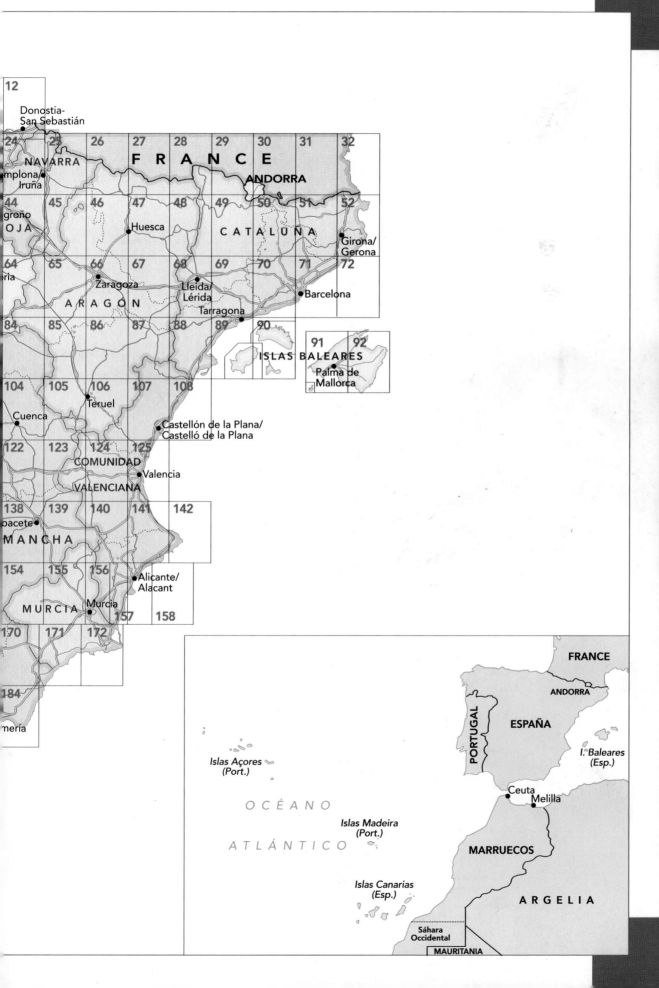

1

2

O C É A N O   A T

3

4

5

OCÉANO AT

ILLAS SISARGAS

Cabo de San Adrián
Beo
184
Seaia
Punta de Nariga
Punta do Morro
Barizo
Enseada da Barda
Mens
Vilanova
Niñóns
AC-42
Cerqueda
Punta Roncudo
Corme
23
Cores
Nemeño
Pedro
Corme-Porto
Corme-
Aldea
AC-424
Cospindo
AC-422
Ría de Corme e Laxe
Ponteceso
Tella
Tallo
Xorne
Cabo de Laxe
Trabe
Pazos
Corcoesto
Anllóns
Laxe
AC-431
Canduas
AC-430
Cabo Tosto
Cabo Veo
Soesto
Bosque
(Cabana)
Esto
AC-42
Enseada de Arou
Praia de
Traba
AC-433
Boaño
Matió
Cunidíns
Valencia
Brañas
Verdes
Arón
Dombate
Borneiro
AC-423
Cabo Vilán
Camelle
Trabo
Dolmen
de Dombate
AC-430
Piñeiro
Anós
Riobó
Castro
Fornelos
Nantón
R
Xaviña
Ponte
do Porto
Baio
B
Pedra
Agualada
Camariñas
Dor
Cerexo
AC-432
Pasarelana
Señoráns
Baio
Grande
Bormoio
Ría de Camariñas
Carantoña
Calo
AC-433
Bamiro
Lamas
Pazos
Sisto
Brena
Punta da Barca
Tufiones
Carnés
Casais
Salto
C-545
Carreira
Cuns
Muxia
Cabo da Voutra
Ogas
Vimianzo
Tines
Vilar
Gontalde
Pico de Meda
567
Moraime
Ozón
Quintáns
Treos
Quintáns
Lorono
Picotos
Boa
Muiños
Cambeda
Zas
Cabo Touriñán
Suxo
AC-440
Cicere
Romelle
Padreiro

Morquintian
Senande
Castrelo
Serramo
Means
Tralesa
Busto

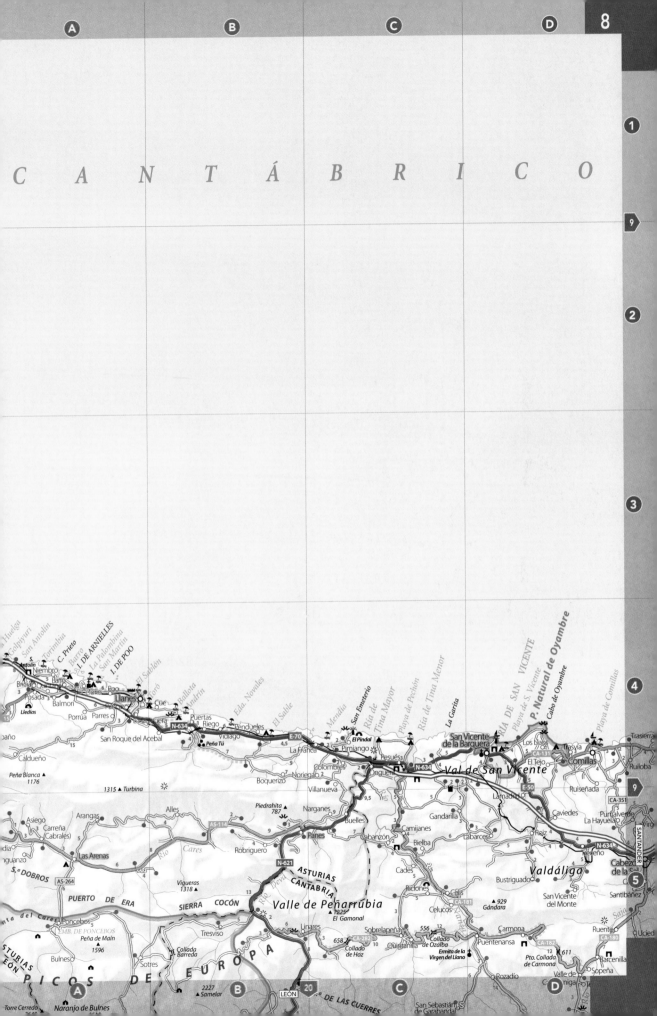

A   B   C   D

1

8

2

M A R   C A N

3

4

BAHÍA DE
SANTANDER

Santander

Cabo Mayor

ISLA DE MOURO

ISLA DE
JORGANES

Playa de Langre

La Atalaya

Plymouth

Cabo de Lata

Playas del Sardinero

Loredo

Galizano

Güemes

Carriazo

Somo   Suesa   Castaneddo

Omoño

Pedreña

Rubayo   Setién   Cubas

Pontones

Villaverde de
Pontones

Hoz de Anero

Anero

Solares   3 Hoznayo

Valdecilla   Entrambasaguas

Horne

San Vítores   Somarriba

La Concha   Cabárceno

Liaño

Parque Natural
Macizo Peña Cabarga

Cabárceno

Navajeda

Hermosa   La Cavada

La Herrán   Búcarrero

La Penilla

Barrio de Arriba

Liérganes   Rucandio

Monte

CA-161

Rubalcaba

San Roque
de Riomiera

Ermita de San Juan

Pto. de Alisa

674

Mirones

La Cantolla

La Iglesia

Miera

Los Pumares

Morillas

Coling
1460

Parque Nat.
Collados

Valdició

Cueto

San
Román

Monte

Punta de Somocueva

ISLA PEÑON

ISLA DE LA VIRGEN DEL MAR

Soto de la Marina

Sancibrián

Santa Cruz
de Bezana

A-67

Peñacastillo

Maliaño   Muriedas

Elechas

Astillero

Guarnizo

Pontejos

Boo

Revilla

Camargo   Boo

Herrera

Azoños   Maoño

Arce

Escobedo

Parbayón   Villanueva

N-623 5

Guijano   Renedo

Vioño

Barcenilla

Polanco

Rinconeda

Barreda

Viérnoles   Zurita

Carandia   Rosapero   Obregón   Sobargo   Penagos

N-634

Sarón   Arenal   Llanos

Santa María
de Cayón

E-70   N-634

Argomilla   CA-142

Totero

Valle de Cayón

S.ª DE LA MATANZA

Ermita
de San Vicente

Ermita del Ángel

653
Caballar

Vega   Saro   Llerana

Selaya

Villacarriedo

Abionzo

Santibáñez

CA-142

Aloños   Pedr...

Teján...

San Vicente de Toranzo

Santiurde
de Toranzo

Villasevil

N-623

Corvera

Escobedo

Penilla   Pando

Aes

Villabáñez   Pomaluengo

Puente Viesgo

Cueva del Castillo

CA-170

Sopenilla   Rivero

Hijas

La Garmia

Castillo

Borleña

San Andrés

Alto
Cabañuca

Sornoza

Los Corrales
de Buelna

Río ...

MONTES DE UCIEDA

Alto del
Toral
894

Ucieda

Villayuso

Villasuso

REINOSA

Villasuso
Bostronizo

CA-271

Vejoris

REINOSA

21   Martín

Torrelavega

Campuzano

Torres   Ganzo

Sierrapando

Las

Presillas

Vargas

Aes

Colegiata de
Santa Cruz

Riocorvo

Cartes

San
Miguel

N-611

Coo

S.ª CALVA

Ibio
794

Herrera de Ibio

Luzmela

Cos

Santibáñez

Carrejo

Cabezón
de la Sal

CA-263

Sierra de Ibio

Villanueva
de la Peña

Ontoria

Golbardo

Quijas   12

Barcenaciones

Casar...

Cerrazo

Puente de
San Miguel

CA-131

Viveda

Requejada

Lloredo

Villapresente

401

Mijarojos

Tanos

Viérnoles

CA-131

Santillana del Mar

Cuevas de Altamira

Novales

Cóbreces

Ruiloba

Toñanes

Trasierra

Caborredondo

Orena

Ongayo

275

Ubiarco

Tagle

Suances

Cudón

Miengo

Gornazo

Mogro

Oruña

CA-341

Parador de Turismo
Santillana del Mar

Ría de Mogro

Ría de Uso

Playa de Valdearenas

Punta de Valdearenas

Mortera

Liencres

Parque Natural
Dunas de Liencres

Playa de Sta. Justa

Punta Ballota

Punta del Dichoso

Playa de Cobreces

Playa de Carrastrada

Punta de Carrastrada

Playa de C...

S. VICENTE DE LA BARQUERA

CA-131

Ruilola

omillas

...ise

8

135

Haya...la

Puñalverde

La Virgen

A-8

Casamaría

Caranceja

Carandia

...634

Santibáñez

S. Andrés

Villafufre

Villasevil

Rasillo

Santiurde
de Toranzo

Alto del
Toral

Alfoz de
Lloredo

CA-270

Llanos

A-8

N-634

N-611

E-70

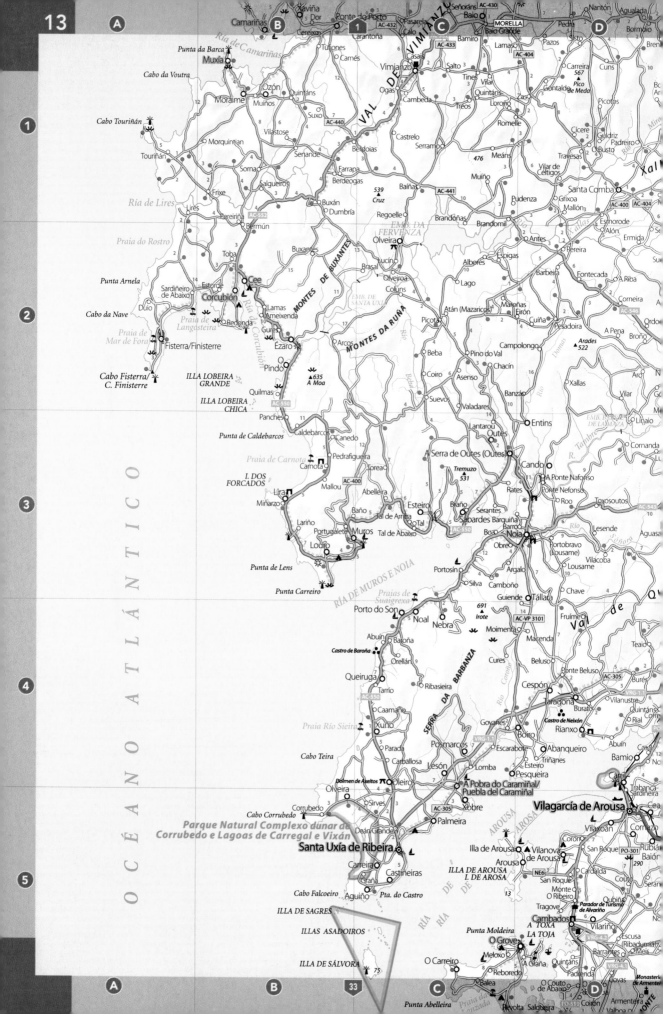

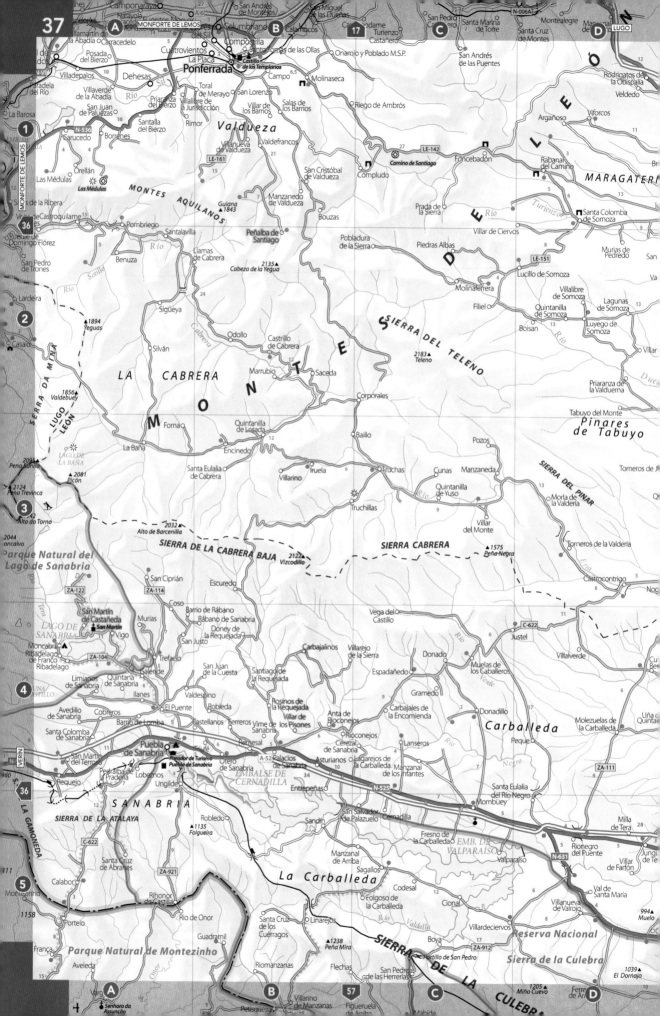

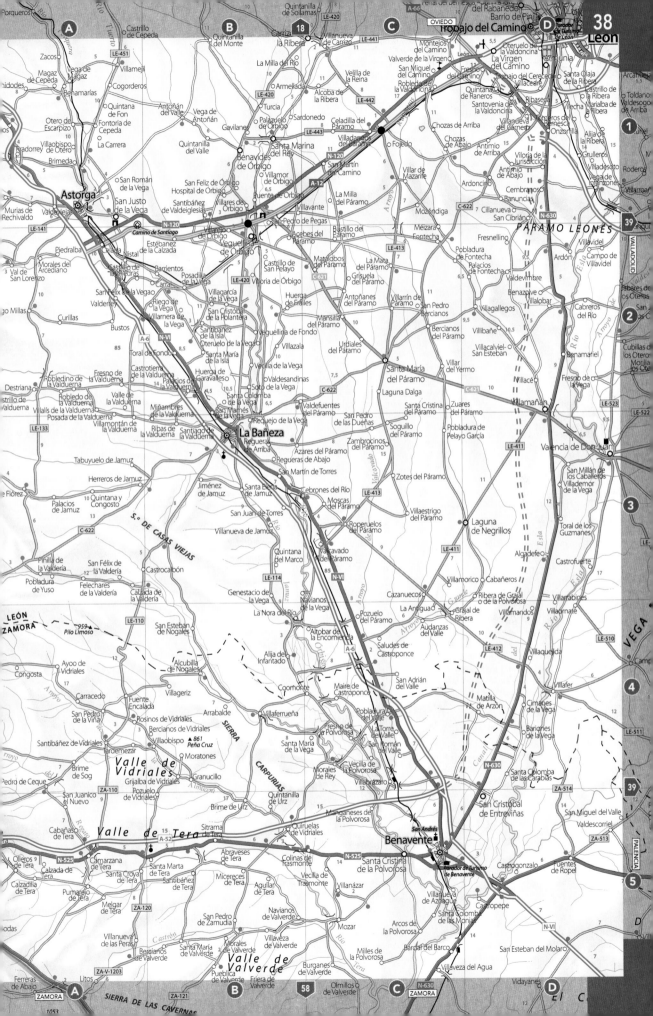

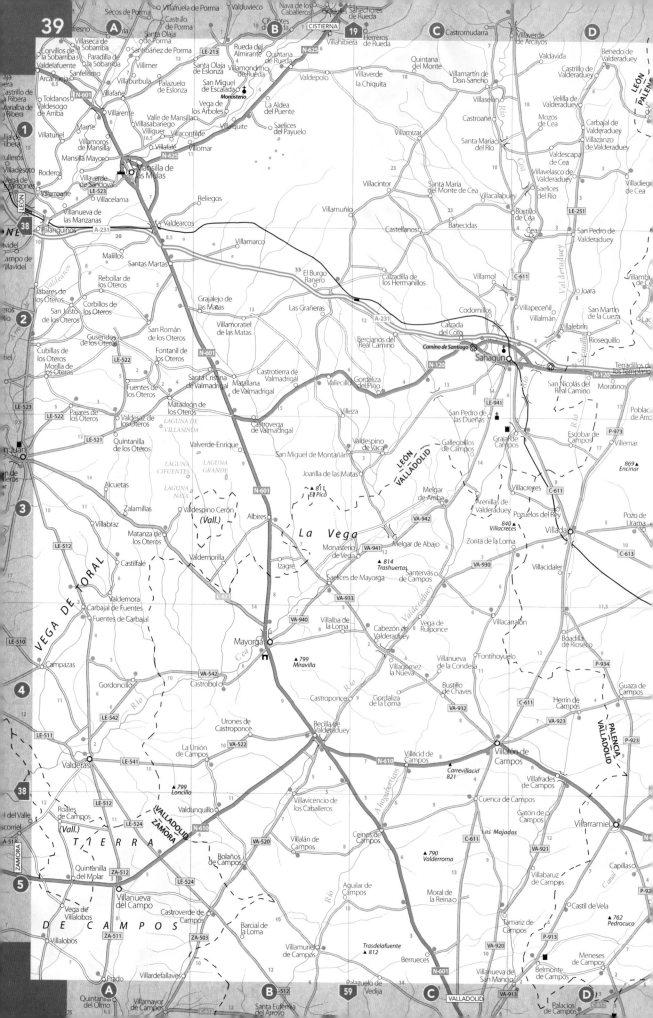

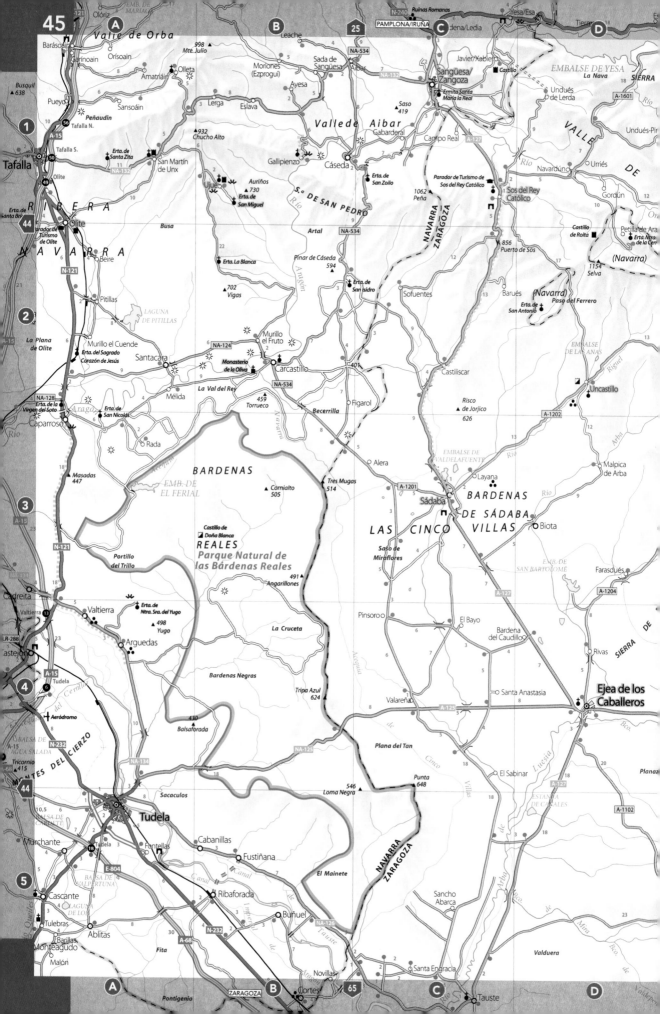

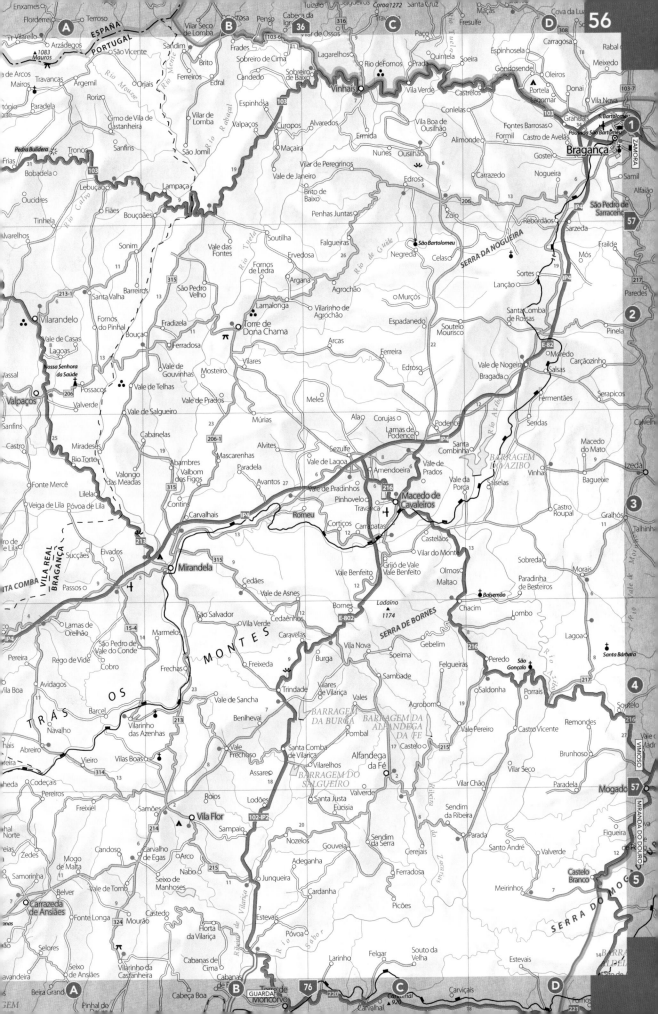

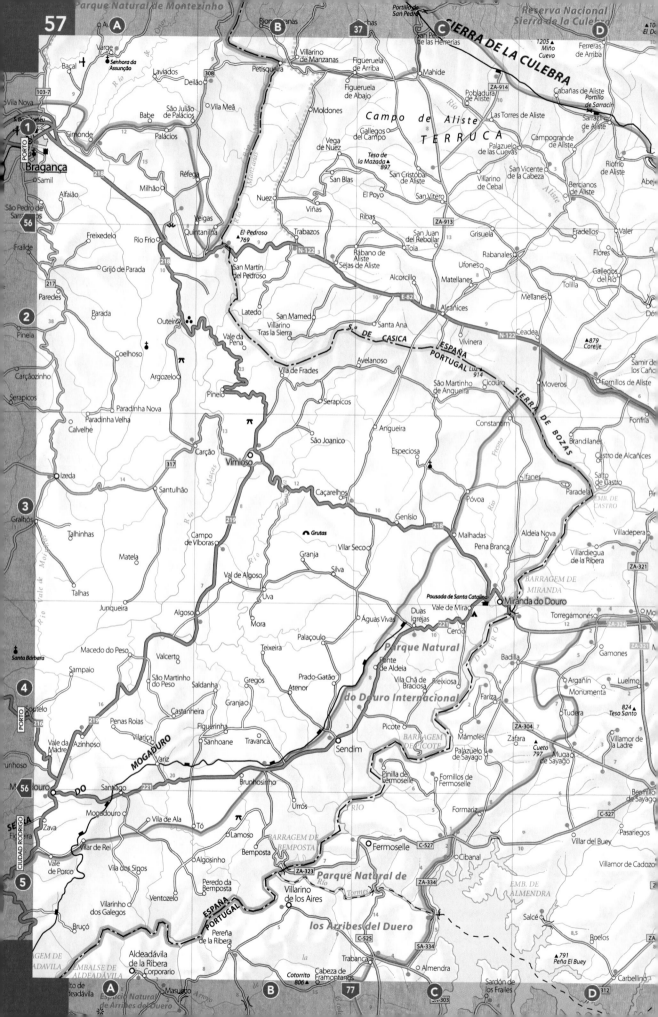

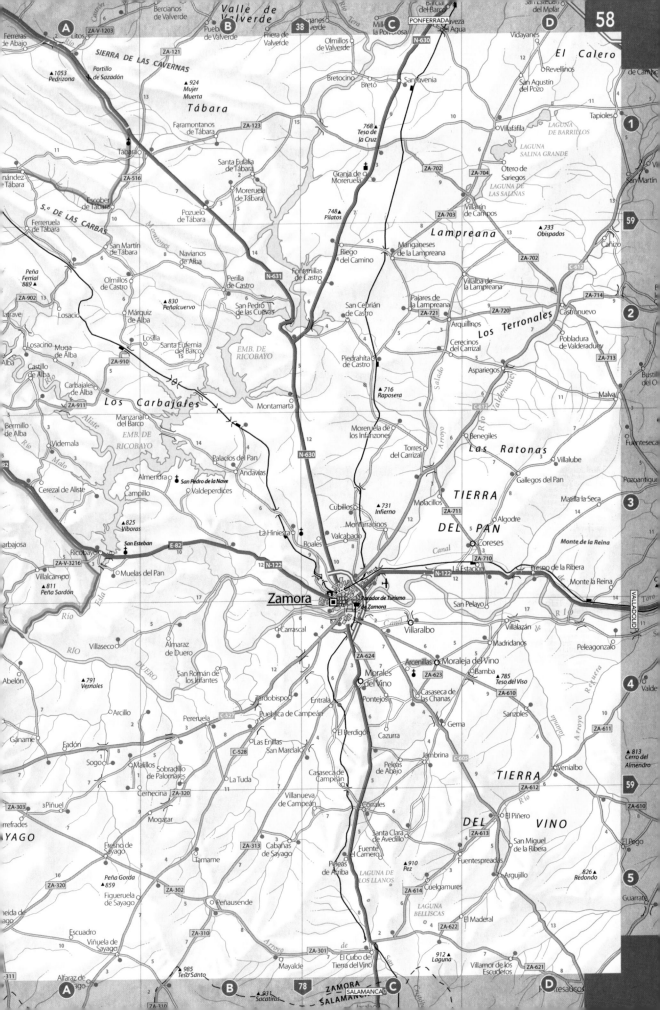

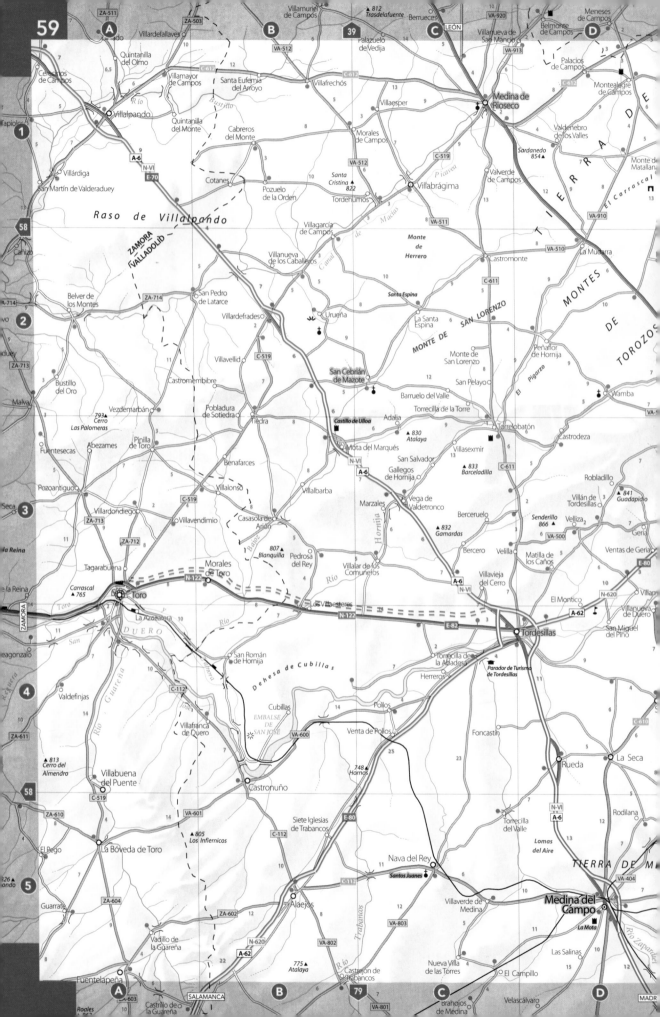

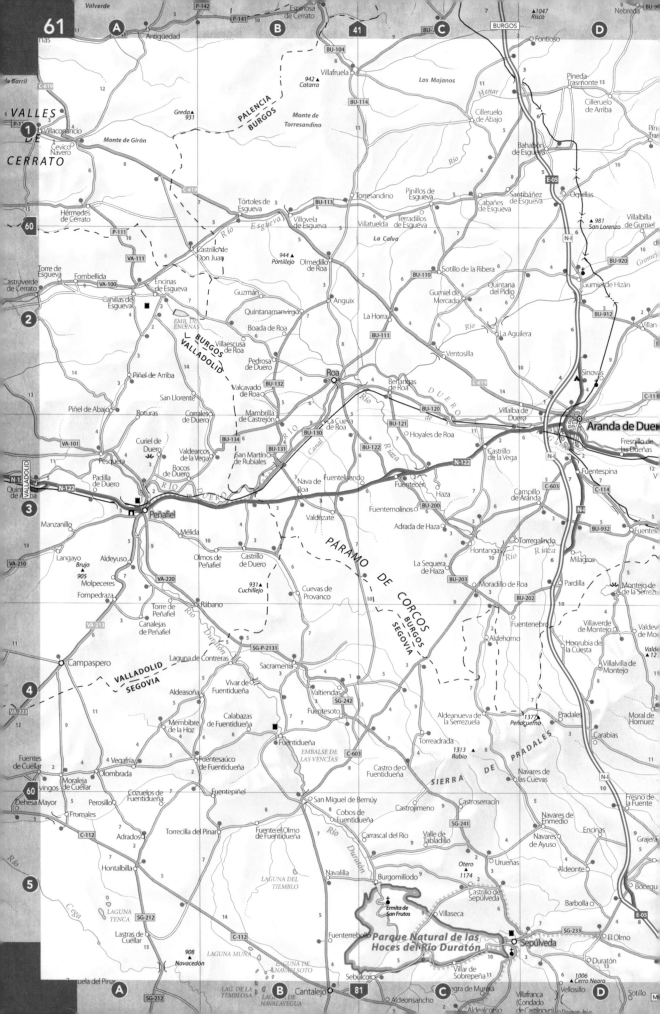

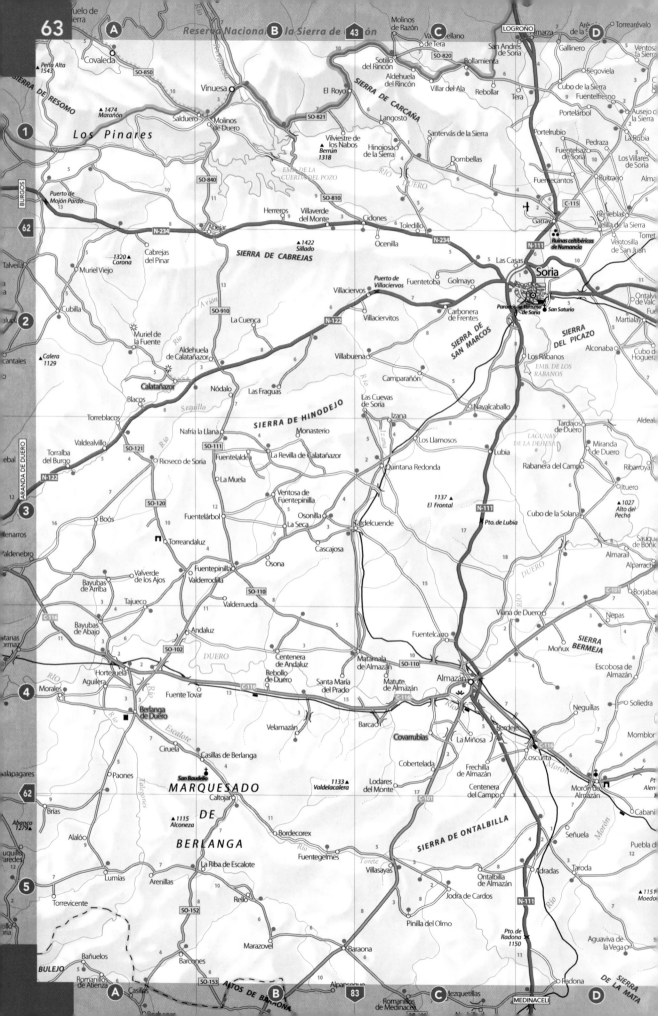

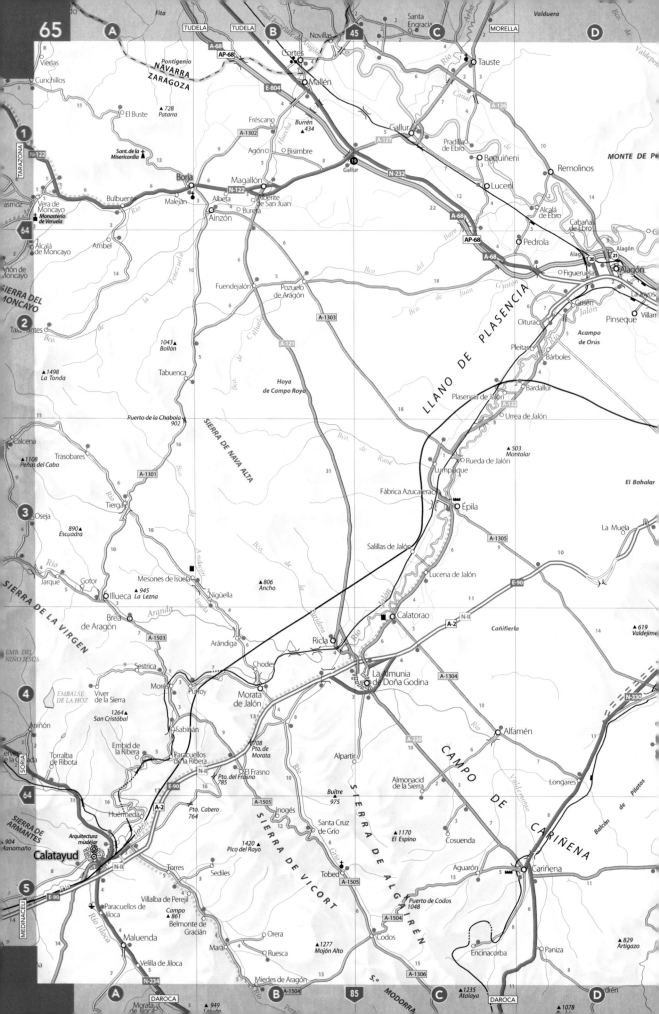

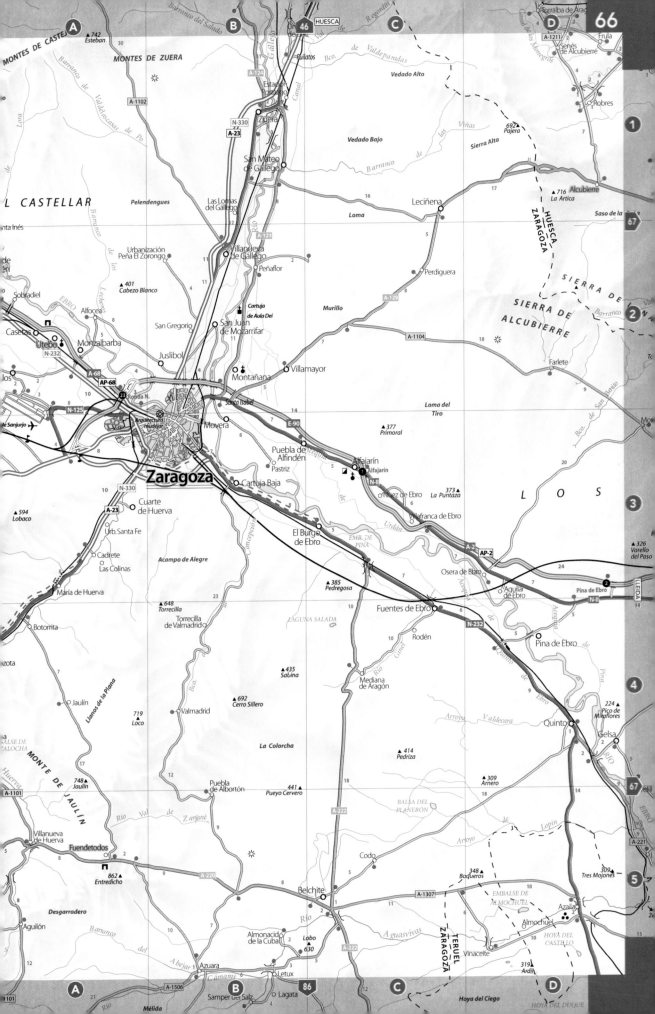

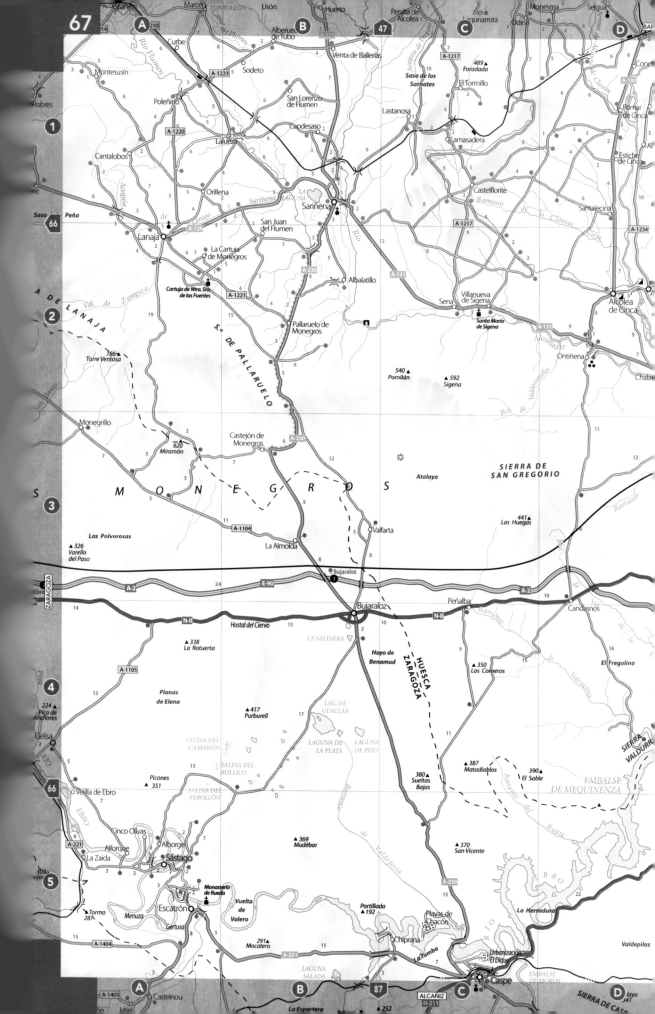

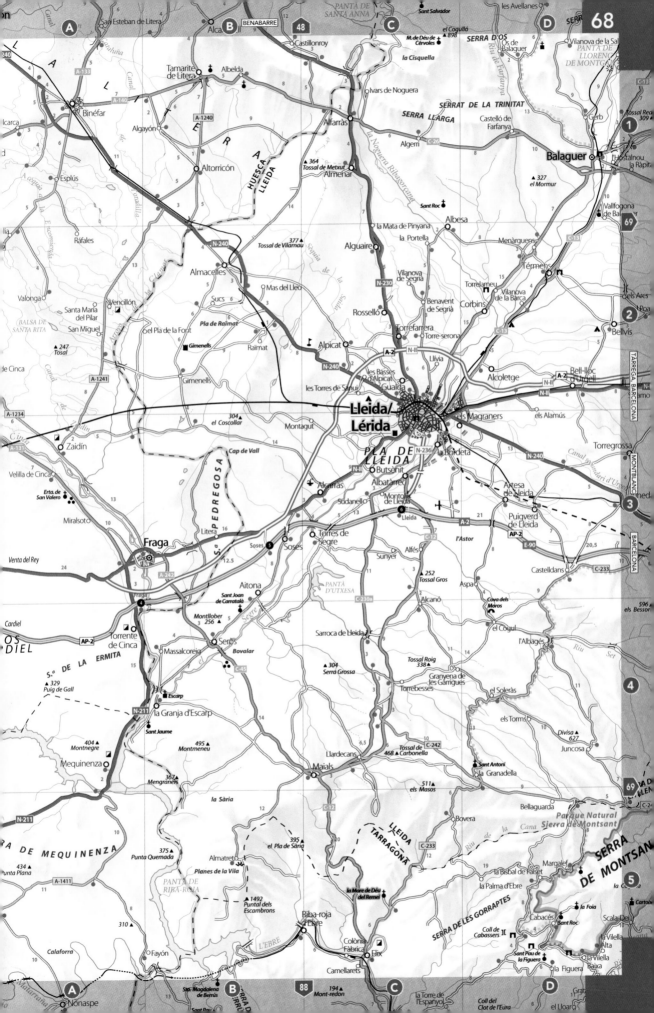

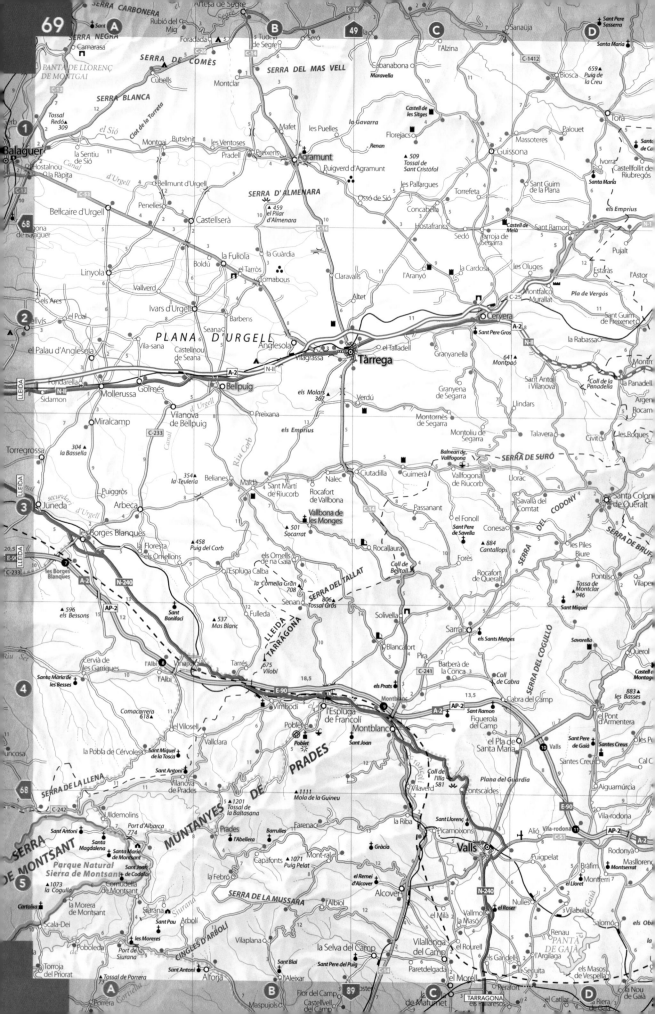

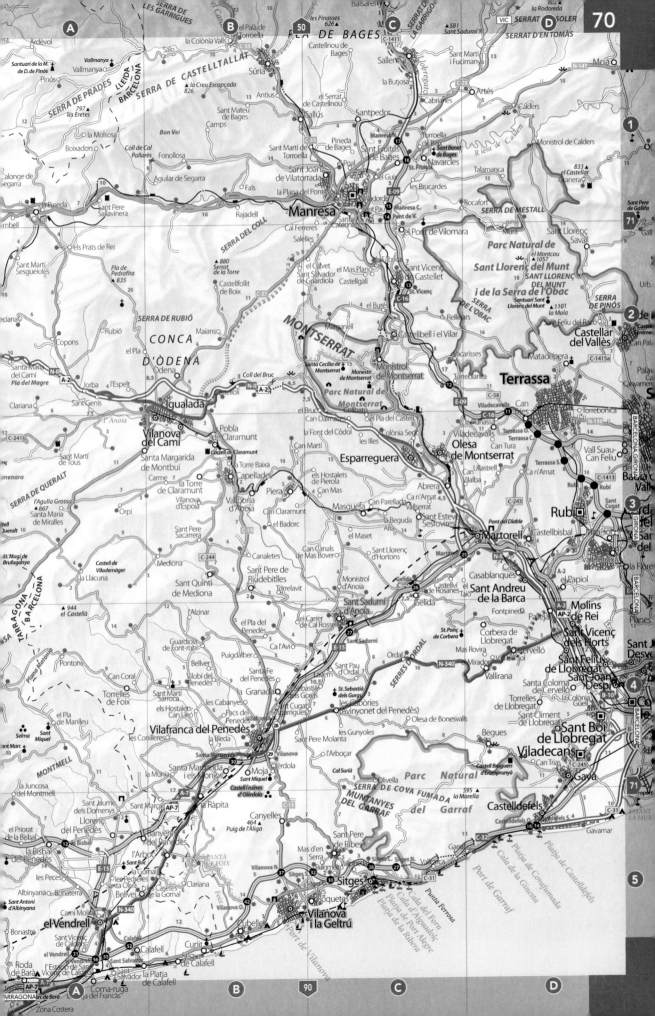

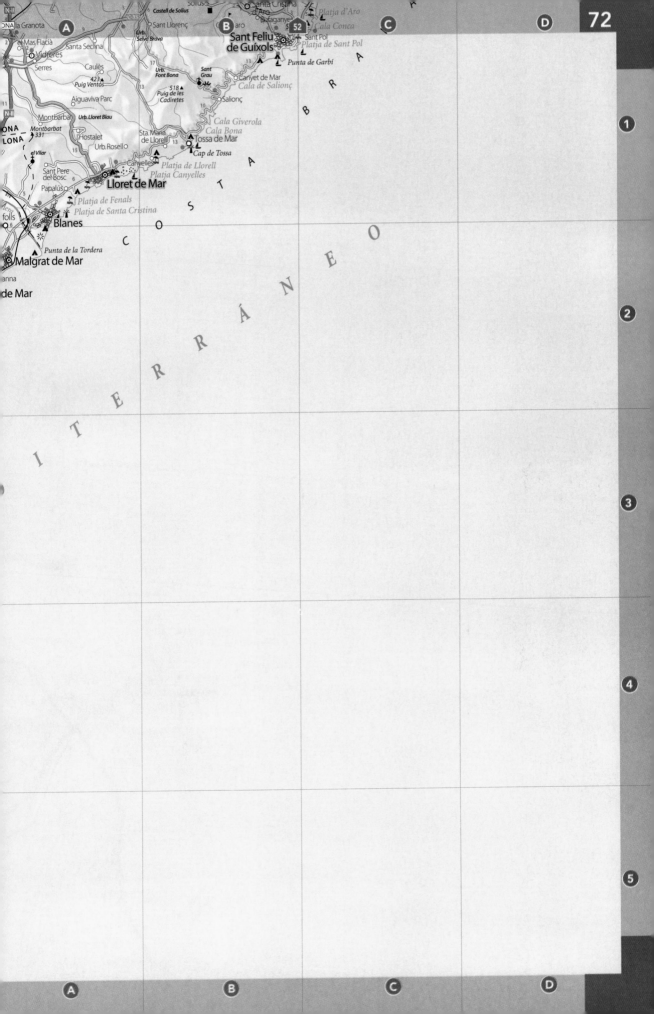

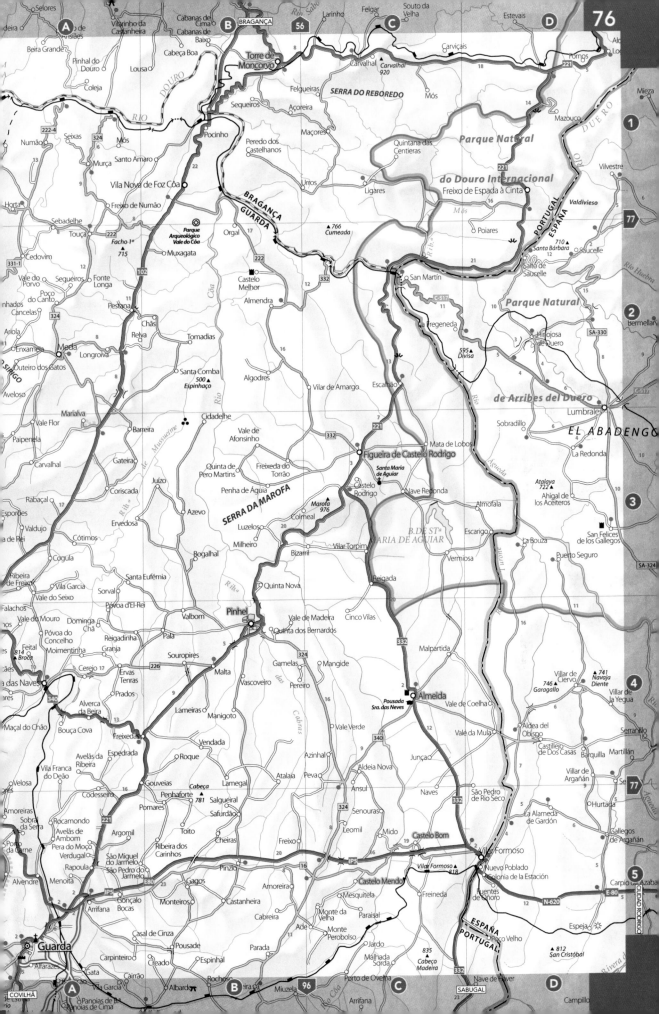

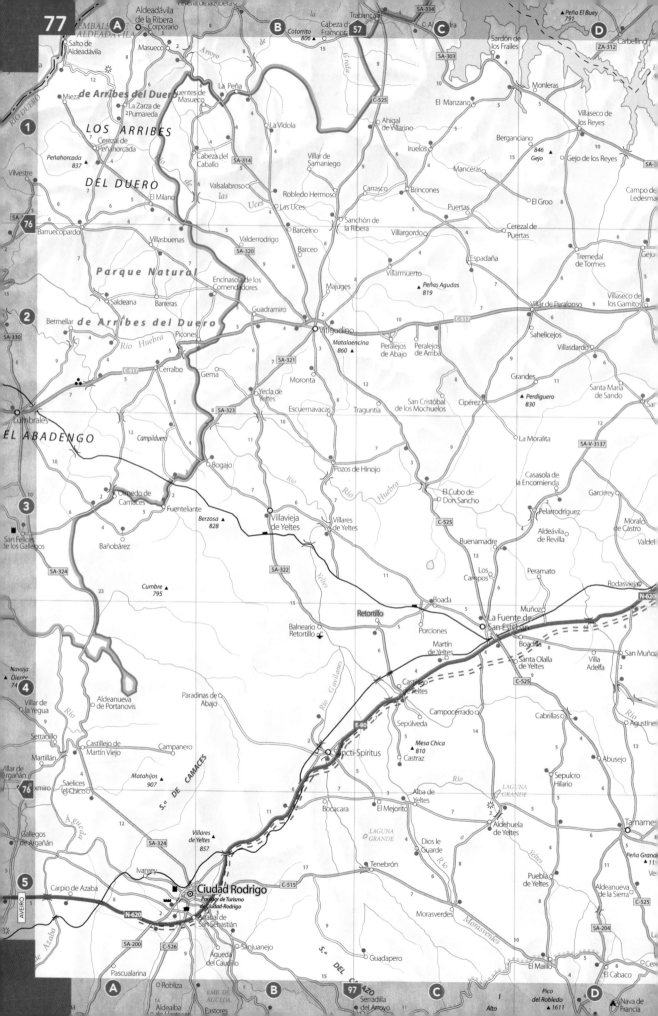

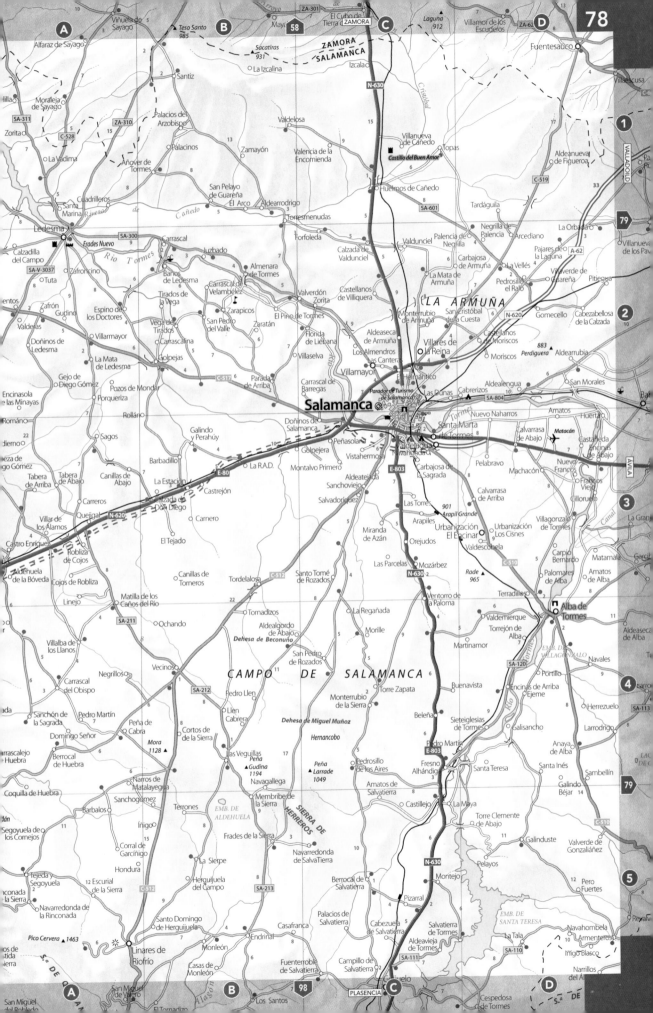

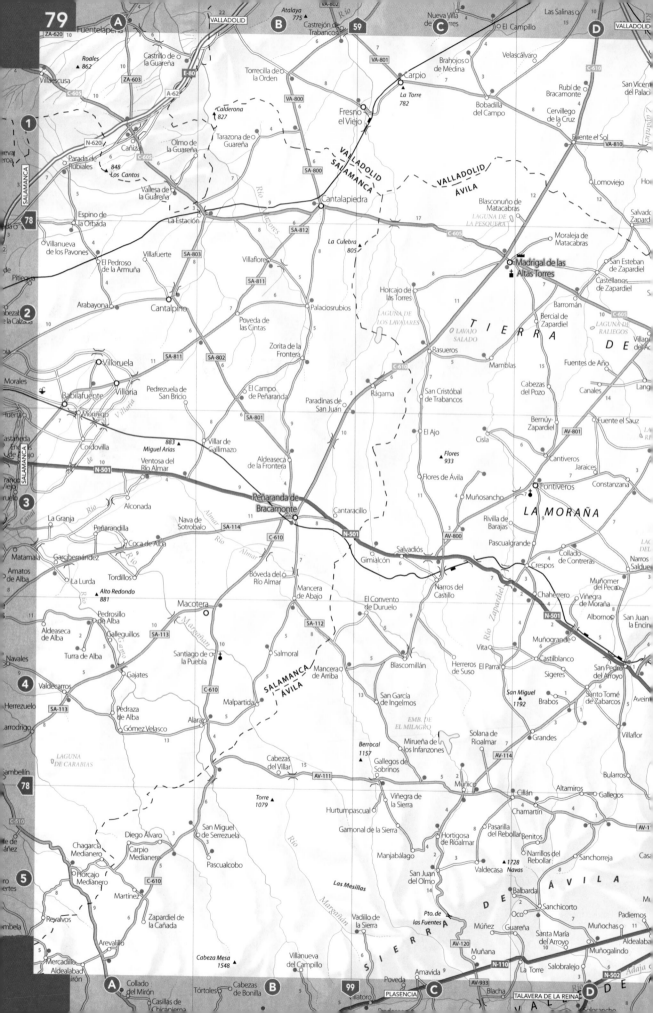

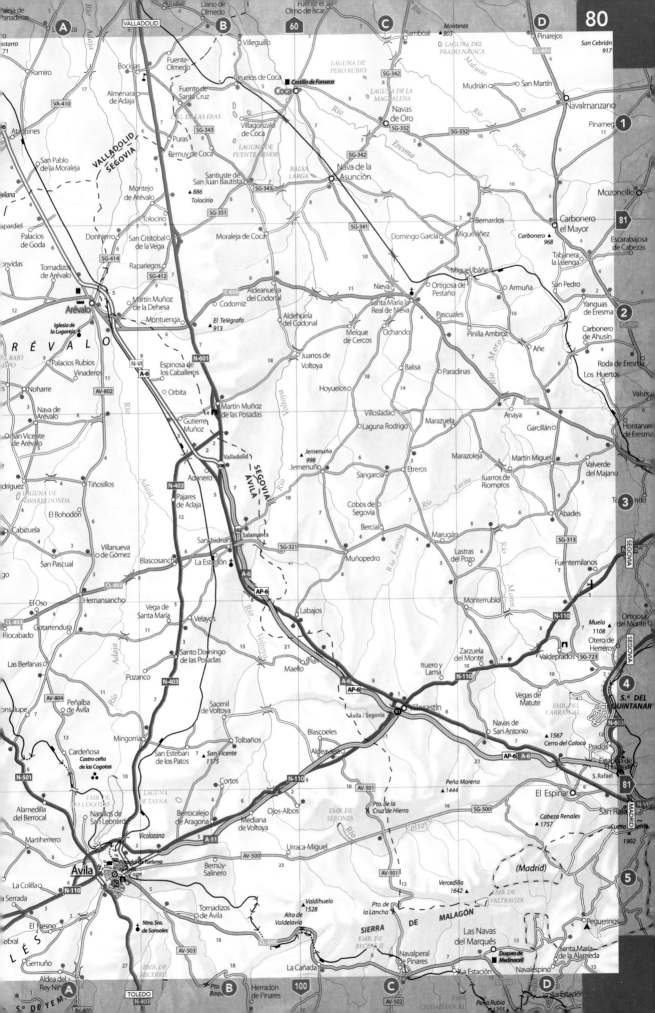

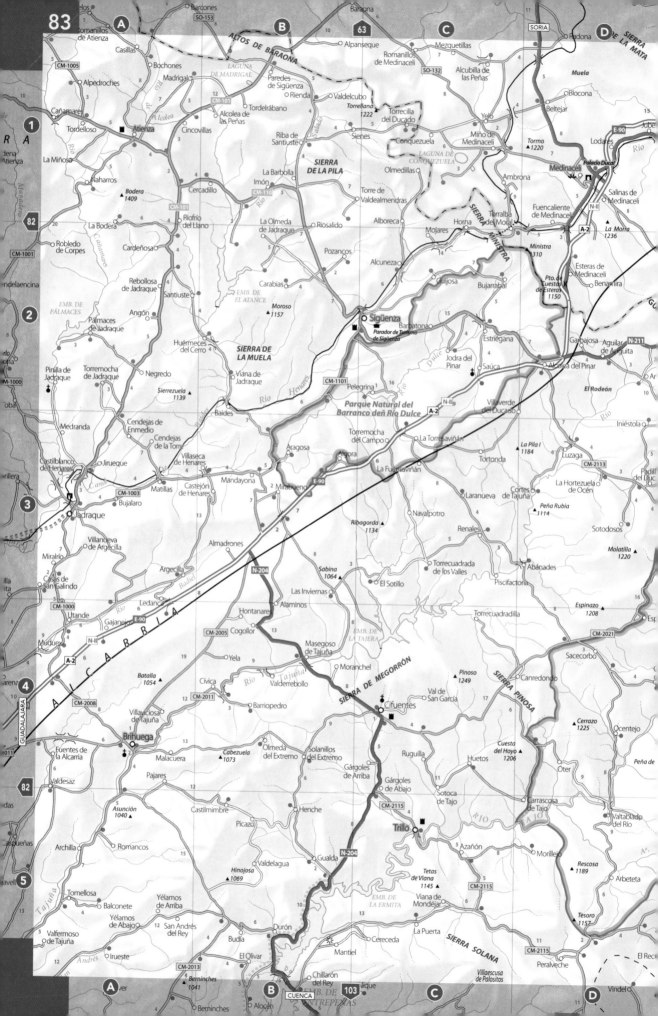

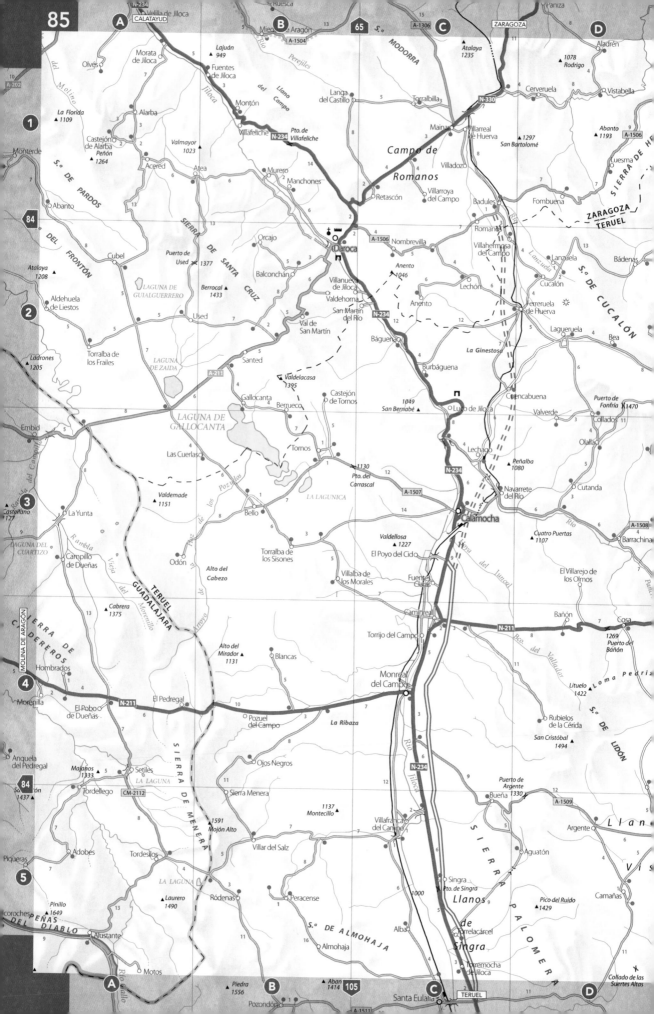

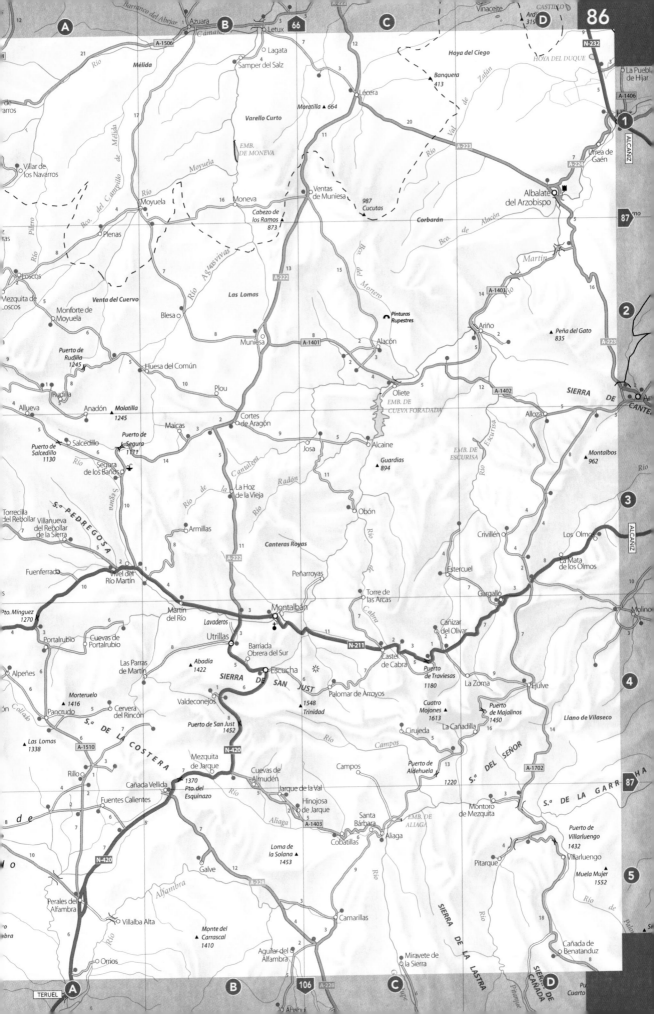

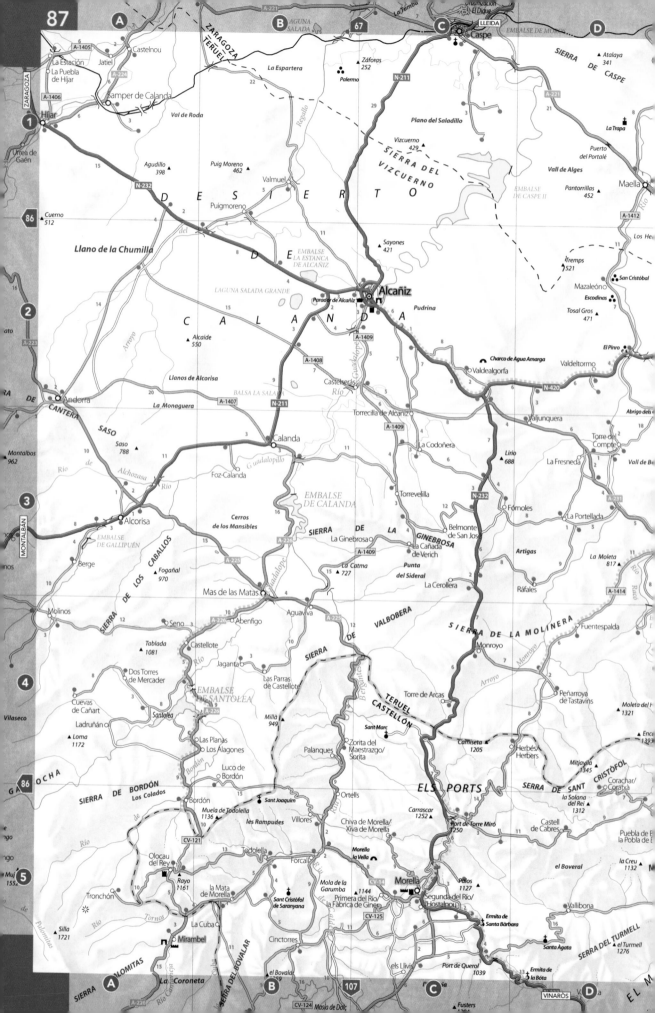

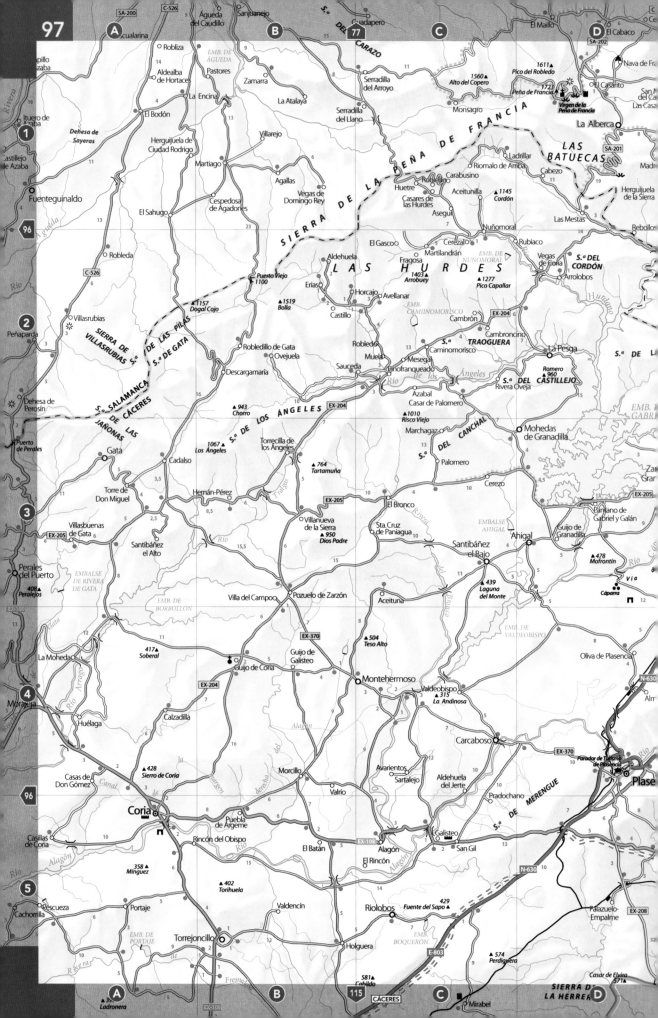

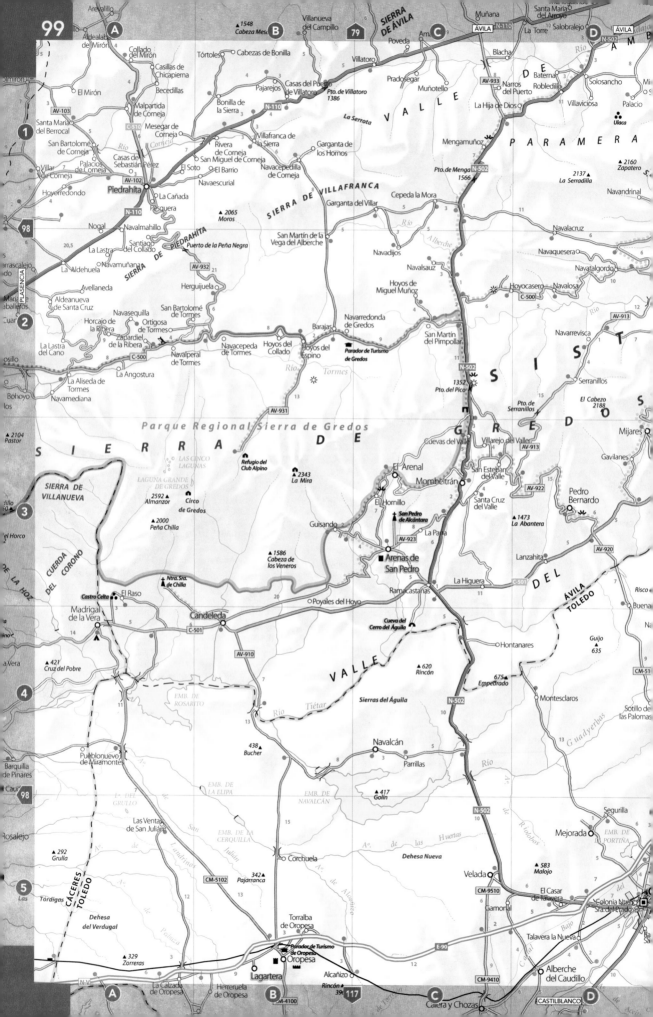

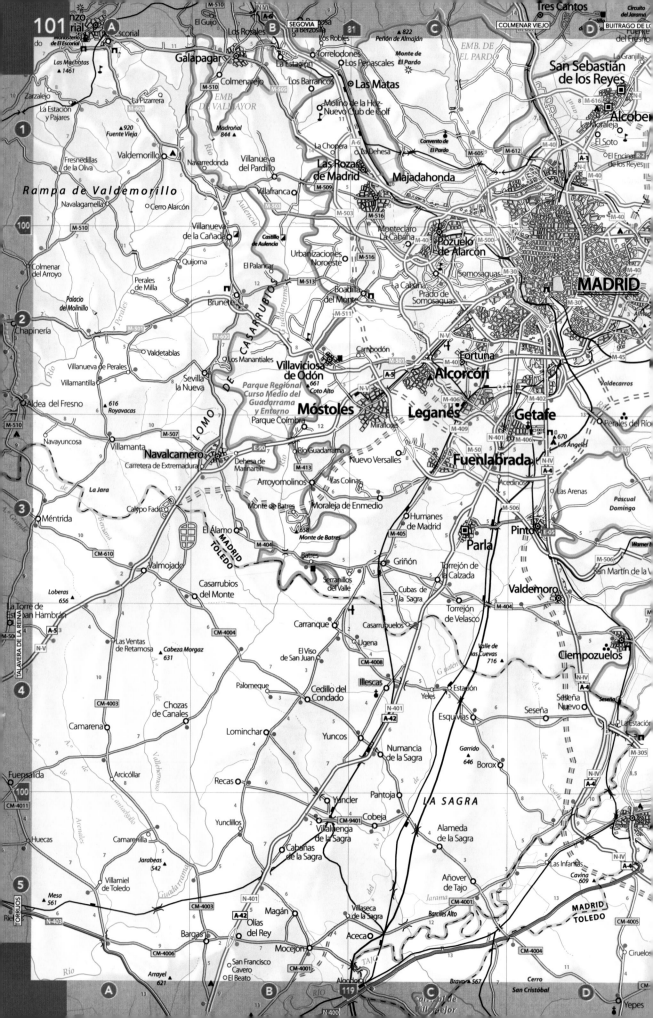

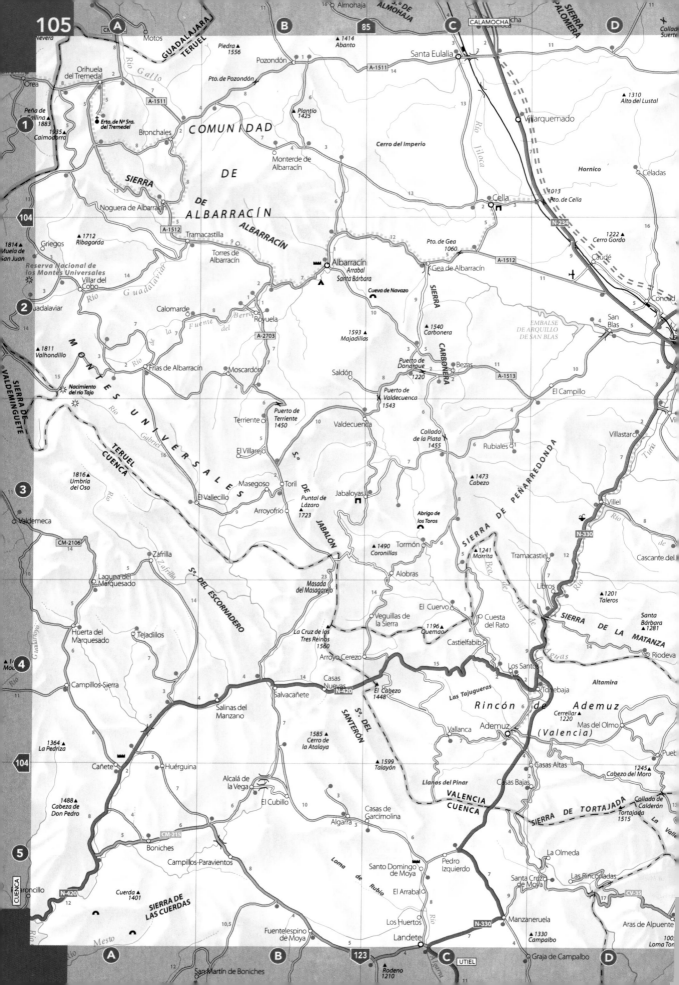

UTRILLAS **A**

Orrios

Aguilar del Alfambra **B**

86

Miravete de la Sierra **C**

SIERRA DE LA LASTRA

SIERRA DE CAÑADA

D

Cañada de Benatanduz

107

Puerto de Cuarto Pelado 1612

Alfambra

Escorihuela

Ababuj

Jorcas

Villarroya de los Pinares

Pto. de Villarroya 1655

A-226

Fortanete

▲1498 Almas

1

Alto de los Llanos

▲1758 Hoyalta

El Pobo

▲1507 Cabezo de la Murria

13

6

Peralejos

SIERRA DEL POBO

4

Monteagudo del Castillo

Allepuz

▲1468 Puerto de Sollavientos

Valle de Sollavientos

Zaragozana ▲1909

N-420

Cuevas Labradas

Cedrillas

2

Gúdar

SIERRA DE LOS MONEGROS

▲2000 Hornillo

Valdelinares

SIERRA DEL RAYO

▲1886 Bramadoras

Tortajada

Cabisgordo 1624

Pto. de Cabisgordo

A-226

10

SIERRA

Puerto de Gúdar 1560

▲2019 Peñarroya

18

Valdelinares

SIERRA

Puerto de Linares 1710

2

A-1701

Corbalán

Casa Grande

El Castellar

SIERRA GORDA

▲1378 Moratilla

Alcalá de la Selva

DE

Linares de Mora

A-1701

Valdecebro

Santuario de la Virgen de la Vega

2

GÚDAR

Teruel

12

Formiche Alto

Cabra de Mora

▲1803 Chaparroso

19

Castelvispal

Castralvo

11

Formiche Bajo

15

Alto del Hontanar

S.ª DE NOGUERUELAS

A-1701

Las Coronillas ▲1462

Puerto de Escandón 1242

Embalse de Valbona

Mora de Rubielos

Nogueruelas

Paso de la Viuda

▲1710 I Cruces

3

Aldehuela

S.ª DE LAS CORONILLAS

Dehesa del Pilar

Loma del Mosquito

Cabezo Blanco 1342

Villah

Cubla

1300 Pto. de la Puebla

La Puebla de Valverde

A-232

Valbona

A-232

Rubielos de Mora

Cortes de Arenoso

ALTO MIJ

Valacloche

SIERRA DE CAMARENA

▲1328 Gaifás

▲1181 Matanzas

Fuentes de Rubielos

CV-190

El Moreno

Camarena de la Sierra

N-234

A-228

A-1515

TERUEL CASTELLÓN

San Vicente

Loma del Portillo

▲1702 Alto de Buitre

Alto de Creventada

1200 Pto. de Sarrión

EMBALSE DE LOS TORANES

Los Pertegaces

Olba

EMB. ARENÓS-MONTANEJOS

4

Javalambre ▲2020

Sarrión

Puebla de Arenoso

Erta. de Los Ángeles

Vía-real Villarreal

▲1984 Cerro Cavero

Estación Mora de Rubielos

Venta del Aire

CV-20

Montanejos

▲1456 Muela

Albentosa

Balsa Bajera

Fuente la Reina 953 ▲ Rosada I

SIERRA DE

Salto de la Nov

Las Alhambras

San Agustín

Villanueva de Viver

107

Los Olmos

Manzanera

Montán

Buitre 1957

A-1514

Los Cerezos

Fuen del Cepo

Santa Bárbara

Pina de Montalgrao

▲1155 Palomas

Higueras

Torrijas

1444 Pto. de Torrijas

Alcotas

Barracas

Loma de la Cierva

Arcos de las Salinas

1622

SIERRA DE TORO

Mazorral ▲1112

N-234

Collado de Bancalejo

Pavia

5

Alto del Viso 1512

El Toro

Cuestas de Ragudo

1511 ▲ La Muela

El Collado

La Torre de Abajo

TERUEL VALENCIA

▲1537 Baile

Caudiel

Benafer

1409 ▲ Cerro Negro

La Almeza

La Canaleja

La Cuevarruz

▲1628 Retamar

SIERRA DE JAVALAMBRE

Peña Escabia 1331 ▲

Cerro Simón

Torás

Teresa

Viver

Jérica

Novaliches

Corcolilla

A

La Yesa

B

124

Peña Salad

Abejuela

Arteas de Abajo

C

Bejís

Peña Alta 1275

Alto Gafero

La Muela ▲ 857

Viver

D

SAGUNTO

Alpuente

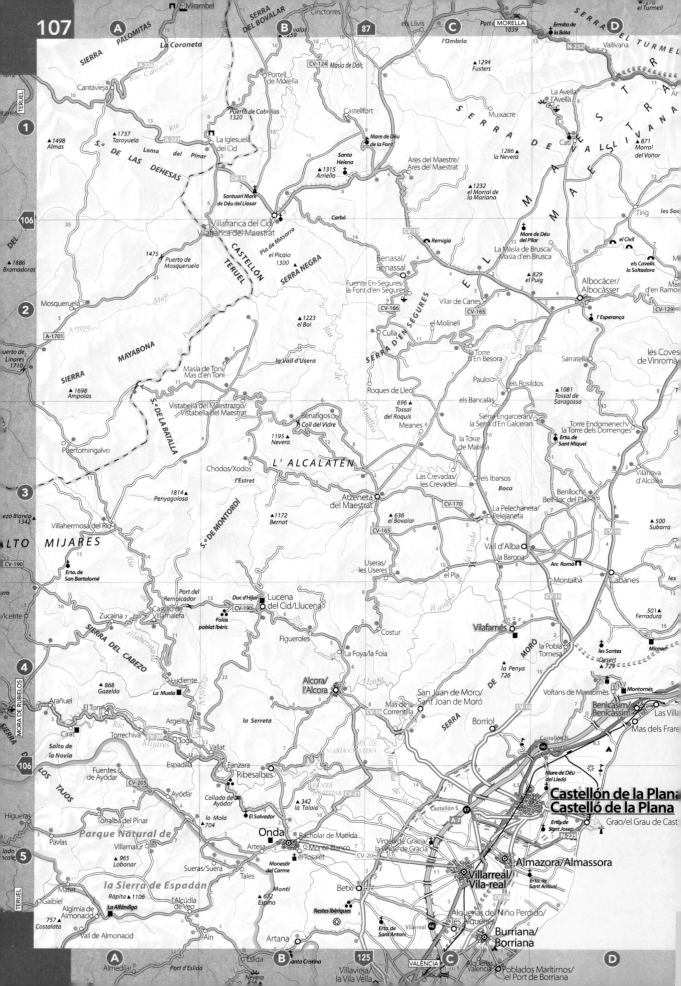

Cane... A...ig

SERRA DEL SOLA

806
Xert

Sant Pere

CV-11

Traiguera

AMPOSTA
...naròs

el Remei
d'Alcanar

2

Les Cases
...anar

Costa de Fora

D

Sant Jordi del Maestrat

la Jana

San Jorge/
Sant Jordi del Maestrat

CV-136

514
Perdiguera

PLA DE VINARÒS

PLANA DE VINARÓZ

10

E-15

N-232

Vista Bella

N-340

N-238

Poblat Ibèric

Platja del Campaner

Vinaròs

AMPOSTA

1

Mateu

Mare de Déu
dels Àngels

Montesa

Cervera de Maestre/
Cervera del Maestrat

CV-135

Mare de Déu
dels Socors

Càlig

8

19

Platja del Riu

la Salzadella

482
Mola

PLANA DE BENICARLÓ

Sant Gregori

A-7

5

Benicarló

Parador de Turismo
de Benicarló

Roca Plana

Peñíscola

V-310

Santa Magdalena de Polpís
Santa Magdalena de Polpís

520
el Cavall

Polpís

422
Bóta

Parc Natural

SALINES

6

Peñíscola/Peñíscola

2

Alcalá de Chivert/
Alcalà de Xivert

V-133

N-340

Coll de
la Palma
524

Serra d'Irta

Xivert

25,5

14

12

Coves

Erta. de
Sant Benet

Cala Argelaga

Cala Mundina

Las Fuentes/les Fonts

M A R

3

Erta. de
Sant Miquel

Alcocéber/Alcossebre

213
Raspall

Torreblanca

Platja del Moro

Torreblanca

Punta de Capicorb

Capicorb

Boca del Pantà

A-7

Parc Natural

...balat

...xa

6

PANTÀ DEL PRAT

Prat de Cabanes-Torreblanca

M E D I T E R R Á N E O

Venta de San Antonio-Estación

Platja de la Ribera

El Empalme

N-340

Platja del Molló
Platja de les Ampláries

Oropesa del Mar/
Orpesa

La Playa/
la Platja

del Xivero

4

5

Reserva Natural de
las Islas Columbretes

A

B

C

D

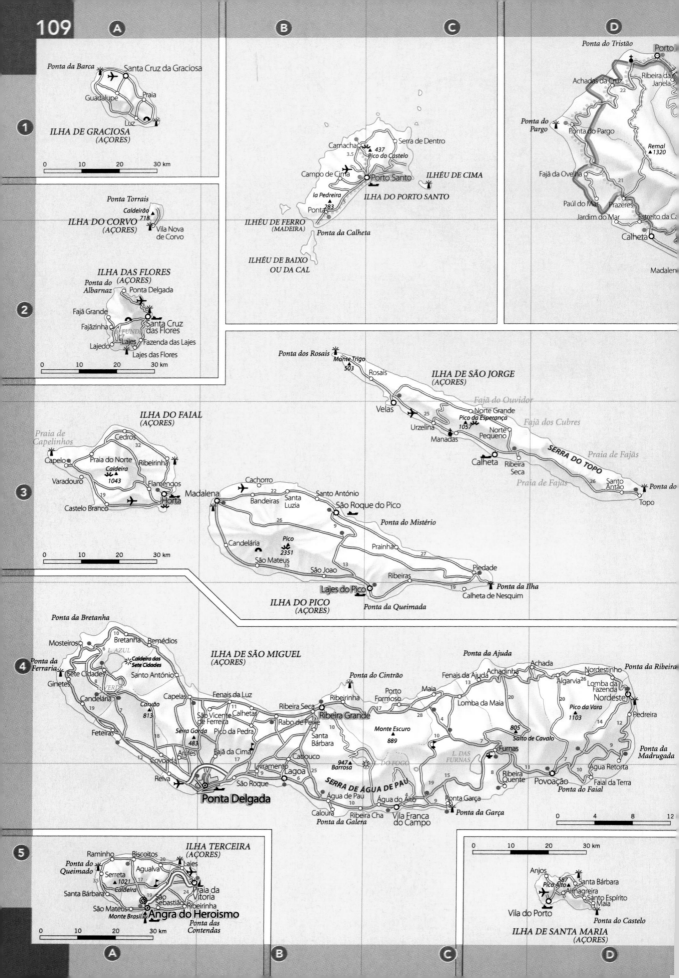

A **B** **C** **D**

1

Ponta da Barca · Santa Cruz da Graciosa
Guadalupe
Praia
Luz
ILHA DE GRACIOSA
(AÇORES)

0   10   20   30 km

Camacha
Serra de Dentro
▲ 437
Pico do Castelo
3.5
Campo de Cima
Porto Santo
ILHÉU DE CIMA
la Pedreira
▲ 283
Ponta
ILHA DO PORTO SANTO

ILHÉU DE FERRO
(MADEIRA)
Ponta da Calheta

**ILHÉU DE BAIXO
OU DA CAL**

Ponta do Tristão
Porto
Achadas da Cruz
Ribeira da Janela
22
Ponta do Pargo
Ponta do Pargo
Remal
▲ 1320
Fajã da Ovelha
21
Paúl do Mar · Prazeres
Jardim do Mar · Estreito da Ca
Calheta
Madalen

2

Ponta Torrais
Caldeirão ▲
718
ILHA DO CORVO
(AÇORES)
Vila Nova de Corvo

ILHA DAS FLORES
(AÇORES)
Ponta do Albarnaz
Ponta Delgada
Fajã Grande
Fajãzinha
FUNDA
Santa Cruz das Flores
Lajedo
Lajes · Fazenda das Lajes
Lajes das Flores

0   10   20   30 km

3

Praia de Capelinhos
ILHA DO FAIAL
(AÇORES)
Cedros
32
Capelo
Praia do Norte
Ribeirinha
Caldeira ▲
1043
Varadouro
19
Flamengos
Castelo Branco
Horta

0   10   20   30 km

Ponta dos Rosais
Monte Trigo
503
Rosais
ILHA DE SÃO JORGE
(AÇORES)
Fajã do Ouvidor
Velas
25
Norte Grande
Pico da Esperança
Fajã dos Cubres
Urzelina
1057
Manadas
Norte Pequeno
SERRA DO TOPO
Calheta
Ribeira Seca
Praia de Fajãs
Praia de Fajãs
Santo Antão
25
Ponta do
Topo

Cachorro
22
Madalena
Bandeiras
Santa Luzia
Santo António
São Roque do Pico
26
Ponta do Mistério
Pico ✈
2351
Candelária
Prainha
27
São Mateus
35
São Joao
13
Ribeiras
Piedade
Lajes do Pico
19
Ponta da Ilha
Calheta de Nesquim
ILHA DO PICO
(AÇORES)
Ponta da Queimada

4

Ponta da Bretanha
Mosteiros
10
Bretanha · Remédios
L. AZUL
Ponta da Ferraria
Caldeira das Sete Cidades
ILHA DE SÃO MIGUEL
(AÇORES)
Ponta da Ajuda
Achada
Sete Cidades
Santo António
Ginetes
8
VERDE
Fenais da Ajuda
Achadinha
Nordestinho
Ponta da Ribeira
Candelária
Capelas
Maia
13
Algarvia 26
Lomba da Fazenda
Fenais da Luz
Ponta do Cintrão
Nordeste
19
7
Carvão
Ribeirinha
Porto Formoso
Lomba da Maia
20
Pico da Vara
Pedreira
813
São Vicente de Ferreira
Calhetas
Ribeira Seca
1103
14
12
Feteiras
Serra Gorda
Ribeira Grande
17
483
Pico da Pedra
Rabo de Peixe
28
805
Ponta da Madrugada
18
Santa Bárbara
Monte Escuro
Salto do Cavalo
Arrifes
Fajã da Cima
889
Furnas
9
12
Cabouco
947
Água Retorta
Relva
Livramento
Barrosa
DO FOGO
L. DAS FURNAS
11
Covoada
Lagoa
10
15
8
Faial da Terra
São Roque
25
Ribeira Quente
10
7
Ponta Delgada
SERRA DE ÁGUA DE PAU
19
Povoação
Água de Pau
Ponta do Faial
Caloura
Água do Alto
Ponta Garça
9
Ponta da Galera
Ribeira Cha
Vila Franca do Campo
Ponta da Garça

0   4   8   12

5

Raminho
Biscoitos
ILHA TERCEIRA
(AÇORES)
Ponta do Queimado
20
Agualva
Lajes
Serreta
▲ 1021
17
Santa Bárbara
Caldeira
Praia da Vitória
São Mateus
19
São Sebastião
24
Ribeirinha
Monte Brasil
Angra do Heroísmo
Ponta das Contendas

0   10   20   30 km

0   10   20   30 km

Anjos
Pico Alto 587
Santa Bárbara
Almagreira
Santo Espírito
Maia
Vila do Porto
Ponta do Castelo
ILHA DE SANTA MARIA
(AÇORES)

A **B** **C** **D**

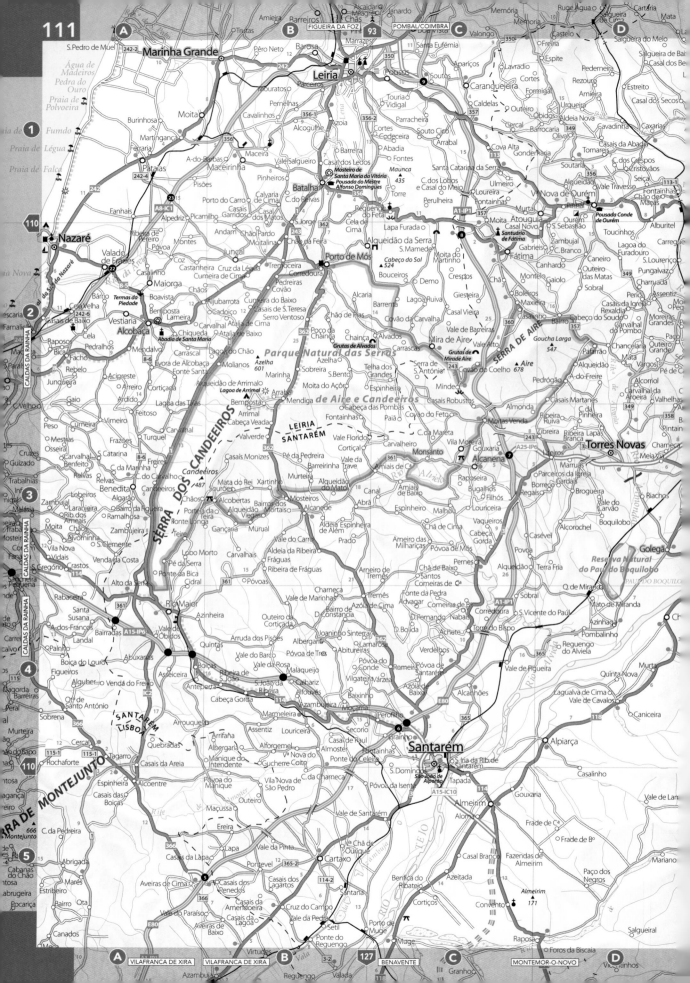

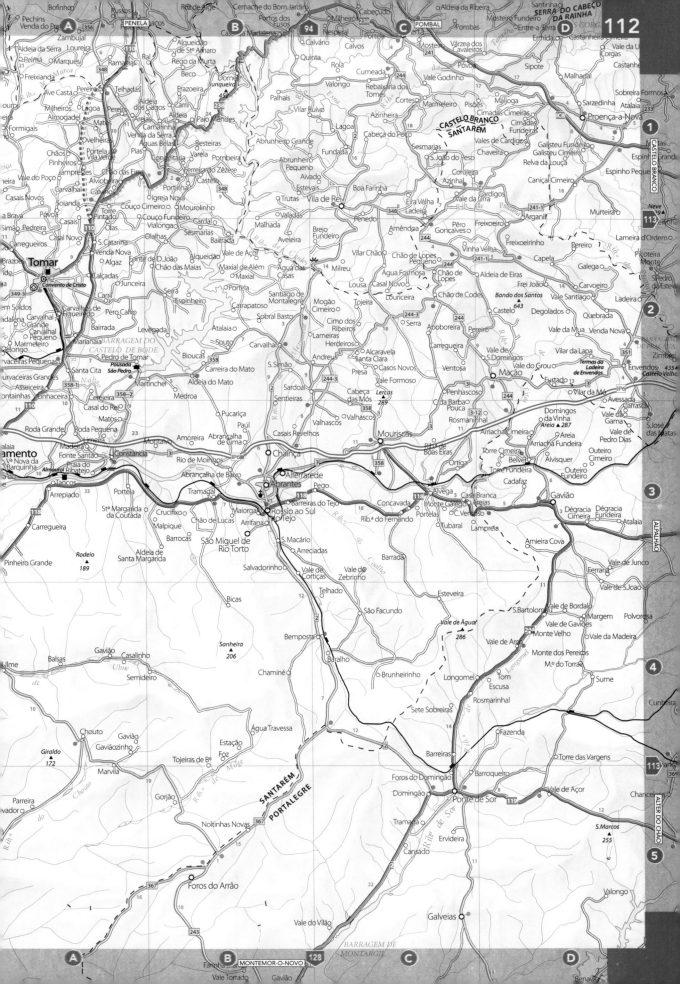

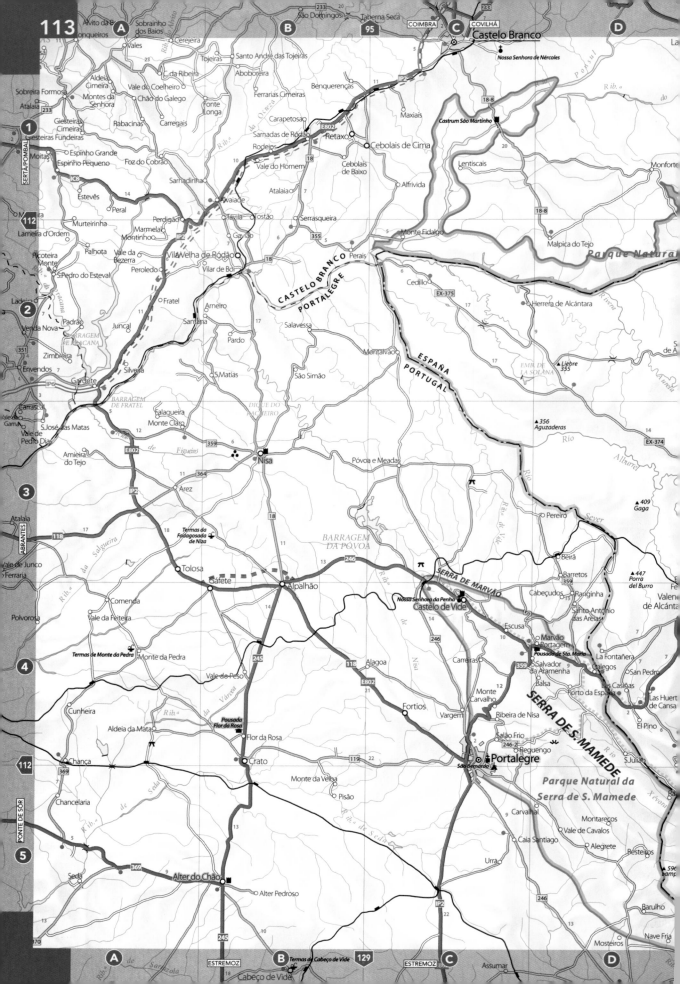

A   B   355   96   C   SIERRA LA SOLA   D

TERMAS DE MONFORTINHO
Zebreira   240
353
Segura   EX-207

Peraleda   EX-117   13   11
12   387▲ La Guardia
14
Ceclavín
398 ▲ Canchito   350 ▲ San Albín   Acehúch
1
115

Piedras Albas   16

400 ▲ Cabezo
Estorninos   Poblado Permanente   EMB. DE ALCÁNTARA 2
de Hidroeléctrica Española
Puente romano   Mata de   395 ▲   418 ▲ Sierrita
Alcántara   Cancheras de Pera
Alcántara   EMB. DE
CUETO   24
EMB. DEL   EMB. DE MOLINO   Cabezajartín
ALCÁNTARA 1   DE CABRA   409 ▲
2
EMBALSE   Villa del Rey   Mariperales
DE CEDILLO   EX-117   462 ▲
353 ▲   Navas del
Puntéréa   Tomillosillo   27   EMB. DE   EX-207   Madroño
BROZAS   11
Carbajo   Brozas   521▲
357 ▲   Cabeza Araya
SIERRA   Casa Mortera   19
DE   EX-302
SANTIAGO   568 ▲   24   385 ▲   3
Piejuntilla   Galaperal   Ntra. Señora
de la Luz
Membrío   EMB. DE   EMB. ARAYA
EMB. DE   ZAMORES   13   Salor   DE ARRIBA   21
SIERRA MATALOBOS   Salorino   11   345 ▲
N-521   EMB. DE   Herreruela   Mallas   Río Casillas   CÁCERES
12   SIERRA   599 ▲   RIVERA DE MULA   7
Mancha   SIERRA   328 ▲   N-521   Aliseda
Puerto de Élice   Chozones   20   8   Alm
445   CÁCERES   7   SIERRA DE
702 ▲   BADAJOZ   LA UMBRÍA
Torrico de San Pedro   DE   Puerto del Acebuche   SIERRA
EMB.   ENTRE SIERRAS   SAN   4
COTADILLA   21   15   LAS   115
EX-110   610 ▲   SIERRA DE PAJONALES   PERDICES
San Vicente   Manzano   EX-303   PEDRO   DE
de Alcántara   491 ▲   EMB. SAN   SIERRA
Torrejón   ALVARO   EX-302   EMB. DE   BRAVA   560 ▲
Alcorneo   Castillo de   ALISEDA   Morrón de   23
Piedrabuena   20   461 ▲   la Espadaña
Castillo de   BALDÍOS   Santa María   EX-326   489 ▲
Mayorga   22   Palomas   5
SIERRA   Dehesa   DE   SIERRA   SIERRA DE
NARANJAL   Mayorga   ALBURQUERQUE   SANTIAGO   EX-303   LOS BUEYES
Abrigo del Risco   SIERRA   SIERRA GORDA
de San Blas   Alburquerque   Castillo de   Puebla
539 ▲   SIERRA DE LA CARABA   Azagala   de Obando
Matasiete   EMB. DE LA   D
Benavente   PEÑA DEL AGUILA
A   B   130   C
394 ▲   Puerto de   SIERRA DE
Loba   los Conejeros   Casas de   NTOSILLA
340   San Juan   Bragao

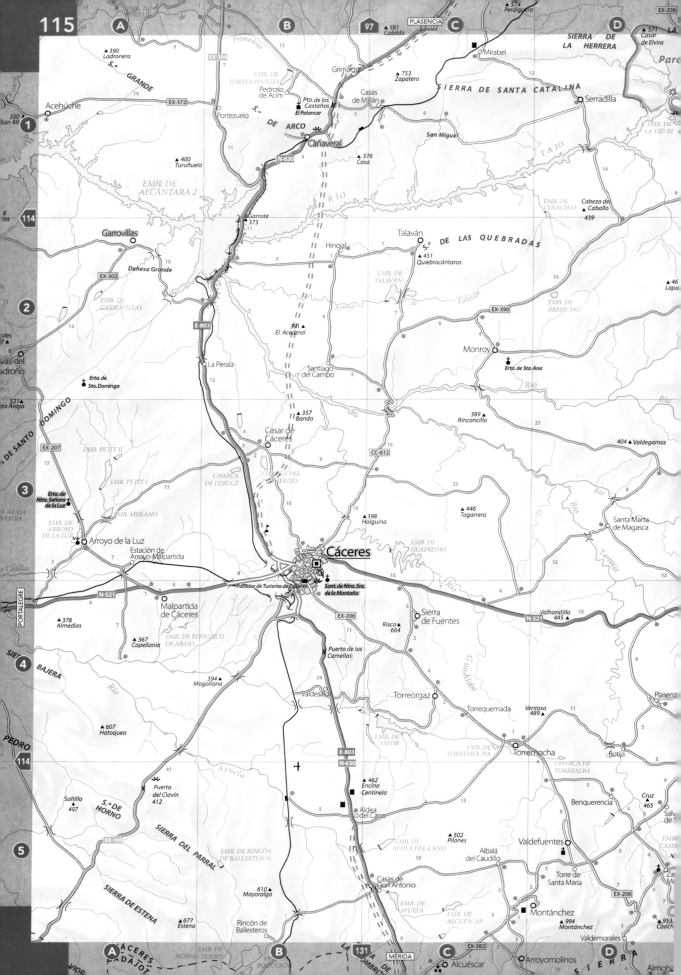

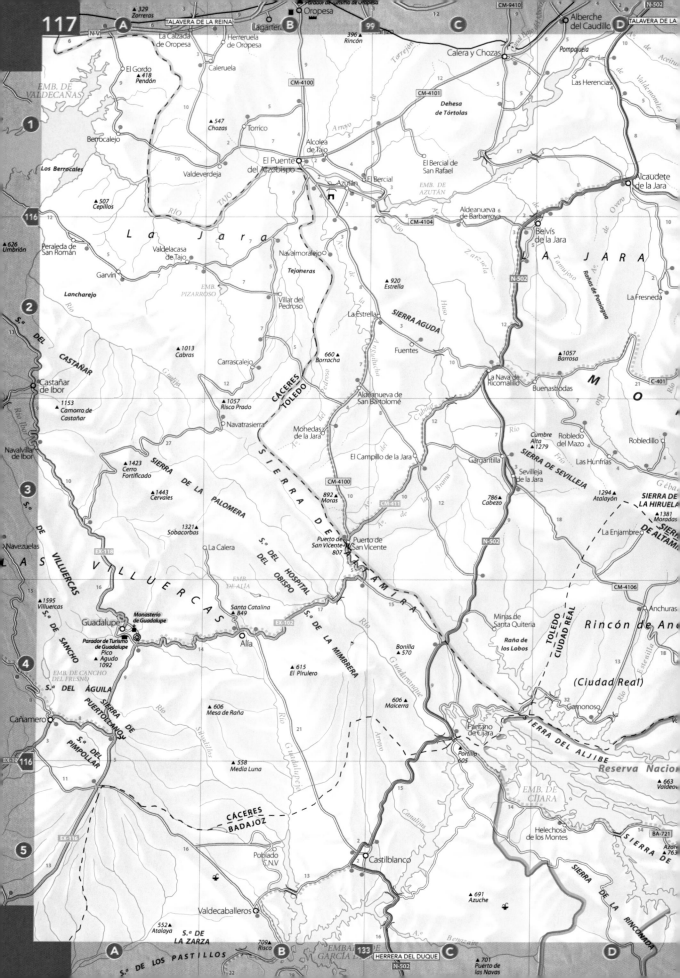

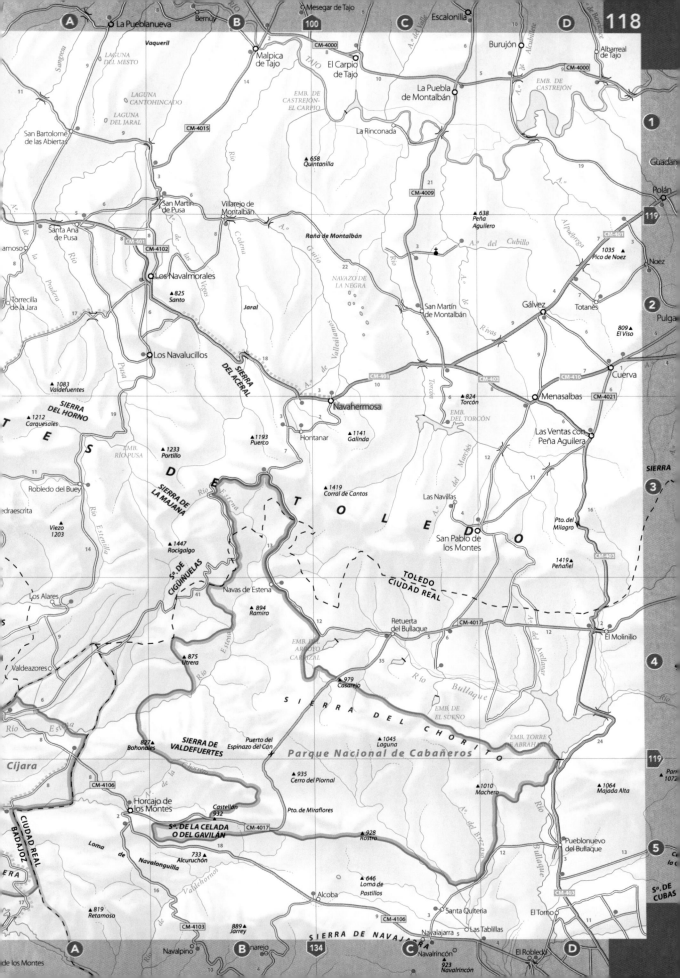

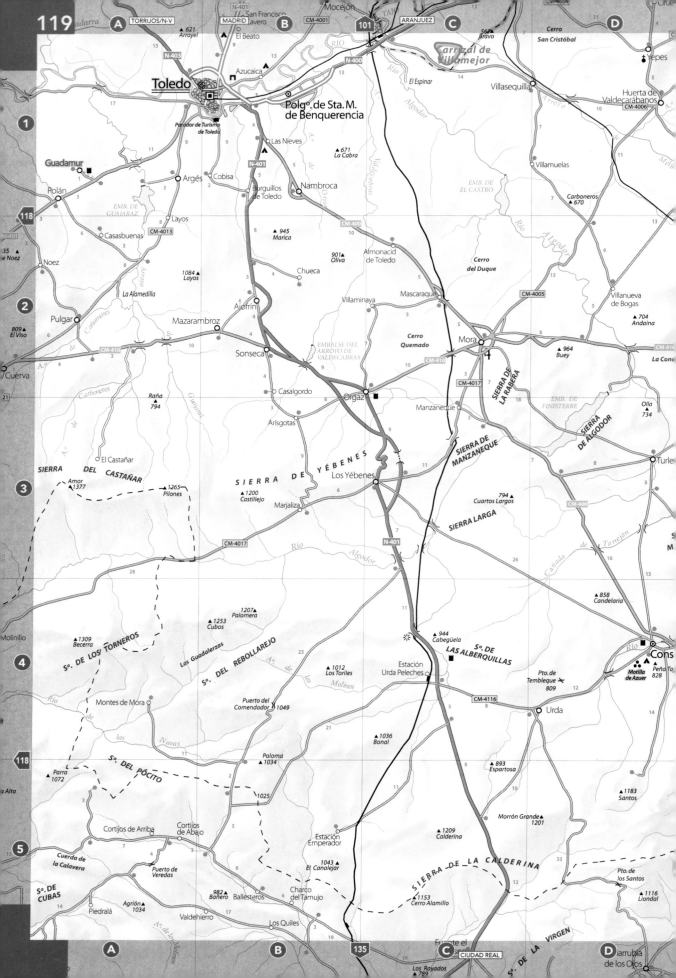

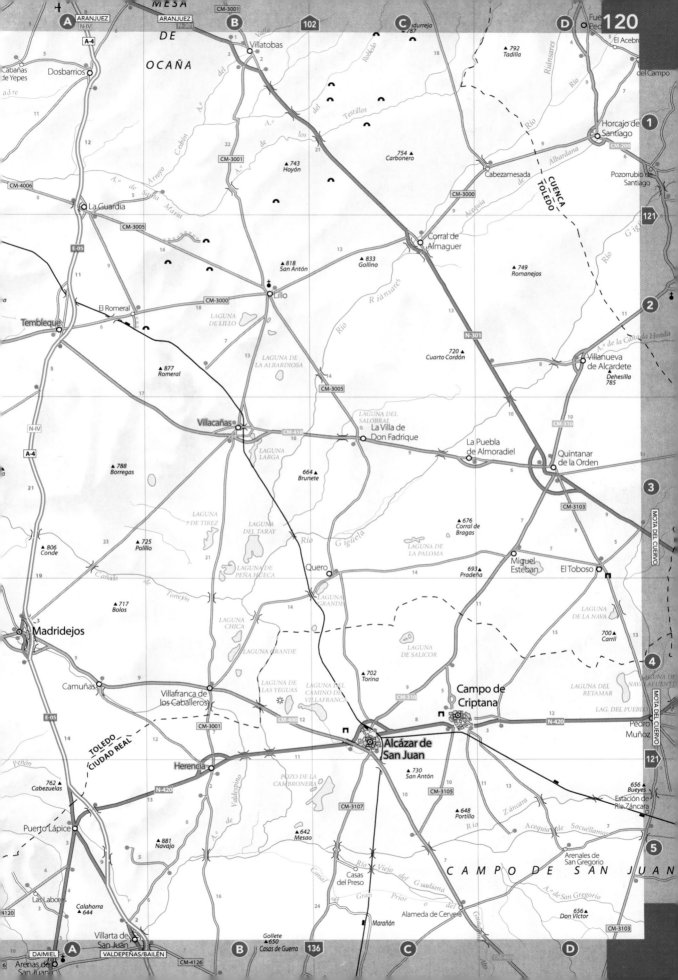

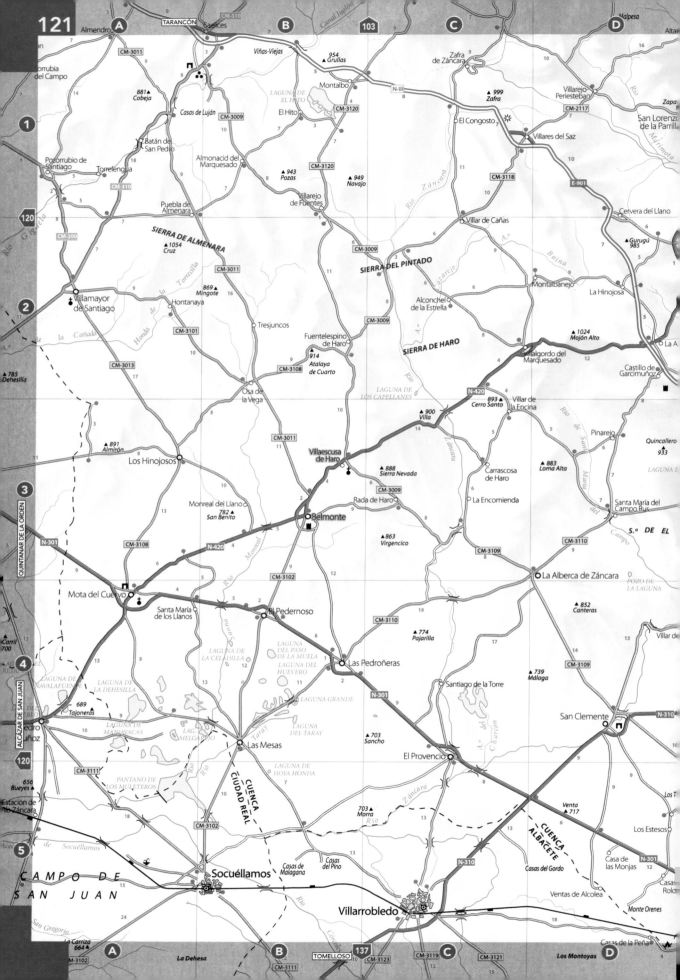

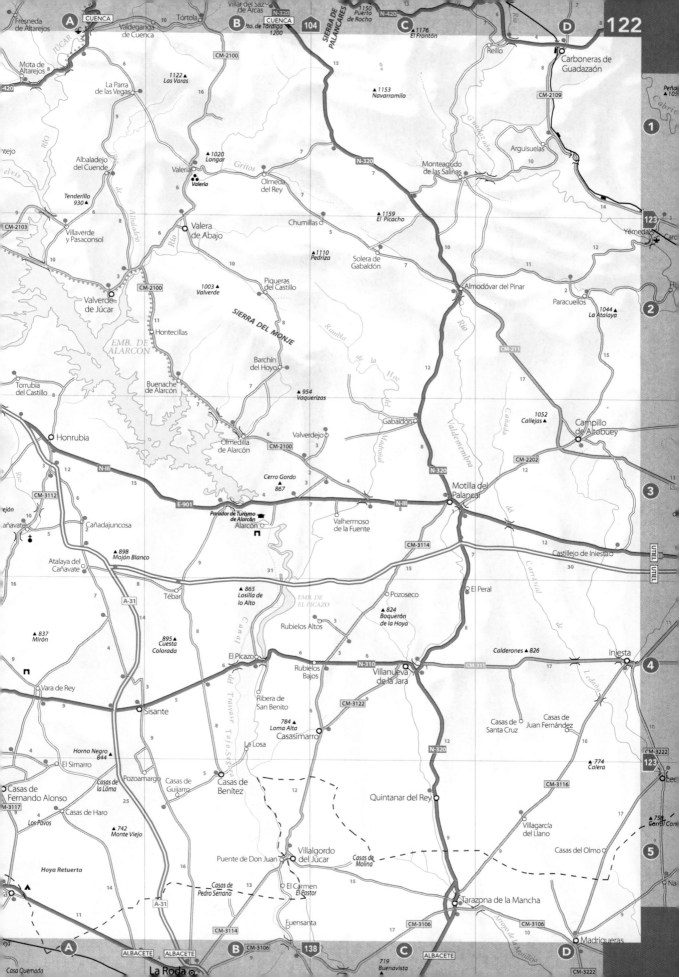

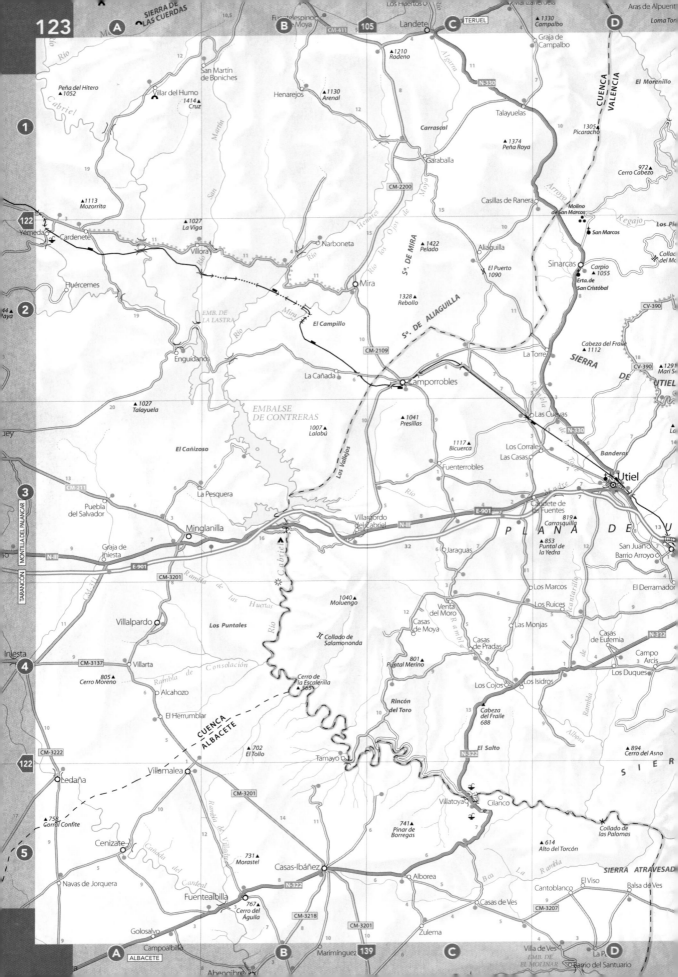

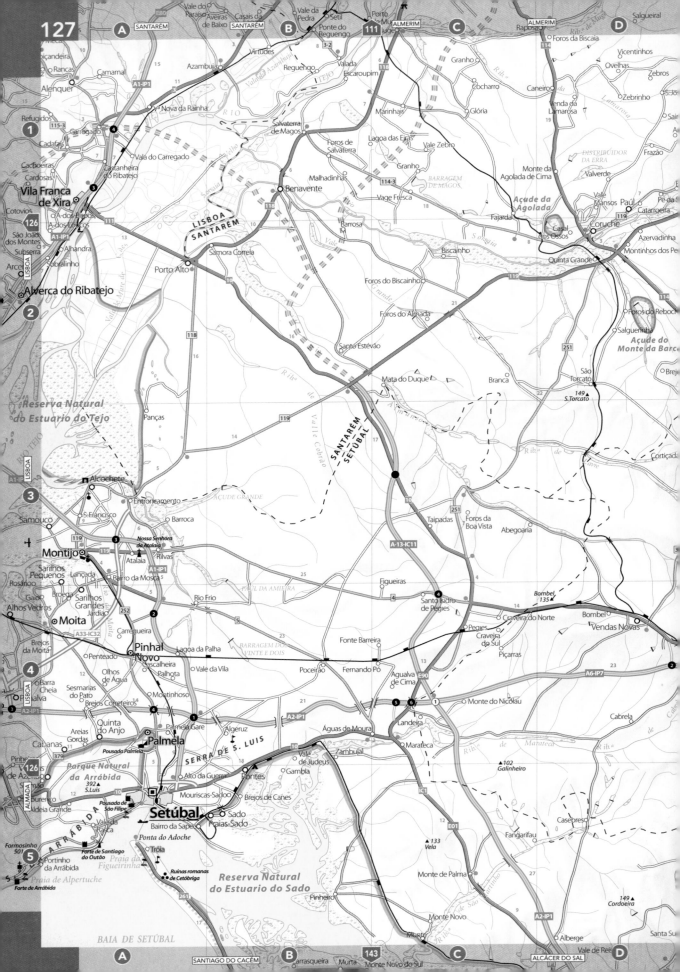

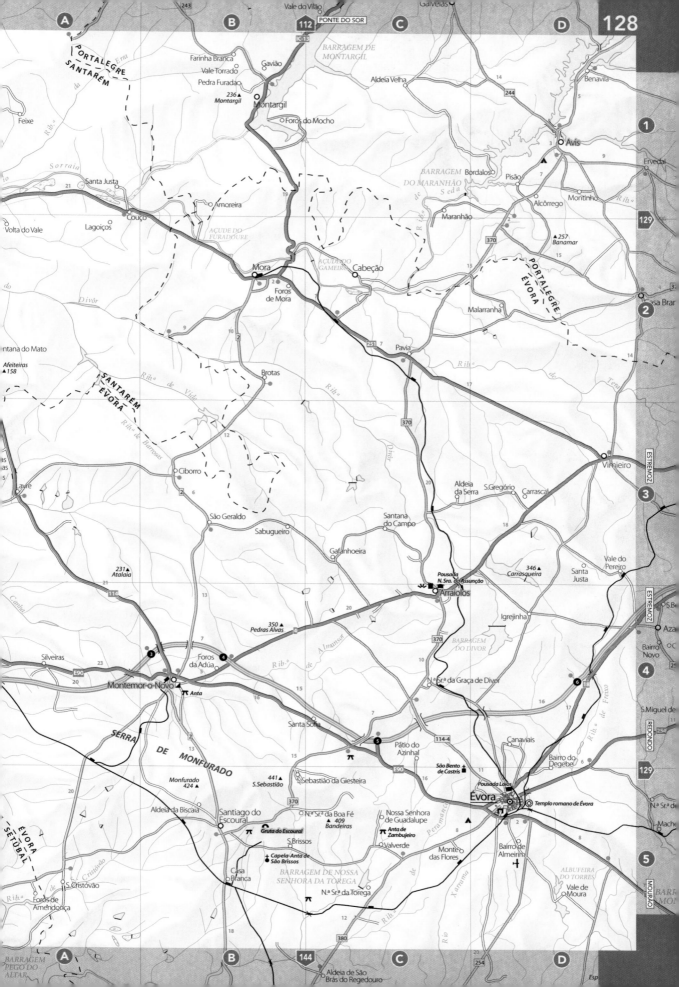

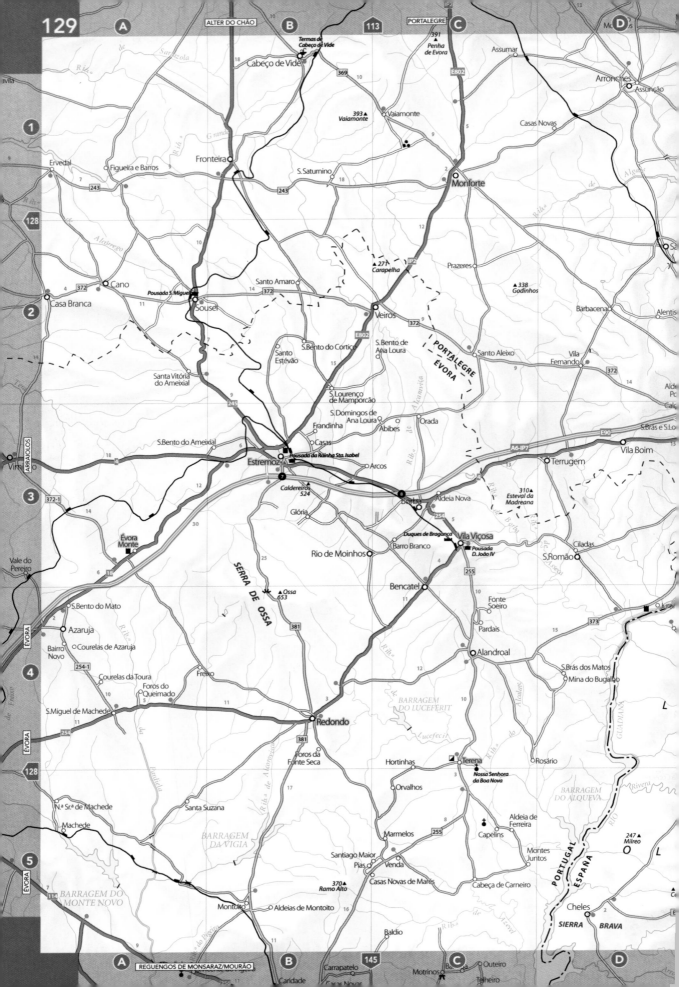

A   B   113   PORTALEGRE   C   D

ALTER DO CHÃO

Termas de
Cabeço de Vide

Cabeço de Vide

369

391
Penha
de Evora

Assumar

E802

Arronches

Assunção

1

Ervedal

Figueira e Barros

Fronteira

S. Saturnino

393
Vaiamonte

Vaiamonte

Casas Novas

Monforte

243

243

Casa Branca

Cano

372

Pousada S. Miguel

Sousel

Santo Amaro

372

Veiros

271
Carapelha

IP2

Prazeres

338
Godinhos

Barbacena

Alentis

2

Santa Vitória
do Ameixial

Santo
Estêvão

S. Bento do Cortiço

S. Bento de
Ana Loura

E802

372

PORTALEGRE
EVORA

Santo Aleixo

Vila
Fernando

372

245

S. Lourenço
de Mamporcão

S. Domingos de
Ana Loura

Abibes

Orada

E90

S. Brás e S.Lo

S.Bento do Ameixial

Frandinha

Casas

Pousada da Rainha Sta. Isabel

Estremoz

Arcos

A6-IP7

Terrugem

Vila Boim

3

372-1

Caldereiros
524

Borba

Aldeia Nova

310
Esteval da
Madreana

13

Glória

Évora
Monte

Rio de Moinhos

Barro Branco

Duques de Bragança

Vila Viçosa

Pousada
D. João IV

Ciladas

S.Romão

Vale do
Pereiro

SERRA

DE

OSSA

Ossa
653

381

Bencatel

255

Fonte
Soeiro

Pardais

373

S.Bento do Mato

Azaruja

Courelas de Azaruja

Freixo

Alandroal

S.Brás dos Matos

Mina do Bugalho

4

Bairro
Novo

254-1

Courelas da Toura

Foros do
Queimado

BARRAGEM
DO LUCEFERIT

S.Miguel de Machede

254

Redondo

381

Foros da
Fonte Seca

Hortinhas

Terena

Rosário

BARRAGEM
DO ALQUEVA

128

N.ª Sr.ª de Machede

Santa Suzana

BARRAGEM
DA VIGIA

Orvalhos

Nossa Senhora
da Boa Nova

Machede

Marmelos

255

Aldeia de
Ferreira

Capelins

Montes
Juntos

247
Milreo

5

Santiago Maior

Pias

Venda

Casas Novas de Marés

Cabeça de Carneiro

Cheles

SIERRA BRAVA

114

BARRAGEM DO
MONTE NOVO

Montoito

Aldeias de Montoito

370
Ramo Alto

Baldio

A   B   145   C   D

REGUENGOS DE MONSARAZ/MOURÃO

Carrapatelo

Caridade

Motrinos

Outeiro

Telheiro

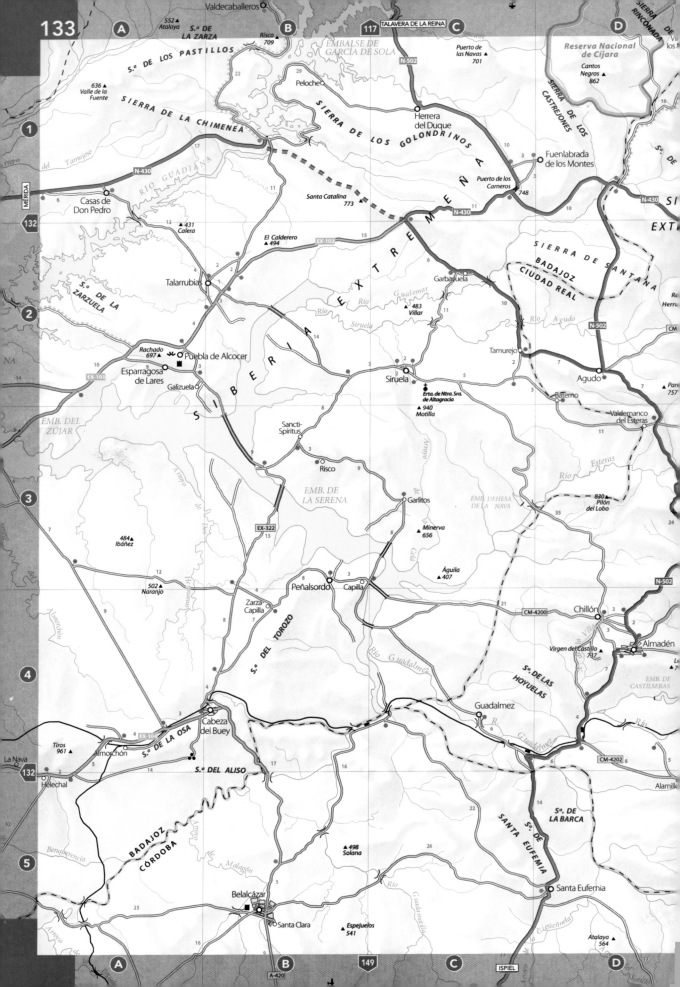

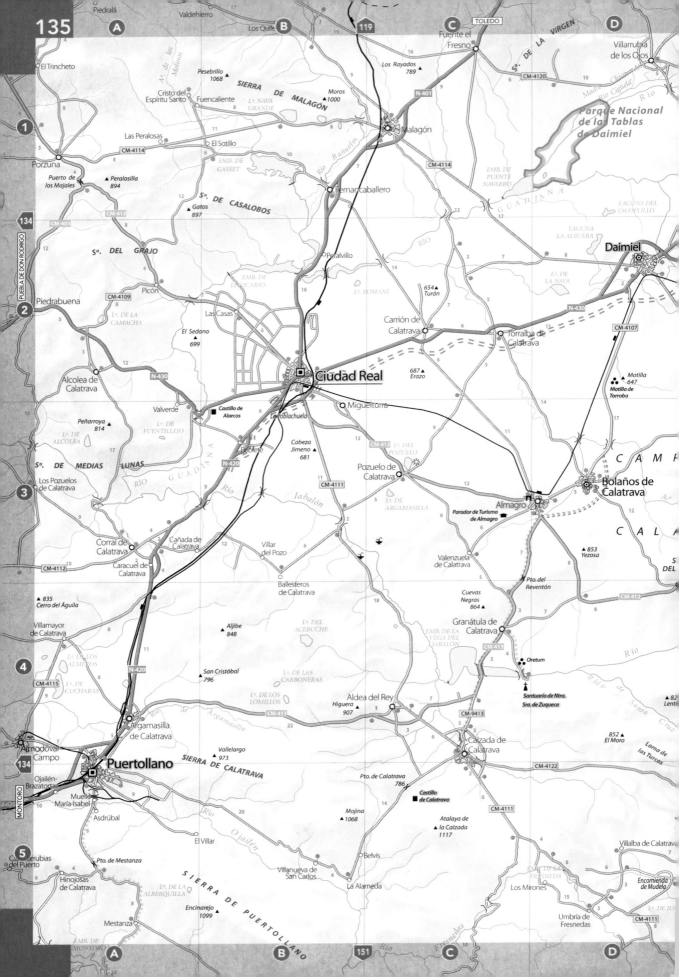

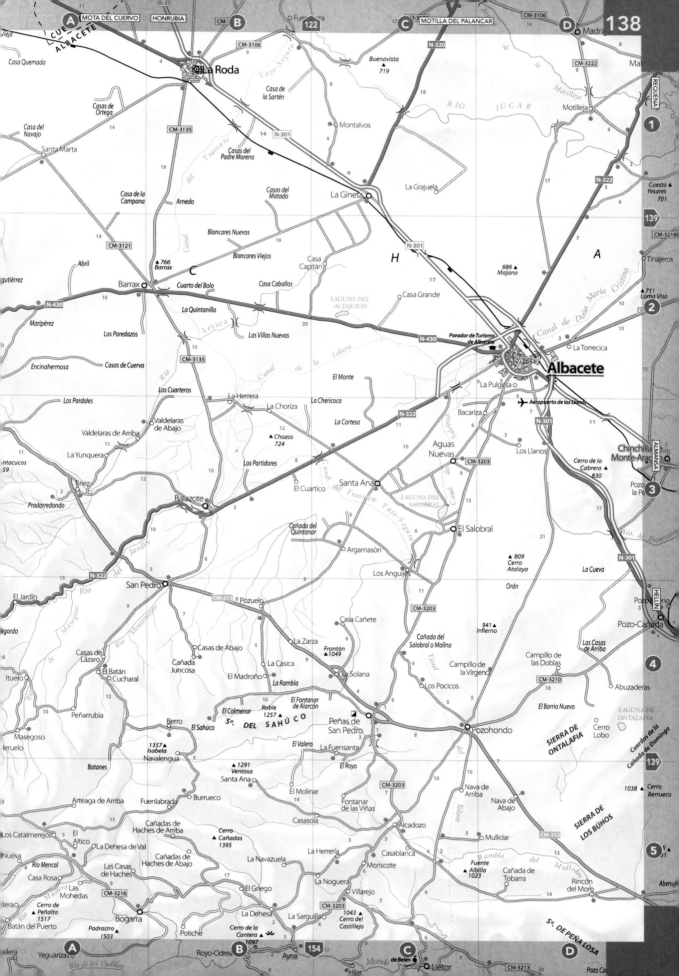

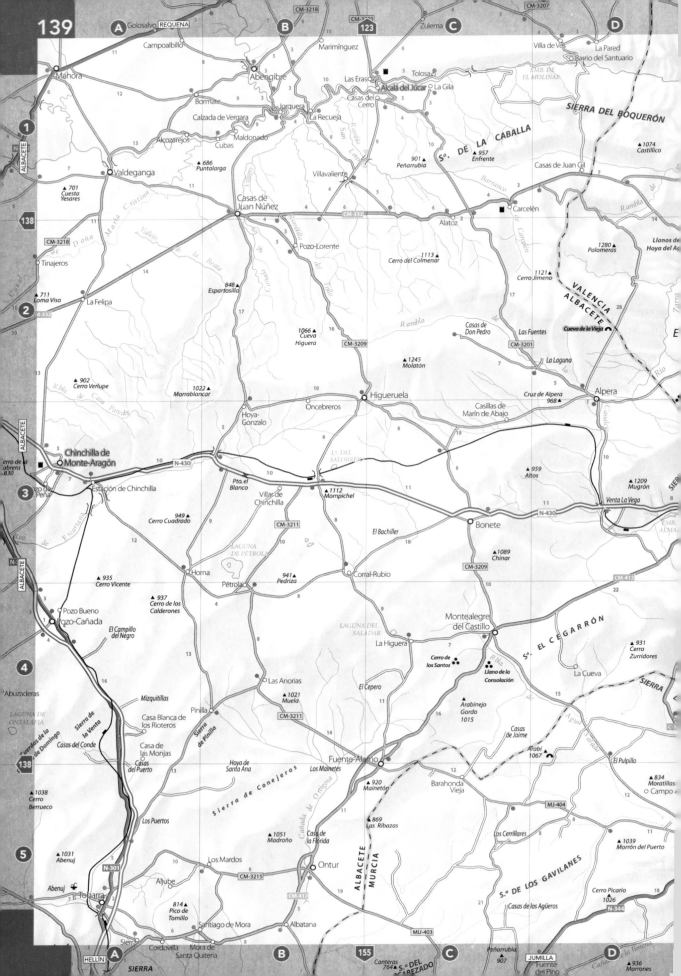

A B C D

1

2

3

M E D I T E R R Á N E O

els Molins

les Marines

Dénia

CV-725

ra/la Xara

Parque Natural
del Montgó

753

el Montgó

Aduanas/
la Duana

CV-736

Cap de Sant Antoni
C. de San Antonio

Jávea/
Xàbia

Parador de Turismo
de Jávea

Gata de
Gorgos

CV-734

Cala Blanca

DEL
ELLAR

Gorgos

185

Cap de Sant Martí

Costa Nova

Cap de la Nau
C. de la Nao

Teulada

Benitachell/
el Poblenou
de Benitatxell

Platja de
la Granadella

Cala els Tests

4

Fanadix

Port

Cala dels Pins

Bada Moraira

Punta de Moraira

Cap Blanc

Cala de la Fustera

La Caleta

M A R

Parque Natural del
Peñón de Ifach

Peñón de Ifach/Penyal d'Ifac

ix

M E D I T E R R Á N E O

5

A B C D

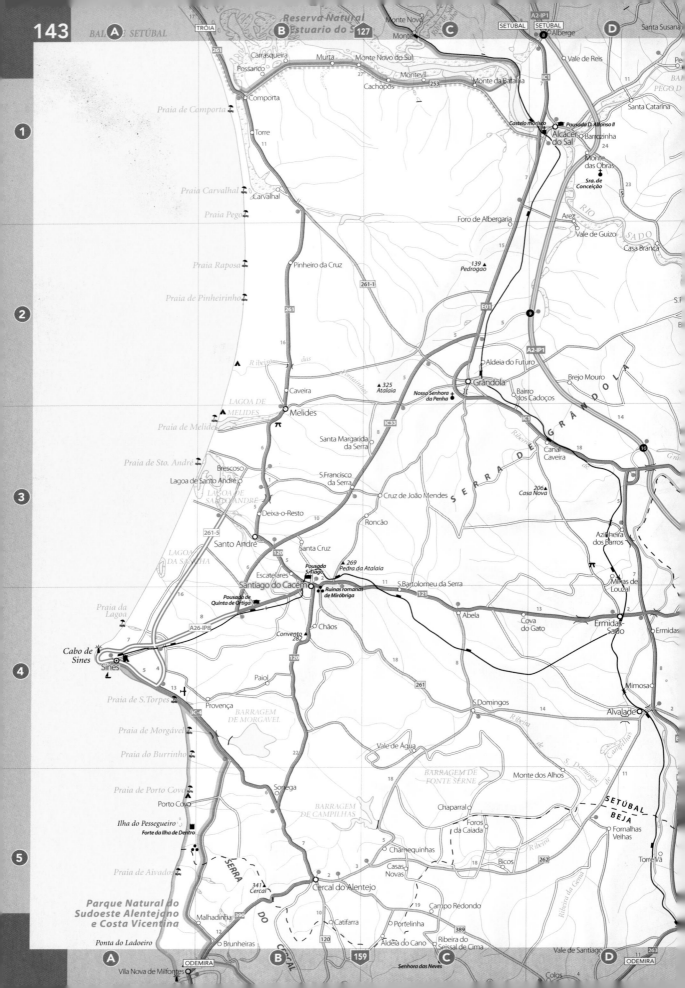

ÉVORA

S.Manços
Vendinha
S.Vicente do Pigeiro
Caridade
Casas Novas
Carrapatelo
Baldio
Motrinos
Barrada
Outeiro
Telheiro
Ferragudo
Menhir do Outeiro
Monsaraz
Orada
SIERRA
BRAVA
Cheles

256
129
256

Telheiros
Monte do Trigo
Gafanheiras
Perolivas
Reguengos de Monsaraz
Corval
S.Pedro do Corval
Corval
247
Valdesevilla

IP2
E802
Rio Degebe
Antas e Tholos da Farisoa
Cumeada
Campinho
ALBUFEIRA DE MOURÃO
Mourão
ESPAÑA
PORTUGAL
Villan del Fre

São Pedro
São Pedro
424
SERRA DE PORTEL
Portel
Campo
255
Luz
385

144

Amieira
Torto
384
Rio
Estrela
ÉVORA
BEJA
Granja

Cabeça
Meireiro
412
Vera Cruz
Alqueva
Póvoa de S.Miguel
386
Amareleja

Alcaria
Gião
335
BARRAGEM DO ALQUEVA
258
13

258
Marmelar
255
Santo António de Outeiro
Moura
Santo Amador
258
385

Selmes
3
Pedrógão
Nossa Senhora dos Prazeres
Orada
386
276
Atalaia Gorda
Machados
Safara
BARRAGEM DE SAFARA

S.Pedro de Pomares
19
15
Toutalga

234
Fontes
Brinches
Santa Luzia
SERRA DA ADIÇA
12

BEJA
Baleizão
Pias
Sobral da Adiça
385

4
14
260
255
Vale de Vargo
Ficalho
522
Rosal de la Frontera

Risies
Quintos
3
10
15
392
8
260
Vila Verde de Ficalho

oteia
217
Serpa
Pousada S. Gens
4
Vila Nova de S.Bento
10
PORTUGAL
ESPAÑA

144
14
Aldeia do Pinto
5
266
Viegas

Santa Iria
12

Parque Natural do Vale do Guadiana
Mosteiro
Amendo da Serra
SERRA DE SERPA
Vales Mortos
161
Santa Bárbara de Casa

Pulo do Lobo
206
RIO GUADIANA
A-49

1
2
3
4
5

A
B
C
D

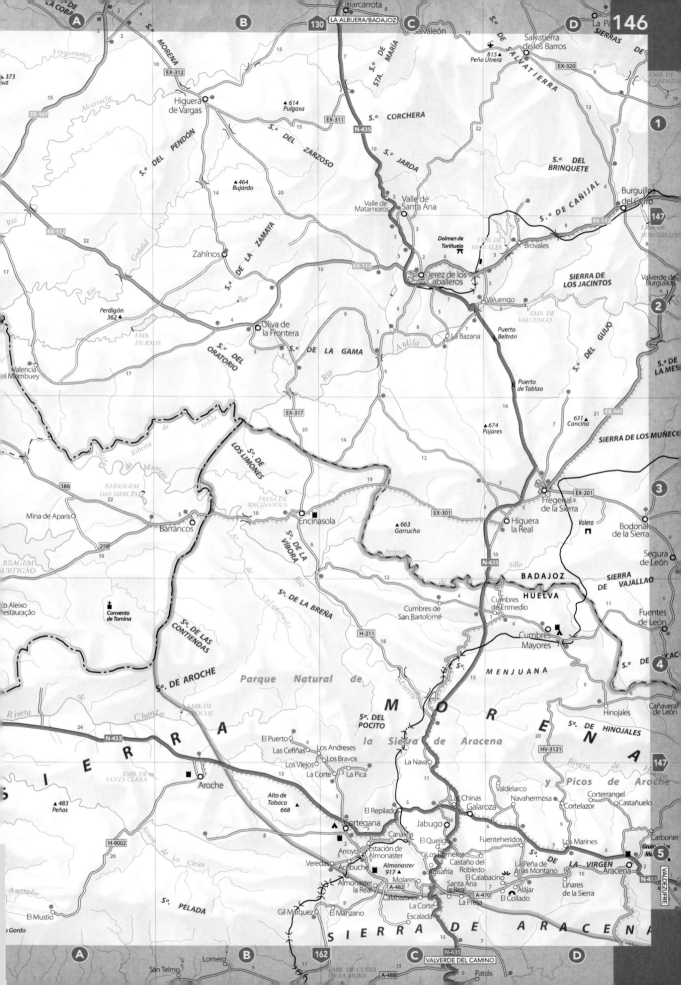

Corcho 661
Calavera 634 ▲
S.ª PALIZA
S.ª DEL PRADO
PRESA DEL BERCIAL
Campillo de Llerena
Cornicabra
LAGUNA DEL RAPOSO
Rubiales
Maguilla
Albariza 599 ▲
El Pedrosillo
Berlanga
Ahillones
Carneros 613 ▲
Las Garzonas 623 ▲
EX-309
Valverde de Llerena
EX-200
Fuente del Arco
la Ara
La Capitana 960 ▲
SIERRA DE SAN MIGUEL
Guadalcanal
S.ª DEL AGUA
A-432
Cuevas de Santiago
Humapega 910 ▲
Alanís
Solanas del Valle
Pozos 736 ▲
SIERRA DE LA GRANA
La Ganchosa
Parque Natural de
Cazalla de la Sierra
A-450
A-432
S.ª DE EL PEDROSO
la Sierra Norte
Acebuche 518 ▲
EMB. TAMUJAR
A
Fábrica del Pedroso
El Pedroso
A-452
164
B

EX-103
132
EX-111
Santa Inés 846 ▲
S.ª LENGUA
S.ª DEL QUEBRAJO
Río Zújar
Cornejo 644 ▲
Acebuche 733 ▲
Peraleda del Zaucejo
BADAJOZ
CÓRDOBA
S.ª DEL CASCAJOSO
S.ª DEL CAMBRÓN
Madroño 617 ▲
S.ª NAVARRA
Los Blázquez
S.ª DE LAS CUEVAS
S.ª DE LA GRANA
Cuenca
Granja de Torrehermosa
N-432
Caleras 603 ▲
Azuaga
Castillo de Miramontes
Las Labores 610 ▲
La Cardenchosa
La Coronada
Fuente Obejuna
PEÑARROYA-PUEBLONUEVO
S.ª LOS SAN
Los Rubios
Calaveruela 733 ▲
Argallón
Cañada del Gamo
Ojuelos Bajos
EX-308
EMB. DE AZUAGA
SIERRA DEL RECUERO
Piconcillo
Ojuelos Altos
BADAJOZ
SEVILLA
Valdeinfierno
Los Morenos
La Car
Malcocinado
Mojón 715 ▲
A-447
S.ª DE LA ALBARRANA
Muela 663 ▲
El Cabril
Capitán 801 ▲
La Nava
S.ª DEL ÁGUILA
SEVILLA
CÓRDOBA
Florencio 734 ▲
San Nicolás del Puerto
Cerro del Hierro
La Viñuela
Los Riscos 743 ▲
149
Tiesa 672 ▲
San Cali
A-455
Las Navas de la Concepción
Constantina
Gibarrayo 749 ▲
Navalayegua 443 ▲
El Ag
C
D

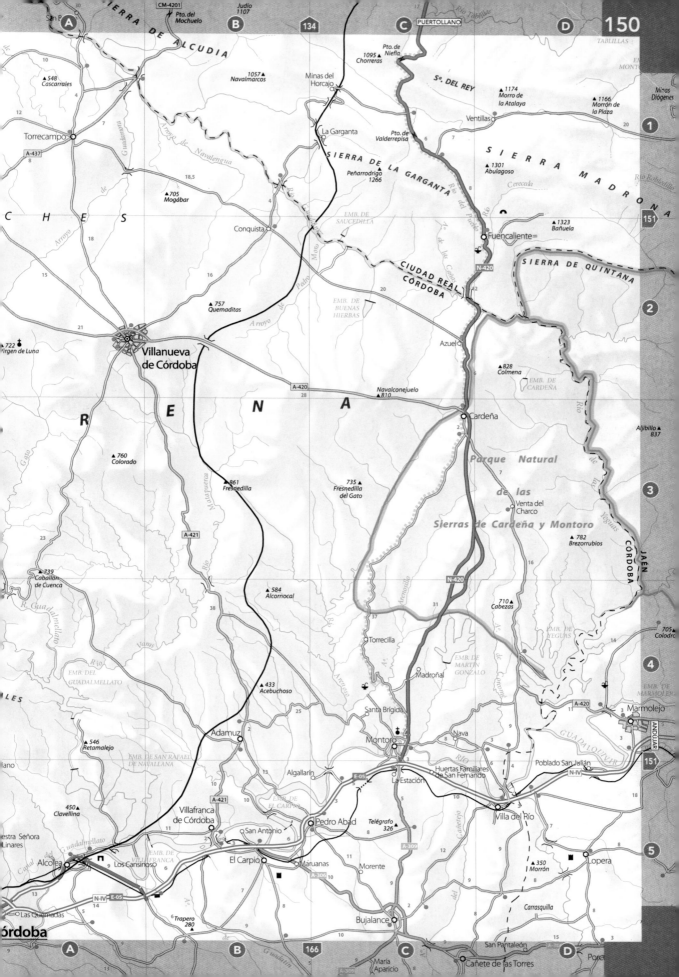

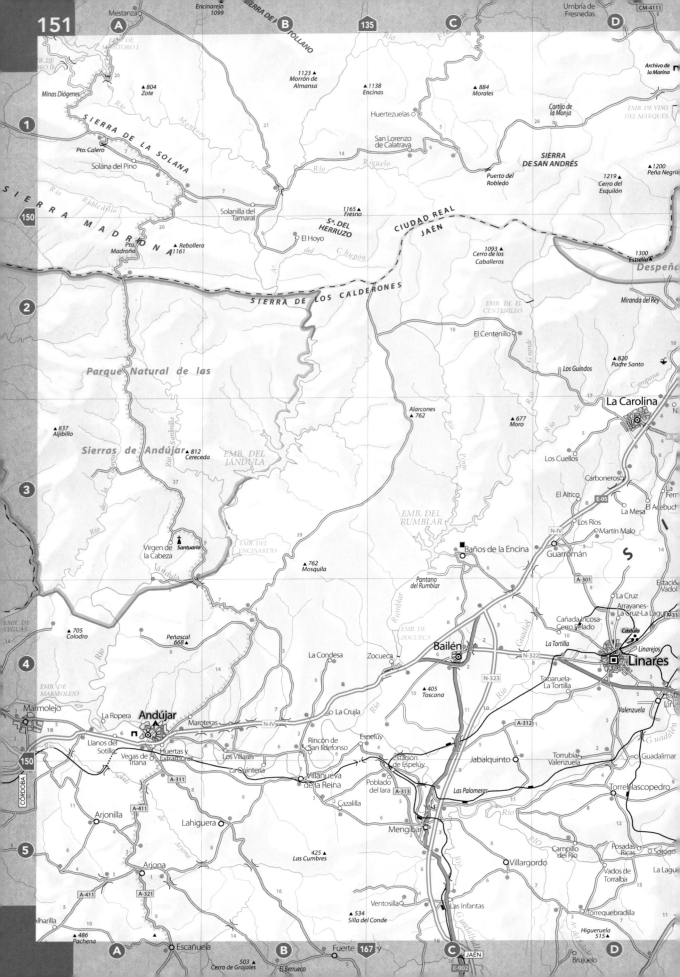

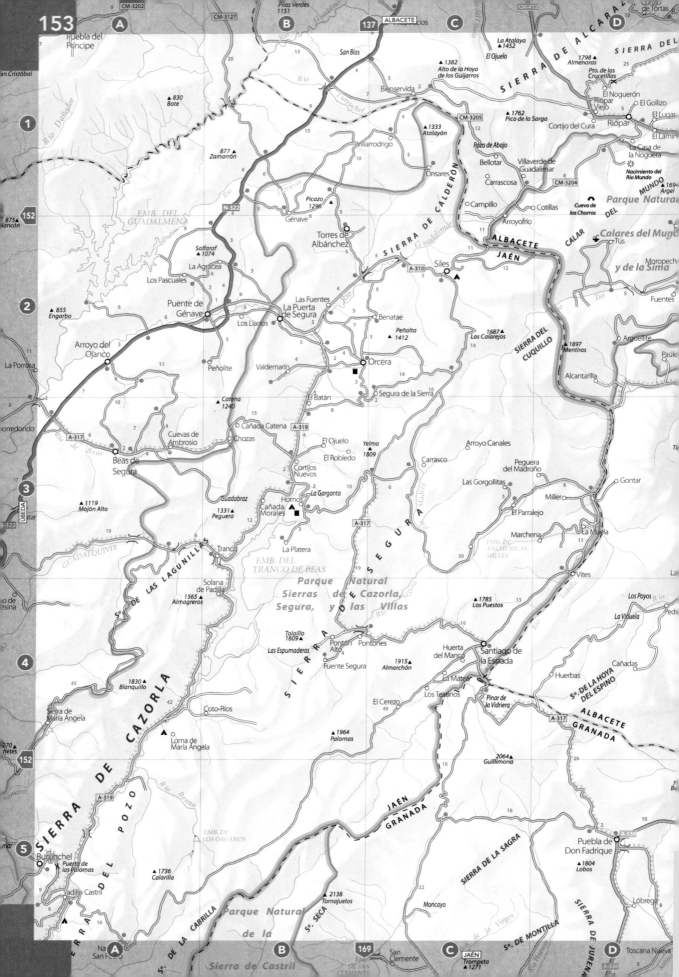

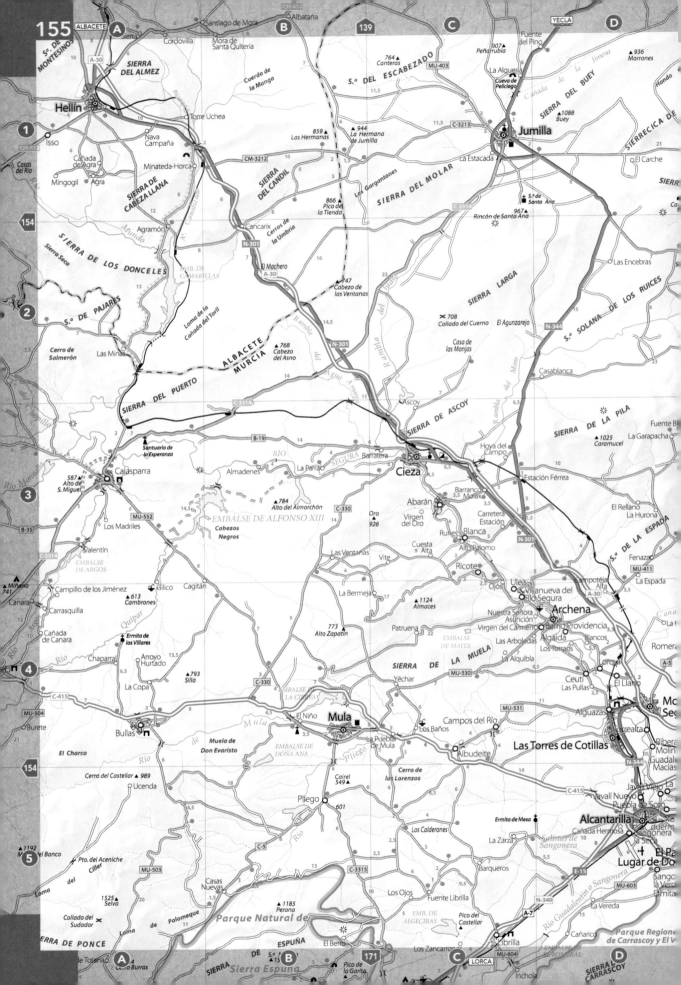

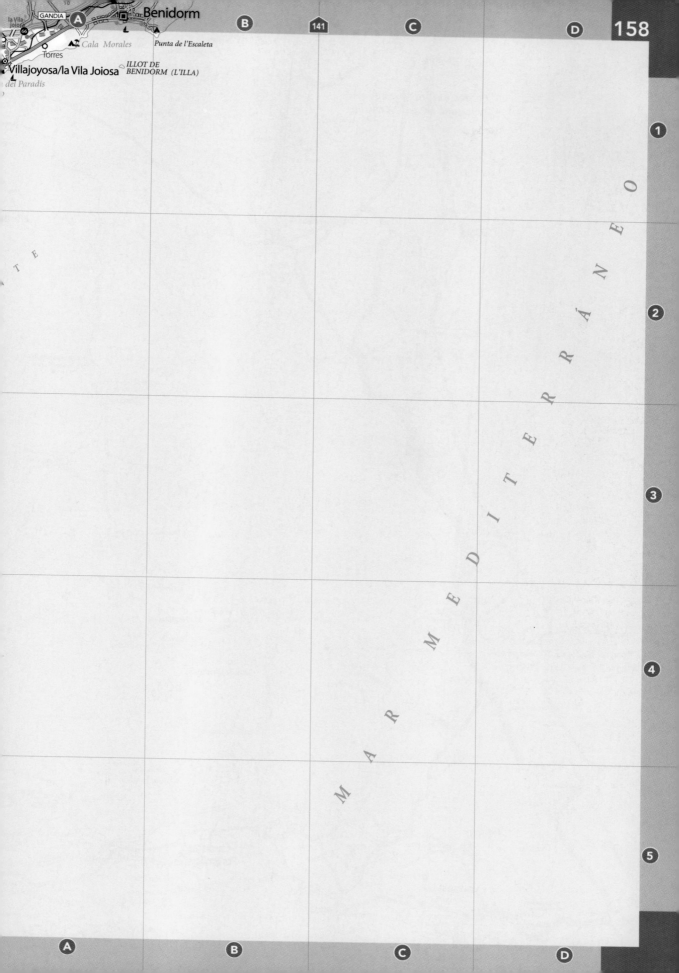

Benidorm

Cala Morales

Punta de l'Escaleta

Villajoyosa/la Vila Joiosa

ILLOT DE
BENIDORM (L'ILLA)

del Paradis

GANDIA

la Vila
joiosa

Torres

141

MAR MEDITERRÁNEO

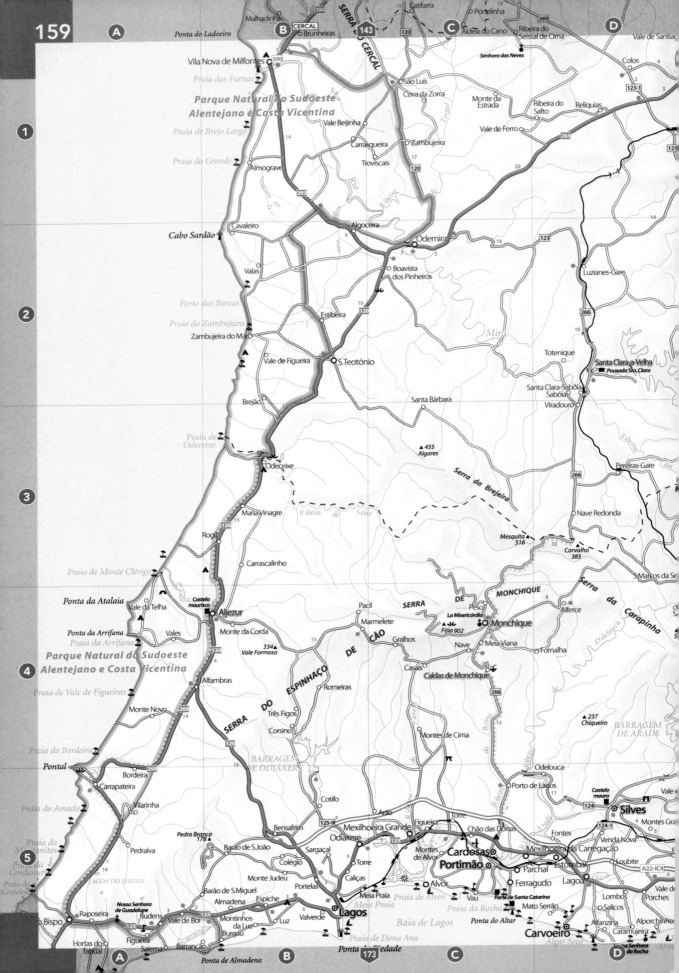

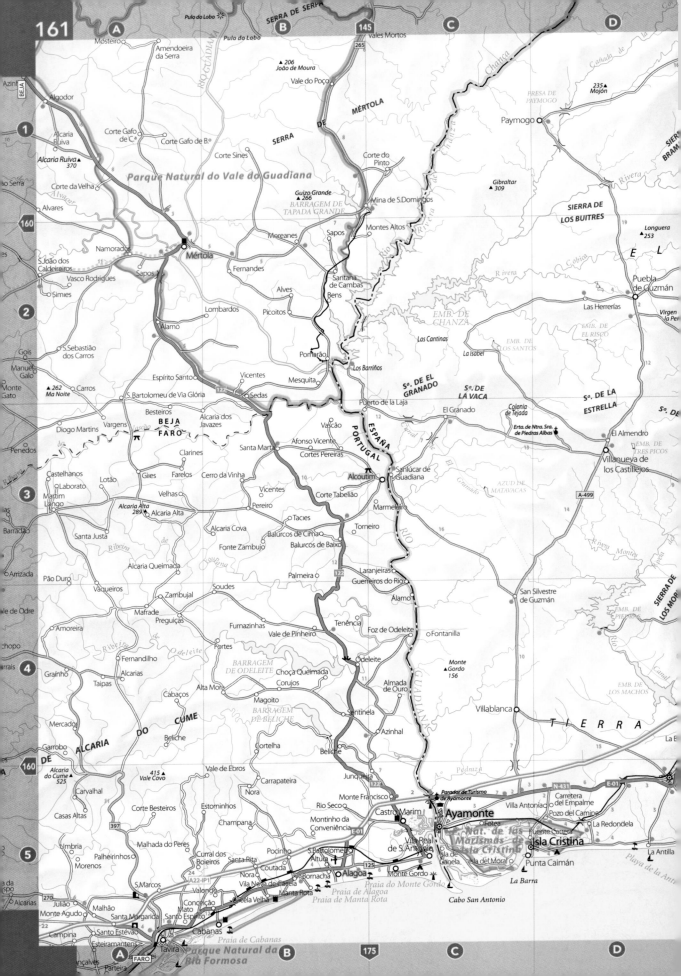

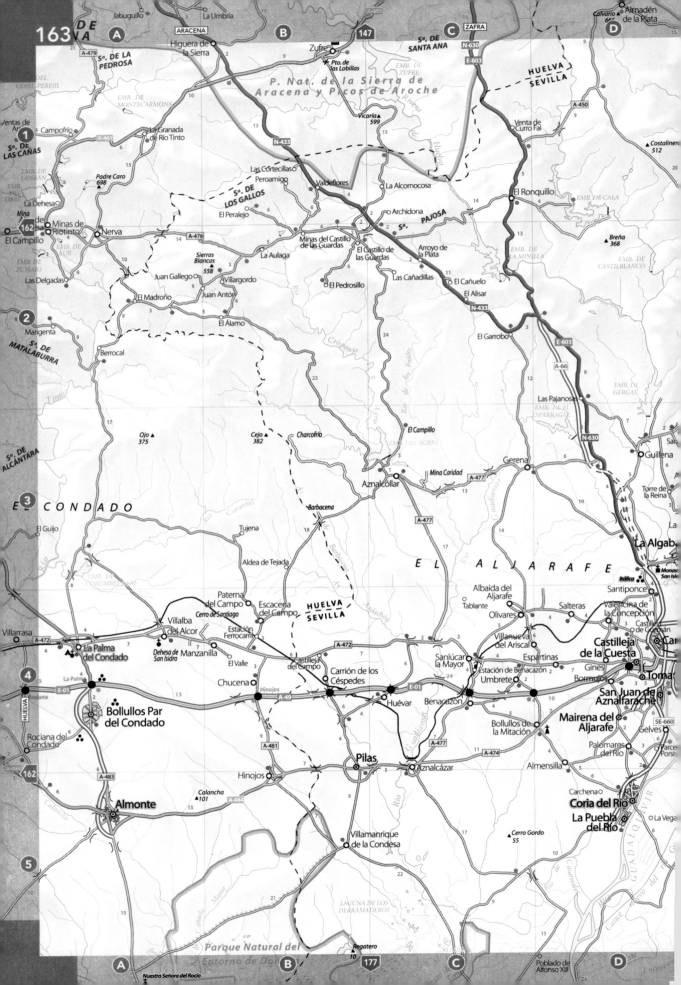

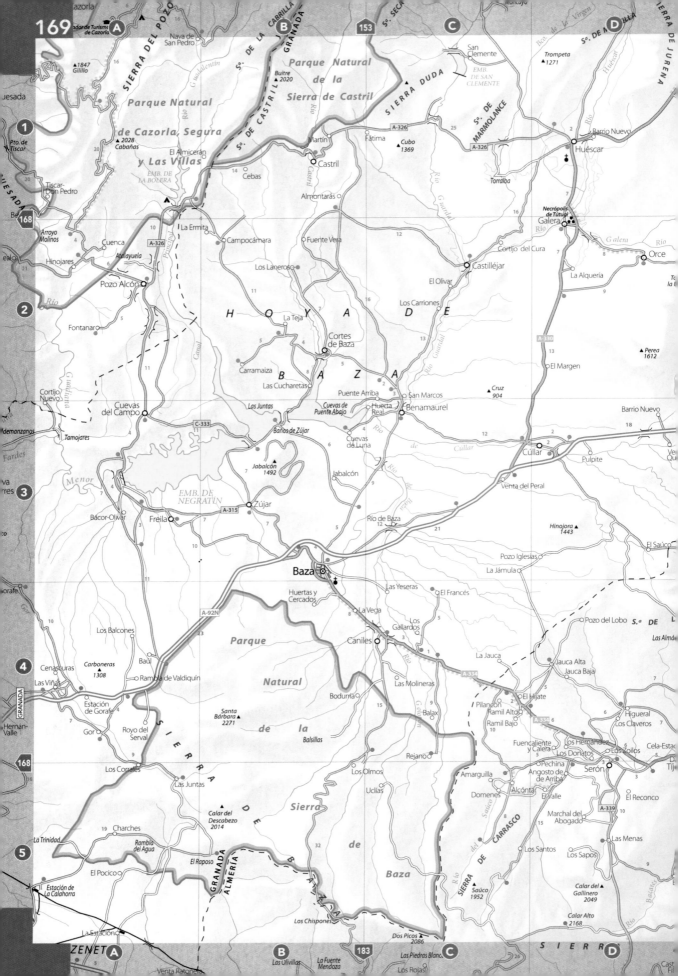

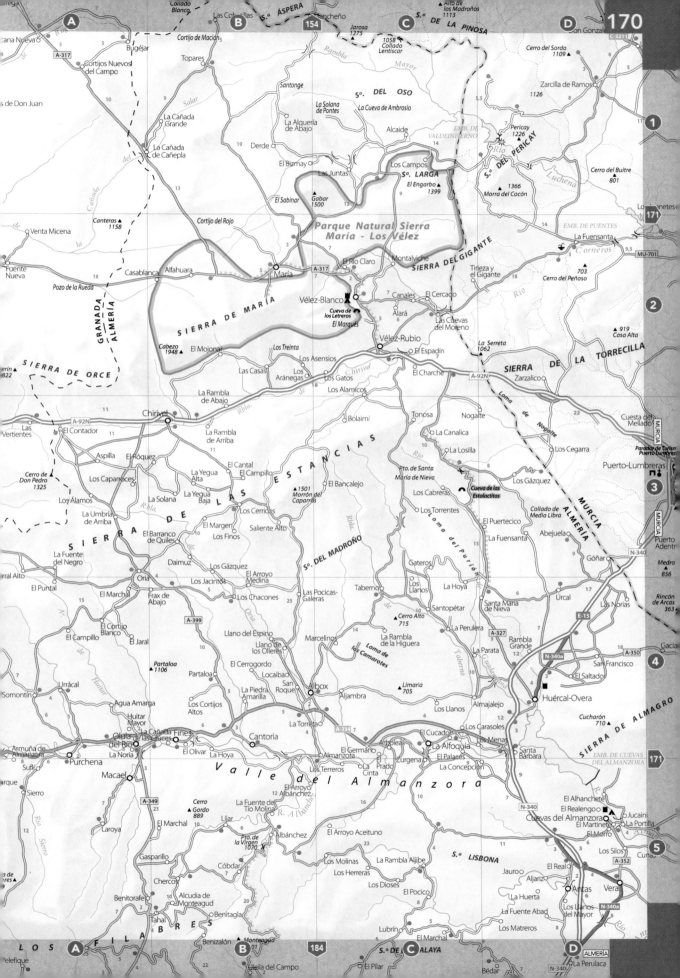

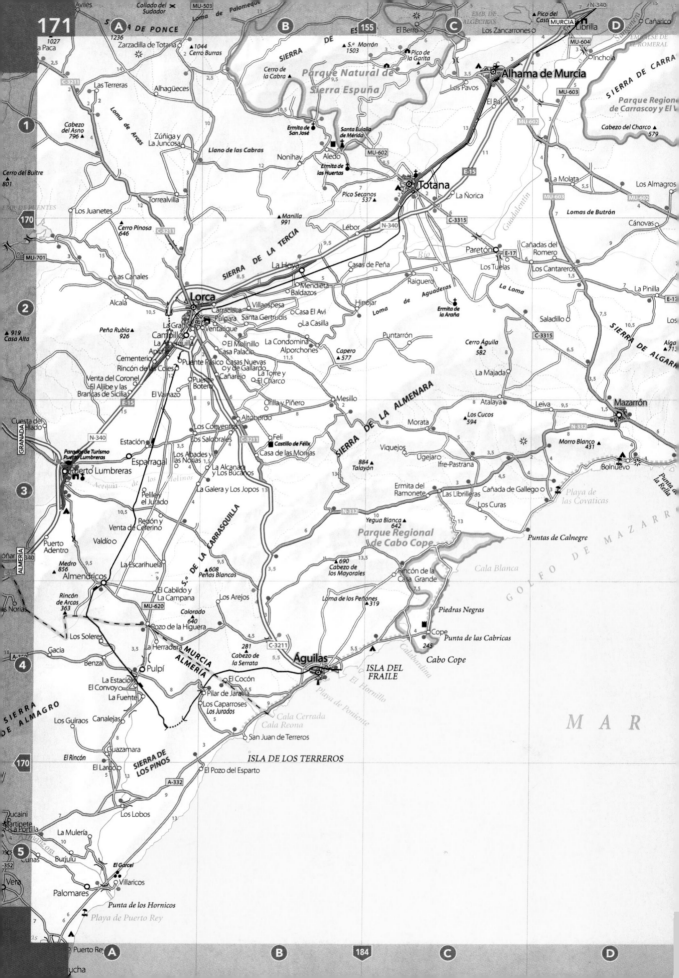

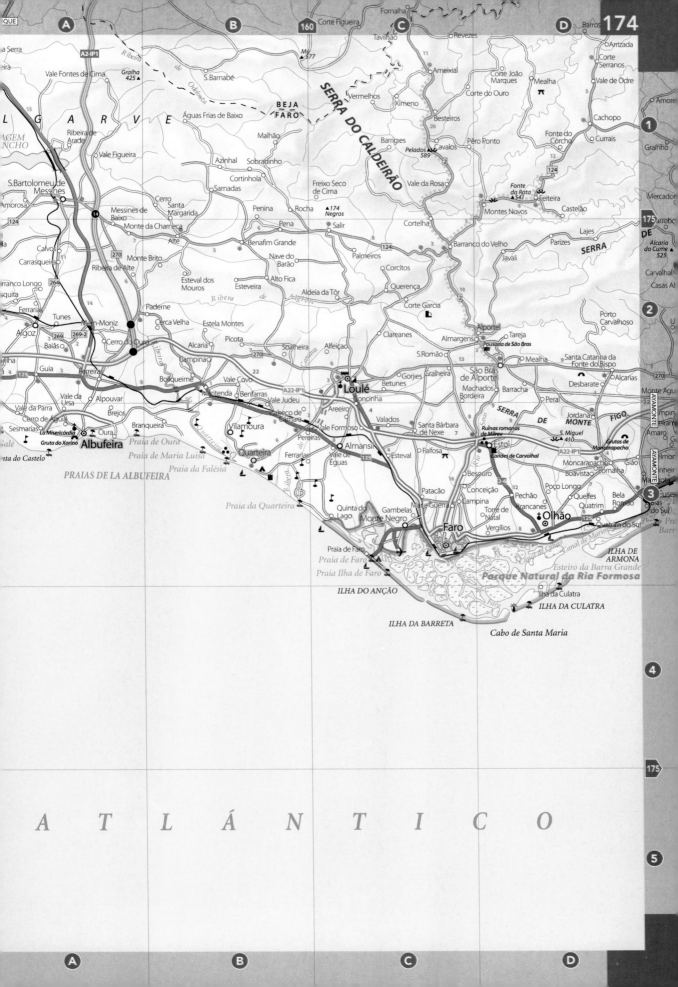

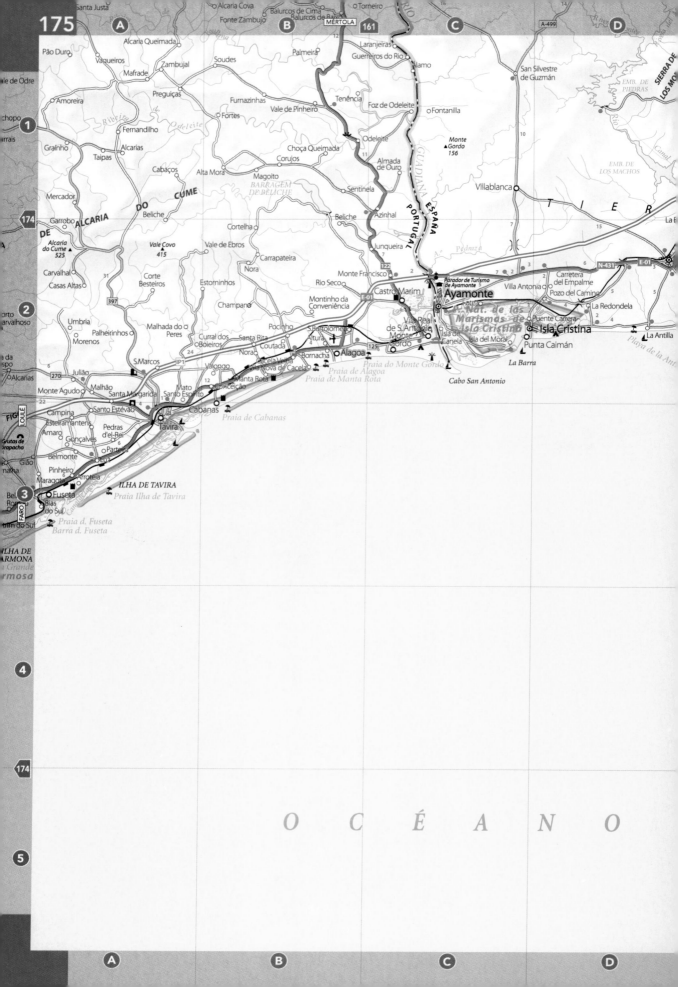

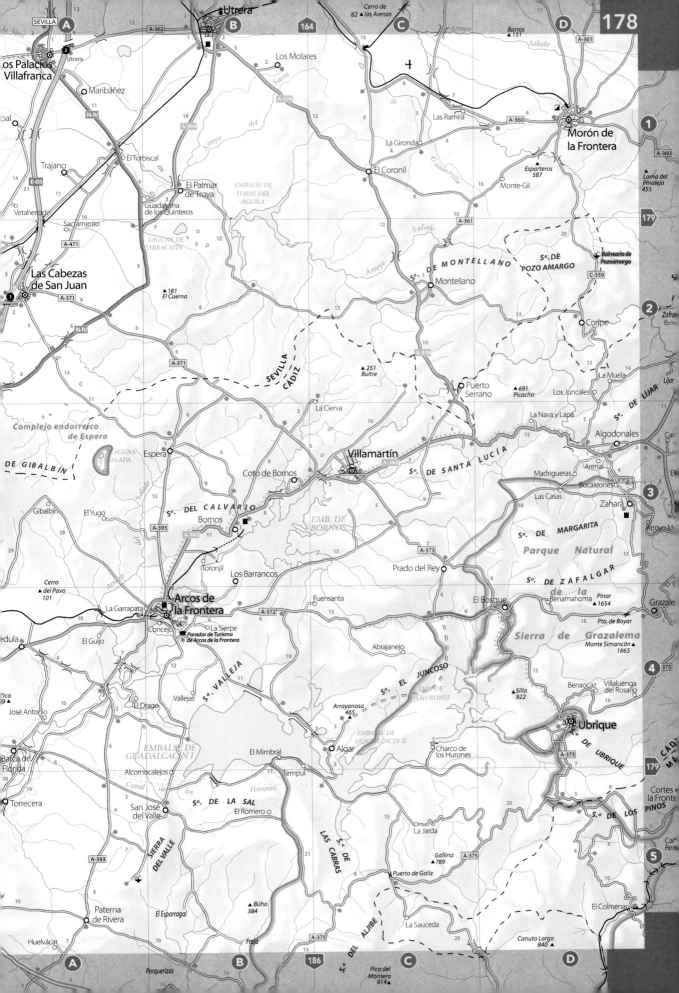

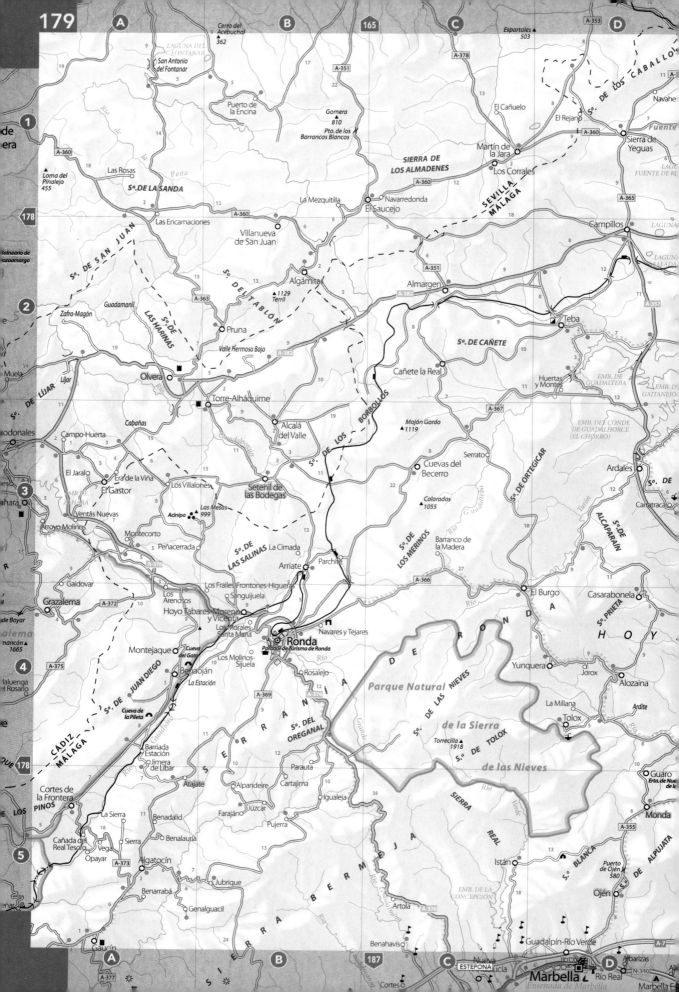

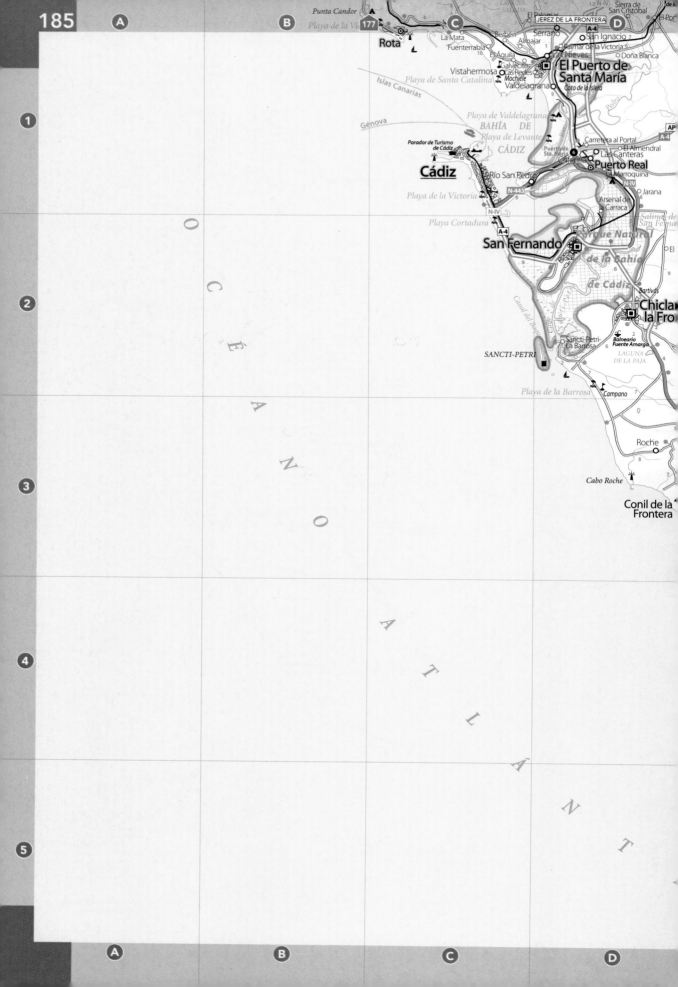

Punta Candor

Playa de la Victoria **177**

Rota

C

La Mata

Fuenterrabia

Serrano

Berbén

Almajar

JEREZ DE LA FRONTERA

D

El Palmar

San Ignacio

Balmar de la Victoria

El Águila

Las Nieves

Doña Blanca

El Por

A **B**

Vistahermosa

Galvecito

Las Redes

Mochicle

Valdelagrana

El Puerto de Santa María

Coto de la Isleta

Playa de Santa Catalina

Islas Canarias

Génova

Playa de Valdelagrana

BAHÍA DE

Playa de Levante

CÁDIZ

Parador de Turismo de Cádiz

Carretera al Portal

El Almendral

Las Canteras

Puerto de Sta. María

Cádiz

Río San Pedro

Puerto Real

Marroquina

Jarana

N-443

N-IV

Playa de la Victoria

N-IV

Arsenal de la Carraca

Salinas de San Fernando

Playa Cortadura

A-4

San Fernando

Parque Natural

El

de la Bahía

de Cádiz

Bartivás

Chiclana la Fro

Sancti-Petri La Barrosa

Balneario Fuente Amarga

LAGUNA DE LA PAJA

SANCTI-PETRI

Playa de la Barrosa

Campano

Roche

Cabo Roche

Conil de la Frontera

O C É A N O

A T L Á N T

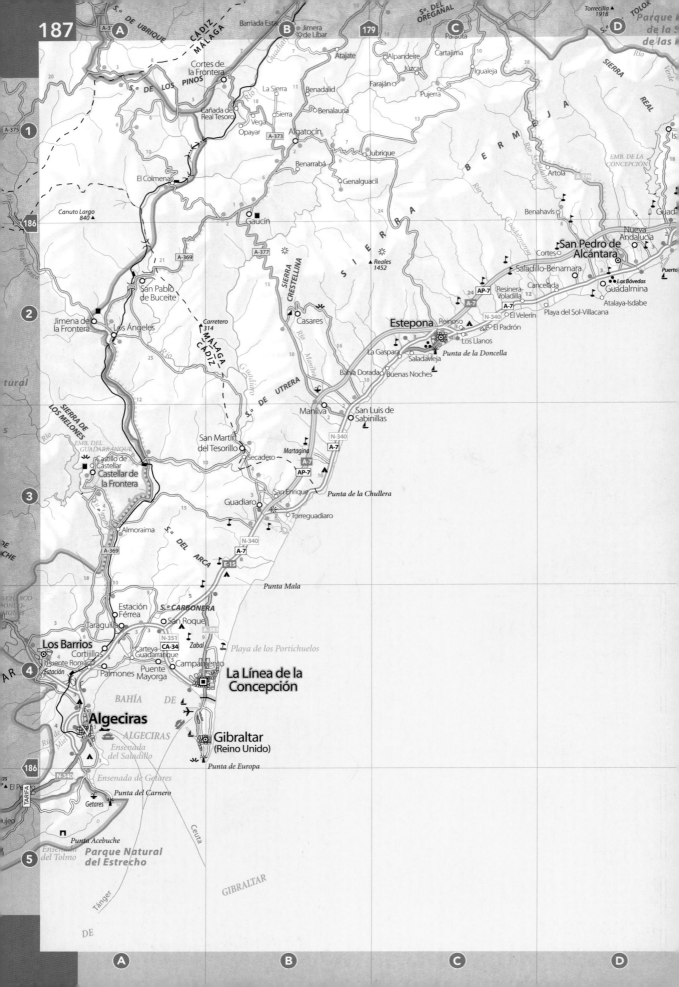

A B C D

1

2

O C É A N O

A T L Á N T I C O

Bahía de

Piedr

Playa de

Caleta del

Punta del Junquillo

Ensenada de la Herradura
Punta del Tarajalito

Parqu

Bete

Caleta de la Peña Vieja

FUERTEVENTURA

Ajuy

3

Playa de los Muertos

Caleta de la Cruz

Punta de la Canal

Mézquez
414 ▲

Pa

Playa de Garcey

Risco Blanco

Filo de Tejer

Cueva de Lobos

Filo

Melindraga
619 ▲

Punta Amanay

4

26

Playas Negras

Cardón

Montaña Cardones

Cardón
691 ▲

Playa de Ugán

Laja Blanca

Filo de los Cuchillos

Cuchillo de los Chacos

Playa del Viejo Rey

Los Boquet

4

Agua Lique

Istmo de la Pared

La Lajita

Agua Tres Piedra

6

Costa Calma

Playa de
Matas Blancas

8

Playa de Tarajali

El Jable

FV-2

Punta de Barlovento

Playa de Barlovento de Jandía

Parque Natural
Jandía

Playa de Cofete

5

Punta Pesebre

807
Jandía

Malnombre

Playa de Sotavento de Jandía

Playa
de Ojo

Las Talahijas
127

PENÍNSULA DE JANDÍA

Puntalandia

FV-2

Punta de Jandía

Playa de las Pila

FV-2

Morro del Jable

Playa del
Matorral

Punta del Matorral
o del Morro Jable

ARRECIFE
DEL GRIEGO

Gran Canaria
Tenerife

A B C D

Caleta del Barco
Bajo de los Picachos
Punta de la Tiñosa
Punta Martiño
127 Lobos
LOBOS
Majanicho
Corralejo
Caleta del Marrajo
de la Ballena o de Tostón
LOS ISLOTITOS
Suerte de las Palmas
Bayuyo
FV-101
P. Nat. Corralejo
Playa Bajo Negro
Playa Larga
El Cotillo
Lajares
Castillo o Puerto de Tostón
Atalaya de Huriamen
FV-1
Playa Alzada
Playa del Castillo
Playa del Águila
ta de los Caletones
ta de Paso Chico
Montaña Alta
La Majada de la Lengua
Villaverde
Roja 20
Caletón de las Palomas
La Pesquería
529 Montaña de Escanfraga
La Oliva
Playa de Tebeto
Montaña Tindaya 397
FV-10
Tindaya
Vallebrón
e Jarubio
Muda 689
La Matilla
Morros de la Atalaya
vaje
14
6
Tetir
214 Gamón
Puerto Lajas
Tefía
Los Estancos
FV-10
La Juanita
Ermita de San Agustín
Salinas 332
La Asomada
chillo del Cabo
EMBALSE DE LOS MOLINOS
13
Casillas del Ángel
Tesjuates
FV-20
13
Punta del Gavioto
Puerto del Rosario
Morro
Llanos de la Concepción
La Ampuyenta
Parador de Turismo de Fuerteventura
Playa Blanca
e de Santa Inés
Morrete de Cerdeña 673
Rosa del Taro 593
Aeropuerto de Fuerteventura
Punta del Viento
Playa del Matorral
El Matorral
ancuría
Triquivijate
Cuchillo de Palomares
FV-30
Lara
Antigua
Degollada Bermeja 246
El Castillo
Punta del Bajo
FV-2
Valles de Ortega
Gran Montaña 708
Casillas de Morales
Cuchillete de Buenavista
Caletilla del Espino
Agua de Bueyes
12
La Atalaya de Agudo 494
Puerto de la Torre
Tiscamanita
Caleta Blanca
Malpaís Chico
Punta del Viento
Tuineje
11
Malpaís Grande
439 Atalaya de Pozo Negro
FV-20
FV-2
Caldera de Jacomar
Punta de las Borriquillas
Teguitar
462 Vigán
Ensenada de Gran Valle
FV-2
La Entallada 185
Las Playitas
Punta de la Entallada
Gran Tarajal
Playa del Pajarito
Punta de Piedras Caídas o Morro de Gran Tarajal

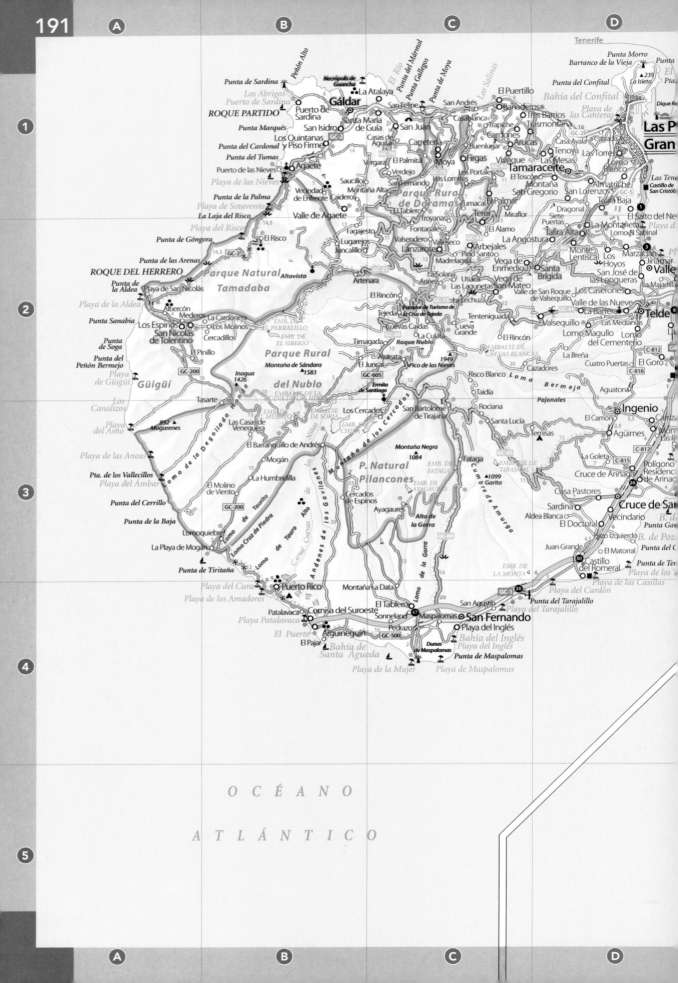

Lanzarote

de

ria

mar

mar

mudas

eña

de Melenara

de Melenara

e Silva

Ojo de Garza

Garza

to de Las Palmas

ROQUE DE

GANDO

nta de Gando

e Gando

ez

ida

Cruces

la Sal

rinaga

1

Punta Mosegos

ALEGRANZA

La Caldera ▲ 52 ○ Punta Delgada

Punta de la Mareta

Parque Natural del

Archipiélago de Chinijo

ROQUE DEL OESTE
O DEL INFIERNO

MONTAÑA CLARA

Punta Gorda

2

Playa de las Conchas   Playa Lambra

Los Acantilados

GRACIOSA

Punta de Pedro Barba
o de la Sonda

Pedro Barba ▲ 266

Bajo del Corral

Caleta
del Sebo

Punta Fariones

Punta del Pobre   Salinas
del Río   Orzola

Mirador del Río

La Bahía

Monte Corona ▲ 609

Máguez

Malpaís de la Corona

Cueva de
los Verdes

3

Los Lomillos

LAS BAJAS

Bahía
de Penedo

Haría

Punta Mujeres

Caleta de Campo

Arrieta

Playa de la Garita

La Respingona

Caleta del Caballo

Risco de Famara

Ermita de
las Nieves

GC-700

Los Valles

El Valle

PRESA
DE MALA

Mala

Risco Negro

LA ISLETA

Los Risquetes

Caleta de Famara

Los Lajares

La Santa

Sóo

Vega de Sóo

14

Puerto Moro

Los Cocoteros

Montaña Bermeja

El Jable

El Cuchillo

Muñique

San José

Guatiza

La Caldera ▲ 324

LZ-1

Ensenada de los
Barranquillos

4

Punta Gaviota

Playa de Chó Gregorio

Teneza 368 ▲   Tinajo

Valle del Peñón

Tiagua

Teguise

Teseguite

Los
Ancones

Pta. de Tierra Negra

Punta del Paletón

Mancha Blanca

La Vegueta

Tao

LZ-30

Nazaret

Salinas de El Charco

Los Dolores

Tinguatón

Caldera Roja ▲ 427

Pico Partido ▲ 517

El Islote

Mozaga

Tahíche

Costa Teguise

Punta de Tope
La Baja de las Caletitas

Playa del Paso

Parque Nacional
de Timanfaya

Fuego ▲ 510

Montañas del Fuego
de Timanfaya

San Bartolomé

Masdache

Maneje

GC-740

Argana Alta

Argana Baja

Playa de Montaña Bermeja

Parque Natural
de los Volcanes

Montaña Blanca

Güime

El Cable

Arrecife

Ermita de
la Magdalena

La Geria La Asomada

Conil

El Cumbre

Playa Honda

Punta de la Lagarta

Playa del Paso

Yaiza

Uga

Mácher

Tías

LZ-2

Aeropuerto
de Lanzarote

Salinas de Janubio

Punta del Volcán

LAGUNA DE JANUBIO

Valle de Femés

Las Breñas

Femés

Puerto
del Carmen

Punta Montañosa

Hoyas Hondas

Cádiz

Las Hoyas de
Chó Colorado

La Puntilla

Playa
Blanca

5

LZ-2

Hacha Grande ▲ 560

Salinas del
Berrugo

Punta Gorda

El Paso de Andrés

Bahía de Ávila

Las Palmas de G.C.
Fuerteventura

O C É A N O

Playa Blanca

Punta Pechiguera

Las Coloradas

Puerto Muela de Abajo

Playa de Montaña Roja

Fuerteventura

Punta del Papagayo

Playa del Pozo

A T L Á N T I C O

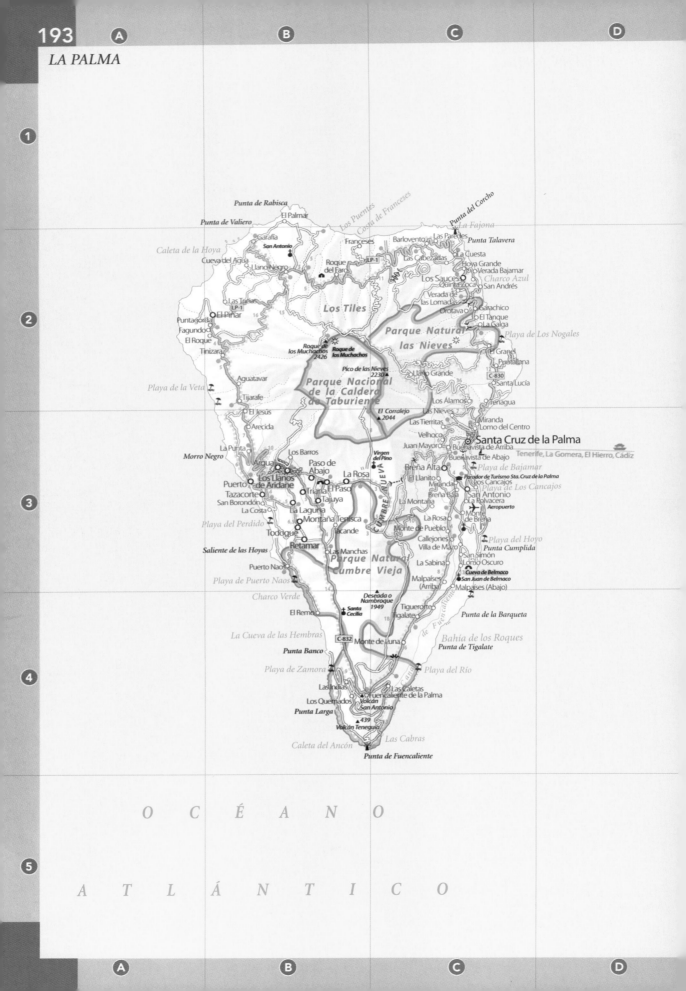

EL HIERRO

LA GOMERA

Punta del Peligro
Valle Abajo
Vallehermoso
Macayo
San Marcos
Las Rosas
Rosa de las Piedras
Banda de
las Rosas
Alojera
Taguluche
Arure
Las Hayas
Lomo del Balo
El Cercado
Los Granados
El Hornillo
La Calera
Borbalán
Vueltas
La Dama
Aguló
TF-712
TF-711
Santa
Catalina
Llano Campos
Hermigua
Las Nuevitas
El Estanquillo
Inchereda
Parque Nacional
de Garajonay
Alto de Garajonay
Temocodá
Almada
Alajeró
San Lorenzo
Aeropuerto de
La Gomera
Laguna de
Santiago
Playa de
Santiago
Punta Falcones
Punta del Becerro
Punta de la Nariz
Cala Cantera
Caleta de la Jarrita
Playa de la Salvajita
Playa de la Rajita
Las Salinas
Lomada de S. Sebastián
Loma de Selma
Parque Natural de Majona
Punta Majona
Ntra. Sra.
de Guadalupe
El Molinito
Parador de Turismo
de San Sebastián
de la Gomera
Sagrado Corazón
San Sebastián
de la Gomera
TF-711
EMB. DE PALACIOS
TF-713
Punta Gorda
Punta Gaviota
Playa del Cabrito
Playa de Hermigua
Laja del Infierno
Punta Sardina
Lomo
de
Majona
Tenerife
El Hierro

OCÉANO
ATLÁNTICO

EL HIERRO

EL HIERRO

Punta Norte
Bahía de las Calcosas
Baja del Negro
Punta de Amacas
ROQUES DE SALMOR
Punta de Salmor
Mocanal
Tamaduste
Aeropuerto
del Hierro
Guazazoca
Playa del Cantadal
Valverde
Las Puntas
Virgen de
la Peña
Ventejís
1137
Tiñor
La Caleta
TF-911
EL GOLFO
Punta de Tejeguate
San Andrés
La Caridad
Tijimaraque
Punta de Tijimiraque
TF-912
Punta de la Sal
Bahía de los Pozos
Punta del Verodal
ROQUE DE LA SAL
Bahía de los Reyes
Ntra. Sra.
de los Reyes
Punta Orchilla
Punta Gorda
TF-912
Sabinosa
Los Llanillos
Tigaday
El Golfo (Frontera)
Isora
Las Playecillas
Punta del Barbudo
Punta de los Mozos
Malpaso
1500
Tenerife
1417
Las Casas
Playa de
las Moles
Punta del Cascajo
Playa de
las Alcuzas
Los Jables
El Pinar
Punta de Tafirabe
Cala de Tacorón
Punta del Lajial
Bahía de Naos
Punta de Ajones
Punta de Bonanza
Playa de la Arena
Playa de los Cardones
Parador de Turismo
Hierro
Punta de Miguel
Baja Fría
ROQUES DE LOS JORADITOS
Playa del Pozo
Playa del Cantadal
La Restinga
Punta de la Restinga
Risco de Tibataje
Las Palmas de G.C.
Tenerife
La Palma

OCÉANO
ATLÁNTICO

Madrid

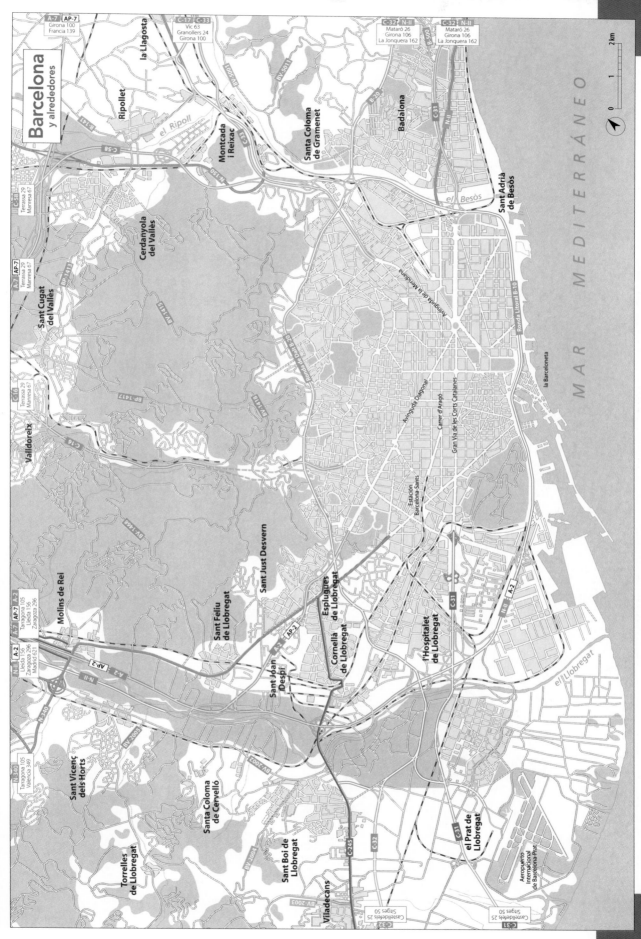

Barcelona
y alrededores

MAR MEDITERRÁNEO

Ripollet
la Llagosta
el Ripoll
Montcada i Reixac
Santa Coloma de Gramenet
Badalona
Sant Adrià de Besòs
Cerdanyola del Vallès
Sant Cugat del Vallès
Valldoreix
el Besòs
Avinguda de la Meridiana
Ronda Litoral B-10
la Barceloneta
Avinguda Diagonal
Carrer d'Aragó
Gran Via de les Corts Catalanes
Estación Barcelona-Sants
Molins de Rei
Sant Feliu de Llobregat
Sant Just Desvern
Esplugues de Llobregat
Cornellà de Llobregat
Sant Joan Despí
l'Hospitalet de Llobregat
Sant Vicenç dels Horts
Santa Coloma de Cervelló
Torrelles de Llobregat
Sant Boi de Llobregat
Viladecans
el Prat de Llobregat
el Llobregat
Aeropuerto Internacional de Barcelona-Prat

Girona 100
Francia 139
Vic 63
Granollers 24
Girona 100
Mataró 26
Girona 106
La Jonquera 162
Mataró 26
Girona 106
La Jonquera 162
Terrassa 29
Manresa 67
Terrassa 29
Manresa 67
Terrassa 29
Manresa 67
Tarragona 105
Lleida 156
Zaragoza 296
Zaragoza 296
Madrid 621
Tarragona 105
Valencia 349
Castelldefels 25
Sitges 50
Castelldefels 25
Sitges 50

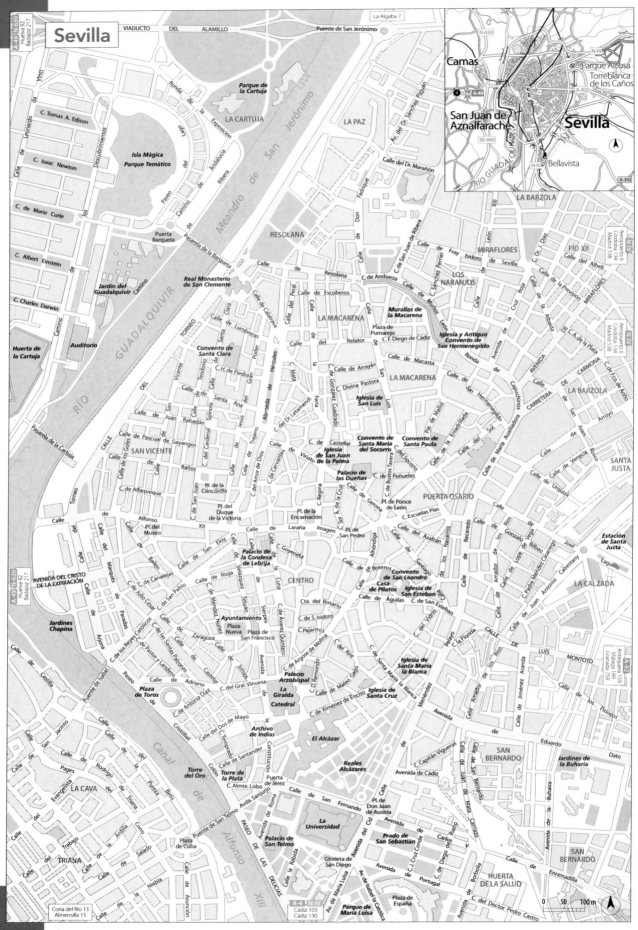

Sevilla

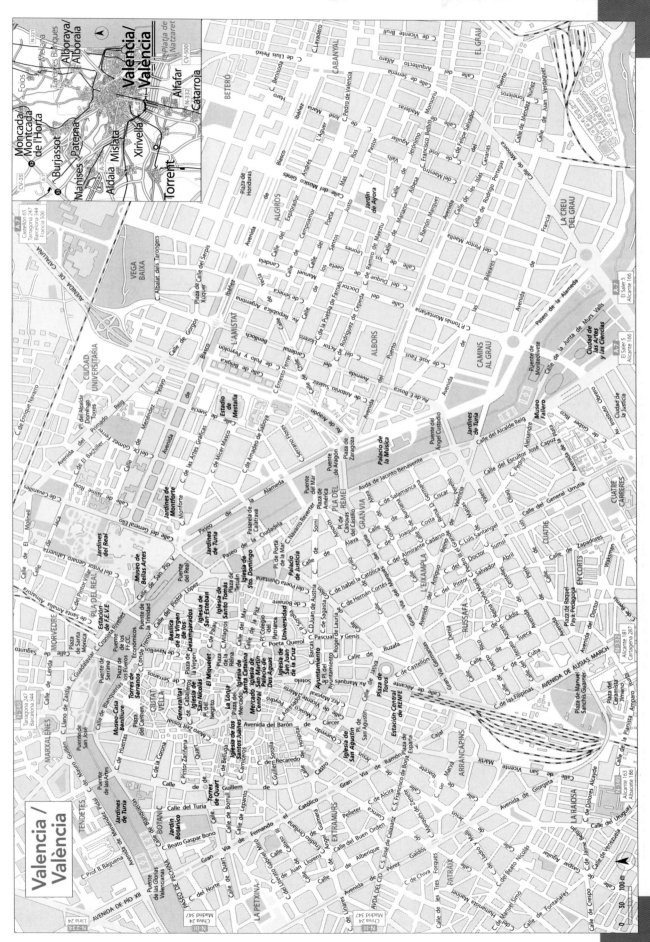

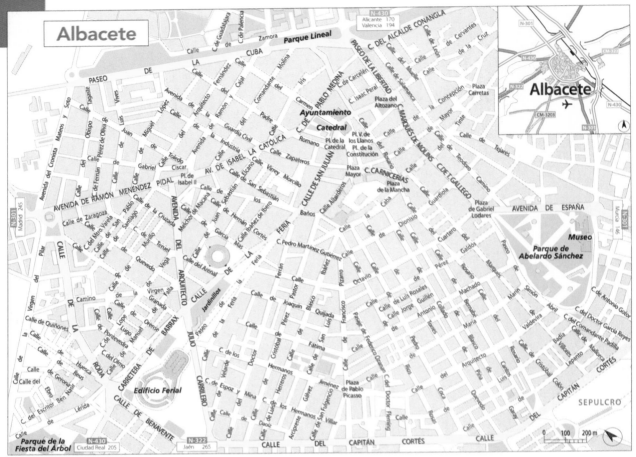

Albacete

Parque Lineal
Zamora
CUBA
Calle de Guadalajara
C. de Palencia
N-430
Alicante 170
Valencia 194
C. DEL ALCALDE CONANGLA
Calle de Cervantes
Cruz
de la
Calle de León
PASEO
DE
LA
Avenida
Calle
Fernández
Calle
Comandante
Molina
Cajal
Arquitecto
Ramón
López
Calle
Juan
Miguel
del
Padre
Guardia Civil
Carmen
C. Isaac Peral
de Carcelén
Plaza del
Altozano
Concepción
Plaza
Carretas
Mayor
Tinte
AVENIDA DE RAMÓN MENÉNDEZ PIDAL
Calle de Zaragoza
Calle de Mtro. Vaqueta
AV. DE ISABEL LA CATÓLICA
Calle Zapateros
Calle
Romano
Pl. V. de
los Llanos
Pl. de la
Constitución
Ayuntamiento
Catedral
Pl. de la
Catedral
Plaza
Mayor
C. CARNICERÍAS
Plaza
de la Mancha
AVENIDA DE ESPAÑA
Museo
Parque de
Abelardo Sánchez
CALLE DE SAN JULIÁN
FERIA
DE
LA
Edificio Ferial
ARQUITECTO
JULIO
CARRILERO
CARRETERA
DE
LA
RODA
CALLE   DE   BENAVENTE
Parque de la
Fiesta del Árbol
N-430
Ciudad Real 205
N-322
Jaén 265
CALLE
DEL
CAPITÁN
CORTÉS
CALLE
0   100   200 m
SEPULCRO

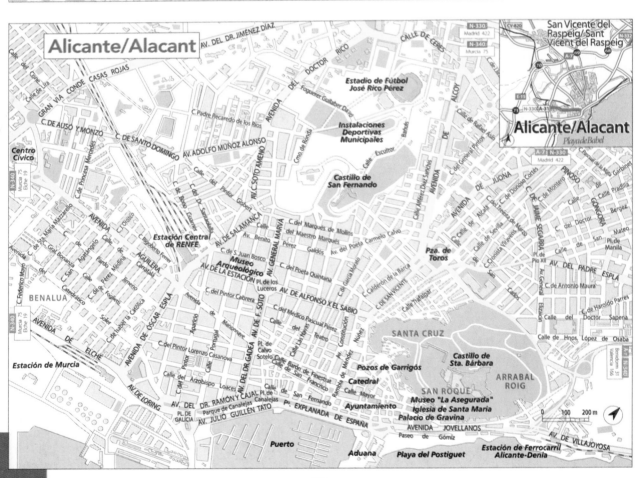

Alicante/Alacant

AV. DEL DR. JIMÉNEZ DÍAZ
CALLE DE CERES
N-330
Madrid 422
N-340
Murcia 75
San Vicente del
Raspeig/ Sant
Vicent del Raspeig
GRAN VÍA
CONDE CASAS ROJAS
C. DE AUSO Y MONZO
Estadio de Fútbol
José Rico Pérez
Alicante/Alacant
Playa de Babel
Centro
Cívico
C. DE SANTO DOMINGO
AV. ADOLFO MUÑOZ ALONSO
Instalaciones
Deportivas
Municipales
Castillo de
San Fernando
Estación Central
de RENFE
Museo
Arqueológico
AV. DE LA ESTACIÓN
AV. DE GENERAL MARVÁ
Pza. de
Toros
BENALÚA
AVENIDA
DE
ELCHE
Estación de Murcia
AV. DE ALFONSO X EL SABIO
SANTA CRUZ
Castillo de
Sta. Bárbara
ARRABAL
ROIG
Pozos de Garrigós
Catedral
Ayuntamiento
SAN ROQUE
Museo "La Asegurada"
Iglesia de Santa María
Palacio de Gravina
AV. JULIO GUILLÉN TATO
P. EXPLANADA DE ESPAÑA
AVENIDA   JOVELLANOS
Paseo   de   Gómiz
AV. DE VILLAJOYOSA
Puerto
Aduana
Playa del Postiguet
Estación de Ferrocarril
Alicante-Denia
0   100   200 m

208

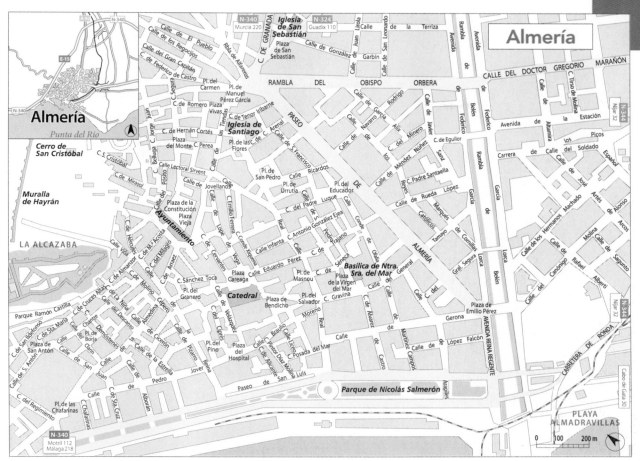

Almería

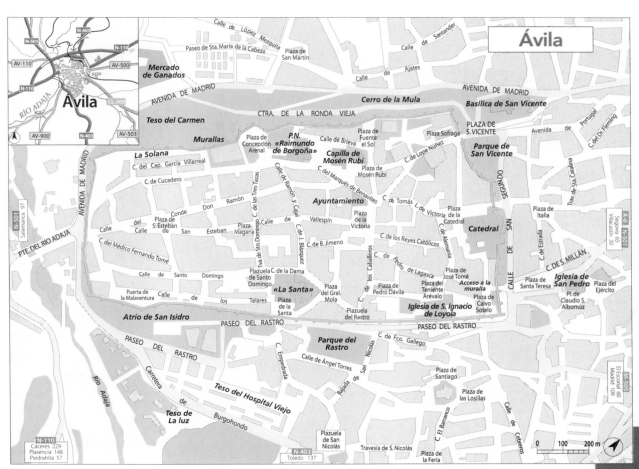

Ávila

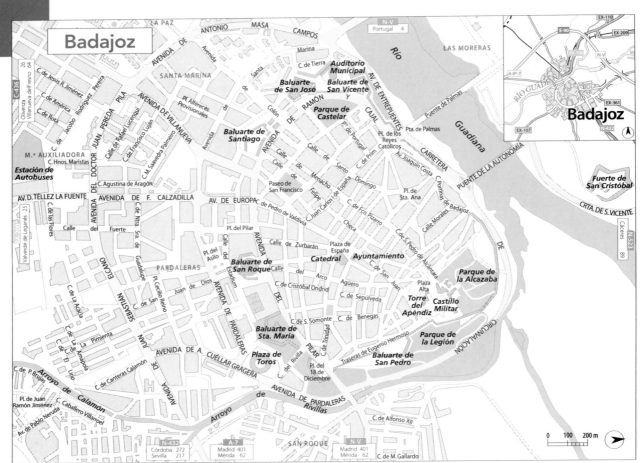

Badajoz

M.ª AUXILIADORA
Estación de Autobuses

Baluarte de San José
Baluarte de San Vicente
Auditorio Municipal
Parque de Castelar
Baluarte de Santiago
Baluarte de San Roque
Catedral
Ayuntamiento
Baluarte de Sta. María
Plaza de Toros
Baluarte de San Pedro
Parque de la Alcazaba
Torre del Apéndiz
Castillo Militar
Parque de la Legión

RÍO Guadiana

Badajoz

Fuerte de San Cristóbal

Córdoba 272
Sevilla 217
Madrid 401
Mérida 62

0   100   200 m

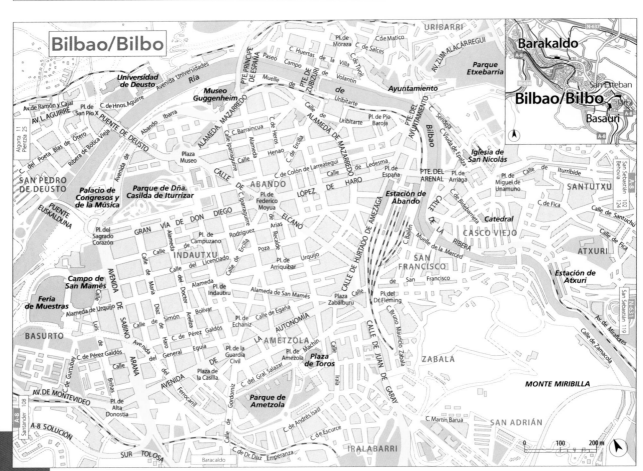

Bilbao/Bilbo

Universidad de Deusto
Museo Guggenheim
Parque Etxebarria
Ayuntamiento
SAN PEDRO DE DEUSTO
Palacio de Congresos y de la Música
Parque de Dña. Casilda de Iturrizar
Estación de Abando
Iglesia de San Nicolás
Catedral
CASCO VIEJO
ABANDO
INDAUTXU
SAN FRANCISCO
Estación de Atxuri
ATXURI
Campo de San Mamés
Feria de Muestras
BASURTO
Plaza de Toros
ZABALA
LA AMETZOLA
Parque de Ametzola
MONTE MIRIBILLA
SAN ADRIÁN
IRALABARRI

Barakaldo
San Esteban
Bilbao/Bilbo
Basauri

0   100   200 m

210

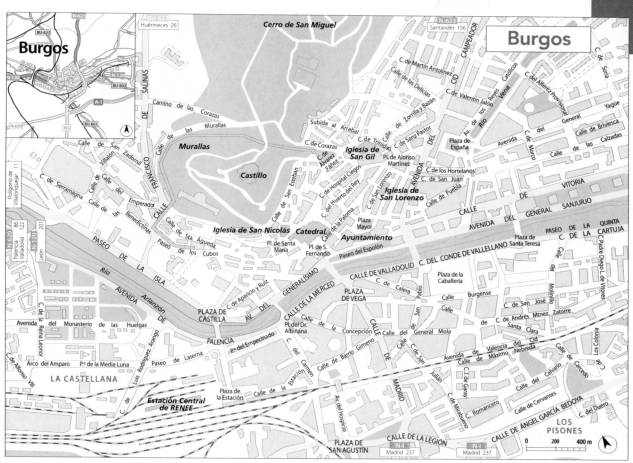

Burgos

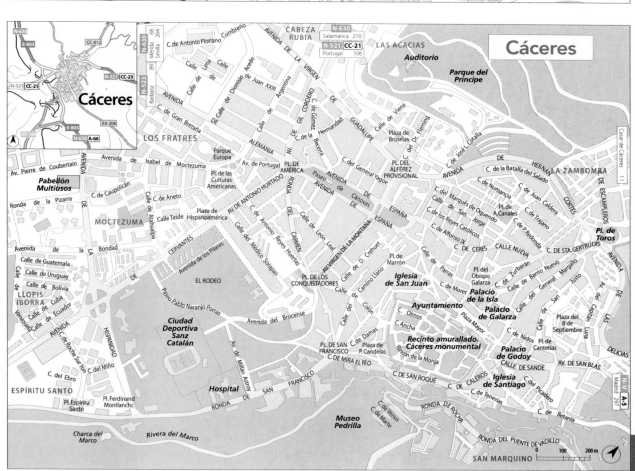

Cáceres

Cádiz

Bahía de Cádiz

Cádiz

San Fernando

Baluarte de Candelaria
Murallas
Museo Arqueológico
Oratorio de San Felipe Neri y Museo de las Cortes de 1812
Catedral Nueva
Parque Genovés
Castillo de Santa Catalina
Balneario de la Palma
Playa de la Caleta
Castillo de San Sebastián

Puerto Comercial
Dársena pesquera
Plaza de España
Pl. Pozos de las Nieves
Pl.de Filipinas
Muelle de Alfonso XIII
C. de Honduras
AVENIDA DE LOS ASTILLEROS
Estación Central de RENFE
Palacio de Congresos
Pl.de Sevilla
Av. del Puerto
Ayuntamiento
Murallas
AVENIDA DE FERNÁNDEZ LADRERA
Playa de Sta. Mª del Mar
Plaza de Asdrúbal
Playa de la Victoria

OCÉANO ATLÁNTICO

0 100 200 m

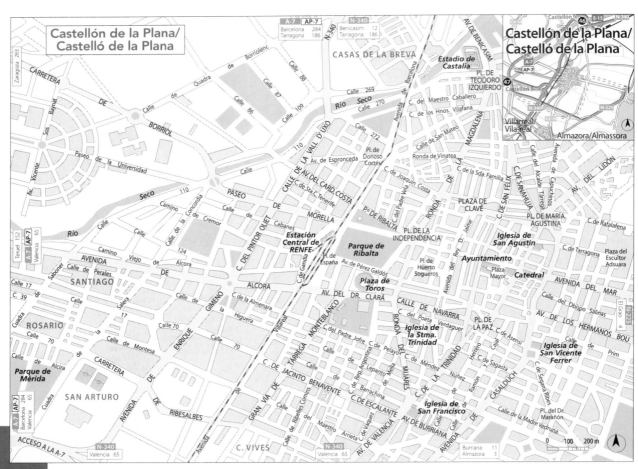

Castellón de la Plana/ Castelló de la Plana

Castellón de la Plana/ Castelló de la Plana

CASAS DE LA BREVA
Estadio de Castalia
PL. DE TEODORO IZQUIERDO
Villarreal/ Vila-real
Almazora/Almassora

Río Seco
BORRIOL
Paseo de la Universidad
Estación Central de RENFE
Parque de Ribalta
PLAZA DE CLAVÉ
PL. DE MARÍA AGUSTINA
Iglesia de San Agustín
PL. DE LA INDEPENDENCIA
Ayuntamiento
Catedral
Plaza de Toros
PARQUE DE MÉRIDA
SAN ARTURO
ROSARIO
SANTIAGO
Iglesia de la Stma. Trinidad
Iglesia de San Vicente Ferrer
Iglesia de San Francisco

OCÉANO

0 100 200 m

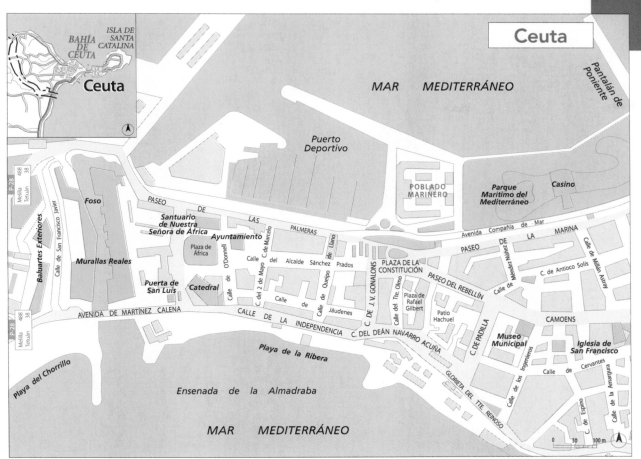

Ceuta

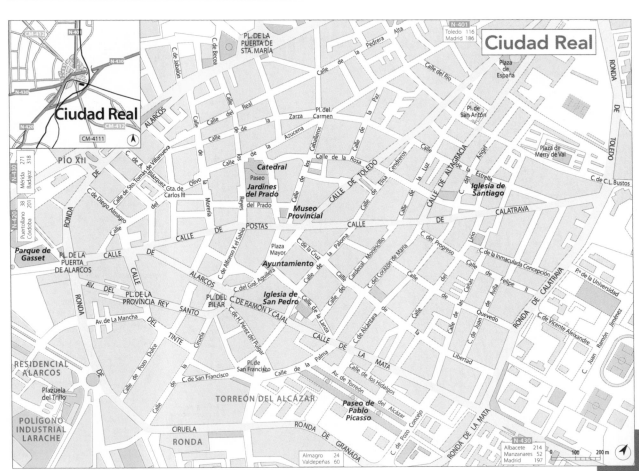

Ciudad Real

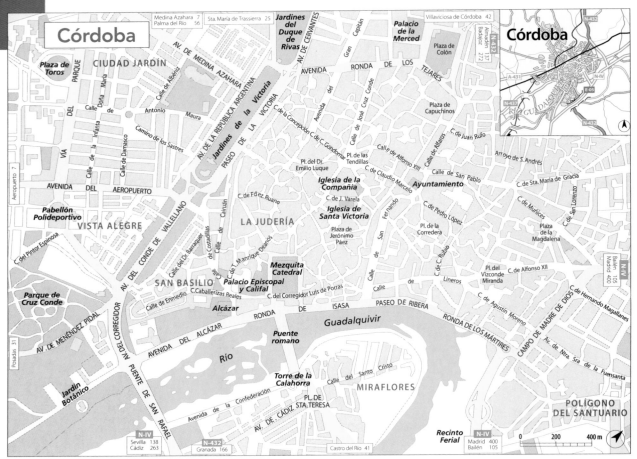

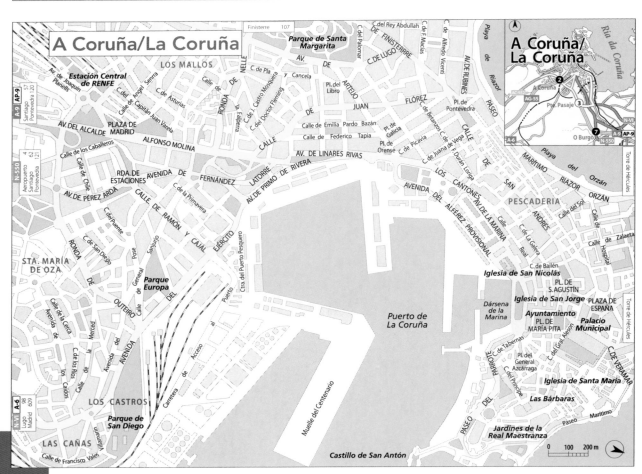

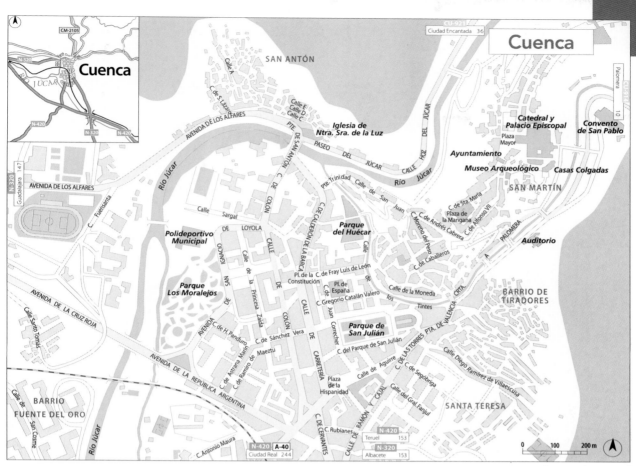

Cuenca

San Antón

Ciudad Encantada 36

CM-2105

Río Júcar

Avenida de los Alfares

Calle A

Calle E
Calle D
Calle C

C. de S. Lázaro

Iglesia de Ntra. Sra. de la Luz

Pte. de San Antón

Paseo del Júcar

Calle Hoz del Júcar

Catedral y Palacio Episcopal

Plaza Mayor

Convento de San Pablo

Ayuntamiento

Museo Arqueológico

Casas Colgadas

Pte. Trinidad

Calle de San Juan

Río Júcar

C. de Sta. María

SAN MARTÍN

C. de Andrés Cabrera

Plaza de la Manganilla

C. de Alfonso VII

Calle Sargal

C. de Colón

C. de Calderón de la Barca

C. Moreno del Peso

Palomera

Polideportivo Municipal

Parque del Huécar

Auditorio

Calle de Loyola

C. de Caballeros

Calle de la Princesa Zaida

Pl. de la Constitución

C. de Fray Luis de León

Pl. de España

BARRIO DE TIRADORES

Parque Los Moralejos

Calle de San Ignacio

C. Gregorio Catalán Valero

Calle de la Moneda

los Tintes

Avenida de H. Panduro

C. de Juan Correcher

Parque de San Julián

Calle de Colón

Pta. de Valencia Cta.

C. de Astrana Marín

C. de Sánchez Vera

C. del Parque de San Julián

C. de Ramiro de Maeztu

Calle de Aguirre

C. de las Torres

C. de Segóbriga

Calle Diego Ramírez de Villaescusa

Avenida de la Cruz Roja

Calle Santo Tomás

Avenida de la República Argentina

Plaza de la Hispanidad

Calle del Gral. Fanjul

SANTA TERESA

Río Júcar

BARRIO FUENTE DEL ORO

Calle de San Cosme

Calle de Carretera

C.C. Rubianes

C. de Cervantes

C. de Ramón y Cajal

N-420

Teruel 153

N-320

Albacete 153

C. Antonio Maura

N-420 A-40

Ciudad Real 244

0 100 200 m

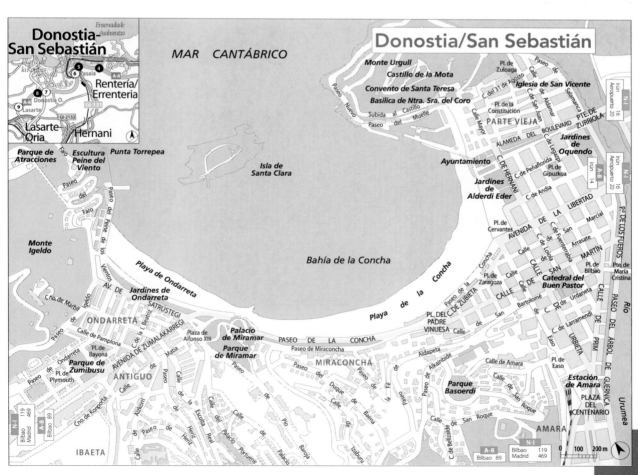

Donostia/San Sebastián

MAR CANTÁBRICO

Ensenada de Asabaratza

Donostia-San Sebastián

Parque de la Reina

Pasaia

Rentería/Errenteria

Lasarte Oria

Hernani

Monte Urgull

Castillo de la Mota

Convento de Santa Teresa

Basílica de Ntra. Sra. del Coro

Pl. de Zuloaga

Paseo de

Iglesia de San Vicente

C. del 31 de Agosto

Subida al Castillo

PARTE VIEJA

Calle Mayor

Pl. de la Constitución

C. de San Juan

C. de Aldamar

Paseo del Muelle

Alameda del Boulevard

PTE. DE ZURRIOLA

Jardines de Oquendo

Parque de Atracciones

Escultura Peine del Viento

Punta Torrepea

Isla de Santa Clara

Ayuntamiento

C. de Hernani

C. de Peñaflorida

Pl. de Gipuzkoa

Pº. de los Fueros

Paseo del Faro

Jardines de Alderdi Eder

C. de Andía

Pl. de Cervantes

AVENIDA DE LA LIBERTAD

Marcial

Monte Igeldo

Paseo de los Vientos

Playa de Ondarreta

Bahía de la Concha

Pl. de Zaragoza

Concha

Pte. de María Cristina

Río Urumea

Catedral del Buen Pastor

AV. DE SATRÚSTEGI

Jardines de Ondarreta

Playa de la Concha

Paseo de la Concha

Pl. del Padre Vinuesa

Bartolomé

C. de Urdaneta

ONDARRETA

Plaza de Alfonso XIII

Palacio de Miramar

Parque de Miramar

Paseo de Miraconcha

MIRACONCHA

Calle de Amara

Pl. de Easo

Parque de Zumibusu

Pl. de Plymouth

AVENIDA DE ZUMALAKARREGI

ANTIGUO

Paseo del Duque

Parque Basoerdi

Estación de Amara

PLAZA DEL CENTENARIO

N-1

Bilbao 119 Madrid 469

A-8 Bilbao 89

IBAETA

AMARA

A-8 Bilbao 89

N-1 Bilbao 119 Madrid 469

0 100 200 m

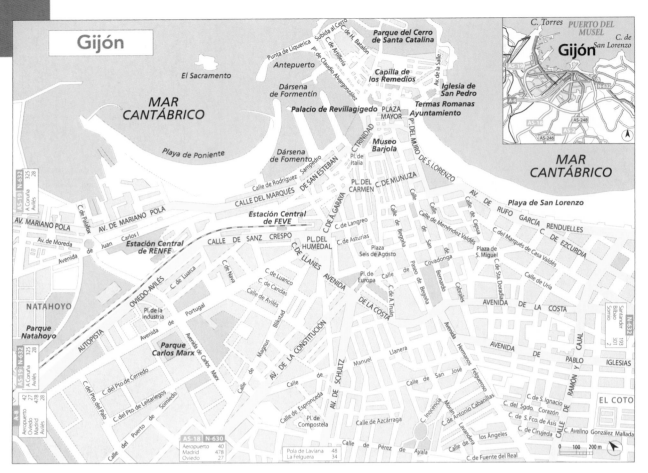

Gijón

C. de San Lorenzo
Gijón

El Sacramento

MAR CANTÁBRICO

Parque del Cerro de Santa Catalina

Punta de Liquerica

Antepuerto

Subida al Cerro C. de H. Bataión
C. de Artillería
Pº de Claudio Avengonzález

Capilla de los Remedios

Dársena de Formentín

Av. de la Salle

Iglesia de San Pedro

Dársena de Fomento

Palacio de Revillagigedo

PLAZA MAYOR

Termas Romanas
Ayuntamiento

Playa de Poniente

Museo Barjola

Pl. de Italia

MAR CANTÁBRICO

C. TRINIDAD

Sampedro

Pl. de Italia

Pº DEL MURO DE S. LORENZO

Av. DE RUFO GARCÍA RENDUELLES

Playa de San Lorenzo

AS-19 N-632   325   28
A Coruña   27
Avilés   28

Calle de Rodríguez
C. de S. ESTEBAN
PL. DEL CARMEN
C. DE MUNUZA

CALLE DEL MARQUÉS

Av. MARIANO POLA
AV. DE MARIANO POLA
Estación Central de FEVE
C. de Palafox

Juan Carlos I

Estación Central de RENFE

CALLE DE SANZ CRESPO
C. DE A. GARAYA

PL. DEL HUMEDAL

Calle de Langreo
C. de Asturias

C. de Begoña

Calle de Menéndez Valdés

C. del Marqués de Casa Valdés

C. DE EZCURDIA

Av. de Moreda

C. de Luanca
C. de Nava

AVENIDA

DE LLANES

C. de Luanco

Plaza Seis de Agosto

Plaza de S. Miguel

NATAHOYO

OVIEDO-AVILÉS

Pl. de la Industria

C. de Candás
Calle de Avilés

DE LA COSTA

Pl. de Europa

Paseo de Begoña

Covadonga

Calle de Uría

AVENIDA DE LA COSTA

Parque Natahoyo

AUTOPISTA

Portugal

Bilbao

AV. DE LA CONSTITUCIÓN

C. de A. Juan

AVENIDA

DE

PABLO Y RAMÓN CAJAL

IGLESIAS

N-632   193   301   2
Santander
Bilbao
Somió

Parque Carlos Marx

Avenida de Carlos Marx

Magnus

AV. DE SCHULTZ

Manuel

Llanera

Calle de San José

C. de S. Ignacio
C. del Sgdo. Corazón
C. de S. Fco. de Asís

EL COTO

AS-19 N-632   325   28
A Coruña
Avilés

C. del Pto. de Cerredo
C. del Pto. del Palo

C. del Pto. de Leitariegos
C. del Pto. de Somiedo

Calle de Espronceda

Calle de

Calle de Azcárraga

C. Inocencia
Morán

C. de Antonio Cabanillas
los Ángeles

C. de Cirujeda
C. Avelino González Mallada

A-8   42   27   478   28
Aeropuerto
Oviedo
Madrid
Avilés

AS-18 N-630   Aeropuerto 40   Madrid 478   Oviedo 27

Pl. de Compostela

Calle

de Pérez

de Ayala

Pola de Laviana 48
La Felguera 34

C. de Fuente del Real

0   100   200 m

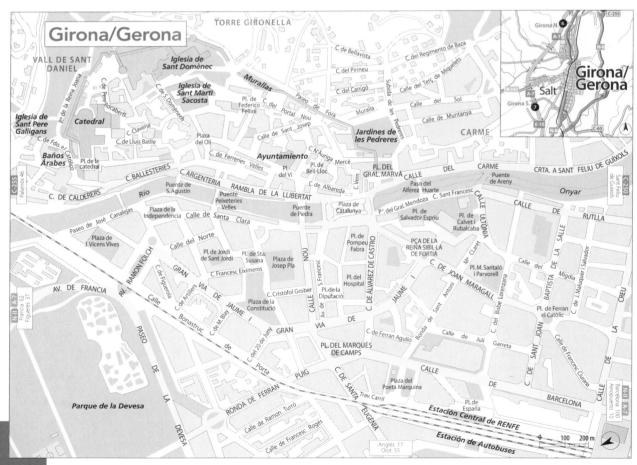

Girona/Gerona

TORRE GIRONELLA

VALL DE SANT DANIEL

Iglesia de Sant Domènec

C. de Bellavista

C. del Regimento de Baza

Girona N. 6

Girona/Gerona

Murallas

Iglesia de Sant Martí Sacosta

C. del Pirineu

C. del Canigó

Calle del Terç de Miquelets

Pl. de Federico Fellini

Salt

Iglesia de Sant Pere Galligans

Catedral

Pº de Fora

Muralla

Calle de les Pedreres

Calle del Sol

Girona S. 7

Pz. de la Reina Joana

C. de Pere Rocabertí

C. de S. Domènech

C. del Portal Nou

Calle de Muntanya

C. de Fdo. el Católico

C. Clavería

Plaza del Olí

Calle de Sant Josep

Jardines de les Pedreres

CARME

Baños Árabes

C. de Lluís Batlle

Pl. de la Catedral

C. de Ferreries Velles

Ayuntamiento

Pl. del Vi

C. N'Auriga Mercè

PL. DEL GRAL. MARVÀ

CALLE DEL CARME

CRTA. A SANT FELIU DE GUÍXOLS

C-255 Palamós 46

C. BALLESTERIES

C. ARGENTERIA
RAMBLA DE LA LLIBERTAT

Pl. del Bell-Lloc

C. de Albareda

Paso del Alférez Huarte

Puente de Areny

Onyar

C. DE CALDERERS

Río

Puente de S. Agustín

Plaza de la Independencia
Calle de Santa Clara

Puente de Peixeteries Velles

Plaza de Catalunya

Pº del Gral. Mendoza

Pl. de Salvador Espriu

Pl. de Calvet i Rubalcaba

CALLE UTÒNIA

CALLE DE LA SALLE

CALLE DE RUTLLA

Sant Feliu de Guíxols C-250

Paseo de José Canalejas

Puente de Piedra

C. de Sant Francesc

Plaza de J. Vicens Vives

Calle del Norte

Pl. de Jordi de Sant Jordi

Pl. de Sta. Susana

Plaza de Josep Pla

Pl. de Pompeu Fabra

PÇA DE LA REINA SIBIL·LA DE FORTIÀ

C. de Joan Maragall

Pl. M. Santaló i Parvorell

Calle del

Migdia

N-II 57   Francia 62   Figueres 37

AV. DE FRANCIA

AV. RAMON FOLCH

C. de Figuerola

GRAN VIA DE JAUME I

C. Francesc Eiximenis

C. Cristòfol Grober

Pl. de la Diputació

Pl. del Hospital

JAUME

C. de M. Blay

C. de Artillers

Plaza de la Constitució

C. de Bisbe Lorenzana

C. de Ferran el Catòlic

C. de J. Maluquer i Salvador

Parque de la Devesa

PASEO DE LA DEVESA

RONDA DE FERRAN

Calle de Ramon Turró

C. de M. Blay

Bonastruc

C. del 20 de Juny

GRAN VIA DE

Porta

PUIG

C. DE SANTA EUGÈNIA

PL. DEL MARQUÈS DE CAMPS

Plaza del Poeta Marquina

Trav. Carril

Pl. de España

CALLE DE SANT JOAN

Ronda

Calle de Juli

Garreta

Calle de Francesc Ciurana

CALLE

DE

BARCELONA

Estación Central de RENFE

Estación de Autobuses

Calle de Francesc Rogés

Anglès 17
Olot 55

N-II 57   Barcelona 100   Aeropuerto 9

0   100   200 m

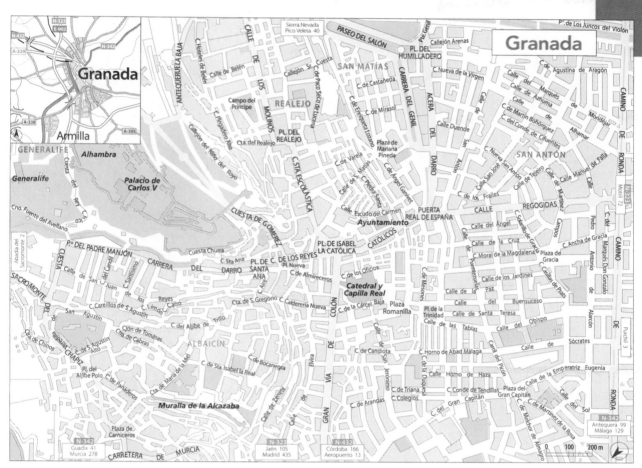

Granada

Sierra Nevada Pico Veleta 40

Pº de Los Juncos del Violón

PASEO DEL SALÓN

Pte. Genil

PL. DEL HUMILLADERO

Callejón Arenas

C. Agustina de Aragón

Calle del Marqués

Calle de Azhuma

Calle

de

Mondéjar

Alhamar

SAN ANTÓN

REGOGIDAS

Moril 72

N-323

CAMINO

DE

RONDA

SAN MATÍAS

ANTEQUERUELA BAJA

Calle de Belén

Chorles de Belén

C. Pisgalejo Rio

Callejón de Paco Seco de Lucena

Calle de Enrique Lozano

C. de Mirasol

Calle Duende

CARRERA DEL GENIL

ACERA DEL DARRO

Calle Nueva de la Virgen

Calle de San José

Plaza de Mariana Pineda

CALLE

PUERTA REAL DE ESPAÑA

Ayuntamiento

PL. DE ISABEL LA CATÓLICA

PL. DE C. DE LOS REYES

Catedral y Capilla Real

Plaza Romanilla

GENERALIFE

Alhambra

Palacio de Carlos V

Generalife

Cno. Fuente del Avellano

Abadía del Sacromonte

Pº DEL PADRE MANJÓN

CARRERA DEL DARRO

CUESTA DE GOMEREZ

CUESTA ESCOLÁSTICA

SACROMONTE

CUESTA DEL

CHAPIZ

ALBAICÍN

Muralla de la Alcazaba

GRAN

VÍA

DE

COLÓN

Plaza de Carniceros

N-342 Guadix 41 Murcia 278

CARRETERA DE MURCIA

N-323 Jaén 105 Madrid 435

N-432 Córdoba 166 Aeropuerto 13

N-342 Antequera 99 Málaga 129

0   100   200 m

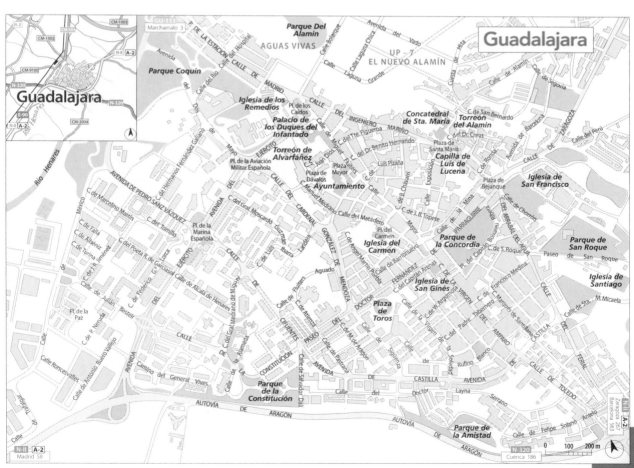

Guadalajara

Parque Del Alamín

Avenida del Vado

AGUAS VIVAS

UP - 1 EL NUEVO ALAMÍN

Parque Coquín

Iglesia de los Remedios

Palacio de los Duques del Infantado

Torreón de Alvarfáñez

Concatedral de Sta. María

Torreón del Alamín

Capilla de Luís de Lucena

Iglesia de San Francisco

Ayuntamiento

Iglesia del Carmen

Parque de la Concordia

Parque de San Roque

Iglesia de San Ginés

Iglesia de Santiago

Plaza de Toros

Parque de la Constitución

Río Henares

AVENIDA DE PEDRO SANZ VÁZQUEZ

AUTOVÍA DE ARAGÓN

Parque de la Amistad

N-320 Cuenca 186

N-II Madrid 58

A-2

0   100   200 m

217

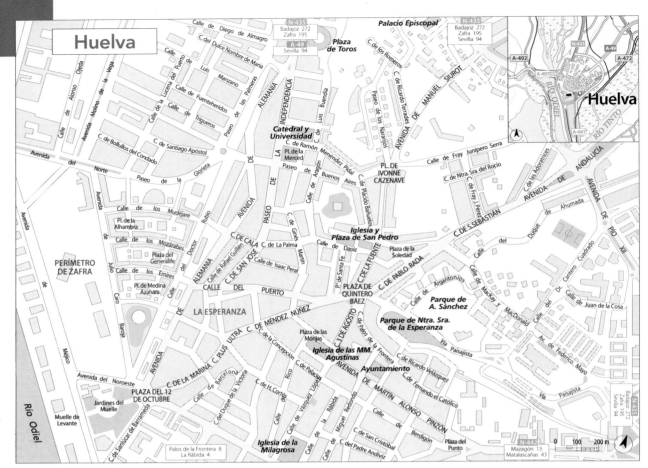

Huelva

Calle de Diego de Almagro
N-435 Badajoz 272 Zafra 195
A-49 Sevilla 94
Palacio Episcopal
C. de los Romeros
N-435 Badajoz 272 Zafra 195 Sevilla 94
Calle del Dulce Nombre de María
Plaza de Toros
C. de Ricardo Terrades
Calle de
Luis Manzano
Calle de Fuenteheridos
Paseo de los Naranjos
AVENIDA DE MANUEL SIUROT
Avenida Molino de la Vega
Calle de Alonso Ojeda
Lucena del Puerto
Calle de Triqueros
Paseo de las Palmeras
Luis Buendía
ALEMANIA
INDEPENDENCIA
Calle de Fray Junípero Serra
AVENIDA DE ANDALUCÍA
Calle de Santiago Apóstol
C. de Bollullos del Condado
Catedral y Universidad
Pl. de la Merced
C. de Ramón Menéndez Pidal
C. de Ntra. Sra. del Rocío
AVENIDA DE PÍO XII
Avenida del Norte
Paseo de la Glorieta
LA
DE
PASEO
Paseo de Aragón
Buenos Aires
PL. DE IVONNE CAZENAVE
C. de Fray J. Pérez León
C. de las Adoratrices
de Ahumada
AVENIDA DE ALEMANIA
Calle de los Mudéjare
Rubio
C. de Placido Bañuelos
C. de S. SEBASTIÁN
Duque
del
Calle
Avenida
Pl. de la Alhambra
Calle de los Mozárabes
PASEO
C. DE CALA
C. de La Palma
Iglesia y Plaza de San Pedro
Plaza de la Soledad
Calle de Argantonios
C. de Mackay y MacDonald
Calle de Juan de la Cosa
PERÍMETRO DE ZAFRA
Plaza del Generalife
C. de San Fe
C. DE SAN JOSÉ
Calle de Isaac Peral
C. de Giner
Martín
C. de Daoiz
P. de Santa Fe
Dr. Cantero Cuadrado
Pl. de Medina Azahara
Pl. de los Emires
Caro
del doctor
CALLE DEL PUERTO
PLAZA DE QUINTERO BÁEZ
C. DE PABLO RADA
Parque de A. Sánchez
Av. de Federico. Mayo
Avenida
Baroja
LA ESPERANZA
C. DE MÉNDEZ NÚÑEZ
Parque de Ntra. Sra. de la Esperanza
Via Paisajista
DE
ULTRA
C. PLUS
Plaza de las Monjas
3 DE AGOSTO
C. de Palos de la Frontera
C. de Ricardo Velázquez
Avenida del Noroeste
AVENIDA
C. DE LA MARINA
C. de la Concepción
C. de Palacio
Rico
AVENIDA DE MARTÍN ALONSO PINZÓN
C. de Fernando el Católico
Via Paisajista
N-442 Badajoz 272 Zafra 195 Sevilla 94
Méjico
Jardines del Muelle
Iglesia de las MM. Agustinas
Ayuntamiento
Calle de Barcelona
Calle del Duque de la Victoria
C. de H. Cortés
C. de Vázquez López
La Rábida
Calle
Miguel Redondo
Plaza del Punto
PLAZA DEL 12 DE OCTUBRE
Muelle de Levante
Río Odiel
C. de Sanlúcar de Barrameda
Palos de la Frontera 8 La Rábida 4
Iglesia de la Milagrosa
C. de San Cristóbal
C. del Padre Andíviz
de Berdigón
Mazagón 13 Matalascañas 43
0 100 200 m

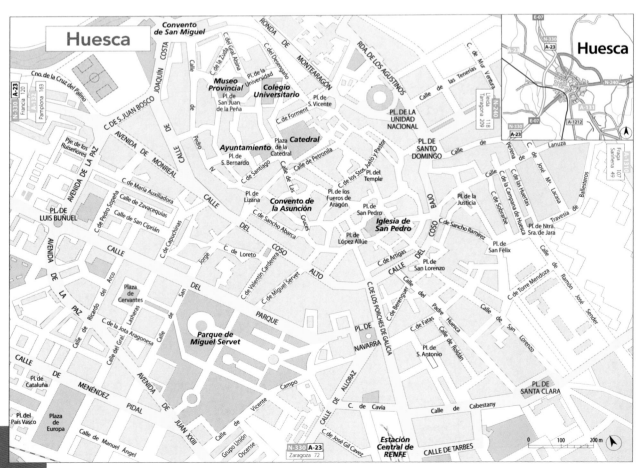

Huesca

Convento de San Miguel
RONDA DE MONTEARAGÓN
RDA. DE LOS AGUSTINOS
C. de Mur Ventura
E-07
N-330
A-23
Huesca
JOAQUÍN COSTA
Cno. de la Cruz del Palmo
C. del Gral. Alsina
C. de la Zuda
Pl. de la Universidad
de las Tenerías
N-330 A-23 Francia 120 Pamplona 163
C. DE S. JUAN BOSCO
Museo Provincial
Colegio Universitario
Pl. de S. Vicente
PL. DE LA UNIDAD NACIONAL
Lanuza
Calle
perena
Fraga 107 Sariñena 49
Pje. de los Ruiseñores
AVENIDA DE MONREAL
CALLE
Pl. de San Juan de la Peña
C. de Forment
Pedro
Plaza Catedral de la Catedral
PL. DE SANTO DOMINGO
C. de José Mª Lacasa
C. de las Huertas
Ballesteros
AVENIDA DE LA PAZ
C. de María Auxiliadora
Calle de Zavacequías
Ayuntamiento
Pl. de S. Bernardo
Calle de Santiago
Calle de Petronila
C. de los Stos. Justo y Pastor
Pl. del Temple
Pl. de la Justicia
C. de la Campana de Huesca
Pl. de Ntra. Sra. de Jara
PL. DE LUIS BUÑUEL
C. de Pedro Sopena
Calle de San Ciprián
Pl. de Lizana
Convento de la Asunción
C. de las Cruces
Pl. de los Fueros de Aragón
Pl. de San Pedro
Iglesia de San Pedro
Travesía
C. de Sobrarbe
Pl. de San Félix
AVENIDA DE LA PAZ
C. de Capuchinas
DEL
C. de Sancho Abarca
COSO
Pl. de López Allúe
COSO
C. de Sancho Ramírez
Ramón José Sender
Plaza de Cervantes
C. de Loreto
Jorge
ALTO
BAJO
C. de Artigas
Pl. de San Lorenzo
CALLE
C. de Torre Mendoza
Ricardo del Arco
Calle del Gral. Aragonesa
C. de la Jota Aragonesa
Latheras
C. de Valentín Carderera
C. de Miguel Servet
C. DE LOS PORCHES DE GALICIA
DEL
C. de Berenguer
Padre Huesca
Calle de San Lorenzo
CALLE
DE
LA PAZ
DEL PARQUE
Parque de Miguel Servet
PL. DE NAVARRA
C. de Fatas
Calle de Roldán
Pl. de S. Antonio
CALLE
DE MENÉNDEZ PIDAL
Pl. de Cataluña
Plaza de Cervantes
AVENIDA DE JUAN XXIII
Campo
Vicente
C. DE ALLORAZ
C. de Cavia
PL. DE SANTA CLARA
Pl. del País Vasco
Plaza de Europa
Calle de Manuel Ángel
Grupo Unión Oscense
C. de José Gil Cavez
Estación Central de RENFE
Calle de Cabestany
CALLE DE TARBES
N-330 A-23 Zaragoza 72
0 100 200 m

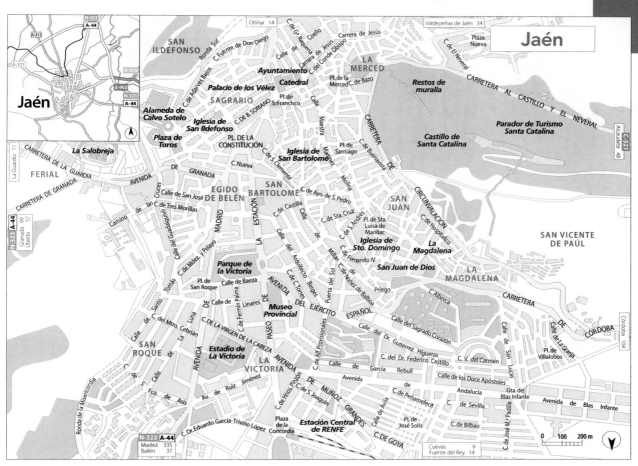

Jaén

Otiñar 14
Valdepeñas de Jaén 34

SAN ILDEFONSO

C. de G.ª Requena Coello
C. de Fuente de Don Diego
Ronda Sur
Carrera de Jesús
Carrera de Jesús
Carrera del Conde Obispo

Plaza Nueva

C. de El Neveral

CARRETERA AL CASTILLO Y EL NEVERAL

Ayuntamiento
Catedral
Palacio de los Vélez
SAGRARIO

LA MERCED

Pl. de la Merced C. de Bazo

Restos de muralla

Parador de Turismo Santa Catalina

Alcaudete 48 · C-321

Alameda de Calvo Sotelo
Iglesia de San Ildefonso
Plaza de Toros

C. de B. Soriano
Pl. de S. Francisco

PL. DE LA CONSTITUCIÓN

Castillo de Santa Catalina

La Salobreja

La Guardia 11

CARRETERA DE LA GUARDIA
FERIAL

CARRETERA DE GRANADA

Granada 99 · Úbeda 57 · N-323 A-44

C. Nueva
C. de S. Clemente

DE GRANADA

Calle de San José

Iglesia de San Bartolomé

SAN BARTOLOMÉ

Pl. de Santiago

C. de Buenavista

SAN JUAN

CIRCUNVALACIÓN
C. de Hospitalico

SAN VICENTE DE PAÚL

EGIDO DE BELÉN

AVENIDA

C. de las Cruces
C. de Tres Morillas
Calle del Guadalquivir

MADRID
ESTACIÓN

C. de Castilla

C. de Sta. Cruz
C. de S. Andrés
C. de Ayo. de S. Pedro
Maestra
Molina

Pl. de Sta. Luisa de Marillac

Iglesia de Sto. Domingo

La Magdalena

LA MAGDALENA

San Juan de Dios

C. de Fernando IV

Priego

C. Alberca

CARRETERA DE CÓRDOBA

Córdoba 104

C. de Méiz y Pelayo

Parque de la Victoria

Pl. de San Roque
Calle de Baeza

AVENIDA DEL EJÉRCITO

C. de Torres

Puerta del Sol
C. de Núñez de Balboa

ESPAÑOL

Calle del Sagrado Corazón

Calle de
C. de la Granja

Pl. de Villalobos

SAN ROQUE

Calle de Fermín Palma Linares
C. DE LA VIRGEN DE LA CABEZA
PASEO

Museo Provincial

C. de All Provisionales

Calle del Dr. Gutiérrez Higueras

C. V. del Carmen

Calle de San Lucas

C. del Mtro. Cebrián
Luna

Estadio de La Victoria

AVENIDA

LA VICTORIA

C. del Dr. Federico Castillo
Calle de García Rebull

Calle de los Doce Apóstoles

Gta. de Blas Infante

Avenida de Blas Infante

Ronda de la Misericordia

Av. de Ruiz Jiménez
C. de Hnos. Pinzón
C. de S. Joaquín

DE MUÑOZ GRANDES

Avenida

C. de Peñamefecit

Andalucía

C. de Sevilla

C. de José M.ª Padilla

Fco. de Asís

Plaza de la Concordia

Estación Central de RENFE

Pl. de José Solís

C. de Ávila
C. de Bilbao

C. DE GOYA

Madrid 335 · Bailén 37 · N-323 A-44

C. Dr. Eduardo García-Triviño López

0 100 200 m

Cuevas 9
Fuente del Rey 14

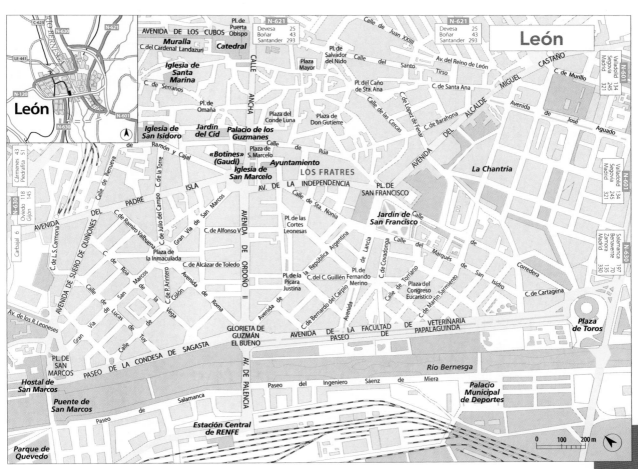

León

C-623 · N-630 · N-621

LE-441

N-120

N-630

N-601

AVENIDA DE LOS CUBOS

Pl. de Puerta Obispo

N-621
Devesa 25
Boñar 43
Santander 293

Calle de Juan XXIIII

N-621
Devesa 25
Boñar 43
Santander 293

Muralla
C. del Cardenal Landázuri
Catedral

Iglesia de Santa Marina

C. de Serranos

Pl. de Omaña

Plaza Mayor

CALLE ANCHA

Pl. de Salvador del Nido
Calle del Santo
Pl. del Caño de Sta. Ana

Av. del Reino de León
Tirso
C. de Santa Ana

CASTAÑO
C. de Murillo

Valladolid 134
Segovia 245
Madrid 321 · N-601

Iglesia de San Isidoro
Jardín del Cid
Palacio de los Guzmanes

Plaza del Conde Luna
Plaza de Don Gutierre

C. de las Cercas
C. de López de Fenar
C. de Barahona

MIGUEL ALCALDE DEL

Avenida de José Aguado

Valladolid 134
Segovia 245
Madrid 321 · N-601

Cármenes 43
Piedrafita 51

Ramón y Cajal
Calle de la Torre

«Botines» (Gaudí)
Iglesia de San Marcelo

Plaza de S. Marcelo
Ayuntamiento
Calle de la Rúa
LOS FRATRES

La Chantría

Oviedo 118
Gijón 145 · N-630

AVENIDA DE SUERO DE QUIÑONES
PADRE DEL ISLA

C. de Renueva
Calle de San Marcos
Gran Vía de San Marcos
C. de Alfonso V

AV. DE LA INDEPENDENCIA

PL. DE SAN FRANCISCO

Calle de Sta. Nonia

Jardín de San Francisco
Calle del Marqués de San Isidro

Carbajal 6

C. de L. S. Carmona
C. de Ramiro Valbuena
C. de Julio del Campo
C. de P. Arintero
AVENIDA DE ROMA

Plaza de la Inmaculada
C. de Alcázar de Toledo

ORDOÑO II
AVENIDA DE

Pl. de las Cortes Leonesas

República Argentina

C. de Lancia

Calle de Covadonga

Pl. de la Pícara Justina
C. del C. Guillén Fernando Merino

Plaza del Congreso Eucarístico

Salamanca 197
Benavente 70
Zamora 135
Madrid 330 · N-630

Av. de los R. Leoneses
Gran Vía
Calle de San Marcos de Lucas de Tuy
Vega

PL. DE SAN MARCOS

GLORIETA DE GUZMÁN EL BUENO

C. de Bernardo del Carpio
AVENIDA DE LA FACULTAD DE VETERINARIA

C. de Torriano
C. de Martín Sarmiento
C. de Cartagena

Corredera

PASEO DE LA CONDESA DE SAGASTA

AV. DE PALENCIA

PAPALAGUINDA

Plaza de Toros

Hostal de San Marcos
Puente de San Marcos

Salamanca
Paseo del Ingeniero Sáenz de Miera

Río Bernesga

Palacio Municipal de Deportes

Estación Central de RENFE

Parque de Quevedo

0 100 200 m

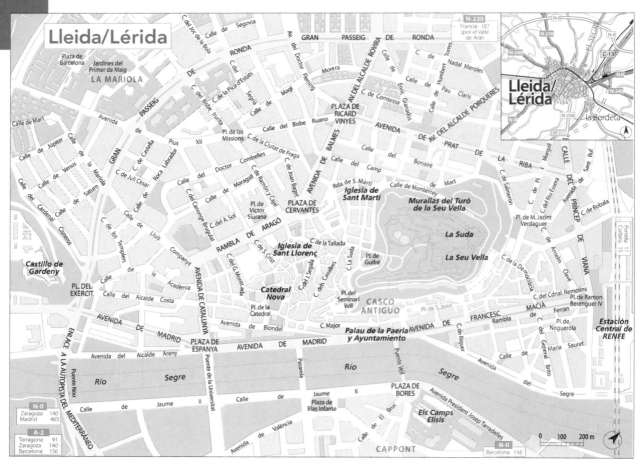

Lleida/Lérida

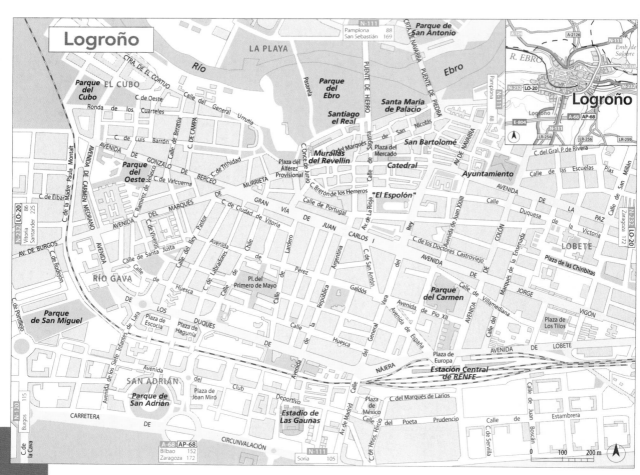

Logroño

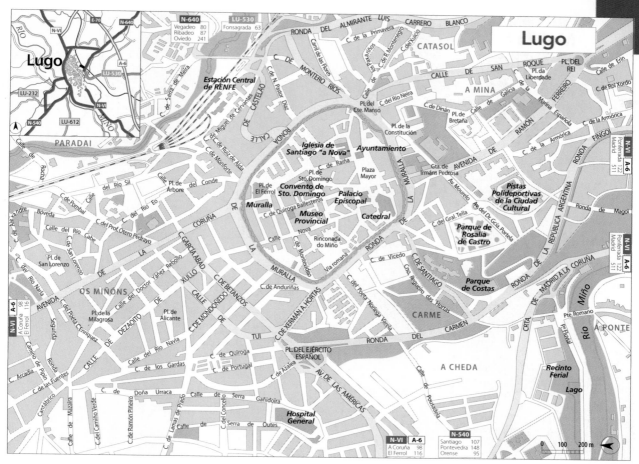

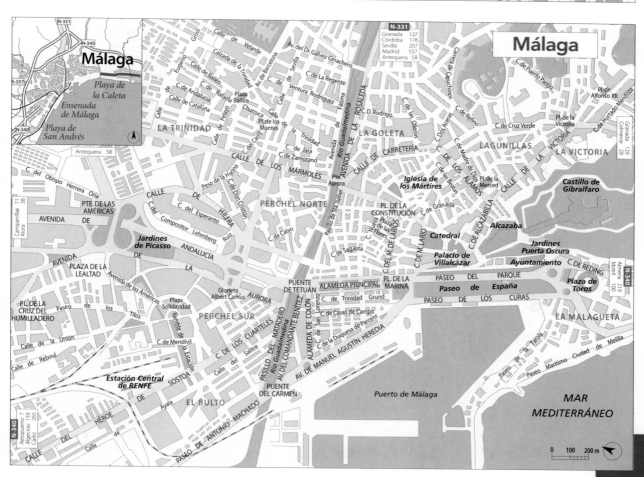

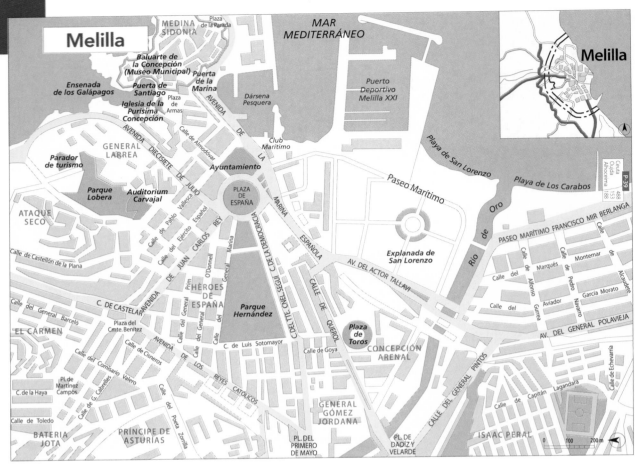

Melilla

MEDINA SIDONIA
Plaza de la Parada
MAR MEDITERRÁNEO

Baluarte de la Concepción (Museo Municipal)
Puerta de la Marina
Puerto Deportivo Melilla XXI
Ensenada de los Galápagos
Puerta de Santiago
Dársena Pesquera
Iglesia de la Purísima Concepción
Plaza de Armas

AVENIDA DE LA
Club Marítimo
Playa de San Lorenzo

GENERAL LABREA
Calle de Almodóvar
Ayuntamiento
AVENIDA DIECISIETE DE JULIO
Parador de turismo
Parque Lobera
Auditorium Carvajal
PLAZA DE ESPAÑA

Paseo Marítimo
Playa de Los Carabos
PASEO MARÍTIMO FRANCISCO MIR BERLANGA

Calle de Pablo Vallesca
Calle del Ejército Español
MARINA
ESPAÑOLA
C. DE LA DEMOCRACIA
Explanada de San Lorenzo
Río de Oro
Calle del Marqués
Montemar
Calle de Pedro

ATAQUE SECO
Calle de Castellón de la Plana
DE JUAN CARLOS REY
O'Donnell
AV. DEL ACTOR TALLAVI
Calle del Alfonso
García Morato
Calle del Aviador Navarro
Calle de Alcaudete

Calle del General Barceló
EL CARMEN
C. DE CASTELAR
AVENIDA
Plaza del Cmte. Benítez
HÉROES DE ESPAÑA
Prim
Parque Hernández
C. DE QUEROL
Calle de Capitán Lagandara
AV. DEL GENERAL POLAVIEJA

Calle de Cisneros
C. de Luis Sotomayor
Plaza de Toros
Calle de Goya
Calle del Poeta Zorrilla
AVENIDA DE LOS
Calle de Echevarría

C. de la Haya
Pl. de Martínez Campos
Calle de G. Cabrelles
REYES CATÓLICOS
CONCEPCIÓN ARENAL
Calle del

Calle de Toledo
BATERÍA JOTA
PRÍNCIPE DE ASTURIAS
PL. DEL PRIMERO DE MAYO
GENERAL GÓMEZ JORDANA
PL. DE DAOÍZ Y VELARDE
ISAAC PERAL
CALLE DEL GENERAL PINTOS
0   100   200 m

Melilla
Ceuta 488
Ojuda 153
Alhocema 188
P-39

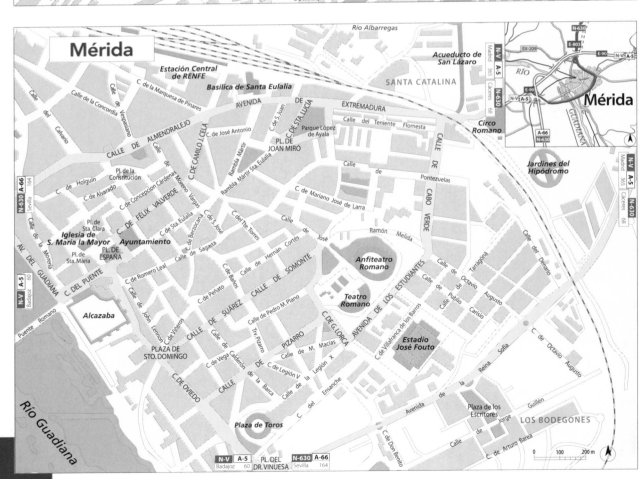

Mérida

Río Albarregas
Estación Central de RENFE
Acueducto de San Lázaro
SANTA CATALINA
N-630 / A-5 Madrid 365 / N-630 Cáceres 68

C. de la Marquesa de Pinares
Basílica de Santa Eulalia
AVENIDA DE
EXTREMADURA
Circo Romano

Calle de la Concordia
Calle del Calvario
Calle de Vespasiano
CALLE DE ALMENDRALEJO
C. DE CAMILO J. CELA
C. de José Antonio
C. de S. Juan
C. DE STA. LUCÍA
Parque López de Ayala
Calle del Teniente Flomesta
CALLE DE CABO VERDE

Pl. de la Constitución
C. de Holguín
C. de Alvarado
C. DE FÉLIX VALVERDE
C. de Concepción Cárdenas
Moreno Vargas
Rambla Mártir
PL. DE JOAN MIRÓ
Calle de
Calle de Mariano José de Larra
Pontezuelas

N-630 / A-66 Sevilla 164
Pl. de Sta. Clara
Iglesia de S. María la Mayor
Ayuntamiento
Pl. de Sta. María
PL. DE ESPAÑA
C. de Sta. Eulalia
C. de S. José
C. de Barzocana
C. de Sagasta
Rambla Mártir Sta. Eulalia
C. del Tte. Torres
Ramón Melida
Calle de Tarragona
Jardines del Hipódromo

AV. DEL GUADIANA
Calle de la Morería
C. DEL PUENTE
C. de Romero Leal
Calle de Hernán Cortés
Calle de José
Anfiteatro Romano
Calle de Octavio Augusto
Calle de Publio Carisio
Calle del Denario

A-5 N-V Badajoz 60
Puente Romano
C. de John Lennon
C. de Viñeros
CALLE DE SUÁREZ
C. de Peñato
Calle de Pedro M. Plano
Teatro Romano
AVENIDA DE LOS ESTUDIANTES
C. de Villafranca de los Barros

Alcazaba
C. de Vega Calderón
Trv. Pizarro
PIZARRO
CALLE DE SOMONTE
C. DE G. LORCA
Estadio José Fouto
Reina Sofía
C. de Octavio Augusto

PLAZA DE STO. DOMINGO
CALLE DE
C. de Legión V
Calle de M. Macías
de la Legión X
AVENIDA DE

C. DE OVIEDO
C. de la Barca
Calle del Ensanche
Avenida
Plaza de los Escritores
Guillén
Jorge
LOS BODEGONES

Río Guadiana
Plaza de Toros
C. DE DON BENITO
Calle
de
C. de Arturo Barea
0   100   200 m

N-V / A-5 Badajoz 60
PL. DEL DR. VINUESA
N-630 / A-66 Sevilla 164

Mérida
N-630 / E-803 / N-V / A-5
EX-209 / E-90
RÍO
A-66 / N-630
GUADIANA
N-V / A-5 Madrid 365 / N-630 Cáceres 68

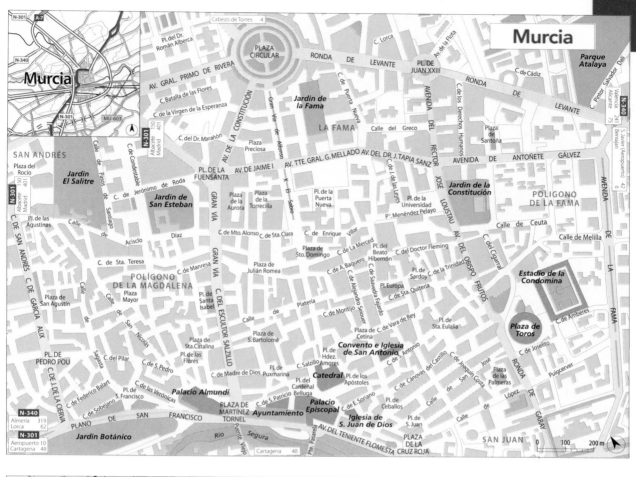

Murcia

Ourense/Orense

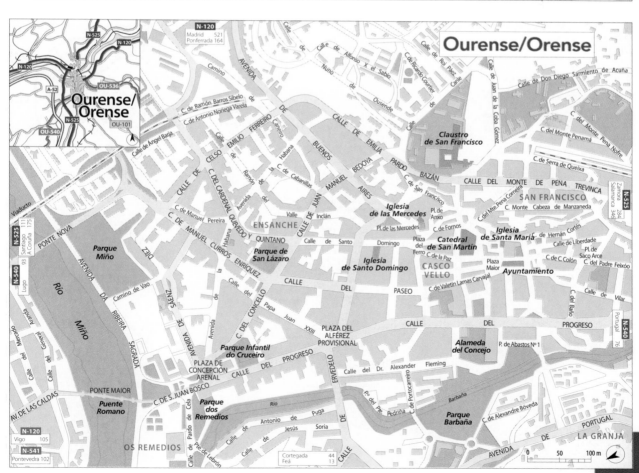

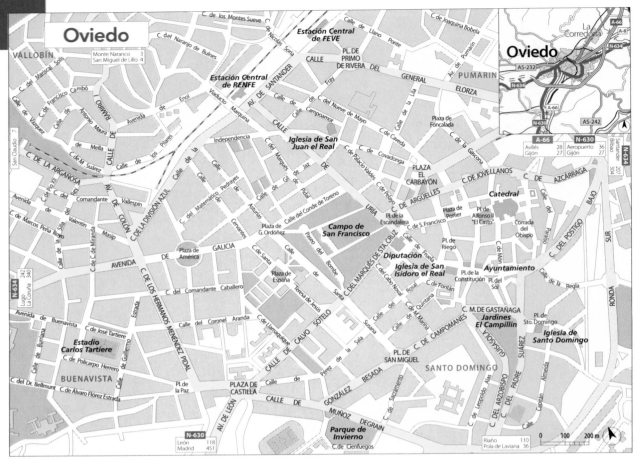

Oviedo

VALLOBÍN

Monte Naranco 3
San Miguel de Lillo 4

Estación Central de FEVE

Estación Central de RENFE

PL. DE PRIMO DE RIVERA

PUMARIN

C. del Naranjo de Bulnes

Av. PUMARIN

GENERAL ELORZA

Iglesia de San Juan el Real

PLAZA EL CARBAYÓN

C. DE JOVELLANOS

C. DE AZCÁRRAGA

Catedral

Campo de San Francisco

C. DE LA ARGAÑOSA

Pl. de Alfonso II "El Casto"

Corrada del Obispo

C. DEL POSTIGO

Plaza de América

AVENIDA DE GALICIA

Diputación

Iglesia de San Isidoro el Real

Ayuntamiento

Pl. de la Constitución

Plaza de España

Iglesia de San Isidoro el Real

Jardines El Campillín

Iglesia de Santo Domingo

Estadio Carlos Tartiere

BUENAVISTA

PLAZA DE CASTILLA

PL. DE SAN MIGUEL

SANTO DOMINGO

RONDA SUR

Parque de Invierno

León 118
Madrid 451

Riaño 110
Pola de Laviana 36

0 100 200 m

Palencia

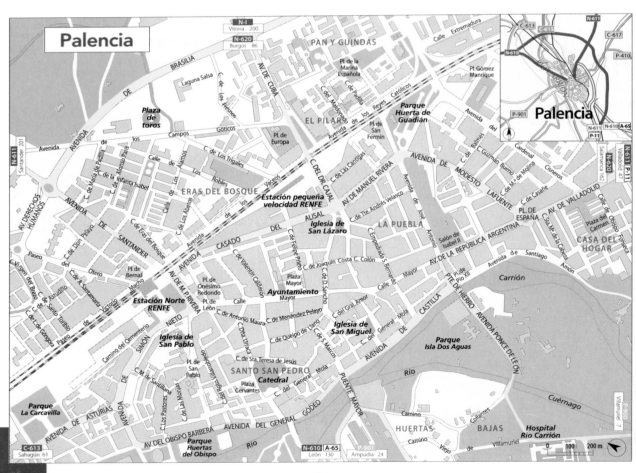

N-I Vitoria 200
N-620 Burgos 86

PAN Y GUINDAS

Pl. Gómez Manrique

BRASILIA

AV. DE CUBA

Pl. de la Marina Española

Plaza de toros

EL PILAR

Parque Huerta de Guadián

Laguna Salsa

Pl. de Europa

Pl. de San Fermín

AVENIDA DE MODESTO LAFUENTE

N-611 Santander 201

ERAS DEL BOSQUE

C. DEL DR. CAJAL

Estación pequeña velocidad RENFE

LA PUEBLA

AV. DE LA REPÚBLICA ARGENTINA

PL. DE ESPAÑA

CASA DEL HOGAR

N-611 P-11

Iglesia de San Lázaro

ALISAL

Estación Norte RENFE

Plaza Mayor

Ayuntamiento

AVENIDA DE VALLADOLID

Iglesia de San Pablo

Iglesia de San Miguel

Parque Isla Dos Aguas

PUENTE MAYOR

Parque La Carcavilla

SANTO SAN PEDRO

Catedral

HUERTAS BAJAS

Hospital Río Carrión

AV. DEL OBISPO BARBERÁ

Parque Huertas del Obispo

AVENIDA DEL GENERAL GODED

N-610 A-65
León 130

P-901
Ampudia 24

Villamuriel 7

0 100 200 m

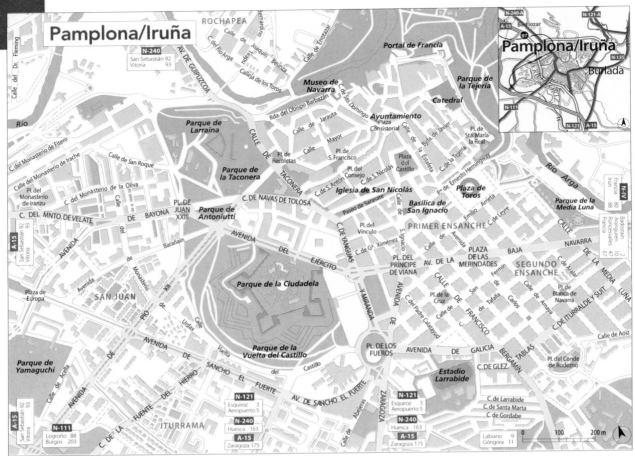

Pamplona/Iruña

ROCHAPEA

N-240
San Sebastián 92
Vitoria 93

Pamplona/Iruña
Burlada

Portal de Francia

Museo de Navarra

Parque de la Tejería

Catedral

Rda. del Obispo Barbazán

Ayuntamiento
Plaza Consistorial

Calle de Jarauta

Pl. de Sta. María la Real

Parque de Larraina

Calle Mayor

Pl. de Recoletas

Pl. de S. Francisco

Plaza del Castillo

Pl. de la Tejería

Río Arga

Parque de la Taconera

Pl. del Consejo

Iglesia de San Nicolás

P. de Ernesto Hemingway

Parque de la Media Luna

C. DEL MNTO. DE VELATE

Pl. del Monasterio de Iranzu

PL. DE JUAN XXIII

Parque de Antoniutti

C. DE NAVAS DE TOLOSA

Paseo de Sarasate

Basílica de San Ignacio

Plaza de Toros

Emilio Arrieta

Francia 80
Irun 88

Badostain 2
Aranguren 10
Roncesvalles 47
Francia 67

PRIMER ENSANCHE

Pl. del Vínculo

PLAZA DE LAS MERINDADES

NAVARRA

AVENIDA DEL EJÉRCITO

PL. DEL PRÍNCIPE DE VIANA

AV. DE LA BAJA

SEGUNDO ENSANCHE

Pl. de Blanca de Navarra

SAN JUAN

Plaza de Europa

Parque de la Ciudadela

Pl. de la Cruz

C. del Padre Calatayud

Pl. de Amaya

C. DE ITURRALDE Y SUIT

Calle de Aoiz

Parque de Yamaguchi

Parque de la Vuelta del Castillo

PL. DE LOS FUEROS

AVENIDA DE GALICIA

Pl. del Conde de Rodezno

ITURRAMA

AV. DE SANCHO EL FUERTE

Estadio Larrabide

C. DE GLEZ.

C de Larrabide
C de Santa Marta
C de Gordabe

N-121
Esquíroz 3
Aeropuerto 5

N-121
Esquíroz 3
Aeropuerto 5

N-240
Huesca 163

N-240
Huesca 163

A-15
San Sebastián 92
Vitoria 93

N-111
Logroño 88
Burgos 203

A-15
Zaragoza 175

A-15
Zaragoza 175

Labiano 9
Góngora 11

0   100   200 m

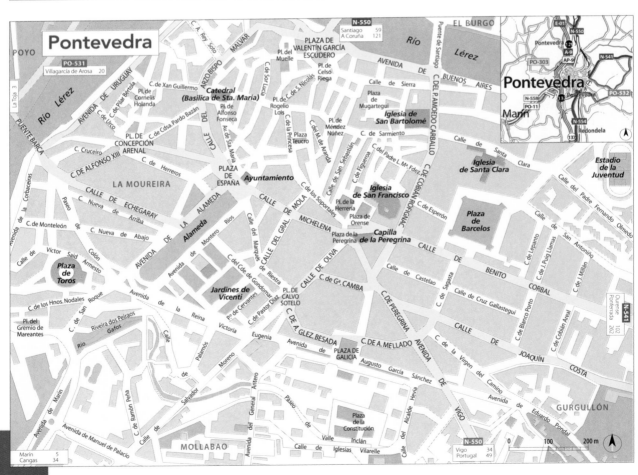

Pontevedra

POYO

PO-531
Villagarcía de Arosa 20

PLAZA DE VALENTÍN GARCÍA ESCUDERO

Santiago 59
A Coruña 121

EL BURGO

Río Lérez

Pontevedra

Catedral (Basílica de Sta. María)

Pl. del Muelle

Pl. de Celso Riega

Calle de Sierra

BUENOS AIRES

Marín

Río Lérez

PL. DE CONCEPCIÓN ARENAL

Plaza de Mugartegui

Iglesia de San Bartolomé

PUENTE BARCA

C. de Alfonso XIII

PLAZA DE ESPAÑA

Ayuntamiento

Iglesia de Santa Clara

Estadio de la Juventud

LA MOUREIRA

CALLE DE ECHEGARAY

Iglesia de San Francisco

Plaza de Barcelos

Plaza de Toros

Jardines de Vicenti

Capilla de la Peregrina

PLAZA DE GALICIA

Plaza de la Constitución

MOLLABAO

N-550
Vigo 34
Portugal 49

GURGULLÓN

N-541
Ourense 102
Pontevedra 262

0   100   200 m

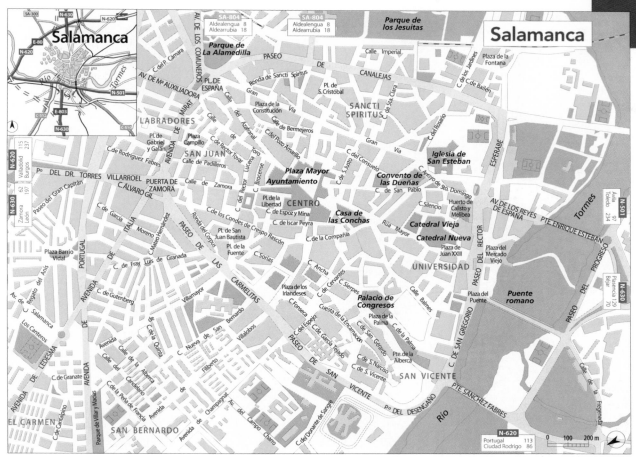

Salamanca

Salamanca

SA-300 | N-630
N-620
E-80
N-620
Río Tormes
E-803
C-517 | C-510
N-630
N-501

Parque de los Jesuitas

SA-804 | Aldealengua 8 | Aldearrubia 18
SA-804 | Aldealengua 8 | Aldearrubia 18

Calle Imperial
Plaza de la Fontana

PASEO DE CANALEJAS

C. de los Jardines
C. de Bailén
Pº DE Mª AUXILIADORA
C. de P. Cámara
AV. DE LOS COMUNEROS

Parque de La Alamedilla

Calle del Azafranal
Ronda de Sancti Spíritus
PL. DE ESPAÑA
Gran Vía
Calle

Pl. de S. Cristóbal

SANCTI SPIRITUS

C. de Sta. Clara
C. del Rosario
ESPERABE

Plaza de la Constitución
Calle de Bermejeros

LABRADORES
MIRAT
AV. DE
Gran Vía

Pl. de Gabriel y Galán
Plaza Campillo
C. de Rector Tovar
C. del Toro
Lucena
C. del Pozo Amarillo
Iglesia de San Esteban

N-620 | Valladolid 115 | Burgos 237
SAN JUAN
C. de Rodríguez Fabres
Calle de Padilleros
C. del Consuelo

N-630 | Zamora 62 | León 197
Pº DEL DR. TORRES VILLARROEL
PUERTA DE ZAMORA
C. ÁLVARO GIL
Calle de Zamora
C. del Rector
Biscornete
C. de S. Justo
Arroyo de Sto. Domingo
Convento de las Dueñas
C. de San Pablo
AV DE LOS REYES DE ESPAÑA
PTE ENRIQUE ESTEBAN
Tormes

Paseo del Gran Capitán
Pl. de la Libertad
C. de Espoz y Mina
Plaza Mayor Ayuntamiento
C. Silencio
Huerto de Calisto y Melibea

Plaza Barrio Vidal
PORTUGAL
C. Mateo Hernández
Moreno
C. de García
Ronda del Corrillo
C. de Iscar Peyra
CENTRO
Casa de las Conchas
Rúa Mayor
Catedral Vieja
PASEO DEL RECTOR
Plaza del Mercado Viejo

Av. de J. Regato de Anís
Av. de J. Salamanca
ITALIA
C. de Fray Luis de Granada
Pl. de San Juan Bautista
Pl. de la Fuente
C. Sorías
C. de la Compañía
Catedral Nueva
Plaza de Juan XXIII
Plaza del Puente
Puente romano
N-630 | Plasencia 129 | Béjar 70
Avila 97 | Toledo 234 | N-501

Los Canteros
PASEO DE LAS CARMELITAS
C. de Gutenberg
Villamayor
C. Ancha
Plaza de los Irlandeses
C. de Cervantes
C. Sierpes
UNIVERSIDAD
C. Bálnes
C. DE SAN GREGORIO
PASEO DEL PROGRESO

AVENIDA DE LEDESMA
PORTUGAL
C. de la Quinta
C. de San Bernardo
Villobos
C. Fonseca
Cuesta de la Encarnación
Palacio de Congresos
C. del Espejo
C. de García Tejado
Pl. de la Palma
C. de San Gerardo
Pte. de la Alberca
Río

AVENIDA
DE
Calle de la Alberca
Nueva de San
Filiberto
C. del Candelario
C. de la Peña de Francia
PASEO DE SAN VICENTE
C. de S. Narciso
C. de S. Vicente
SAN VICENTE
C. DE LA Fregeneda

EL CARMEN
C. de Cantalino
SAN BERNARDO
Avenida de Champagnat
Av. del Campo Charro
C. del Donante de Sangre
VICENTE
Pº DEL DESENGAÑO
PTE. SÁNCHEZ FABRES
N-620 | Portugal 113 | Ciudad Rodrigo 86

Parque de Villar y Macías
0   100   200 m

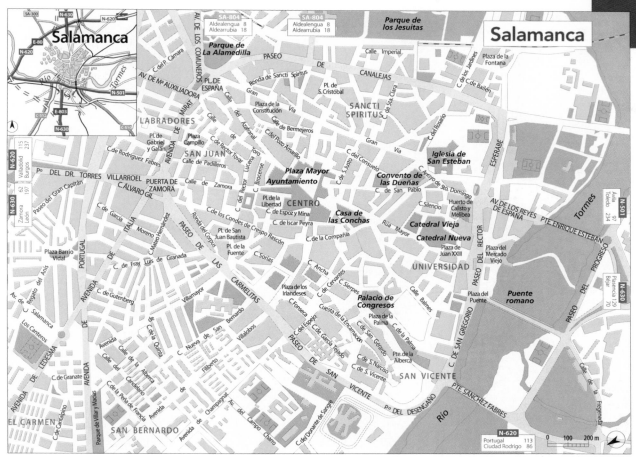

Salamanca

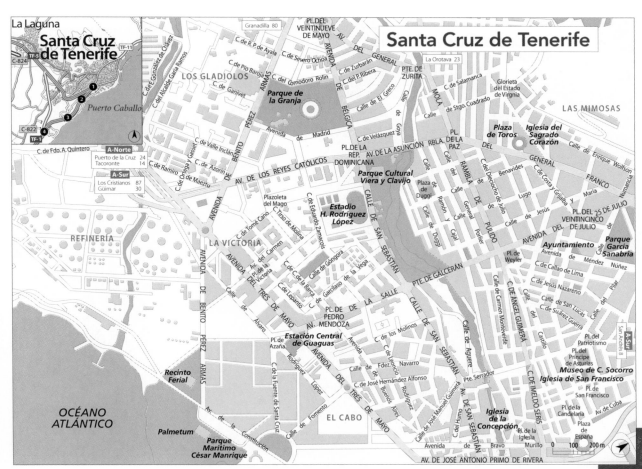

Santa Cruz de Tenerife

227

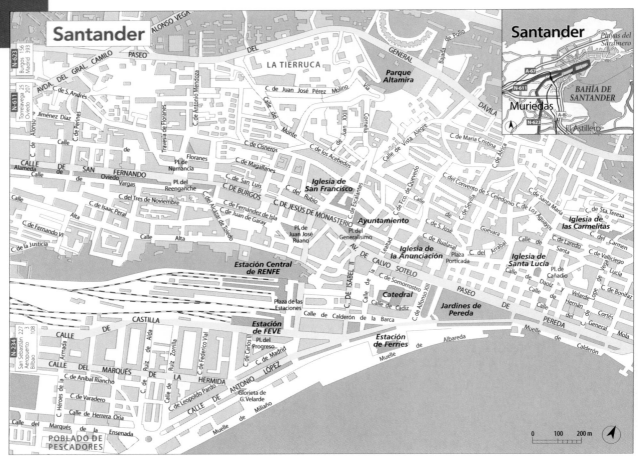

Santander

PASEO DEL GENERAL DÁVILA

ALONSO VEGA

LA TIERRUCA

Parque Altamira

C. de Juan José Pérez Molino

Bajada de Polio

AVDA. DEL GRAL. CAMILO

C. de S. Andrés

Jiménez Díaz

Travesía de Floranes

Calle del Monte

Calle de Juan XXIII

Cornelia

Vía

Calle de Vista Alegre

C. de María Cristina

C. de África

C. de Antonio Mendoza

C. de Perinés

C. de Cisneros

C. de los Acebedos

C. del Convento de S. Celedonio

C. de Los Aguayos

C. de Sta. María

C. de Sta. Teresa

Iglesia de las Carmelitas

Floranes

C. de Magallanes

Pl. de Numancia

C. de San Luis

C. del Rubio

C. de Fco. de Quevedo

C. de Sevilla

Guevara

Calle de Laredo

C. del Carmen

C. de Valliciego

CALLE | Alameda | DE | de | SAN | FERNANDO

C. de Isaac Peral

C. del Tres de Noviembre

Pl. del Reenganche

C. DE BURGOS

Iglesia de San Francisco

C. de Escalantes

C. de San José

C. de Bualasal

Calle de Santa

C. de Laredo

Lucía

C. de Fernando VI

C. de la Justicia

C. del Alcázar de Toledo

C. del Tres de Noviembre

C. de Fernández de Isla

C. DE JESÚS DE MONASTERIO

Ayuntamiento

Pl. del Generalísimo

Plaza Porticada

C. del Arrabal

Iglesia de Santa Lucía

Pl. de Cañadío

C. de Bonifaz

C. de Juan de Garay

Alta

Calle

Alta

Pl. de Juan José Ruano

Iglesia de la Anunciación

C. del

C. de Somorrostro

Daoíz

y

Velarde

Hernán

Cortés

Estación Central de RENFE

AV. DE CALVO SOTELO

C. DE ISABEL II

Catedral

Calle de Cádiz

C. de Alfonso XIII

PASEO

DE

PEREDA

General

Mola

CASTILLA

CALLE

DE

Plaza de las Estaciones

Calle de Calderón de la Barca

Jardines de Pereda

Muelle

de

Calderón

Armada

C. de Anibal Riancho

CALLE | DEL | MARQUÉS | DE | LA | HERMIDA

Estación de FEVE

Pl. del Progreso

Carlos III

Estación de Ferries

Albareda

C. Héroes de la

C. de Varadero

C. de Leopoldo Pardo

CALLE

DE

ANTONIO

LÓPEZ

Muelle

Muelle

Calle del Marqués de la Ensenada

C. de Herrera Oria

Glorieta de G. Velarde

de

Miliaño

POBLADO DE PESCADORES

0 100 200 m

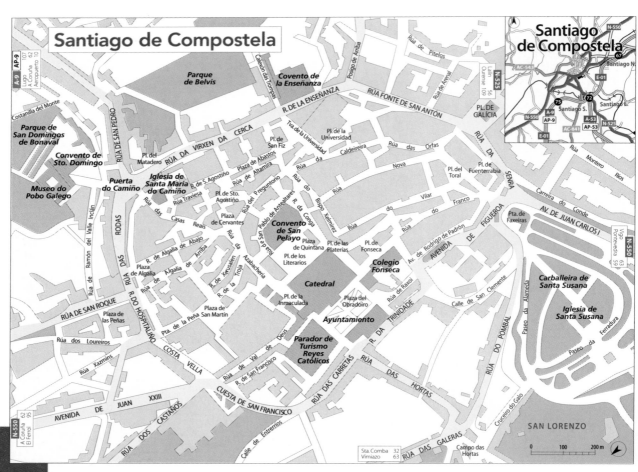

Santiago de Compostela

Parque de Belvis

Covento de la Enseñanza

Calçón das Trompas

RÚA DE PITELOS

Rúa de Arriba

Rúa de Areal

R. DE LA ENSEÑANZA

RÚA FONTE DE SAN ANTÓN

PL. DE GALICIA

Costanilla del Monte

Parque de San Domingos de Bonaval

RÚA DE SAN PEDRO

Pl. del Matadero

RÚA DA VIRXEN DA CERCA

Tva. de Enseñanza

Pl. de la Universidad

Rúa das Orfas

RÚA DA SENRA

RÚA DA FIGUEROA

Convento de Sto. Domingo

Pl. de San Fiz

Plaza de Abastos

Caldeireira

Rúa da

Nova

Pl. del Toral

Pl. de Fuenterrabía

Puerta do Camiño

Iglesia de Santa María do Camiño

R. de S. Agostiño

Plaza de Altamira

Rúa do Preguntoiro

Bispo Xelmírez

Vilar

Franco

Pta. de Faxeiras

AV. DE JUAN CARLOS I

Museo do Pobo Galego

Rúa Traviesa

Pl. de Sto. Agostiño

R. da Calzada do Conde

Carreira do Conde

Rúa dos Casas Reais

Plaza de Cervantes

R. da Troya

Convento de San Pelayo

Plaza de Quintana

Pl. de las Platerías

Pl. de Fonseca

Colegio Fonseca

Av. de Rodrigo de Padrón

AVENIDA

RÚA DAS CARRETAS

Carballeira de Santa Susana

RODAS

R. de Algalia de Abajo

R. de Algalia de Arriba

Plaza de Algalia

Azabachería

Pl. de los Literarios

Catedral

Pl. de la Inmaculada

Plaza del Obradoiro

Plaza del

R. DA TRINIDADE

Calle de San Clemente

Iglesia de Santa Susana

RÚA DE SAN ROQUE

R. DO HOSPITALIÑO

Plaza de las Peñas

Pta. de la Peña de San Martín

Plaza de la Peña San Martín

Ayuntamiento

Rúa de Raxoi

Rúa dos Loureiros

COSTA VELLA

Deus

R. de Val de San Francisco

Parador de Turismo Reyes Católicos

R. DA POMBAL

Paseo da Alameda

Paseo da Ferradura

Rúa Xazmins

AVENIDA

DE

JUAN

XXIII

CUESTA DE SAN FRANCISCO

RÚA DAS CARRETAS

RÚA DAS HORTAS

Cruceiro do Galo

RÚA DOS CASTAÑOS

Calle de Entrerrios

RÚA DAS GALERAS

Campo das Hortas

SAN LORENZO

0 100 200 m

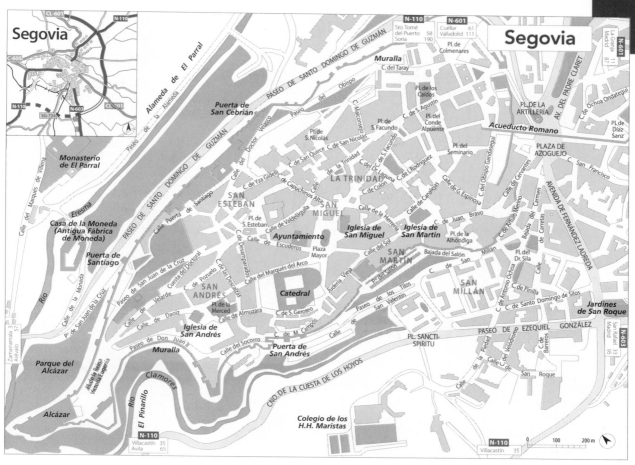

Segovia

Segovia

N-110 · N-601

Sto. Tomé del Puerto 58 · Soria 190 · Cuéllar 61 · Valladolid 111

Muralla
C. del Taray
Pl. de Colmenares

PASEO DE SANTO DOMINGO DE GUZMÁN
Alameda de El Parral

Puerta de San Cebrián

Monasterio de El Parral

Casa de la Moneda (Antigua Fábrica de Moneda)

Puerta de Santiago

Parque del Alcázar

Alcázar

El Pinarillo

Río Clamores

Río Eresma

PL. DE LA ARTILLERÍA
Acueducto Romano
PLAZA DE AZOGUEJO

Pl. de los Caídos
Pl. de S. Agustín
Pl. del Conde Alpuente
Pl. del Seminario

LA TRINIDAD
SAN ESTEBAN
SAN MIGUEL
Ayuntamiento
Plaza Mayor
Iglesia de San Miguel
Iglesia de San Martín
Pl. de la Alhóndiga
SAN MARTÍN

SAN ANDRÉS
Pl. de la Merced
Catedral
Iglesia de San Andrés
Puerta de San Andrés
Muralla

SAN MILLÁN

Jardines de San Roque

PASEO DE EZEQUIEL GONZÁLEZ
PL. SANCTI-SPIRITU

CNO. DE LA CUESTA DE LOS HOYOS

Colegio de los H.H. Maristas

N-110 · Villacastín 35 · Ávila 65

AVENIDA DE FERNÁNDEZ LADREDA
AV. DEL PADRE CLARET

N-601 · La Granja 11 · Madrid 87
N-603
N-110 · Villacastín 35

0   100   200 m

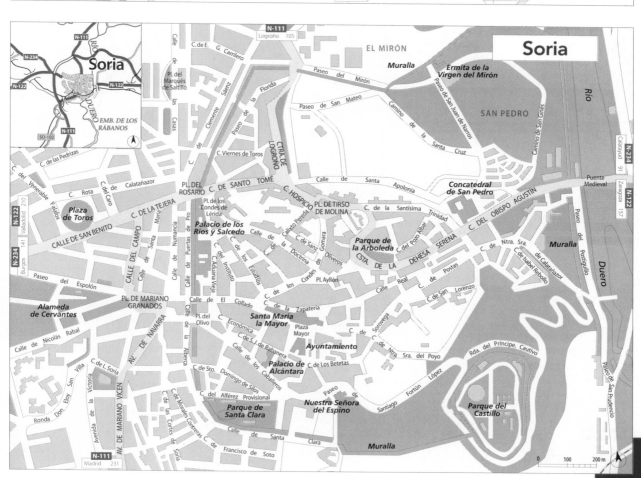

Soria

Soria

N-111 · Logroño 105

EMB. DE LOS RÁBANOS

EL MIRÓN
Muralla
Ermita de la Virgen del Mirón

Paseo del Mirón
Paseo de San Mateo

SAN PEDRO

Río Duero

Concatedral de San Pedro
Puente Medieval

C. de las Pedrizas
Plaza de Toros
CALLE DE SAN BENITO
CALLE DEL CAMPO
Paseo del Espolón
Alameda de Cervantes
PL. DE MARIANO GRANADOS

PL. DEL ROSARIO
C. DE SANTO TOMÉ
PL. DE TIRSO DE MOLINA
Palacio de los Ríos y Salcedo
Parque de la Arboleda

Santa María la Mayor
Plaza Mayor
Ayuntamiento
Palacio de Alcántara

Parque de Santa Clara

Nuestra Señora del Espino

Muralla

Parque del Castillo

N-234 · Calatayud 91
N-122 · Zaragoza 157
Muralla

N-122 · Valladolid 210
N-234 · Burgos 141
N-111 · Madrid 231

0   100   200 m

229

Tarragona

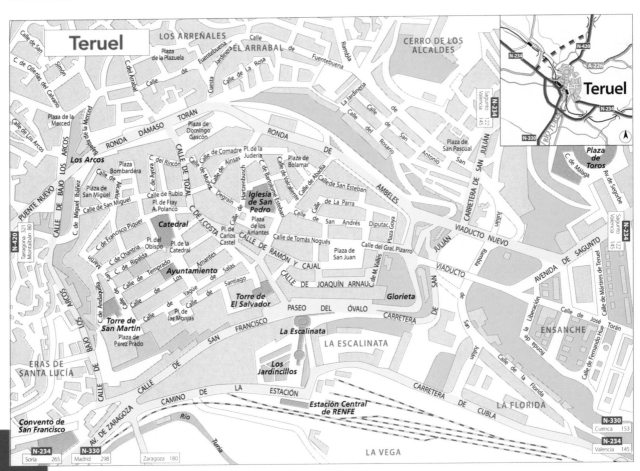

Teruel

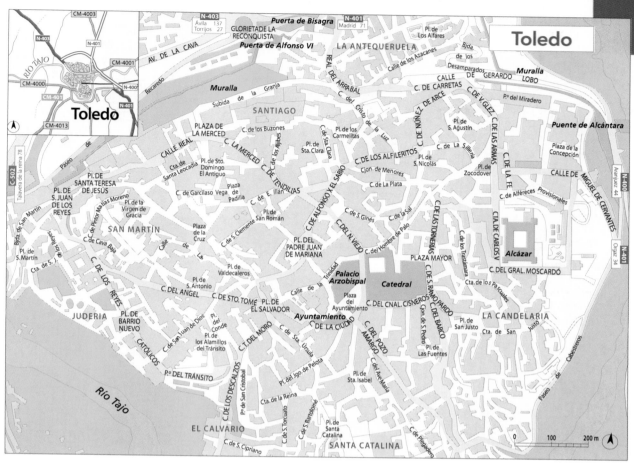

Toledo

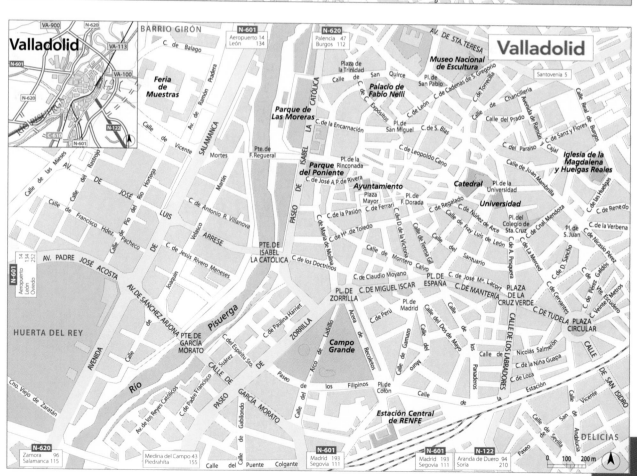

Valladolid

Vigo

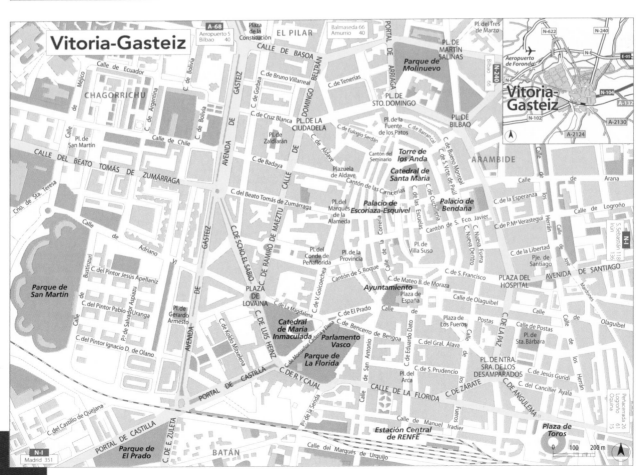

Vitoria-Gasteiz

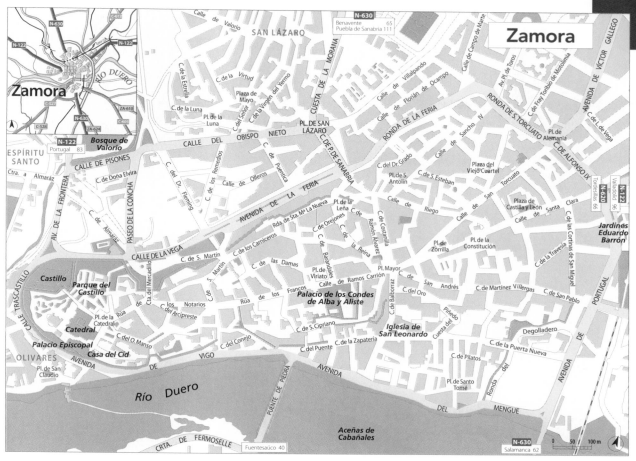

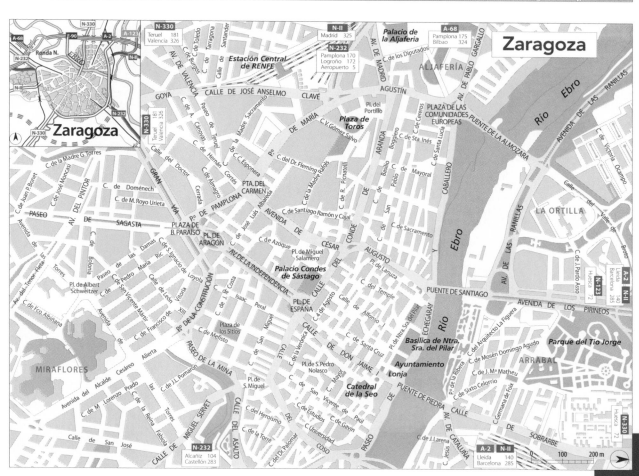

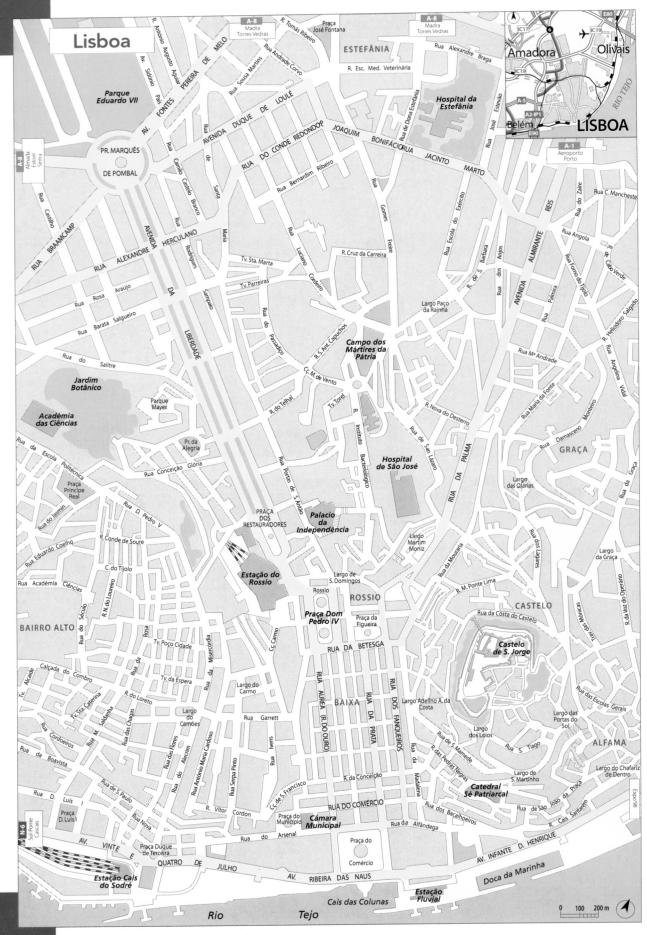

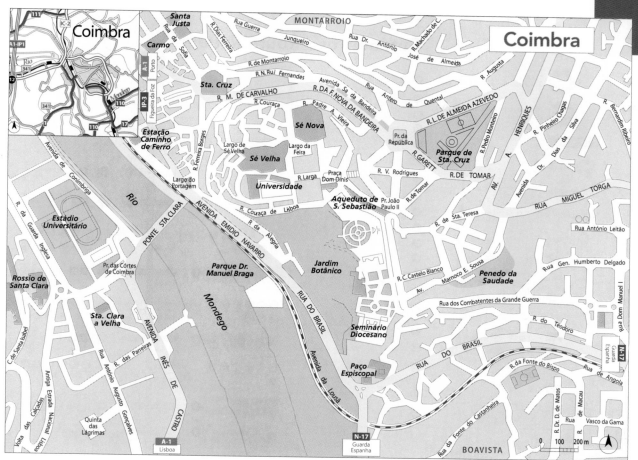

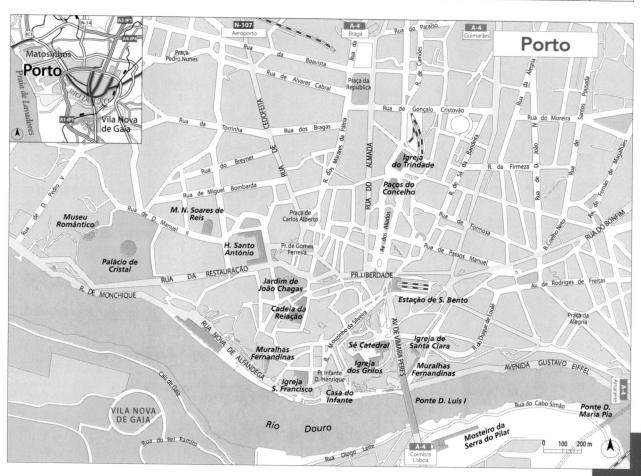

Rutómetros / Route finders

A-2 Nomenclatura/ *Road numbering*

E-90 Nomenclatura europea/ *European road numbering*

BURGOS Inicio/final de recorrido/ *Route origin/destination*

Enlace con autopista/ *Motorway junction*

Enlace con carreteras/ *Road junction*

PANCORBO Acceso a poblaciones próximas/ *Access to nearby towns*

Fraga Área de servicio/ *Service station*

① Acceso/salida/ *Entry/exit*

km 2 Distancia kilométrica/ *Distance in kilometres*

Peaje/ *Toll*

Nomenclatura:/ *Numbering:*

A-7 Autopista/ *Motorway*

E 68 Nomenclatura europea/ *European road numbering*

432 Autovía/ *Dual carriageway*

N-II Carretera nacional/ "A" road

N-240 **C-246** Carretera comarcal de 1° y 2° orden/ "B" road, minor road

Estación de servicio/ *Petrol station*

Abastecimiento GPL/ *LGP supply*

Cafetería/Bar/ *Café/Bar*

Restaurante/ *Restaurant*

Picnic/Área de descanso/ *Picnic/rest area*

Tienda/ *Shop*

Adaptado a minusválidos/ *Disabled access*

Nursería/ *Nursery*

Parque infantil/ *Children's play area*

Información/ *Information*

Ducha/ *Shower*

Hotel/ *Hotel*

Fax/ *Fax*

Cajero automático/ *Cash dispenser*

Cambio de moneda/ *Currency exchange*

Taller mecánico/ *Car mechanic*

Túnel de lavado/ *Car wash*

Comunicación peatonal/ *Pedestrian overpass/underpass*

Hotel (Portugal)/ *Hotel (Portugal)*

Acceso a aeropuerto/ *Airport access*

España

A-I
E-05

AUTOPISTA DEL NORTE — BURGOS - ARMIÑON

BURGOS

	VALLADOLID
N-620	VALLADOLID
N-I	MADRID
N-620	PORTUGAL

① N-120 BURGOS / N-120 CASTAÑARES — **①** N-120 BURGOS / N-120 CASTAÑARES

km 2

② N-I VILLAFRÍA / N-I RUBENA — **②** N-I VILLAFRÍA / N-I RUBENA

km 7

Quintanapalla — Quintanapalla
km 12

Briviesca — Briviesca
km 36

③ N-I BRIVIESCA / BU-510 OÑA — **③** N-I BRIVIESCA / BU-710 BELORADO
km 36

④ PANCORBO — **④** PANCORBO
km 58

Desfiladero — Desfiladero
km 63

⑤ A-2122 MIRANDA DE EBRO / A-2122 PUENTELARRA — **⑤** A-2122 MIRANDA DE EBRO / A-2122 PUENTELARRA
km 74

⑥ A-68 BILBAO/BILBO / A-68 ZARAGOZA — **⑥** A-68 BILBAO/BILBO / A-68 ZARAGOZA
km 78

⑦ N-I ARMIÑON / N-I VITORIA-GASTEIZ
km 83

ARMIÑON

A-2
E-90

AUTOPISTA DEL NORDESTE — ZARAGOZA - BARCELONA

ZARAGOZA

① N-II ALFAJARÍN
km 18
Peaje

N-II PINA DE EBRO **②** — **②** N-II PINA DE EBRO
km 43

Pina — Pina
km 48

A-230 BUJARALOZ **③** — **③** A-230 BUJARALOZ
km 67

Monegros — Monegros
km 86

N-211 FRAGA **④** — **④** N-211 FRAGA
km 114

Fraga — Fraga
km 119

N-II SOSES ALCARRÀS **⑤** — **⑤** N-II SOSES ALCARRÀS
km 127

N-236 LLEIDA **⑥** — **⑥** N-236 LLEIDA
km 140

Lleida — Lleida
km 142

C-233 LES BORGES BLANQUES MOLLERUSSA **⑦** — **⑦** C-233 LES BORGES BLANQUES MOLLERUSSA
km 161

Les Garrigues — Les Garrigues
km 164

N-240 L'ALBI VINAIXA **⑧** — **⑧** N-240 L'ALBI VINAIXA
km 173

N-240 MONTBLANC / N-240 L'ESPLUGA DE FRANCOLÍ **⑨** — **⑨** N-240 MONTBLANC / N-240 L'ESPLUGA DE FRANCOLÍ
km 193

Montblanc — Montblanc
km 195

VALLS EL PONT D'ARMENTERA EL PLA DE STA. MARIA **⑩** — **⑩** VALLS EL PONT D'ARMENTERA EL PLA DE STA. MARIA
km 206

VILA-RODONA C-37 VALLS **⑪** — **⑪** VILA-RODONA C-37 VALLS
km 215

Alt Camp — Alt Camp
km 221

LA BISBAL DEL PENEDÈS L'ALBORNAR **⑫** — **⑫** LA BISBAL DEL PENEDÈS L'ALBORNAR
km 229
Peaje

A-7 LA JONQUERA / A-7 TARRAGONA — A-7 LA JONQUERA / A-7 TARRAGONA
km 233

A-7

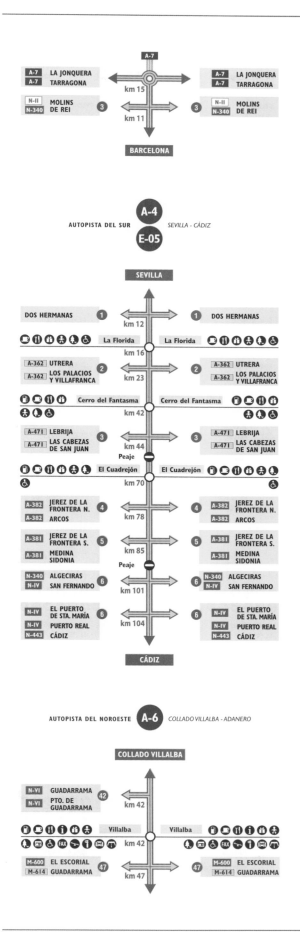

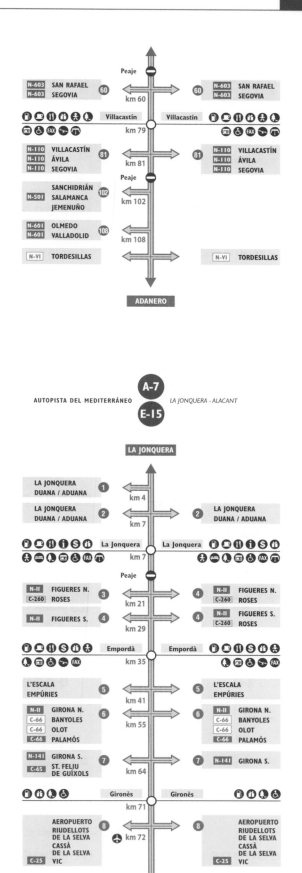

A-7

A-7 LA JONQUERA
A-7 TARRAGONA

A-7 LA JONQUERA
A-7 TARRAGONA

N-II MOLINS
N-340 DE REI ③

③ N-II MOLINS
N-340 DE REI

km 15

km 11

BARCELONA

A-4
E-05

AUTOPISTA DEL SUR *SEVILLA - CÁDIZ*

SEVILLA

DOS HERMANAS ①

① DOS HERMANAS

km 12

La Florida   La Florida

km 16

A-362 UTRERA ②
A-362 LOS PALACIOS Y VILLAFRANCA

② A-362 UTRERA
A-362 LOS PALACIOS Y VILLAFRANCA

km 23

Cerro del Fantasma   Cerro del Fantasma

km 42

A-471 LEBRIJA ③
A-471 LAS CABEZAS DE SAN JUAN

③ A-471 LEBRIJA
A-471 LAS CABEZAS DE SAN JUAN

km 44

Peaje

El Cuadrejón   El Cuadrejón

km 70

A-382 JEREZ DE LA FRONTERA N. ④
A-382 ARCOS

④ A-382 JEREZ DE LA FRONTERA N.
A-382 ARCOS

km 78

A-381 JEREZ DE LA FRONTERA S. ⑤
A-381 MEDINA SIDONIA

⑤ A-381 JEREZ DE LA FRONTERA S.
A-381 MEDINA SIDONIA

km 85

Peaje

N-340 ALGECIRAS ⑥
N-IV SAN FERNANDO

⑥ N-340 ALGECIRAS
N-IV SAN FERNANDO

km 101

N-IV EL PUERTO DE STA. MARÍA ⑥
N-IV PUERTO REAL
N-443 CÁDIZ

⑥ N-IV EL PUERTO DE STA. MARÍA
N-IV PUERTO REAL
N-443 CÁDIZ

km 104

CÁDIZ

AUTOPISTA DEL NOROESTE **A-6** *COLLADO VILLALBA - ADANERO*

COLLADO VILLALBA

N-VI GUADARRAMA ㊷
N-VI PTO. DE GUADARRAMA

㊷ N-VI GUADARRAMA
N-VI PTO. DE GUADARRAMA

km 42

Villalba   Villalba

km 42

M-600 EL ESCORIAL ㊼
M-614 GUADARRAMA

㊼ M-600 EL ESCORIAL
M-614 GUADARRAMA

km 47

A-7

N-603 SAN RAFAEL ⑥⓪
N-603 SEGOVIA

⑥⓪ N-603 SAN RAFAEL
N-603 SEGOVIA

Peaje

km 60

Villacastín   Villacastín

km 79

N-110 VILLACASTÍN ⑧①
N-110 ÁVILA
N-110 SEGOVIA

⑧① N-110 VILLACASTÍN
N-110 ÁVILA
N-110 SEGOVIA

km 81

Peaje

N-501 SANCHIDRIÁN ⑩②
SALAMANCA
JEMENUÑO

km 102

N-601 OLMEDO ⑩⑧
N-601 VALLADOLID

km 108

N-VI TORDESILLAS

N-VI TORDESILLAS

ADANERO

AUTOPISTA DEL MEDITERRÁNEO **A-7** *LA JONQUERA - ALACANT*
E-15

LA JONQUERA

LA JONQUERA DUANA / ADUANA ①

km 4

LA JONQUERA DUANA / ADUANA ②

② LA JONQUERA DUANA / ADUANA

km 7

La Jonquera   La Jonquera

km 7

Peaje

N-II FIGUERES N. ③
C-260 ROSES

④ N-II FIGUERES N.
C-260 ROSES

km 21

N-II FIGUERES S. ④

④ N-II FIGUERES S.
C-260 ROSES

km 29

Empordà   Empordà

km 35

L'ESCALA EMPÚRIES ⑤

⑤ L'ESCALA EMPÚRIES

km 41

N-II GIRONA N. ⑥
C-66 BANYOLES
C-66 OLOT
C-66 PALAMÓS

⑥ N-II GIRONA N.
C-66 BANYOLES
C-66 OLOT
C-66 PALAMÓS

km 55

N-141 GIRONA S. ⑦
C-65 ST. FELIU DE GUIXOLS

⑦ N-141 GIRONA S.

km 64

Gironès   Gironès

km 71

AEROPUERTO ⑧
RIUDELLOTS DE LA SELVA
CASSÀ DE LA SELVA
C-25 VIC

⑧ AEROPUERTO
RIUDELLOTS DE LA SELVA
CASSÀ DE LA SELVA
C-25 VIC

km 72

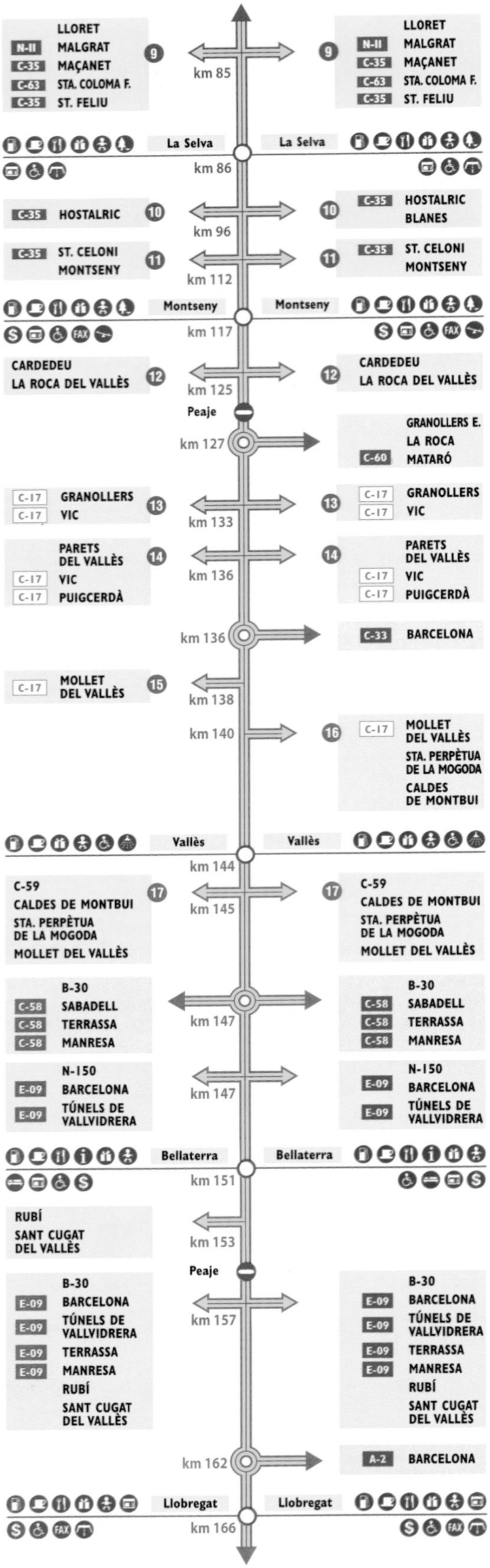

LLORET
N-II MALGRAT
C-35 MAÇANET
C-63 STA. COLOMA F.
C-35 ST. FELIU
9
km 85
La Selva
km 86
C-35 HOSTALRIC
C-35 HOSTALRIC BLANES
10
km 96
C-35 ST. CELONI MONTSENY
11
km 112
Montseny
km 117
CARDEDEU
LA ROCA DEL VALLÈS
12
km 125
Peaje
km 127
GRANOLLERS E.
LA ROCA
C-60 MATARÓ
C-17 GRANOLLERS
C-17 VIC
13
km 133
PARETS DEL VALLÈS
C-17 VIC
C-17 PUIGCERDÀ
14
km 136
km 136
C-33 BARCELONA
C-17 MOLLET DEL VALLÈS
15
km 138
km 140
16
C-17 MOLLET DEL VALLÈS
STA. PERPÈTUA DE LA MOGODA
CALDES DE MONTBUI
Vallès
km 144
C-59
CALDES DE MONTBUI
STA. PERPÈTUA DE LA MOGODA
MOLLET DEL VALLÈS
17
km 145
B-30
C-58 SABADELL
C-58 TERRASSA
C-58 MANRESA
km 147
N-150
E-09 BARCELONA
E-09 TÚNELS DE VALLVIDRERA
km 147
Bellaterra
km 151
RUBÍ
SANT CUGAT DEL VALLÈS
km 153
Peaje
B-30
E-09 BARCELONA
E-09 TÚNELS DE VALLVIDRERA
E-09 TERRASSA
E-09 MANRESA
RUBÍ
SANT CUGAT DEL VALLÈS
km 157
km 162
A-2 BARCELONA
Llobregat
km 166

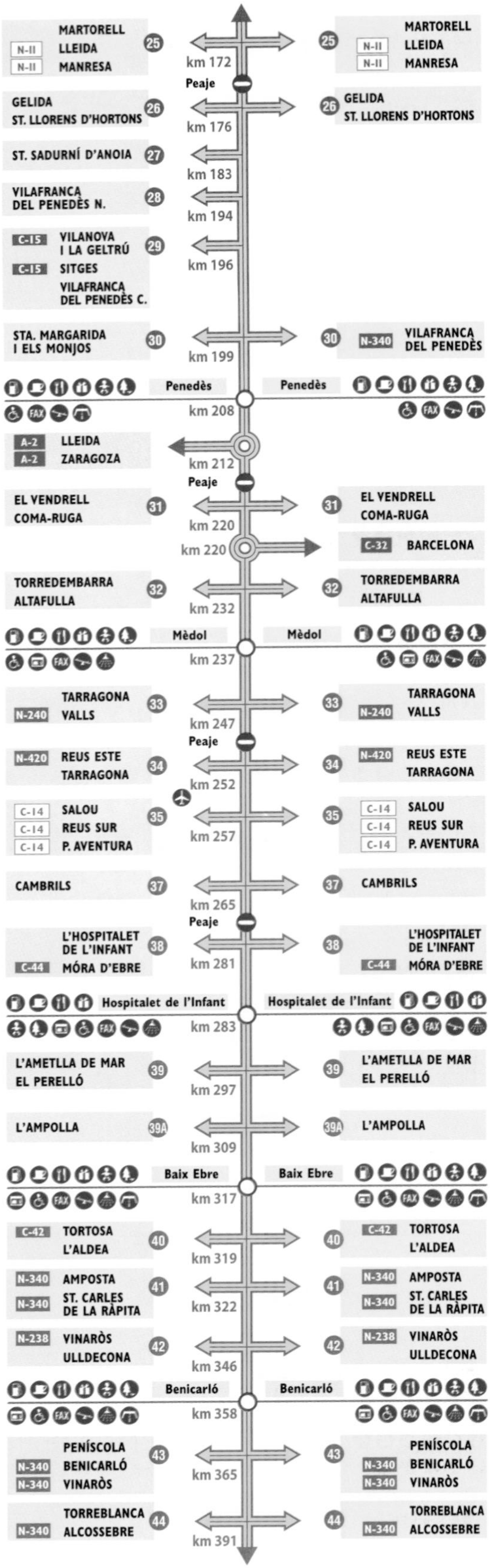

MARTORELL
N-II LLEIDA
N-II MANRESA
25
km 172
Peaje
GELIDA
ST. LLORENS D'HORTONS
26
km 176
ST. SADURNÍ D'ANOIA
27
km 183
VILAFRANCA DEL PENEDÈS N.
28
km 194
C-15 VILANOVA I LA GELTRÚ
C-15 SITGES
VILAFRANCA DEL PENEDÈS C.
29
km 196
STA. MARGARIDA I ELS MONJOS
30
km 199
N-340 VILAFRANCA DEL PENEDÈS
Penedès
km 208
A-2 LLEIDA
A-2 ZARAGOZA
km 212
Peaje
EL VENDRELL
COMA-RUGA
31
km 220
km 220
C-32 BARCELONA
TORREDEMBARRA
ALTAFULLA
32
km 232
Mèdol
km 237
TARRAGONA
N-240 VALLS
33
km 247
Peaje
N-420 REUS ESTE
TARRAGONA
34
km 252
C-14 SALOU
C-14 REUS SUR
C-14 P. AVENTURA
35
km 257
CAMBRILS
37
km 265
Peaje
L'HOSPITALET DE L'INFANT
C-44 MÓRA D'EBRE
38
km 281
Hospitalet de l'Infant
km 283
L'AMETLLA DE MAR
EL PERELLÓ
39
km 297
L'AMPOLLA
39A
km 309
Baix Ebre
km 317
C-42 TORTOSA
L'ALDEA
40
km 319
N-340 AMPOSTA
N-340 ST. CARLES DE LA RÀPITA
41
km 322
N-238 VINARÒS
ULLDECONA
42
km 346
Benicarló
km 358
PENÍSCOLA
N-340 BENICARLÓ
N-340 VINARÒS
43
km 365
TORREBLANCA
N-340 ALCOSSEBRE
44
km 391

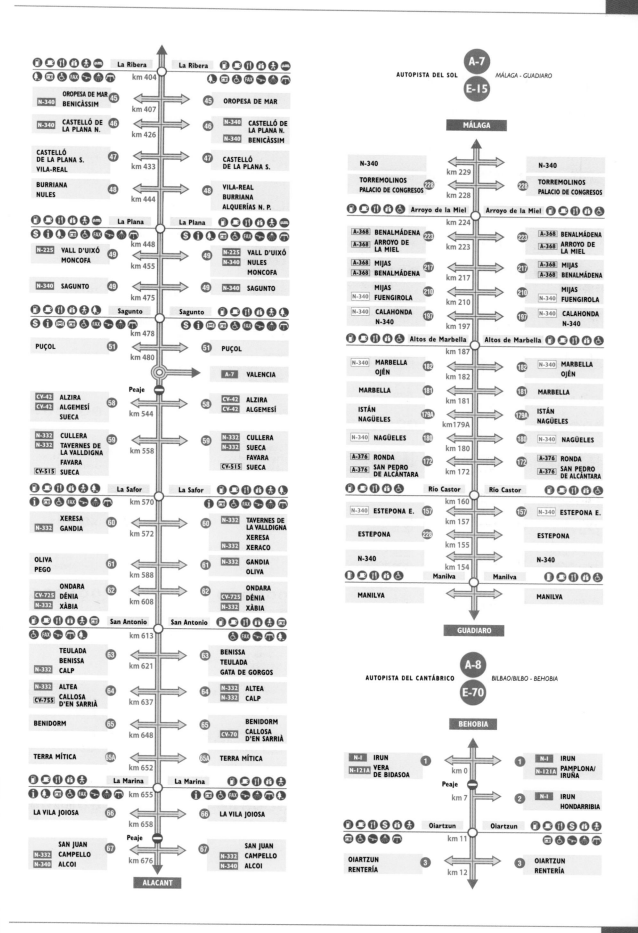

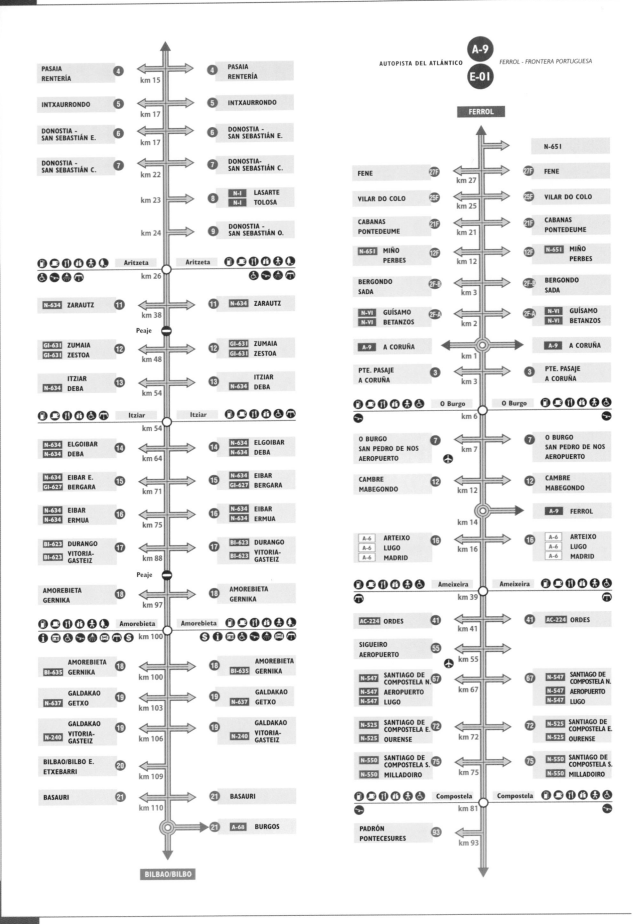

Left diagram (BILBAO/BILBO – PASAIA/RENTERÍA)

PASAIA RENTERÍA **4**	km 15	**4** PASAIA RENTERÍA
INTXAURRONDO **5**	km 17	**5** INTXAURRONDO
DONOSTIA - SAN SEBASTIÁN E. **6**	km 17	**6** DONOSTIA - SAN SEBASTIÁN E.
DONOSTIA - SAN SEBASTIÁN C. **7**	km 22	**7** DONOSTIA- SAN SEBASTIÁN C.
	km 23	**8** N-I LASARTE / N-I TOLOSA
	km 24	**9** DONOSTIA - SAN SEBASTIÁN O.
Aritzeta	km 26	Aritzeta
N-634 ZARAUTZ **11**	km 38	**11** N-634 ZARAUTZ
	Peaje	
GI-631 ZUMAIA / GI-631 ZESTOA **12**	km 48	**12** GI-631 ZUMAIA / GI-631 ZESTOA
ITZIAR / N-634 DEBA **13**	km 54	**13** ITZIAR / N-634 DEBA
Itziar	km 54	Itziar
N-634 ELGOIBAR / N-634 DEBA **14**	km 64	**14** N-634 ELGOIBAR / N-634 DEBA
N-634 EIBAR E. / GI-627 BERGARA **15**	km 71	**15** N-634 EIBAR / GI-627 BERGARA
N-634 EIBAR / N-634 ERMUA **16**	km 75	**16** N-634 EIBAR / N-634 ERMUA
BI-623 DURANGO / BI-623 VITORIA-GASTEIZ **17**	km 88	**17** BI-623 DURANGO / BI-623 VITORIA-GASTEIZ
	Peaje	
AMOREBIETA GERNIKA **18**	km 97	**18** AMOREBIETA GERNIKA
Amorebieta	km 100	Amorebieta
AMOREBIETA / BI-635 GERNIKA **18**	km 100	**18** AMOREBIETA / BI-635 GERNIKA
GALDAKAO / N-637 GETXO **19**	km 103	**19** GALDAKAO / N-637 GETXO
GALDAKAO / N-240 VITORIA-GASTEIZ **19**	km 106	**19** GALDAKAO / N-240 VITORIA-GASTEIZ
BILBAO/BILBO E. ETXEBARRI **20**	km 109	
BASAURI **21**	km 110	**21** BASAURI
		21 A-68 BURGOS

BILBAO/BILBO

Right diagram (FERROL – PADRÓN PONTECESURES)

FERROL

		N-651
FENE **27F**	km 27	**27F** FENE
VILAR DO COLO **25F**	km 25	**25F** VILAR DO COLO
CABANAS PONTEDEUME **21F**	km 21	**21F** CABANAS PONTEDEUME
N-651 MIÑO PERBES **12F**	km 12	**12F** N-651 MIÑO PERBES
BERGONDO SADA **2F-B**	km 3	**2F-B** BERGONDO SADA
N-VI GUÍSAMO / N-VI BETANZOS **2F-A**	km 2	**2F-A** N-VI GUÍSAMO / N-VI BETANZOS
A-9 A CORUÑA	km 1	A-9 A CORUÑA
PTE. PASAJE A CORUÑA **3**	km 3	**3** PTE. PASAJE A CORUÑA
O Burgo	km 6	O Burgo
O BURGO SAN PEDRO DE NOS AEROPUERTO **7**	km 7	**7** O BURGO SAN PEDRO DE NOS AEROPUERTO
CAMBRE MABEGONDO **12**	km 12	**12** CAMBRE MABEGONDO
	km 14	A-9 FERROL
A-6 ARTEIXO / A-6 LUGO / A-6 MADRID **16**	km 16	**16** A-6 ARTEIXO / A-6 LUGO / A-6 MADRID
Ameixeira	km 39	Ameixeira
AC-224 ORDES **41**	km 41	**41** AC-224 ORDES
SIGUEIRO AEROPUERTO **55**	km 55	
N-547 SANTIAGO DE COMPOSTELA N. / N-547 AEROPUERTO / N-547 LUGO **67**	km 67	**67** N-547 SANTIAGO DE COMPOSTELA N. / N-547 AEROPUERTO / N-547 LUGO
N-525 SANTIAGO DE COMPOSTELA E. / N-525 OURENSE **72**	km 72	**72** N-525 SANTIAGO DE COMPOSTELA E. / N-525 OURENSE
N-550 SANTIAGO DE COMPOSTELA S. / N-550 MILLADOIRO **75**	km 75	**75** N-550 SANTIAGO DE COMPOSTELA S. / N-550 MILLADOIRO
Compostela	km 81	Compostela
PADRÓN PONTECESURES **93**	km 93	

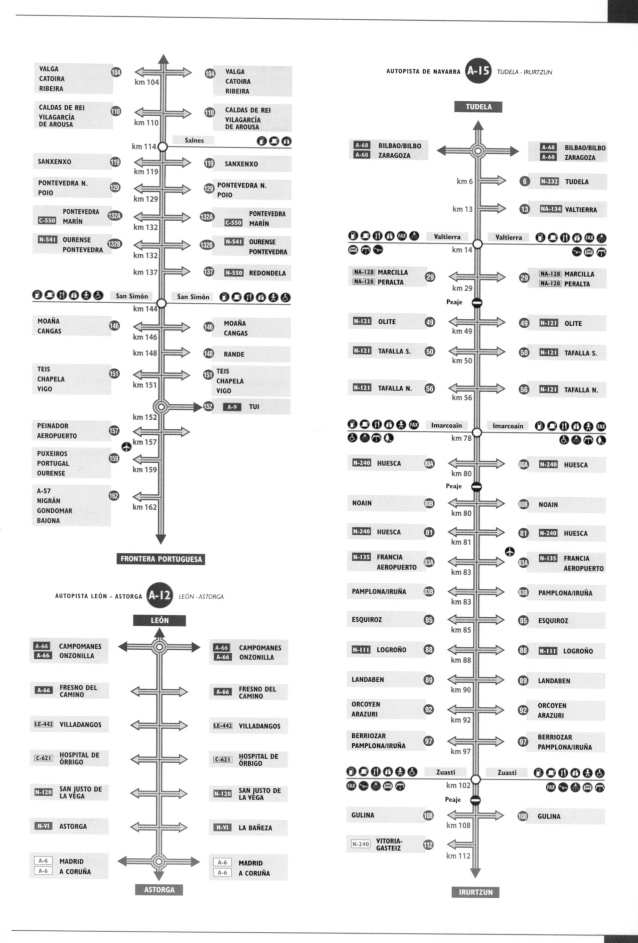

VALGA
CATOIRA
RIBEIRA **104**
km 104
104 VALGA
CATOIRA
RIBEIRA

CALDAS DE REI
VILAGARCÍA
DE AROUSA **110**
km 110
110 CALDAS DE REI
VILAGARCÍA
DE AROUSA

km 114 — Salnes

SANXENXO **119**
km 119
119 SANXENXO

PONTEVEDRA N.
POIO **129**
km 129
129 PONTEVEDRA N.
POIO

C-550 PONTEVEDRA
MARÍN **132A**
km 132
132A PONTEVEDRA
C-550 MARÍN

N-541 OURENSE
PONTEVEDRA **132B**
km 132
132B N-541 OURENSE
PONTEVEDRA

km 137
137 N-550 REDONDELA

San Simón — km 144 — San Simón

MOAÑA
CANGAS **146**
km 146
146 MOAÑA
CANGAS

km 148
148 RANDE

TEIS
CHAPELA
VIGO **151**
km 151
151 TEIS
CHAPELA
VIGO

km 152
152 A-9 TUI

PEINADOR
AEROPUERTO **157**
km 157

PUXEIROS
PORTUGAL
OURENSE **159**
km 159

A-57
NIGRÁN
GONDOMAR
BAIONA **162**
km 162

FRONTERA PORTUGUESA

AUTOPISTA LEÓN - ASTORGA **A-12** LEÓN - ASTORGA

LEÓN

A-66 CAMPOMANES
A-66 ONZONILLA
A-66 CAMPOMANES
A-66 ONZONILLA

A-66 FRESNO DEL
CAMINO
A-66 FRESNO DEL
CAMINO

LE-442 VILLADANGOS
LE-442 VILLADANGOS

C-621 HOSPITAL DE
ÓRBIGO
C-621 HOSPITAL DE
ÓRBIGO

N-120 SAN JUSTO DE
LA VEGA
N-120 SAN JUSTO DE
LA VEGA

N-VI ASTORGA
N-VI LA BAÑEZA

A-6 MADRID
A-6 A CORUÑA
A-6 MADRID
A-6 A CORUÑA

ASTORGA

AUTOPISTA DE NAVARRA **A-15** TUDELA - IRURTZUN

TUDELA

A-68 BILBAO/BILBO
A-68 ZARAGOZA
A-68 BILBAO/BILBO
A-68 ZARAGOZA

km 6
6 N-232 TUDELA

km 13
13 NA-134 VALTIERRA

Valtierra — km 14 — Valtierra

NA-128 MARCILLA
NA-128 PERALTA **29**
km 29
29 NA-128 MARCILLA
NA-128 PERALTA

Peaje

N-121 OLITE **49**
km 49
49 N-121 OLITE

N-121 TAFALLA S. **50**
km 50
50 N-121 TAFALLA S.

N-121 TAFALLA N. **56**
km 56
56 N-121 TAFALLA N.

Imarcoain — km 78 — Imarcoain

N-240 HUESCA **80A**
km 80
80A N-240 HUESCA

Peaje

NOAIN **80B**
km 80
80B NOAIN

N-240 HUESCA **81**
km 81
81 N-240 HUESCA

N-135 FRANCIA
AEROPUERTO **83A**
km 83
83A N-135 FRANCIA
AEROPUERTO

PAMPLONA/IRUÑA **83B**
km 83
83B PAMPLONA/IRUÑA

ESQUIROZ **85**
km 85
85 ESQUIROZ

N-III LOGROÑO **88**
km 88
88 N-III LOGROÑO

LANDABEN **89**
km 90
89 LANDABEN

ORCOYEN
ARAZURI **92**
km 92
92 ORCOYEN
ARAZURI

BERRIOZAR
PAMPLONA/IRUÑA **97**
km 97
97 BERRIOZAR
PAMPLONA/IRUÑA

Zuasti — km 102 — Zuasti

Peaje

GULINA **108**
km 108
108 GULINA

N-240 VITORIA-
GASTEIZ **112**
km 112

IRURTZUN

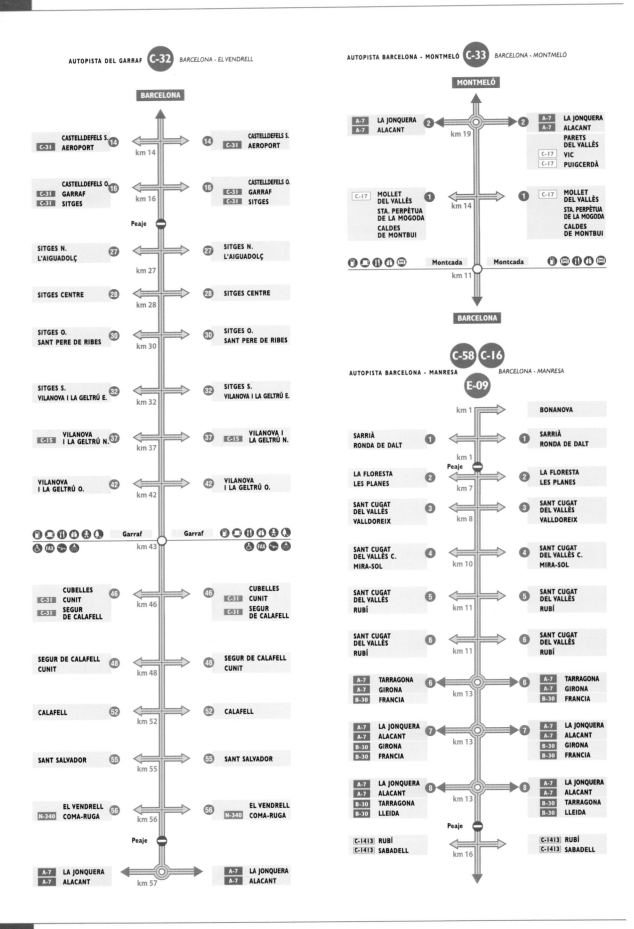

AUTOPISTA DEL GARRAF **C-32** *BARCELONA - EL VENDRELL*

AUTOPISTA BARCELONA - MONTMELÓ **C-33** *BARCELONA - MONTMELÓ*

BARCELONA

MONTMELÓ

C-31	CASTELLDEFELS S. AEROPORT	14 km 14
C-31	CASTELLDEFELS O. GARRAF SITGES	16 km 16
		Peaje
	SITGES N. L'AIGUADOLÇ	27 km 27
	SITGES CENTRE	28 km 28
	SITGES O. SANT PERE DE RIBES	30 km 30
	SITGES S. VILANOVA I LA GELTRÚ E.	32 km 32
C-15	VILANOVA I LA GELTRÚ N.	37 km 37
	VILANOVA I LA GELTRÚ O.	42 km 42

Garraf km 43

C-31	CUBELLES CUNIT SEGUR DE CALAFELL	46 km 46
	SEGUR DE CALAFELL CUNIT	48 km 48
	CALAFELL	52 km 52
	SANT SALVADOR	55 km 55
N-340	EL VENDRELL COMA-RUGA	56 km 56
		Peaje
A-7	LA JONQUERA ALACANT	km 57

AUTOPISTA BARCELONA - MANRESA **C-58 C-16** *BARCELONA - MANRESA* **E-09**

km 1 BONANOVA

	SARRIÀ RONDA DE DALT	1 km 1
		Peaje
	LA FLORESTA LES PLANES	2 km 7
	SANT CUGAT DEL VALLÈS VALLDOREIX	3 km 8
	SANT CUGAT DEL VALLÈS C. MIRA-SOL	4 km 10
	SANT CUGAT DEL VALLÈS RUBÍ	5 km 11
	SANT CUGAT DEL VALLÈS RUBÍ	6 km 11
A-7 A-7 B-30	TARRAGONA GIRONA FRANCIA	6 km 13
A-7 A-7 B-30 B-30	LA JONQUERA ALACANT GIRONA FRANCIA	7 km 13
A-7 A-7 B-30 B-30	LA JONQUERA ALACANT TARRAGONA LLEIDA	8 km 13
		Peaje
C-1413 C-1413	RUBÍ SABADELL	km 16

MONTMELÓ

A-7 A-7	LA JONQUERA ALACANT	2 km 19
C-17	MOLLET DEL VALLÈS STA. PERPÈTUA DE LA MOGODA CALDES DE MONTBUI	1 km 14

Montcada km 11

BARCELONA

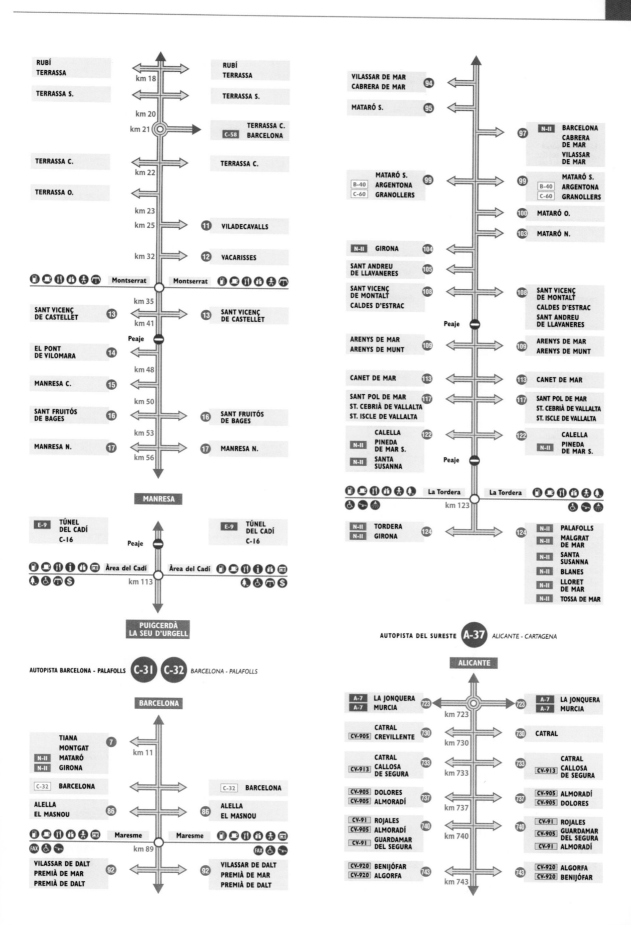

RUBÍ
TERRASSA

km 18

RUBÍ
TERRASSA

TERRASSA S.

TERRASSA S.

km 20

km 21

C-58 TERRASSA C.
BARCELONA

TERRASSA C.

km 22

TERRASSA C.

TERRASSA O.

km 23

km 25 ⑪ VILADECAVALLS

km 32 ⑫ VACARISSES

Montserrat Montserrat

km 35

SANT VICENÇ
DE CASTELLET ⑬
km 41

⑬ SANT VICENÇ
DE CASTELLET

Peaje

EL PONT
DE VILOMARA ⑭

km 48

MANRESA C. ⑮

km 50

SANT FRUITÓS
DE BAGES ⑯

⑯ SANT FRUITÓS
DE BAGES

km 53

MANRESA N. ⑰

km 56

⑰ MANRESA N.

MANRESA

E-9 TÚNEL
DEL CADÍ
C-16

E-9 TÚNEL
DEL CADÍ
C-16

Peaje

Àrea del Cadí   Àrea del Cadí
km 113

**PUIGCERDÀ
LA SEU D'URGELL**

AUTOPISTA BARCELONA - PALAFOLLS **C-31** **C-32** BARCELONA - PALAFOLLS

BARCELONA

TIANA
MONTGAT ⑦
N-II MATARÓ
N-II GIRONA

km 11

C-32 BARCELONA

C-32 BARCELONA

ALELLA
EL MASNOU ⑧⑥

⑧⑥ ALELLA
EL MASNOU

Maresme   Maresme

km 89

VILASSAR DE DALT
PREMIÀ DE MAR ⑨②
PREMIÀ DE DALT

⑨② VILASSAR DE DALT
PREMIÀ DE MAR
PREMIÀ DE DALT

VILASSAR DE MAR
CABRERA DE MAR ⑨④

MATARÓ S. ⑨⑤

⑨⑦ N-II BARCELONA
CABRERA
DE MAR
VILASSAR
DE MAR

MATARÓ S.
B-40 ARGENTONA ⑨⑨
C-60 GRANOLLERS

⑨⑨ B-40 MATARÓ S.
ARGENTONA
C-60 GRANOLLERS

⑩⓪ MATARÓ O.

⑩③ MATARÓ N.

N-II GIRONA ⑩④

SANT ANDREU
DE LLAVANERES ⑩⑤

SANT VICENÇ
DE MONTALT ⑩⑧
CALDES D'ESTRAC

⑩⑧ SANT VICENÇ
DE MONTALT
CALDES D'ESTRAC
SANT ANDREU
DE LLAVANERES

Peaje

ARENYS DE MAR
ARENYS DE MUNT ⑩⑨

⑩⑨ ARENYS DE MAR
ARENYS DE MUNT

CANET DE MAR ⑪③

⑪③ CANET DE MAR

SANT POL DE MAR
ST. CEBRIÀ DE VALLALTA ⑪⑦
ST. ISCLE DE VALLALTA

⑪⑦ SANT POL DE MAR
ST. CEBRIÀ DE VALLALTA
ST. ISCLE DE VALLALTA

CALELLA ⑫②
N-II PINEDA
DE MAR S.
N-II SANTA
SUSANNA

Peaje

⑫② CALELLA
N-II PINEDA
DE MAR S.

La Tordera   La Tordera
km 123

N-II TORDERA ⑫④
N-II GIRONA

⑫④ N-II PALAFOLLS
N-II MALGRAT
DE MAR
N-II SANTA
SUSANNA
N-II BLANES
N-II LLORET
DE MAR
N-II TOSSA DE MAR

AUTOPISTA DEL SURESTE **A-37** ALICANTE - CARTAGENA

ALICANTE

A-7 LA JONQUERA ⑦②③
A-7 MURCIA

⑦②③ A-7 LA JONQUERA
A-7 MURCIA

km 723

CATRAL
CV-905 CREVILLENTE ⑦③⓪

⑦③⓪ CATRAL

km 730

CATRAL
CV-913 CALLOSA ⑦③③
DE SEGURA

⑦③③ CATRAL
CV-913 CALLOSA
DE SEGURA

km 733

CV-905 DOLORES ⑦③⑦
CV-905 ALMORADÍ

⑦③⑦ CV-905 ALMORADÍ
CV-905 DOLORES

km 737

CV-91 ROJALES ⑦④⓪
CV-905 ALMORADÍ
CV-91 GUARDAMAR
DEL SEGURA

⑦④⓪ CV-91 ROJALES
CV-905 GUARDAMAR
DEL SEGURA
CV-91 ALMORADÍ

km 740

CV-920 BENIJÓFAR ⑦④③
CV-920 ALGORFA

⑦④③ CV-920 ALGORFA
CV-920 BENIJÓFAR

km 743

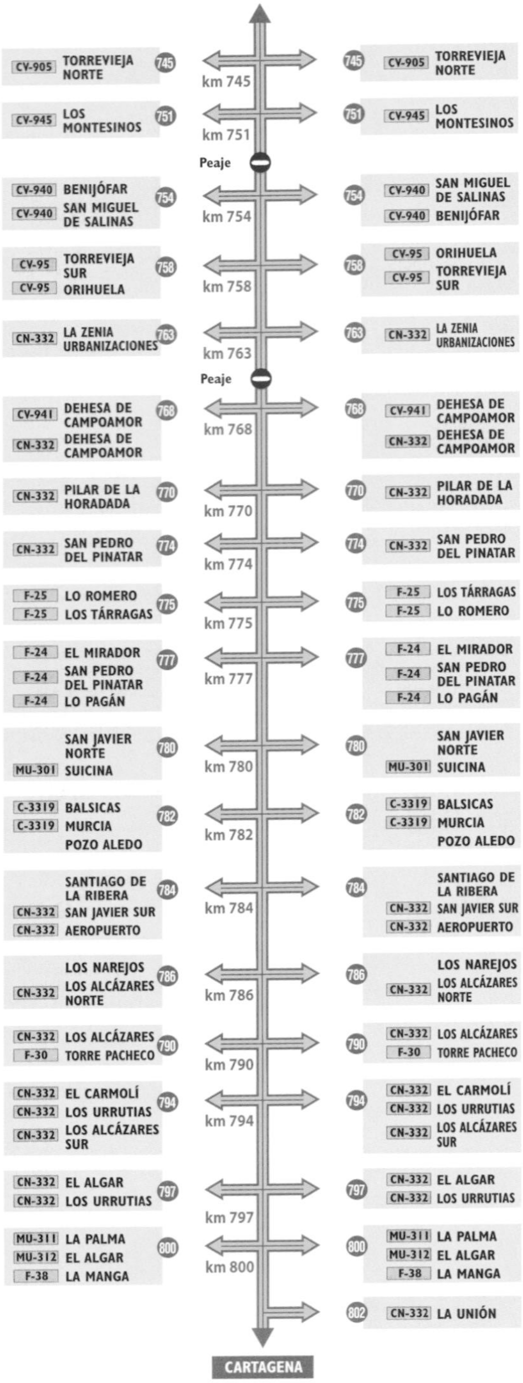
CV-905 TORREVIEJA NORTE 745
km 745
745 CV-905 TORREVIEJA NORTE
CV-945 LOS MONTESINOS 751
km 751
751 CV-945 LOS MONTESINOS
Peaje
CV-940 BENIJÓFAR
CV-940 SAN MIGUEL DE SALINAS 754
km 754
754 CV-940 SAN MIGUEL DE SALINAS
CV-940 BENIJÓFAR
CV-95 TORREVIEJA SUR
CV-95 ORIHUELA 758
km 758
758 CV-95 ORIHUELA
CV-95 TORREVIEJA SUR
CN-332 LA ZENIA URBANIZACIONES 763
km 763
763 CN-332 LA ZENIA URBANIZACIONES
Peaje
CV-941 DEHESA DE CAMPOAMOR
CN-332 DEHESA DE CAMPOAMOR 768
km 768
768 CV-941 DEHESA DE CAMPOAMOR
CN-332 DEHESA DE CAMPOAMOR
CN-332 PILAR DE LA HORADADA 770
km 770
770 CN-332 PILAR DE LA HORADADA
CN-332 SAN PEDRO DEL PINATAR 774
km 774
774 CN-332 SAN PEDRO DEL PINATAR
F-25 LO ROMERO
F-25 LOS TÁRRAGAS 775
km 775
775 F-25 LOS TÁRRAGAS
F-25 LO ROMERO
F-24 EL MIRADOR
F-24 SAN PEDRO DEL PINATAR
F-24 LO PAGÁN 777
km 777
777 F-24 EL MIRADOR
F-24 SAN PEDRO DEL PINATAR
F-24 LO PAGÁN
SAN JAVIER NORTE
MU-301 SUICINA 780
km 780
780 SAN JAVIER NORTE
MU-301 SUICINA
C-3319 BALSICAS
C-3319 MURCIA
POZO ALEDO 782
km 782
782 C-3319 BALSICAS
C-3319 MURCIA
POZO ALEDO
SANTIAGO DE LA RIBERA
CN-332 SAN JAVIER SUR
CN-332 AEROPUERTO 784
km 784
784 SANTIAGO DE LA RIBERA
CN-332 SAN JAVIER SUR
CN-332 AEROPUERTO
LOS NAREJOS
CN-332 LOS ALCÁZARES NORTE 786
km 786
786 LOS NAREJOS
CN-332 LOS ALCÁZARES NORTE
CN-332 LOS ALCÁZARES
F-30 TORRE PACHECO 790
km 790
790 CN-332 LOS ALCÁZARES
F-30 TORRE PACHECO
CN-332 EL CARMOLÍ
CN-332 LOS URRUTIAS
CN-332 LOS ALCÁZARES SUR 794
km 794
794 CN-332 EL CARMOLÍ
CN-332 LOS URRUTIAS
CN-332 LOS ALCÁZARES SUR
CN-332 EL ALGAR
CN-332 LOS URRUTIAS 797
km 797
797 CN-332 EL ALGAR
CN-332 LOS URRUTIAS
MU-311 LA PALMA
MU-312 EL ALGAR
F-38 LA MANGA 800
km 800
800 MU-311 LA PALMA
MU-312 EL ALGAR
F-38 LA MANGA
802 CN-332 LA UNIÓN
CARTAGENA

AUTOPISTA CONEXIÓN ÁVILA **A-51** *ÁVILA - VILLACASTÍN*

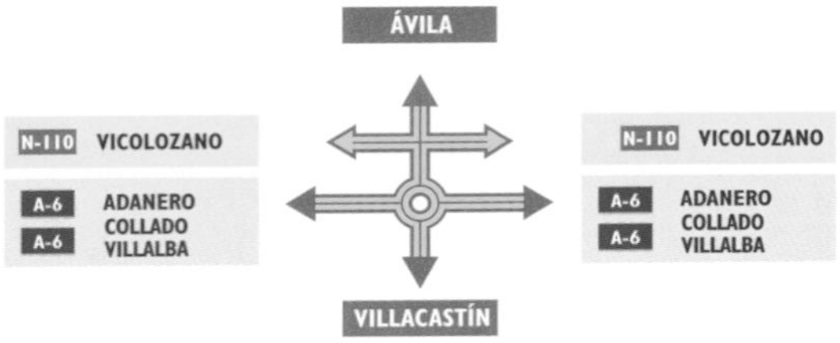
ÁVILA
N-110 VICOLOZANO
A-6 ADANERO
A-6 COLLADO VILLALBA
N-110 VICOLOZANO
A-6 ADANERO
A-6 COLLADO VILLALBA
VILLACASTÍN

AUTOPISTA CENTRAL GALLEGA **A-53** *SANTIAGO DE COMPOSTELA - DOZÓN*

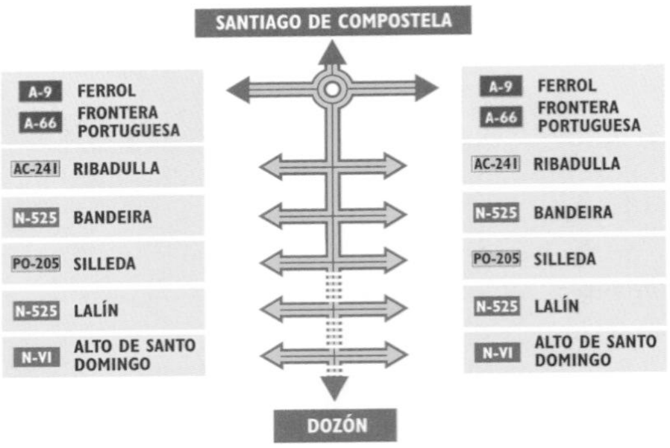
SANTIAGO DE COMPOSTELA
A-9 FERROL
A-66 FRONTERA PORTUGUESA
AC-241 RIBADULLA
N-525 BANDEIRA
PO-205 SILLEDA
N-525 LALÍN
N-VI ALTO DE SANTO DOMINGO
A-9 FERROL
A-66 FRONTERA PORTUGUESA
AC-241 RIBADULLA
N-525 BANDEIRA
PO-205 SILLEDA
N-525 LALÍN
N-VI ALTO DE SANTO DOMINGO
DOZÓN

AUTOPISTA DE GALICIA **A-55** *A CORUÑA - CARBALLO*

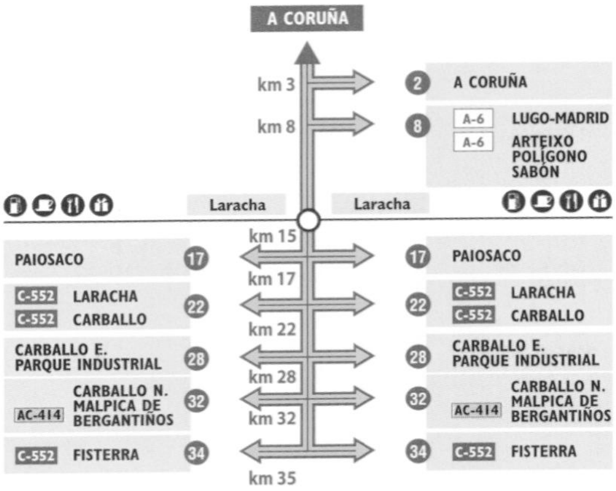
A CORUÑA
km 3
2 A CORUÑA
km 8
8 A-6 LUGO-MADRID
A-6 ARTEIXO POLÍGONO SABÓN
Laracha
Laracha
km 15
PAIOSACO 17
17 PAIOSACO
km 17
C-552 LARACHA
C-552 CARBALLO 22
22 C-552 LARACHA
C-552 CARBALLO
km 22
CARBALLO E. PARQUE INDUSTRIAL 28
28 CARBALLO E. PARQUE INDUSTRIAL
km 28
CARBALLO N.
MALPICA DE
AC-414 BERGANTIÑOS 32
32 CARBALLO N.
AC-414 MALPICA DE BERGANTIÑOS
km 32
C-552 FISTERRA 34
34 C-552 FISTERRA
km 35

AUTOPISTAS DE GALICIA **A-57** *VAL MIÑOR - PUXEIROS*

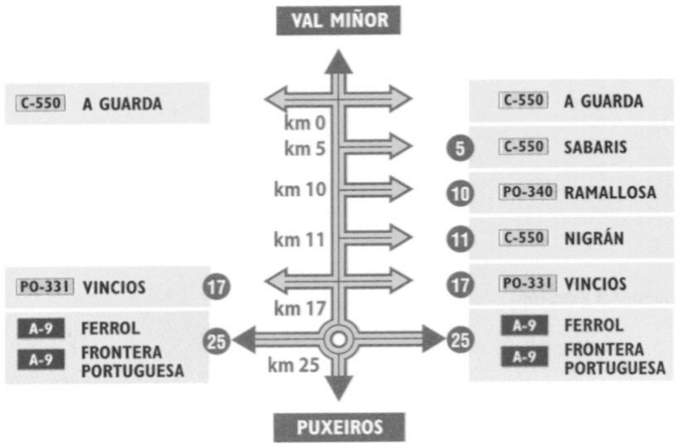
VAL MIÑOR
C-550 A GUARDA
C-550 A GUARDA
km 0
km 5
5 C-550 SABARIS
km 10
10 PO-340 RAMALLOSA
km 11
11 C-550 NIGRÁN
PO-331 VINCIOS 17
17 PO-331 VINCIOS
km 17
A-9 FERROL
A-9 FRONTERA PORTUGUESA 25
25 A-9 FERROL
A-9 FRONTERA PORTUGUESA
km 25
PUXEIROS

AUTOPISTA CONEXIÓN SEGOVIA **A-61** *SEGOVIA - SAN RAFAEL*

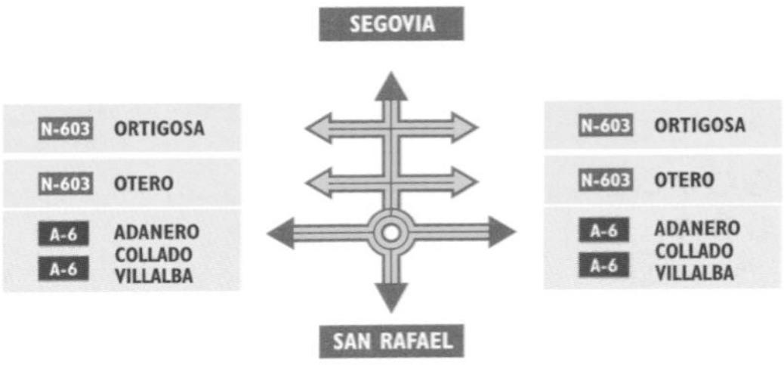
SEGOVIA
N-603 ORTIGOSA
N-603 OTERO
A-6 ADANERO
A-6 COLLADO VILLALBA
N-603 ORTIGOSA
N-603 OTERO
A-6 ADANERO
A-6 COLLADO VILLALBA
SAN RAFAEL

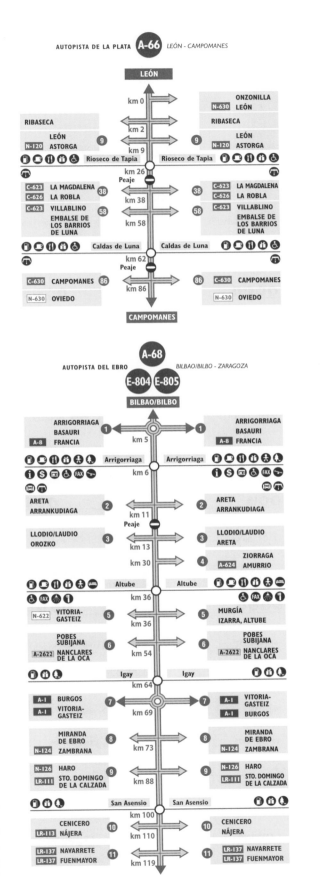

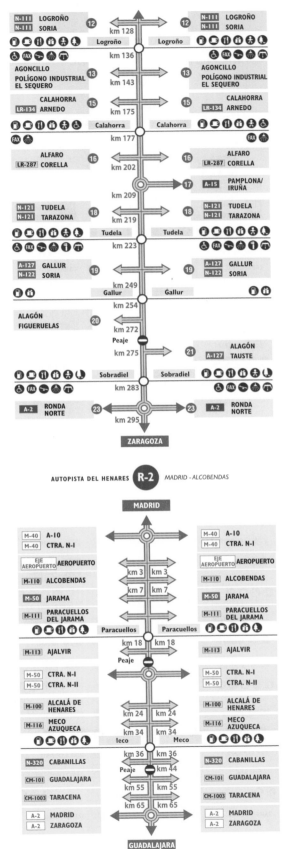

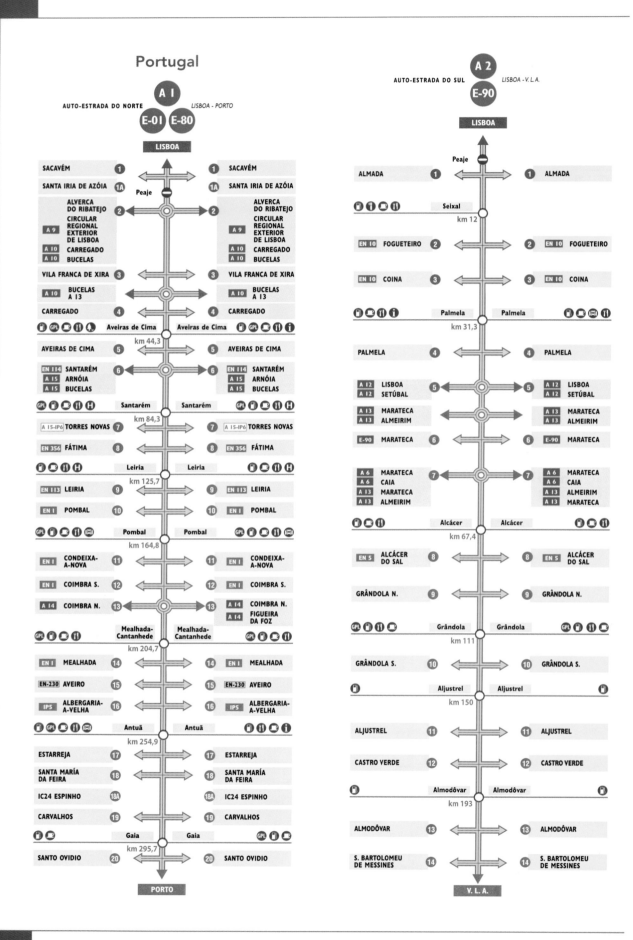

Portugal

AUTO-ESTRADA DO NORTE · **A 1** · *LISBOA - PORTO* · **E-01** · **E-80**

LISBOA

SACAVÉM	1	1 SACAVÉM
SANTA IRIA DE AZÓIA	1A	1A SANTA IRIA DE AZÓIA

Peaje

ALVERCA DO RIBATEJO	2	2 ALVERCA DO RIBATEJO
A 9 CIRCULAR REGIONAL EXTERIOR DE LISBOA		A 9 CIRCULAR REGIONAL EXTERIOR DE LISBOA
A 10 CARREGADO		A 10 CARREGADO
A 10 BUCELAS		A 10 BUCELAS
VILA FRANCA DE XIRA	3	3 VILA FRANCA DE XIRA
A 10 BUCELAS / A 13		A 10 BUCELAS / A 13
CARREGADO	4	4 CARREGADO

Aveiras de Cima · Aveiras de Cima
km 44,3

AVEIRAS DE CIMA	5	5 AVEIRAS DE CIMA
EN 114 SANTARÉM	6	6 EN 114 SANTARÉM
A 15 ARNÓIA		A 15 ARNÓIA
A 15 BUCELAS		A 15 BUCELAS

Santarém · Santarém
km 84,3

A 15-IP6 TORRES NOVAS	7	7 A 15-IP6 TORRES NOVAS
EN 356 FÁTIMA	8	8 EN 356 FÁTIMA

Leiria · Leiria
km 125,7

EN 113 LEIRIA	9	9 EN 113 LEIRIA
EN 1 POMBAL	10	10 EN 1 POMBAL

Pombal · Pombal
km 164,8

EN 1 CONDEIXA-A-NOVA	11	11 EN 1 CONDEIXA-A-NOVA
EN 1 COIMBRA S.	12	12 EN 1 COIMBRA S.
A 14 COIMBRA N.	13	13 A 14 COIMBRA N.
		A 14 FIGUEIRA DA FOZ

Mealhada-Cantanhede · Mealhada-Cantanhede
km 204,7

EN 1 MEALHADA	14	14 EN 1 MEALHADA
EN-230 AVEIRO	15	15 EN-230 AVEIRO
IP5 ALBERGARIA-A-VELHA	16	16 IP5 ALBERGARIA-A-VELHA

Antuã · Antuã
km 254,9

ESTARREJA	17	17 ESTARREJA
SANTA MARÍA DA FEIRA	18	18 SANTA MARÍA DA FEIRA
IC24 ESPINHO	18A	18A IC24 ESPINHO
CARVALHOS	19	19 CARVALHOS

Gaia · Gaia
km 295,7

SANTO OVIDIO	20	20 SANTO OVIDIO

PORTO

AUTO-ESTRADA DO SUL · **A 2** · *LISBOA - V. L. A.* · **E-90**

LISBOA

Peaje

ALMADA	1	1 ALMADA

Seixal
km 12

EN 10 FOGUETEIRO	2	2 EN 10 FOGUETEIRO
EN 10 COINA	3	3 EN 10 COINA

Palmela · Palmela
km 31,3

PALMELA	4	4 PALMELA
A 12 LISBOA	5	5 A 12 LISBOA
A 12 SETÚBAL		A 12 SETÚBAL
A 13 MARATECA		A 13 MARATECA
A 13 ALMEIRIM		A 13 ALMEIRIM
E-90 MARATECA	6	6 E-90 MARATECA
A 6 MARATECA	7	7 A 6 MARATECA
A 6 CAIA		A 6 CAIA
A 13 MARATECA		A 13 ALMEIRIM
A 13 ALMEIRIM		A 13 MARATECA

Alcácer · Alcácer
km 67,4

EN 5 ALCÁCER DO SAL	8	8 EN 5 ALCÁCER DO SAL
GRÂNDOLA N.	9	9 GRÂNDOLA N.

Grândola · Grândola
km 111

GRÂNDOLA S.	10	10 GRÂNDOLA S.

Aljustrel · Aljustrel
km 150

ALJUSTREL	11	11 ALJUSTREL
CASTRO VERDE	12	12 CASTRO VERDE

Almodôvar · Almodôvar
km 193

ALMODÔVAR	13	13 ALMODÔVAR
S. BARTOLOMEU DE MESSINES	14	14 S. BARTOLOMEU DE MESSINES

V. L. A.

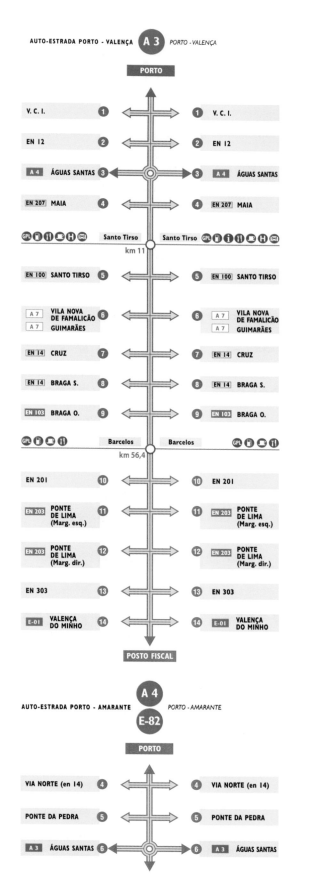

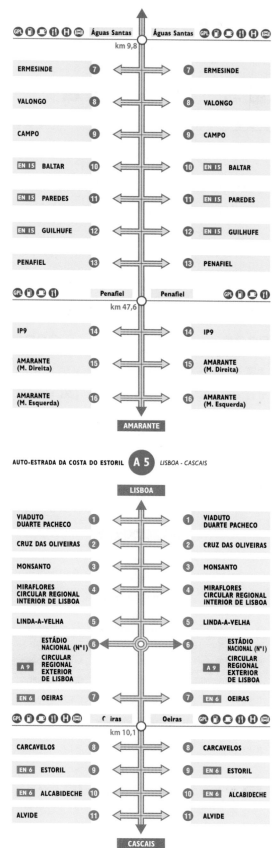

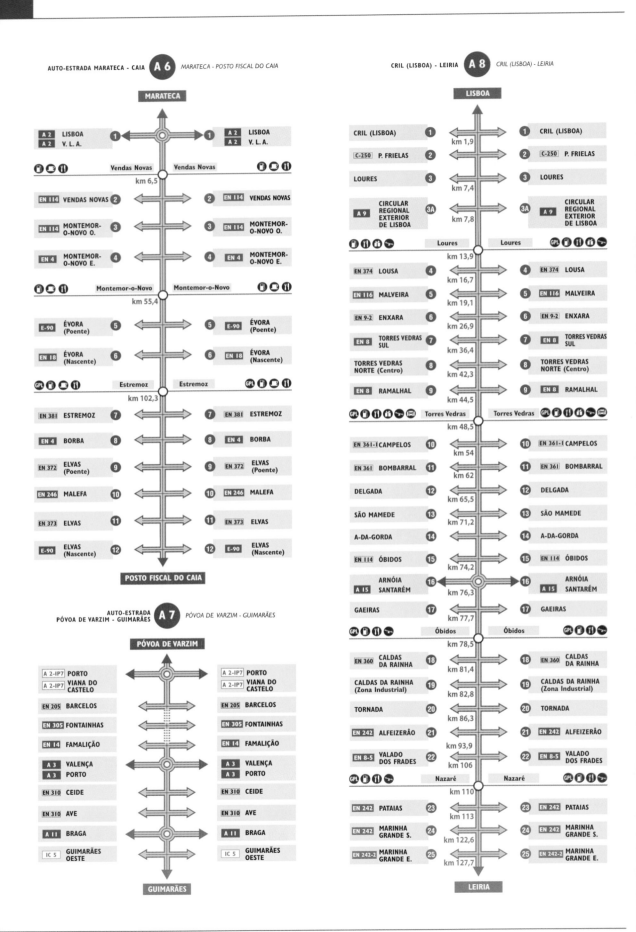

AUTO-ESTRADA MARATECA - CAIA **A 6** *MARATECA - POSTO FISCAL DO CAIA*

MARATECA

A 2 / A 2	LISBOA V. L. A.	①
	Vendas Novas	km 6,5
EN 114	VENDAS NOVAS ②	
EN 114	MONTEMOR-O-NOVO O. ③	
EN 4	MONTEMOR-O-NOVO E. ④	
	Montemor-o-Novo	km 55,4
E-90	ÉVORA (Poente) ⑤	
EN 18	ÉVORA (Nascente) ⑥	
	Estremoz	km 102,3
EN 381	ESTREMOZ ⑦	
EN 4	BORBA ⑧	
EN 372	ELVAS (Poente) ⑨	
EN 246	MALEFA ⑩	
EN 373	ELVAS ⑪	
E-90	ELVAS (Nascente) ⑫	

Right side:

①	A 2 / A 2 LISBOA V. L. A.
	Vendas Novas
②	EN 114 VENDAS NOVAS
③	EN 114 MONTEMOR-O-NOVO O.
④	EN 4 MONTEMOR-O-NOVO E.
	Montemor-o-Novo
⑤	E-90 ÉVORA (Poente)
⑥	EN 18 ÉVORA (Nascente)
	Estremoz
⑦	EN 381 ESTREMOZ
⑧	EN 4 BORBA
⑨	EN 372 ELVAS (Poente)
⑩	EN 246 MALEFA
⑪	EN 373 ELVAS
⑫	E-90 ELVAS (Nascente)

POSTO FISCAL DO CAIA

AUTO-ESTRADA PÓVOA DE VARZIM - GUIMARÃES **A 7** *PÓVOA DE VARZIM - GUIMARÃES*

PÓVOA DE VARZIM

A 2-IP7 / A 2-IP7	PORTO / VIANA DO CASTELO
EN 205	BARCELOS
EN 305	FONTAINHAS
EN 14	FAMALIÇÃO
A 3 / A 3	VALENÇA / PORTO
EN 310	CEIDE
EN 310	AVE
A 11	BRAGA
IC 5	GUIMARÃES OESTE

GUIMARÃES

CRIL (LISBOA) - LEIRIA **A 8** *CRIL (LISBOA) - LEIRIA*

LISBOA

	CRIL (LISBOA) ①	km 1,9
C-250	P. FRIELAS ②	
	LOURES ③	km 7,4
A 9	CIRCULAR REGIONAL EXTERIOR DE LISBOA ③A	km 7,8
	Loures	km 13,9
EN 374	LOUSA ④	km 16,7
EN 116	MALVEIRA ⑤	km 19,1
EN 9-2	ENXARA ⑥	km 26,9
EN 8	TORRES VEDRAS SUL ⑦	km 36,4
	TORRES VEDRAS NORTE (Centro) ⑧	km 42,3
EN 8	RAMALHAL ⑨	km 44,5
	Torres Vedras	km 48,5
EN 361-1	CAMPELOS ⑩	km 54
EN 361	BOMBARRAL ⑪	km 62
	DELGADA ⑫	km 65,5
	SÃO MAMEDE ⑬	km 71,2
	A-DA-GORDA ⑭	
EN 114	ÓBIDOS ⑮	km 74,2
A 15	ARNÓIA SANTARÉM ⑯	km 76,3
	GAEIRAS ⑰	km 77,7
	Óbidos	km 78,5
EN 360	CALDAS DA RAINHA ⑱	km 81,4
	CALDAS DA RAINHA (Zona Industrial) ⑲	km 82,8
	TORNADA ⑳	km 86,3
EN 242	ALFEIZERÃO ㉑	km 93,9
EN 8-5	VALADO DOS FRADES ㉒	km 106
	Nazaré	km 110
EN 242	PATAIAS ㉓	km 113
EN 242	MARINHA GRANDE S. ㉔	km 122,6
EN 242-2	MARINHA GRANDE E. ㉕	km 127,7

Right side:

①	CRIL (LISBOA)
②	C-250 P. FRIELAS
③	LOURES
③A	A 9 CIRCULAR REGIONAL EXTERIOR DE LISBOA
	Loures
④	EN 374 LOUSA
⑤	EN 116 MALVEIRA
⑥	EN 9-2 ENXARA
⑦	EN 8 TORRES VEDRAS SUL
⑧	TORRES VEDRAS NORTE (Centro)
⑨	EN 8 RAMALHAL
	Torres Vedras
⑩	EN 361-1 CAMPELOS
⑪	EN 361 BOMBARRAL
⑫	DELGADA
⑬	SÃO MAMEDE
⑭	A-DA-GORDA
⑮	EN 114 ÓBIDOS
⑯	A 15 ARNÓIA SANTARÉM
⑰	GAEIRAS
	Óbidos
⑱	EN 360 CALDAS DA RAINHA
⑲	CALDAS DA RAINHA (Zona Industrial)
⑳	TORNADA
㉑	EN 242 ALFEIZERÃO
㉒	EN 8-5 VALADO DOS FRADES
	Nazaré
㉓	EN 242 PATAIAS
㉔	EN 242 MARINHA GRANDE S.
㉕	EN 242-2 MARINHA GRANDE E.

LEIRIA

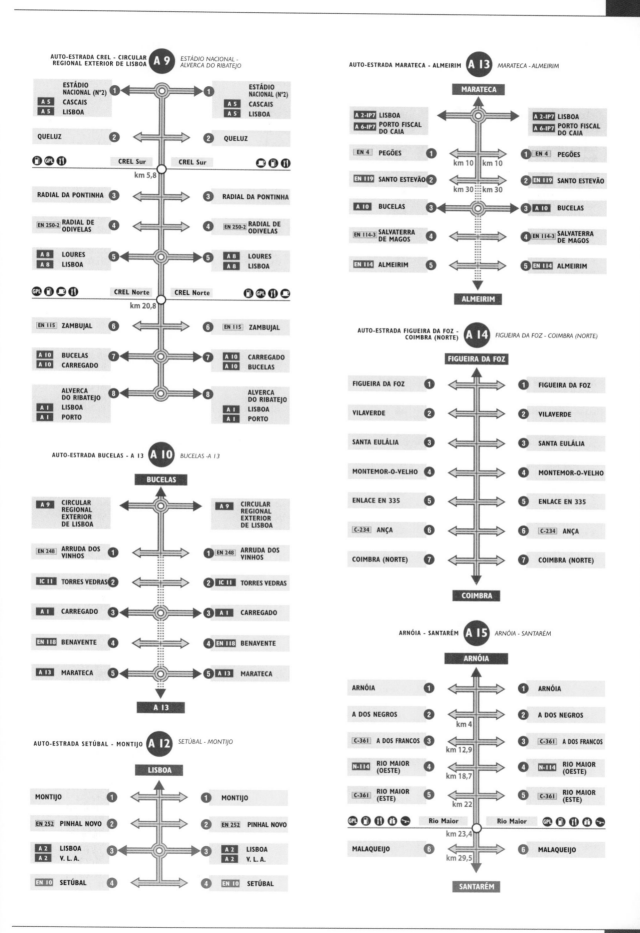

AUTO-ESTRADA CREL - CIRCULAR REGIONAL EXTERIOR DE LISBOA A9 *ESTÁDIO NACIONAL - ALVERCA DO RIBATEJO*

ESTÁDIO NACIONAL (Nº2) ①	① ESTÁDIO NACIONAL (Nº2)
A5 CASCAIS	A5 CASCAIS
A5 LISBOA	A5 LISBOA
QUELUZ ②	② QUELUZ

CREL Sur — CREL Sur
km 5,8

RADIAL DA PONTINHA ③	③ RADIAL DA PONTINHA
EN 250-2 RADIAL DE ODIVELAS ④	④ EN 250-2 RADIAL DE ODIVELAS
A8 LOURES ⑤	⑤ A8 LOURES
A8 LISBOA	A8 LISBOA

CREL Norte — CREL Norte
km 20,8

EN 115 ZAMBUJAL ⑥	⑥ EN 115 ZAMBUJAL
A10 BUCELAS ⑦	⑦ A10 CARREGADO
A10 CARREGADO	A10 BUCELAS
ALVERCA DO RIBATEJO ⑧	⑧ ALVERCA DO RIBATEJO
A1 LISBOA	A1 LISBOA
A1 PORTO	A1 PORTO

AUTO-ESTRADA BUCELAS - A 13 A10 *BUCELAS - A 13*

BUCELAS

A9 CIRCULAR REGIONAL EXTERIOR DE LISBOA	A9 CIRCULAR REGIONAL EXTERIOR DE LISBOA
EN 248 ARRUDA DOS VINHOS ①	① EN 248 ARRUDA DOS VINHOS
IC 11 TORRES VEDRAS ②	② IC 11 TORRES VEDRAS
A1 CARREGADO ③	③ A1 CARREGADO
EN 118 BENAVENTE ④	④ EN 118 BENAVENTE
A13 MARATECA ⑤	⑤ A13 MARATECA

A 13

AUTO-ESTRADA SETÚBAL - MONTIJO A12 *SETÚBAL - MONTIJO*

LISBOA

MONTIJO ①	① MONTIJO
EN 252 PINHAL NOVO ②	② EN 252 PINHAL NOVO
A2 LISBOA ③	③ A2 LISBOA
A2 V. L. A.	A2 V. L. A.
EN 10 SETÚBAL ④	④ EN 10 SETÚBAL

AUTO-ESTRADA MARATECA - ALMEIRIM A13 *MARATECA - ALMEIRIM*

MARATECA

A 2-IP7 LISBOA	A 2-IP7 LISBOA
A 6-IP7 PORTO FISCAL DO CAIA	A 6-IP7 PORTO FISCAL DO CAIA
EN 4 PEGÕES ①	① EN 4 PEGÕES
km 10 — km 10	
EN 119 SANTO ESTEVÃO ②	② EN 119 SANTO ESTEVÃO
km 30 — km 30	
A10 BUCELAS ③	③ A10 BUCELAS
EN 114-3 SALVATERRA DE MAGOS ④	④ EN 114-3 SALVATERRA DE MAGOS
EN 114 ALMEIRIM ⑤	⑤ EN 114 ALMEIRIM

ALMEIRIM

AUTO-ESTRADA FIGUEIRA DA FOZ - COIMBRA (NORTE) A14 *FIGUEIRA DA FOZ - COIMBRA (NORTE)*

FIGUEIRA DA FOZ

FIGUEIRA DA FOZ ①	① FIGUEIRA DA FOZ
VILAVERDE ②	② VILAVERDE
SANTA EULÁLIA ③	③ SANTA EULÁLIA
MONTEMOR-O-VELHO ④	④ MONTEMOR-O-VELHO
ENLACE EN 335 ⑤	⑤ ENLACE EN 335
C-234 ANÇA ⑥	⑥ C-234 ANÇA
COIMBRA (NORTE) ⑦	⑦ COIMBRA (NORTE)

COIMBRA

ARNÓIA - SANTARÉM A15 *ARNÓIA - SANTARÉM*

ARNÓIA

ARNÓIA ①	① ARNÓIA
A DOS NEGROS ②	② A DOS NEGROS
km 4	
C-361 A DOS FRANCOS ③	③ C-361 A DOS FRANCOS
km 12,9	
N-114 RIO MAIOR (OESTE) ④	④ N-114 RIO MAIOR (OESTE)
km 18,7	
C-361 RIO MAIOR (ESTE) ⑤	⑤ C-361 RIO MAIOR (ESTE)
km 22	
Rio Maior — Rio Maior	
km 23,4	
MALAQUEIJO ⑥	⑥ MALAQUEIJO
km 29,5	

SANTARÉM

Información de utilidad para el conductor / *Driver information*

Información general
General information

Código telefónico de España /
Spanish telephone prefix + 34

Policía Nacional / *National Police*	091
Guardia Civil / *Civil Guard*	062
Ertzaintza (País Vasco) / *Basque Police Force*	112 / 943 290 211

Mossos d'Esquadra (Cataluña) / *Catalonian Police Force*

Barcelona	088 / 933 009 191
Tarragona	088 / 977 235 828
Lleida	088 / 973 222 013
Girona	088
Policía Foral de Navarra / *Navarre Police Force*	948 221 802
Cruz Roja Nacional / *National Red Cross*	915 222 222
Dirección General de Tráfico (DGT) / *Central Highways Authority*	900 123 505
Ayuda en Carretera / *Road Side Assistance*	917 421 213
Servicio de Información Meteorológica / *Weather Information Service*	906 365 365
Información Toxicológica (24 horas) / *Toxicological Information Service*	915 620 420
Salvamento y Seguridad Marítima / *Maritime Rescue and Safety*	900 202 202
Unión de Consumidores de España (UCE) / *Spanish Consumers Union*	915 484 045

Jefaturas provinciales de tráfico
Provincial traffic headquarters

Álava	945 222 058	León	987 254 055
Albacete	967 210 811	Lleida	973 269 700
Alicante/Alacant	965 125 466	Lugo	982 223 027
Almería	950 242 222	Madrid	913 018 500
Asturias	985 297 700	Málaga	952 040 770
Ávila	920 213 848	Melilla	952 683 508
Badajoz	924 230 366	Murcia	968 256 211
Balears (Illes)	971 465 262	Navarra	948 254 304
Barcelona	935 986 539	Ourense	988 234 311
Burgos	947 272 827	Palencia	979 700 505
Cáceres	927 225 249	Palmas, Las	928 381 818
Cádiz	956 273 847	Pontevedra	986 851 597
Cantabria	942 236 465	Rioja, La	941 261 616
Castellón de la Plana / Castelló de la Plana	964 210 822	Salamanca	923 267 908
Ceuta	956 513 201	Sta. Cruz de Tenerife	922 227 840
Ciudad Real	926 226 115	Segovia	921 463 636
Córdoba	957 203 033	Sevilla	954 245 300
Coruña, A	981 288 377	Soria	975 225 900
Cuenca	969 222 156	Tarragona	977 221 196
Girona	972 202 950	Teruel	978 604 605
Granada	958 156 911	Toledo	925 224 334
Guadalajara	949 230 011	Valencia / València	963 172 000
Guipúzcoa	943 452 000	Valladolid	983 302 555
Huelva	959 253 900	Vizcaya	944 421 300
Huesca	974 221 700	Zamora	980 521 562
Jaén	953 252 747	Zaragoza	976 358 900

Servicios de urgencia / *Emergency services*

Cruz Roja / *Red Cross*		**Cruz Roja** / *Red Cross*		**Cruz Roja** / *Red Cross*	
Álava	945 132 630	Cuenca	969 222 200	Pontevedra	986 852 077
Albacete	967 222 222	Girona	972 222 222	Rioja, La	941 222 222
Alicante / Alacant	965 254 141	Granada	958 222 222	Salamanca	923 222 222
Almería	950 257 166	Guadalajara	949 222 222	Sta. Cruz de Tenerife	922 281 800
Asturias	985 208 215	Guipúzcoa	943 222 222	Segovia	921 440 202
Ávila	920 224 848	Huelva	959 222 222	Sevilla	954 376 613
Badajoz	924 240 200	Huesca	974 222 222	Soria	975 222 222
Balears (Illes)	971 295 000	Jaén	953 251 540	Tarragona	977 222 222
Barcelona	934 222 222	León	987 222 222	Teruel	978 602 222
Burgos	947 232 222	Lleida	973 222 222	Toledo	925 222 222
Cáceres	927 247 858	Lugo	982 231 613	Valencia / València	963 606 211
Cádiz	956 277 670	Madrid	915 222 222	Valladolid	983 222 222
Cantabria	942 310 836	Málaga	952 217 631	Vizcaya	944 222 222
Castellón de la Plana / Castelló de la Plana	964 222 222	Melilla	952 674 434	Zamora	980 523 300
Ceuta	956 502 222	Murcia	968 222 222	Zaragoza	976 222 222
Ciudad Real	926 229 799	Navarra	948 206 570		
Córdoba	957 292 222	Ourense	988 242 222		
Coruña, A	981 222 222	Palencia	979 722 222		
		Palmas, Las	928 222 222		

Teléfono de urgencias /
Emergency telephone number: 112

Talleres oficiales (averías) / *Official garages (breakdowns)*

	Asistencia 24 h *24 hour assistance*	**Atención al cliente** *Customer service*		**Asistencia a 24 h** *24 hour assistance*	**Atención al cliente** *Customer service*
ALFA ROMEO	900 211 017	918 853 747	CHEVROLET		915 551 420
ASTON MARTIN		914 581 473	CHRYSLER	900 136 524	918 435 082
AUDI	900 132 132	902 454 575	DAEWOO	900 101 006	900 303 900
BMW	900 100 482	913 350 553	FIAT	900 211 018	918 853 747
CADILLAC		915 551 420	FORD	900 145 145	902 442 442
CITROËN	900 515 253	902 445 566	HONDA	900 210 968	900 308 080

Talleres oficiales (averías) / Official garages (breakdowns)

	Asistencia 24 h 24 hour assistance	Atención al cliente Customer service
HYUNDAI	900 210 313	902 246 902
KIA	900 101 952	902 283 285
LADA	900 111 808	900 121 127
LANCIA	900 211 019	918 853 746
LAND ROVER	900 116 116	902 100 195
MAZDA	902 323 626	902 345 456
MERCEDES	900 268 888	914 846 120
MITSUBISHI	913 255 555	902 201 030
NISSAN	900 200 094	902 118 085
OPEL	900 142 142	902 250 025
PEUGEOT-TALBOT	900 442 424	902 366 247
PORSCHE		915 941 107
RENAULT	900 365 000	900 100 500
ROLLS-ROYCE		913 255 555
ROVER	900 116 116	915 949 384
SAAB	900 212 223	913 828 730
SEAT	900 600 400	902 402 602
SKODA	900 250 250	902 456 575
SMART		901 116 607
SUZUKI	900 225 522	916 949 161
TATA	915 942 927	915 715 570
TOYOTA	900 101 575	902 342 902
VOLKSWAGEN	900 100 238	902 151 161
VOLVO	900 115 115	915 666 139

Asistencia en carretera / Road side assistance

	Asistencia 24 h 24 hour assistance	Atención al cliente Customer service
ADA (Ayuda del Automovilista)	902 232 423	914 131 044
AHSA (Asociación Hispania de Servicios al Automovilista)	913 594 605	913 093 201
Ayuda General del Automóvil	902 116 210	913 643 838
DYA	914 303 436	
Europe Assistance	915 972 125	915 972 125
Mondial Assistance	900 126 061	913 255 440
RACC (Reial Automòbil Club de Catalunya)	902 106 106	902 307 307
RACE (Real Automóvil Club de España)	902 300 505	915 947 400

Centros de ITV / MOT Centres

ÁLAVA-JUNDIZ (945 290 510): Pol. ind. de Jundiz, C/ Lermandavide

ALBACETE-ALBACETE (967 215 973): Ctra. Mahora, km 3,7
ALBACETE-ALBACETE (967 210 974): Pol. ind. Campollano, C/ F, parcela 3
ALBACETE-ALMANSA (967 311 386): Pol. ind. Mugrón 2.ª fase, zona III, parc. 3
ALBACETE-HELLÍN (967 305 410): Pol. ind. de Hellín, parc. 45
ALBACETE-VILLARROBLEDO (967 145 362): Ctra. N-310, km 135

ALICANTE-ALCOY (965 545 455): Ctra. Font Rocha, s/n.
ALICANTE-ALICANTE (965 107 977): Pol. ind. Pla La Vallonga, C/ 5
ALICANTE-BENIDORM (966 831 102): Avda. Comunidad Valenciana, s/n
ALICANTE-DENIA (966 435 443): Aseguramiento Tecnico de Calidad S.A.
ALICANTE-ELCHE (966 665 686): Ctra. de Aspe, s/n.
ALICANTE-ORIHUELA-SAN BARTOLOMÉ (965 367 182): Ctra. Orihuela-Almoradí, km 8,300
ALICANTE-REDOVÁN (966 754 497): Ctra. N-340, km 29,400
ALICANTE-TORREVIEJA (966 707 474): Ctra. Crevillente-Torrevieja, Urb. Torreta, 2
ALICANTE-VILLENA (965 979 323): Ctra. N-330, Colonia de Santa Eulalia, Paraje Huesa Tacaña

ALMERÍA-ALBOX (950 120 902): Pol. ind. de Albox (Área de Servicio)
ALMERÍA-BERJA (950 406 300): Ctra. N-340 (Cruce de Balanegra)
ALMERÍA-HUÉRCAL DE ALMERÍA (950 140 229): Paraje de la Cepa, s/n.
ALMERÍA-HUÉRCAL DE ALMERÍA (950 300 240): Paraje Zamarula, s/n. Ctra. N-340, km 121
ALMERÍA-VERA (950 528 852): Autovía del Mediterráneo (acceso Sur)

ASTURIAS-AVILÉS (985 520 228): Avda. de la Industria, 53. Pol. de las Arobias
ASTURIAS-CANGAS DE NARCEA (985 810 605): C/ Alejandro Casona, s/n. El Reguerón
ASTURIAS-EL ENTREGO (985 661 100): Pol. ind. de La Central, s/n.
ASTURIAS-GIJÓN (985 300 103): C/ Camino del Melón, s/n. (Tremañes)
ASTURIAS-JARRIO (985 473 838): Pol. ind. Río Pinto
ASTURIAS-LLANERA (985 263 317): Ctra. N-630, s/n.
ASTURIAS-LLOVIO-RIBADESELLA (985 928 045): Pol. de Guadamía
ASTURIAS-MIERES (985 451 815): Pol. ind. Fábrica de Mieres

ÁVILA-AREVALO (920 303 358): Pol. ind. Tierras de Arévalo, parc. J.1
ÁVILA-ÁVILA (920 221 112): Ctra. Ávila-Burgohondo, km 2,4

BADAJOZ-BADAJOZ (924 271 102): Pol. ind. El Nevero
BADAJOZ-MÉRIDA (924 372 073): Pol. ind. El Prado de Mérida
BADAJOZ-VILLANUEVA DE LA SERENA (924 843 350): Pol. ind. La Barca, s/n.
BADAJOZ-ZAFRA (924 554 441): Pol. ind. Los Caños

ILLES BALEARS-CIUTADELLA (MENORCA) (971 480 044): Ctra C-721, km 42,5
ILLES BALEARS-INCA (MALLORCA) (971 502 404): Avda. Jaime II, s/n.
ILLES BALEARS-MANACOR (MALLORCA) (971 555 457): Pol. ind. Manacor, C/ Olivaristas, s/n.
ILLES BALEARS-MAÓ (MENORCA) (971 354 502): Pol. ind. de Mahón, C/ Bajoli Poima
ILLES BALEARS-PALMA DE MALLORCA (971 297 906): Camí dels Reis, s/n. Pol. ind. Son Castelló
ILLES BALEARS-PALMA DE MALLORCA (971 265 950): Camí Son Fangos, s/n.
ILLES BALEARS-SANTA GERTRUDIS (EIVISSA) (971 315 976): Ctra. San Miguel, km 2

CATALUNYA (GENERAL) (902 127 699)
BARCELONA-ARGENTONA (902 161 516): Pol. ind. El Cross
BARCELONA-BADALONA (900 272 727): C/ Indústria, 427
BARCELONA-BARCELONA (902 161 516): C/ Àvila, 126-138
BARCELONA-BARCELONA (902 161 516): C/ Còrsega, 392
BARCELONA-BARCELONA (902 127 600): C/ Diputació, 158-160
BARCELONA-BARCELONA (902 127 600): C/ Motors, 136
BARCELONA-BARCELONA (902 161 516): Pje. Puigmadrona, 9-15
BARCELONA-BERGA (938 222 011): Pol. ind. Valldan, parc. 1.ª, n° 1
BARCELONA-CIM (STA. PERPÈTUA MOGODA) (935 602 688): C/ N.° 5, s/n., parc. 13, zona A. Pol. ind. Les Minetes
BARCELONA-CORNELLÀ (902 127 600): Pol. ind. Famades. P°. Campsa, 64
BARCELONA-GRANOLLERS (938 497 611): Pol. ind. Congost. Avda. S. Julià, 253-255
BARCELONA-IGUALADA (938 052 444): Pol. ind. C/ Països Baixos, 18
BARCELONA-MANRESA (938 745 111): Pol. ind. Bufalvent, parc. 121
BARCELONA-OLÈRDOLA (938 923 311): Pol. ind. Sant Pere Molanta
BARCELONA-SANT JOAN DESPÍ (902 127 600): C/ Major, 3
BARCELONA-SANT JUST DESVERN (902 127 600): Avda. Riera, 19-21. Pol. ind. N° 1
BARCELONA-VIC (938 861 033): Pol. ind. de Vic
BARCELONA-VILADECAVALLS (937 807 555): Ctra. Terrassa a Olesa, km 1,8 (Pol. ind. Can Trias)
BARCELONA-VILANOVA I LA GELTRÚ (938 144 222): Ronda Europa, s/n. Pol. ind. N° 2 de Roquetes

BURGOS-ARANDA DE DUERO (947 507 399): Ctra. N-I, km 161
BURGOS-BURGOS (947 481 680): Pol. ind. Taglosa, naves 55-56
BURGOS-BURGOS (947 298 280): Pol. ind. de Villalonquéjar
BURGOS-MIRANDA DE EBRO (947 325 952): Pol. ind. de Bayas, parc. 33
BURGOS-VILLASANTE MONTIJA (947 140 239): Ctra. Burgos-Santoña, Km 38,5

CÁCERES-CÁCERES (927 232 577): Ctra. N-630, km 558
CÁCERES-CORIA MORALEJA (927 193 058): Ctra. Coria-Navalmoral, km 1,5
CÁCERES-NAVALMORAL DE LA MATA (927 535 353): Ctra. N-V, km 180. Goche
CÁCERES-PLASENCIA (927 411 870): Pol. Ind. de Plasencia, s/n.
CÁCERES-TRUJILLO (927 321 835): Pol. Ind. Las Dehesillas

CÁDIZ-ALGECIRAS (956 572 817): Pol. ind. Cortijo Real. C/ Deseos, 2
CÁDIZ-CÁDIZ (956 252 590): Alcalá Gazules, 23. Pol. ind. Levante
CÁDIZ-JEREZ DE LA FRONTERA (956 144 141): Avda. Alcalde Manuel Cantos Ropero
CÁDIZ-PUERTO REAL (956 590 612): Pol. ind. Tres Caminos, parc. 10-15 (2.ª fase)
CÁDIZ-SAN FERNANDO (956 883 520): C/ Santo Entierro, s/n.
CÁDIZ-VILLAMARTÍN (956 231 282): Pol. ind. El Chaparral. Ctra N-342

CANTABRIA-CORRALES DEL BUELNA (942 831 280): Pol. ind. Barros, parc. 19
CANTABRIA-MALIAÑO (942 369 044): Pol. ind. de Raos, parc. 10
CANTABRIA-OJÁIZ (942 339 506): Ojáiz-Peña Castillo

CASTELLÓN-CASTELLÓN DE LA PLANA (964 251 536): Avda. Valencia, 168
CASTELLÓN-VILLARREAL DE LOS INFANTES (964 535 400): N-340 km 55. C/ Azagador, s/n.
CASTELLÓN-VINAROZ (964 401 320): Calle en proyecto (perpendicular a la Avda. Gil de Atrocillo)

CEUTA-EL TARAJAL (956 507 374): Pol. ind. Alborán, Arroyo de Las Bombas

CIUDAD REAL-ALCÁZAR DE SAN JUAN (926 546 650): Pol. ind. Alcer. Avda. Institutos, s/n.
CIUDAD REAL-CIUDAD REAL (926 212 800): Ctra. de Piedrabuena, km 2
CIUDAD REAL-MANZANARES (926 612 393): Pol. ind. Manzares, 2.ª fase, parc. 111
CIUDAD REAL-PUERTOLLANO (926 410 814): Pol. ind. Puertollano, parc. 601

CÓRDOBA-CÓRDOBA (957 291 150): C/ Ingeniero Torres Quevedo, s/n. (Pol. ind. La Torrecilla)
CÓRDOBA-CÓRDOBA (957 202 577): C/ Ingeniero Torroja y Miret, s/n. (Pol. ind. La Torrecilla)
CÓRDOBA-BAENA (957 671 250): Pol. ind. Los Llanos, Área de Tte. y Servicio
CÓRDOBA-LUCENA (957 502 772): Ctra. N-331, km 69,5
CÓRDOBA-POZOBLANCO (957 130 517): Pol. ind. Dehesa Boyal, parc. 57

A CORUÑA-ARTEIXO (981 602 356): Pol. ind. de Sabón, parc. 69
A CORUÑA-ARTES-RIVEIRA (981 872 400): Ctra. C-500, km 43,6
A CORUÑA-CACHEIRAS-TEO (981 806 009): Ctra. Santiago-Estrada, km 5,5
A CORUÑA-ESPÍRITU SANTO-SADA (981 611 661): Espíritu Santo, N-VI, km 582
A CORUÑA-NARÓN (981 315 051): Pol. ind. de La Gándara, parc. 106
A CORUÑA-SANTIAGO (981 571 100): Pol. ind. Tambre. Vía La Cierva, parc. 2

CUENCA-CUENCA (969 213 553): Pol. ind. Los Palancares, parc. 4
CUENCA-MOTILLA DEL PALANCAR (969 333 399): Ctra. N-320, km 71

GIRONA-BLANES (972 353 133): Ctra. de L'Estació, s/n.
GIRONA-CELRÀ (972 492 888): Pol. ind. Celrà
GIRONA-OLOT (972 269 576): Pol. ind. Pla de Baix
GIRONA-PALAMÓS (972 600 555): Pol. ind. Pla de Sant Joan
GIRONA-PUIGCERDÀ (972 140 660): Pol. ind. de L'Estació. C/ Zona ind., 2
GIRONA-RIPOLLÈS (972 714 045): Pla d´Ordina, s/n.
GIRONA-VILAMALLA (972 525 126): Pol. ind. Empordà Internacional

GRANADA-BAZA (958 342 098): Autovía A-92, Antigua N-342, km 194 (Cruce de «El Baúl»)
GRANADA-GRANADA (958 272 621): Avda. de Andalucía, s/n
GRANADA-LOJA (958 323 135): Pol. Ind. El Manzanil II, s/n
GRANADA-MOTRIL (958 600 116): Ctra. N-340 Motril-Almería km 1,3
GRANADA-PELIGROS (958 468 492): Pol. ind. Juncaril, parc. 317-318

GUADALAJARA-ALCOLEA DEL PINAR (949 300 380): Ctra. C-114, km 0,4
GUADALAJARA-GUADALAJARA (949 202 986): Pol. ind. El Balconcillo de Guadalajara, parc. 62

GUIPÚZCOA-BERGARA (943 760 490): C/ Amillaga, 4
GUIPÚZCOA-IRÚN (943 626 300): Centro de Transporte Zaiza
GUIPÚZCOA-URNIETA (943 550 000): Ctra. Andoain-Hernani. C/ Idiazábal, s/n.

HUELVA-HUELVA (959 245 186): Avda. Montenegro, 11
HUELVA-LA PALMA DEL CONDADO (959 400 957): Centro de Servicio y Equipamiento Comarcal
HUELVA-MINAS DE THARSIS (959 397 918): Pol. ind. Santa Bárbara, s/n.
HUELVA-SAN JUAN DEL PUERTO (959 367 070): Pol. ind. La Duquesa, parc. 1
HUELVA-ZALAMEA LA REAL (959 562 106): Pol. ind. El Tejerero (CN-435)

HUESCA-BARBASTRO (974 314 154): Pol. ind. Valle del Cinca, 51
HUESCA-FRAGA (974 472 258): Ctra. N-II, km 442
HUESCA-HUESCA (974 211 476): Ctra. N-123, km 68,3
HUESCA-MONZÓN (974 403 006): Pol. ind. Paules, parc. 52
HUESCA-SABIÑÁNIGO (974 481 919): Camino Aurín, s/n.
HUESCA-SARIÑENA (974 572 457): Avda. de Fraga, s/n.

JAÉN-BEAS DE SEGURA (953 458 275): Pol. ind. Cornicabral, parc. 104
JAÉN-GUARROMÁN (953 672 198): Pol. ind. Guadiel, parc. 103-104
JAÉN-JAÉN (953 281 700): Pol. ind. Los Olivares. C/ Espeluy, 17
JAÉN-ÚBEDA (953 758 070): Ctra. N-321 (Úbeda-Baeza), km 1,4

LEÓN-CEMBRANOS (987 303 860): Ctra. de Zamora, km 11
LEÓN-ONZONILLA (987 254 099): Pol. ind. Onzonilla, P-G-20
LEÓN-PONFERRADA (987 455 651): Ctra. N-VI, km 394

LLEIDA-ARTESA DE SEGRE (973 402 223): Ctra. comarcal 1412, km 0,8
LLEIDA-GRANYANELLA (973 532 225): Ctra. N-II, km 512,7
LLEIDA-LLEIDA (973 200 370): Pol. ind. El Segre. C/ Enginyer Mias, parc. 508
LLEIDA-MONTFERRER (973 351 654): Ctra. N-260 Puigcerdà-Sabiñánigo, km 230,5
LLEIDA-SOLSONA (973 481 669): Pol. ind. Els Ametllers, parc. 7
LLEIDA-TREMP (973 650 129): Ctra. comarcal 1412, km 54
LLEIDA-VIELHA-MIJARAN (973 641 166): Ctra. N-230, km 164,4

LUGO-FOZ (982 135 507): Ctra. C-642, km 412,5
LUGO-LUGO (982 209 037): Pol. ind. El Ceao, parc. 35
LUGO-MONFORTE DE LEMOS (982 410 412): Ribasaltas
LUGO-VIVERO (982 550 483): La Junquera, s/n.

MADRID-ALCALÁ DE HENARES (918 818 063): Pol. ind. Camporros, Ctra. M-100 Alcalá-Daganzo, km 4
MADRID-ALCORCÓN (916 435 618): Pol. ind. Urtinsa, C/ Las Fábricas, 17
MADRID-ARANJUEZ (918 011 256): Pol. ind. Gonzalo Chacón, parc. 6
MADRID-ARGANDA DEL REY (918 714 114): Ctra. N-III, km 25,2
MADRID-COLMENAR VIEJO (918 031 193): Ctra. M-607. Pol. ind. de Tres Cantos, Sector A, parc. 6
MADRID-COSLADA (916 728 048): Ctra. N-II, km 15,400 (Pol. ind. de Coslada)
MADRID-GETAFE (916 958 658 y 916 955 762): Ctra. N-IV, km 15,4
MADRID-LEGANÉS (916 885 046): Pol. ind. Sra. Butarque. C/ Esteban Terradas, s/n.
MADRID-LOZOYUELA (918 694 212): Ctra. Madrid-Irún (N-I), km 67
MADRID-NAVALCARNERO (918 115 155): Pol. ind. Alparrache, C/ Dehesa de Mari Martín, s/n.
MADRID-NAVAS DEL REY (918 650 591): Ctra. Alcorcón-Plasencia, km 41
MADRID-PARLA (916 982 612): Ctra. Parla-Pinto, km 1
MADRID-ROZAS, LAS (916 377 161): Ctra. N-VI, km 20,4
MADRID-SAN SEBASTIÁN DE LOS REYES (916 527 177): Ctra. N-I, km 23,500 (Desvío Algete)
MADRID-VALLECAS (C.T.M.) (917 859 112): Ctra. Villaverde a Vallecas, km 3,5
MADRID-VILLALBA (918 511 687): Ctra. N-VI, km 37,6
MADRID-VILLAREJO DE SALVANÉS (918 745 363): Ctra. N-III, km 48,3

MÁLAGA-ALGARROBO (952 550 862): Ctra. Algarrobo, comarcal Ma-103, km 109
MÁLAGA-ANTEQUERA (952 031 463): Autovía a Málaga, salida Antequera
MÁLAGA-ESTEPONA (952 803 550): Pol. ind. de Estepona. C/ Graham Bell, 15
MÁLAGA-MÁLAGA (952 171 547): Pol. ind. de Guadalhorce. C/ Diderot, 1
MÁLAGA-EL PALO (952 207 003): C/ Escritor Fuentes y Cerdá, 2
MÁLAGA-RONDA (952 870 536): Pol. ind. El Fuerte. C/ Guadalquivir, 2

MELILLA-CIAMSA (952 673 827): Ctra. General Astillero, km 2,6

MURCIA-ALCANTARILLA (968 890 039): Ctra. de Mula, km 1,8
MURCIA-CARAVACA DE LA CRUZ (968 725 502): Pol. ind. Cavila. Ctra. Granada, s/n.
MURCIA-CARTAGENA (968 528 319): La Asomada.Vere de San Félix
MURCIA-ESPINARDO (968 307 444): Pol. ind. Avda. Juan Carlos I, s/n.
MURCIA-JUMILLA (968 782 518): Ctra. a Yecla. C-3314, km 42
MURCIA-LORCA (968 460 761)): Pol. ind. de la Torrecilla
MURCIA-MOLINA DE SEGURA (968 645 491): Pol. ind. La Serreta. C/ Buenos Aires, 62
MURCIA-SAN PEDRO DEL PINATAR (968 188 083): Pol. ind. Las Beates

NAVARRA-NOAIN (948 312 759): Pol. ind. Talluntxe II
NAVARRA-PAMPLONA (948 303 586): Mercairuña. C/ Soto Aizoain, s/n.
NAVARRA-PERALTA (948 750 554): C/ Daban, 56
NAVARRA-TUDELA (948 847 000): Pol. ind. Las Labradas, parc. 5.3 y 5.4

OURENSE-O BARCO (988 325 155): Avda. do Sil, 35
OURENSE-SAN CIPRIÁN DAS VIÑAS (988 249 712): Pol. ind. San Ciprián, parc. 16
OURENSE-VERÍN (988 411 539): Pol. ind. de Verín

PALENCIA-CERVERA DE PISUERGA (979 870 777): Ctra. Cervera-Aguilar, km 1
PALENCIA-PALENCIA (979 727 508): Pol. ind. Villalobón, parc. 54

LAS PALMAS-AGÜIMES (928 182 020): Pol. ind. de Arinaga, parc. 193
LAS PALMAS-ANTIGUA (FUERTEVENTURA) (928 878 145): Ctra. Gran Canaria 810, km 21,800
LAS PALMAS-ARRECIFE (LANZAROTE) (928 811 473): Ctra. Arrecife-San Bartolomé, 1,5
LAS PALMAS-LAS PALMAS (928 480 751): Pol. ind. Lomo Blanco
LAS PALMAS-LAS PALMAS (928 480 639): Urb. Las Torres, zona ind. Lomo Blanco
LAS PALMAS-SANTA MARÍA DE GUÍA (928 550 153): Ctra. C-810, km 24,200
LAS PALMAS-TELDE (928 710 203): Ctra. Jinamar-Telde, km 10

PONTEVEDRA-LALÍN (986 794 103): Ctra. 640, km 163,1
PONTEVEDRA-PONTEBORA (986 865 020): Puente Bora. Ctra. N-541, km 88,7
PONTEVEDRA-PORRIÑO (986 333 992): Pol. ind. Las Gándaras, parc. 1-1 A
PONTEVEDRA-SEQUEIROS-CURRO-BARRO (986 713 354): Ctra. Pontevedra, km 75
PONTEVEDRA-VIGO-PEINADOR (986 486 936): Avda. del Aeropuerto, 770

LA RIOJA-CALAHORRA (941 146 814): Pol. ind. Las Tejerías, parc. E 7
LA RIOJA-LOGROÑO (941 291 158): Ctra. Pamplona-Cuesta de Pavía
LA RIOJA-LOGROÑO (941 208 295): Pol. ind. San Lázaro. C/ Prado Viejo, 28
LA RIOJA-SANTO DOMINGO DE LA CALZADA (941 342 710): Ctra. Burgos, km 46

SALAMANCA- CIUDAD RODRIGO (923 463 017): C/ Uno, Parc. 77, Pol. Ind. de las Viñas
SALAMANCA-BÉJAR (923 411 500): Ctra. N-630, km 410, 5 de Peña Caballera
SALAMANCA-CARBAJOSA SAGRADA (923 190 274): Pol. ind. Montalvo, C/ C, parc. 22
SALAMANCA-CASTELLANO DE MORISCOS (923 361 435): Pol. ind. C/ I, parc. 108-109

STA. CRUZ DE TENERIFE-ARAFO (922 501 700): Pol. ind. Valle de Güimar, manzana VII, parc. 15
STA. CRUZ DE TENERIFE-HIERRO, EL (EL HIERRO) (922 551 451): Iglesia de San Andrés, 2
STA. CRUZ DE TENERIFE-EL PASO (LA PALMA) (922 485 952): Pº de Ronda, s/n.
STA. CRUZ DE TENERIFE-REALEJOS, LOS (922 345 359): C/ San Benito, 8
STA. CRUZ DE TENERIFE-ROSARIO, EL (922 619 322): Pol. ind. La Campana, Chorrillo, km 7
STA. CRUZ DE TENERIFE-SAN MIGUEL DE ABONA (922 735 476): Pol. ind. Las Chafiras, s/n
STA. CRUZ DE TENERIFE-S.S. DE LA GOMERA (LA GOMERA) (922 870 138): Pol. ind. Barranco de Chejelipes

SEGOVIA-CUÉLLAR (921 142 429): Ctra. 601, km 45,800
SEGOVIA-VALVERDE MAJANO (921 490 023): Pol. ind. Nicomedes García, parc. 5 A

SEVILLA-ALCALÁ DE GUADAIRA (955 679 135): Ctra. Alcalá-Dos Hermanas, km 4,5
SEVILLA-CARMONA (954 191 300): Pol. ind. El Pilero
SEVILLA-CAZALLA DE LA SIERRA (954 884 677): Pol. ind. El Lagar
SEVILLA-GELVES (955 762 929): Autovía Coria del Río, km 4,4
SEVILLA-OSUNA (954 820 783): Área de Servicio Autovía A-92
SEVILLA-RINCONADA, LA (955 797 161): Ctra. Sevilla-Cazalla, km 9
SEVILLA-UTRERA (955 863 232): Pol. ind. El Torno

SORIA-BURGO DE OSMA (975 360 217): C/ Universidad, 112
SORIA-SORIA (975 227 140): Ctra. de las Casas, s/n.

TARRAGONA-MONTBLANC (977 862 324): Ctra. Montblanc a Rojals, Partida de Viñols, s/n.
TARRAGONA-MORA LA NOVA (977 402 777): Pol. ind. Partida Aubals, C/ D
TARRAGONA-REUS (902 116 131): Ctra. N-340, km 1154
TARRAGONA-TARRAGONA (977 241 616): Bulladera, s/n.
TARRAGONA-TORTOSA (977 597 018): Pol. ind. Baix Ebre, parc. 81-84

TERUEL-ALCAÑIZ (978 831 855): Pol. ind. Las Horcas, s/n.
TERUEL-TERUEL (978 602 964): Pol. ind. La Paz, N-Sagunto-Burgos, km 123

TOLEDO-OCAÑA (925 131 077): Ctra. N-IV, km 57,400
TOLEDO-TALAVERA DE LA REINA (925 801 990): Ctra. N-V, km 113
TOLEDO-TOLEDO (925 230 063): Pol. ind. Ntra. Sra. Benquerencia, s/n.
TOLEDO-YÉBENES, LOS (925 321 002): Ctra. Toledo a Ciudad Real

VALENCIA-ALZIRA (962 418 273): Autovía C-3320, Pol. 44
VALENCIA-CATARROJA (961 267 602): Pol. ind. El Bony. C/ Nº 34
VALENCIA-GANDÍA (962 862 233): Pol. ind. Alcodar
VALENCIA-MASALFASAR (961 400 268): C/ Azagador de Liria, s/n.
VALENCIA-ONTENIENTE (962 910 720): Avda. Ramón y Cajal, s/n.
VALENCIA-RIBARROJA DEL TURIA (961 668 181): Pol. ind. El Oliveral
VALENCIA-UTIEL (962 171 562): Pol. ind. El Melero, parc. 88 y 89
VALENCIA-VALENCIA (963 136 000): C/ Dels Gremis, 15, Polígono Vara de Quart
VALENCIA-VALENCIA (963 407 114): Manuel de Falla, 10

VALLADOLID-TORDESILLAS (983 771 151): Pol. ind. de la Vega, parc. 10
VALLADOLID-VALLADOLID (983 472 354): Pol. ind. Argales. C/ Vázquez Menchaca.
VALLADOLID-VALLADOLID (983 292 911): Pol. ind. San Cristóbal, parc. 16

VIZCAYA-AMOREBIETA (946 308 957): Pol. ind. Biarritz, s/n.
VIZCAYA-ARRIGORRIAGA (946 711 713): Autopista Bilbao-Zaragoza (Área de Servicio)
VIZCAYA-VALLE DE TRAPAGA (944 781 214): Barrio El Juncal, s/n.
VIZCAYA-ZAMUDIO (944 521 113): Pol. ind. Ugaldeguren 11, parc. 9-1

ZAMORA-BENAVENTE (980 636 799): Ctra. N-VI, km 261
ZAMORA-MORALES DEL VINO (980 570 025): Ctra. Salamanca, s/n.

ZARAGOZA-CALATAYUD (976 885 372): Pol. ind. La Charluca, P-M 24
ZARAGOZA-CASPE (976 631 640): Ctra. de acceso Pol. El Castillo, s/n.
ZARAGOZA-EJEA DE LOS CABALLEROS (976 664 451): Pol. ind. Valdeferrín, P-43
ZARAGOZA-TARAZONA (976 644 050): Pol. ind. de Tarazona
ZARAGOZA-UTEBO (976 785 474): Ctra. de Logroño, km 12,600
ZARAGOZA-ZARAGOZA (976 570 818): Pol. ind. de Malpica, parc. 24

Centros de ITV's Móviles / Mobile MOT Centres

Empresa Company	Teléfono Telephone	Ámbito de actuación Field of activity
Aragonesa de Servicios	687 344 686	**Teruel:** Alcorisa y Mas de las Matas
Aragonesa de Servicios ITV, S. A.	607 263 506	**Teruel:** Muniesa, Andorra, Utrillas, Montalbán, Monreal del Campo y Calamocha **Zaragoza:** Cariñena, Belchite, Lecera, Daroca y Ariza
Iteuve Alicante, S. A.	902 196 196	**Alicante:** Calpe, Aspe, Santa Pola y Crevillente
Alicante ITV	966 767 273	**Alicante:** Pilar de la Horadada
ITV Vega Baja	620 998 108	**Alicante:** Novelda, Monóvar, Elda, Pinoso
RVSA	938 861 033	Comarcas cubiertas por estaciones de RVSA
Valencia ITV UTE	658 936 305	**Valencia:** Lliria, Buñol, Villar, Chelva, Ademuz, Tuéjar
Valenciana de Revisiones UTE	964 251 536	**Castellón:** Viver, Segorbe, Alcalá de Chivert, Coves de Vinromà, Sant Mateu, Morella, Villafranca del Cid, Benasal, Albocácer, Adzaneta del Maestrazgo, Lucena del Cid, Alcora, Borriol, Vall d'Uxó, Jérica, Torreblanca

Aeropuertos / Airports

Aeropuerto Airport	km* km	Dirección Address	Teléfono Telephone	Fax Fax
Albacete Los Llanos	5 N	Ctra. de las Peñas, km 3,800 0271-Albacete	967 555 700	967 557 716
Alicante El Altet	9 NE	03071-Alicante	966 919 000	966 919 354
Almería	9 W	Ctra. de Níjar, km 9 04071-Almería	950 213 700	950 213 858
Asturias Ranón	13 E	Municipio de Castillón Aptdo. 14433401-Avilés (Asturias)	985 127 500	985 127 516
Badajoz Talavera la Real	13 E	Ctra. Badajoz-Balboa, s/n. 06195-Badajoz	924 210 400	924 210 410
Barcelona El Prat	10 NE	08820-El Prat de Llobregat Barcelona	932 983 838	932 983 737
Bilbao Sondika	9 S	Ctra. Asúa-Erletxer, s/n. 48150-Sondika (Bilbao)	944 869 300	944 896 313
Córdoba	6 NE	14071-Córdoba	957 214 100	957 214 143
Coruña, A Alvedro	8 N	Apdo. 80. Rutis-Vilaboa 15180-A Coruña	981 187 200	981 187 239
Fuerteventura Puerto del Rosario	5 NE	Matorral, s/n 35610-Puerto del Rosario Fuerteventura	928 860 600	928 860 530
Girona Costa Brava	12,5 NE	17185-Vilobí d'Onyar (Girona)	972 186 600	972 474 334
La Gomera Alajeró	34 NE	Ctra. Playa de Santiago, s/n 38812-Alajeró	922 873 000	
Gran Canaria Gando	19 N	Ctra. Gral. del Sur de Gando / Telde 35080-Las Palmas de Gran Canaria	928 579 000	928 579 117
Granada Chauchina	17 E	Ctra. Málaga, s/n. 18329-Granada	958 245 200	958 245 247
Hierro Santa Mª de Valverde	9 SW	38910-Valverde (El Hierro)	922 553 700	922 553 731
Huesca Monflorite-Alcalá	10 NO	Ctra. Huesca-Alcalá del Obispo, km 11 22111-Monflorite	974 280 211	974 280 172
Ibiza San José	7 NE	07800-Ibiza (Baleares)	971 809 000	971 809 287
Jerez La Parra	8 SW	Ctra. N-IV, km 7 11401-Jerez de la Frontera (Cádiz)	956 150 000	956 150 061
Lanzarote	5 NE	Apdo. 86 35500-Arrecife (Lanzarote)	928 846 000	928 846 004
La Palma	8 N	Apdo. 195. Sta. Cruz de la Palma 38700-Tenerife	922 426 100	922 461 420
León	6 NE	C/ La Ermita, s/n. 24071-Virgen del Camino (León)	987 877 700	987 877 704
Logroño Agoncillo	11 W	Ctra. Nacional, km 232 26010-Agoncillo	941 277 400	941 277 410

Aeropuerto Airport	km* km	Dirección Address	Teléfono Telephone	Fax Fax
Madrid Barajas	13 SW	Ctra. A-2, pto. km 12 28042-Madrid	913 936 000	913 936 221
Madrid Cuatro Vientos	8,5 NE	Ctra. de la Fortuna, s/n. 28044-Madrid	913 211 700	913 210 949
Málaga	8 NE	Avda. García Morato, s/n. 29004-Málaga	952 048 484	952 048 777
Melilla	4 NE	Ctra. Yasinem, s/n. 52005-Melilla	952 698 622	952 698 608
Menorca Mahón	45 NE	07712-Mahón Menorca	971 157 000	971 157 070
Mallorca	8 W	07000-Palma de Mallorca Son Sant Joan	971 789 000	971 600 594
Pamplona Noáin	6 N	Ctra. Pamplona-Zaragoza, km 6,5 Pamplona-Navarra	948 168 700	948 168 707
Reus	3 NW	Autovía Tarragona-Reus, s/n. 43200-Reus (Tarragona)	977 779 800	977 779 812
Sabadell	2 N	Ctra. de Bellatera, s/n. 08305-Sabadell (Barcelona)	937 282 100	937 282 105
Salamanca	15 W	Ctra. de Madrid, km 14 37071-Salamanca	923 329 600	923 329 619
Murcia San Javier	45 NW	Ctra. del Aeropuerto 30720-San Javier (Murcia)	968 172 000	968 172 030
San Sebastián Fuenterrabía	22 SW	Ctra. Playahundi, s/n. 20280-Hondarribia (Guipúzcoa)	943 668 504	943 668 514
Santander Maliaño (Parayas)	4 N	Apdo. 097 39002-Santander	942 202 100	942 202 152
Santiago Lavacolla	10 SW	Apdo. 2094 15700-Santiago de Compostela (A Coruña)	981 547 500	981 547 507
Sevilla San Pablo	10 SE	Autopista de San Pablo, s/n. 41020-Sevilla	954 449 111	954 449 025
Tenerife-Norte Los Rodeos	13 E	Ctra. San Lázaro, s/n. 38297-La Laguna (Tenerife)	922 635 800	922 631 328
Tenerife-Sur Reina Sofía	60 NE	Granadilla de Abona 38610-Tenerife	922 759 000	922 759 247
Valencia Manises	8 E	Ctra. del Aeropuerto, s/n. 46940-Manises (Valencia)	961 598 500	961 598 510
Valladolid Villanubla	10 SE	Ctra. Adanero-Gijón, km 204 47071-Villanubla (Valladolid)	983 415 400	983 415 413
Vigo Peinador	8 W	Apdo. 1553 36200-Vigo (Pontevedra)	986 268 200	986 268 211
Vitoria Foronda	8 SE	01071-Foronda Vitoria/Álava	945 163 500	945 163 551
Zaragoza	10 SE	Ctra. Aeropuerto, s/n. 50011-Zaragoza	976 712 300	976 710 970

* Distancia y dirección a la ciudad / Distance and direction to town

Ferrocarriles / Railways

RENFE / (Spanish State Railway Company)	**Información /** Information
Para Grandes Líneas / For Big Lines	902 105 205
Internacional / International	902 243 402
Información y reservas / Information and reservations	902 240 202
AVE Dpto.Vtas. / AVE Selling Department	915 066 329

Alquiler de coches (oficina central) / Car hire (head office)

Nombre Name	Dirección Address	Teléfono Telephone	Reservas Reservations
ATESA	Pº de la Castellana, 130, 7.ª planta. Madrid	902 100 101	(a nivel nacional) (national)
		902 100 616	(a nivel internacional) (international)
AVIS	C/ Agustín de Foxá, 27. Madrid	902 135 531	(a nivel nacional e internacional) (national/international)
EUROPCAR	Avda. Partenón, 16-18, Campo de las Naciones. Madrid	902 105 030	(a nivel nacional e internacional) (national/international)
HERTZ	C/ Proción, 1. Madrid	902 402 405	(central reservas) (central reservations)
	Edificio Oficor. Madrid	915 097 300	(oficina central) (head office)

Parques Nacionales / National Parks

Organismo Autónomo de Parques Nacionales
Gran Vía de S. Francisco, 4. 28005 Madrid - Tel. 915 975 588 / Fax 915 975 567

• Parque Nacional d'Aigüestortes i Estany de Sant Maurici, 40 852 ha
Casa del Parc Nacional, les Graieres, 9. 25528 Boí (Alta Ribargorça), Lleida
Tel. 973 696 189 / Fax 973 696 154
Casa del Parc Nacional, Prat de la Guarda, 4. 25597 Espot (Pallars Sobirà), Lleida
Tel./Fax 973 624 036

• Parque Nacional Marítimo-Terrestre Archipiélago de Cabrera, 10 025 ha
Plaza de España, 8, 1º. 07002 Palma de Mallorca - Tel. 971 725 010 / Fax 971 725 585

• Parque Nacional de Cabañeros, 39 310 ha
Pueblo Nuevo de Bullaque. 13194 Ciudad Real - Tel. 926 783 297 / Fax 926 783 484

• Parque Nacional de la Caldera de Taburiente, 4 690 ha
Ctra. de Padrón, 47. 38750 El Paso - Tel. 922 497 277 / Fax 922 497 081

• Parque Nacional de Garajonay, 3 974 ha
Ctra. Gral. del Sur, 6. Apdo. de Correos 92. San Sebastián de la Gomera
38800 Santa Cruz de Tenerife - Tel. 922 870 105 / Fax 922 870 362

• Parque Nacional de Doñana, 50 720 ha
Matalascañas-El Acebuche-Almonte. 21760 Matalascañas (Huelva)
Tel. 959 448 711 / Fax 959 448 576

• Parque Nacional de Ordesa y Monte Perdido, 15 608 ha
Pje. Baleares, 3. 22071 Huesca - Tel. 974 243 361 / Fax 974 242 725

• Parque Nacional de Picos de Europa, 64 660 ha
C/ Arquitecto Reguera, 13. 33004 Oviedo - Tel. 985 241 412 / Fax 985 273 945

• Parque Nacional de Las Tablas de Daimiel, 1 928 ha
Paseo del Carmen s/n 13250 Daimiel-Ciudad Real - Tel. 926 851 097 / Fax 926 851 176

• Parque Nacional del Teide, 18 990 ha
C/ Emilio Calzadilla, 5, 4º piso. 38002 Santa Cruz de Tenerife
Tel. 922 290 129 / Fax 922 244 788

• Parque Nacional de Timanfaya, 5 107 ha
C/ La Mareta, 9. Tinajo, Lanzarote. 35560 Las Palmas - Tel. 928 840 238 / Fax 928 840 251

• Parque Nacional de Sierra Nevada, 86 208 ha
Ctra. Antigua de Sierra Nevada, km 7, 18071 Pinos Genil-Granada
Tel. 958 026 300 / Fax 958 026 310

• Parque nacional das Illas Atlánticas de Galicia
Pintor Laxeiro, 45. Bloque I del grupo Camelias, local nº 9. 36004 Pontevedra
Tel. 986 858 593 / Fax 986 858 863

Información meteorológica / Weather information

Capitales Regional capital	Altitud Height (m)	Mes más frío Coldest month (ºC)	Mes más cálido Warmest month (ºC)	Precipitación Annual rainfall (mm)
Albacete	686	enero/january 4,8	julio/july 24,0	357
Alicante / Alacant	3	enero/january 11,6	agosto/august 25,0	340
Almería	16	enero/january 12,5	agosto/august 26,0	230
Ávila	1 128	enero/january 3,2	julio/july 19,9	364
Badajoz	186	enero/january 8,6	julio/july 25,3	477
Barcelona	18	enero/january 8,8	agosto/august 23,1	601
Bilbao	19	enero/january 8,8	agosto/august 19,9	1 249
Burgos	860	enero/january 2,6	julio/july 18,4	689
Cáceres	439	enero/january- diciembre/december 8,2	julio/july agosto/august 25,5	514
Cádiz	4	enero/january 12,7	agosto/august 24,5	573
Castellón de la Plana / Castelló de la Plana	30	enero/january 10,1	agosto/august 24,1	487
Ceuta	2	enero/january 11,4	agosto/august 22,1	
Ciudad Real	635	enero/january 5,7	julio/july 25,0	400
Córdoba	123	enero/january 9,5	julio/july 26,9	674
Coruña, A	5	enero/january 10,2	agosto/august 18,8	971
Cuenca	590	enero/january 4,2	julio/july 22,4	572
Donostia-San Sebastián	5	enero/january 7,8	agosto/august 18,7	1 529
Girona	75	diciembre/december 2,7	julio/july 22,6	812
Granada	685	enero/january 7,0	julio/july 25,1	402
Guadalajara	679	enero/january 5,7	julio/july 23,5	472
Huelva	56	enero/january 12,2	agosto/august 25,6	462
Huesca	488	enero/january 4,7	julio/july 23,3	485
Jaén	574	enero/january 8,9	julio/july 27,6	
León	838	enero/january 3,1	julio/july 19,6	532
Lleida	155	enero/january 5,6	julio/july 24,6	414
Logroño	384	enero/january 5,8	julio/july 22,2	442
Lugo	454	enero/january 5,8	agosto/august 17,5	1 136
Madrid	655	enero/january 6,1	julio/july 24,4	461
Málaga	8	enero/january 12,1	agosto/august 25,3	469
Melilla	2	enero/january 13,2	agosto/august 26,9	
Murcia	42	enero/january 10,6	agosto 24,6	288
Ourense	139	enero/january 7,1	julio/july 22,1	792
Oviedo	232	enero/january 7,8	agosto/august 18,5	964
Palencia	740	enero/january 4,1	julio/july 20,5	458
Palma de Mallorca	33	enero/january 3,4	agosto/august 17,7	449
Palmas de Gran Canaria, Las	13	enero/january 17,5	agosto/august 24,1	139
Pamplona / Iruña	449	enero/january 4,6	julio/july 20,4	863
Pontevedra	27	enero/january 10,0	julio/july 20,7	1 053
Salamanca	800	enero/january 3,7	julio/july 21,0	413
Sta. Cruz de Tenerife	4	enero/january 17,9	agosto/august 25,1	
Santander	15	enero/january 9,7	agosto/august 19,6	1 198
Segovia	1 001	enero/january 4,0	julio/july 21,8	981
Sevilla	7	enero/january 10,7	agosto/august 26,9	
Soria	1 063	enero/january 2,9	julio/july 19,9	574
Tarragona	51	enero/january 9,8	agosto/august 23,5	445
Teruel	915	enero/january 3,8	julio/july 21,5	381
Toledo	529	diciembre/december 6,4	julio/july 25,5	378
Valencia / València	16	enero/january 11,4	agosto/august 25,0	423
Valladolid	691	enero/january 3,2	julio/july 20,0	374
Vitoria-Gasteiz	525	enero/january 4,6	agosto/august 18,5	847
Zamora	900	enero/january 4,3	julio/july 21,8	359
Zaragoza	200	enero/january 6,2	julio/july 24,3	338

Patrimonio de la Humanidad / World Heritage Sites

Fecha de declaración / Date of declaration

1984	Parque y Palacio Güell y Casa Milà, Barcelona
1984	Monasterio y Sitio del Escorial, Madrid
1984	Catedral de Burgos
1984	Alhambra, Generalife y Albaicín, Granada
1984	Centro histórico de Córdoba
1985	Monumentos de Oviedo y del reino de Asturias
1985	Cuevas de Altamira, Cantabria
1985	Ciudad vieja de Segovia y su Acueducto
1985	Ciudad vieja de Santiago de Compostela, A Coruña
1985	Ciudad vieja de Ávila e iglesias extramuros
1986	Arquitectura mudéjar de Teruel
1986	Parque Nacional de Garajonay, Santa Cruz de Tenerife
1986	Ciudad vieja de Cáceres
1986	Ciudad histórica de Toledo
1987	Catedral, Alcázar y Archivo de Indias de Sevilla
1988	Ciudad vieja de Salamanca
1991	Monasterio de Poblet, Tarragona
1993	Conjunto Arqueológico de Mérida, Badajoz
1993	El Monasterio Real de Santa María de Guadalupe, Badajoz

1993	El Camino de Santiago de Compostela, A Coruña
1994	Parque Nacional de Doñana, Huelva, Sevilla y Cádiz
1996	Ciudad histórica fortificada de Cuenca
1996	La Lonja de la Seda de Valencia
1997	Palau de la Música Catalana y Hospital de Sant Pau, Barcelona
1997	Las Médulas, León
1997	Monasterios de San Millán de Yuso y de Suso, La Rioja
1998	Arte rupestre del Arco Mediterráneo de la Península Ibérica
1998	Universidad y Recinto Histórico de Alcalá de Henares
1999	Ibiza, biodiversidad y cultura
1999	San Cristóbal de La Laguna, Santa Cruz de Tenerife
2000	Sitio Arqueológico de Atapuerca, Burgos
2000	Palmeral de Elche, Valencia
2000	Iglesias románicas catalanas de la Vall de Boí, Lleida
2000	Muralla romana de Lugo
2000	Conjunto arqueológico de Tarragona
2001	Paisaje Cultural de Aranjuez, Madrid
2001	Arquitectura Mudéjar de Aragón
2003	Conjuntos monumentales y renacentistas de Úbeda y Baeza

Secretaría General de Turismo. C/ José Lázaro Galdiano, 6. 28036 Madrid. Tel. 913 433 500

Provincia *Place*	Dirección *Address*	Código postal *Post code*	Teléfono *Telephone*	Institución *Organization*
Albacete	C/ del Tinte, 2	02071 Albacete	967 580 522	C. Industria, Comercio y Trabajo
				Posada del Rosario
Alicante/Alacant	Rambla de Méndez Núñez, 23	03002 Alicante	965 200 000	Generalitat Valenciana
Almería	Parque Nicolás Salmerón, s/n. (esquina Martínez Campos)	04002 Almería	950 274 355	Turismo Andaluz, S. A. (Junta de Andalucía)
Ávila	Pl. de la Catedral, 4	05001 Ávila	920 211 387	Junta de Castilla y León
Badajoz	Pl. de la Libertad, 3	06005 Badajoz	924 222 763	Junta de Extremadura
Badajoz	Pje. de San Juan, s/n.	06001 Badajoz	924 224 981	Ayuntamiento
Barcelona	Pl. Catalunya, 17	08002 Barcelona	933 043 135	Consorci de Turisme de l'Ajuntament
				i Cambra de Comerç
Barcelona	Pl. Països Catalans, s/n.	08015 Barcelona	934 914 431	Ajuntament i Cambra de Comerç
Barcelona	Pg. de Gràcia, 107	08008 Barcelona	932 384 000	Generalitat - Palau Robert
Barcelona	Aeroporto del Prat - Terminal A	08820 Barcelona	934 784 704	Generalitat de Catalunya
	Terminal B		934 780 565	
Bilbao	Plaza de Arriaga, Bajo	48005 Bilbao	944 160 022	Ayuntamiento - Bilbao Iniciativas Turísticas
				(Órganismo Autónomo Paramunicipal)
Burgos	Pl. Alonso Martínez, 7, bajo	09003 Burgos	947 203 125	Junta de Castilla y León
Cáceres	Pl. Mayor, 33	10003 Cáceres	927 246 347	Junta de Extremadura
Cádiz	Av. Ramón de Carranza, s/n	11006 Cádiz	956 258 646	Junta de Andalucía
Castellón de la Plana / Castelló de la Plana	Pl. M.ª Agustina, 5 bajos	12003 Castellón de la Plana	964 358 688	Conselleria de Turisme
Ceuta	C/ Padilla	51001 Ceuta	956 518 247	Gobierno Autonómico
Ciudad Real	Avda. Alarcos, 21, bajos	13080 Ciudad Real	926 200 037	Junta Castilla-La Mancha
Córdoba	C/ Torrijos, 10 (Palacio Congresos y Exposiciones)	14003 Córdoba	957 471 235	Turismo Andaluz S. A. (Junta de Andalucía)
Córdoba	Pl. Judá Leví, s/n.	14003 Córdoba	957 200 522	Ayuntamiento
Coruña, A	C/ Dársena de la Marina, s/n.	15001 A Coruña	981 221 822	Xunta de Galicia
Cuenca	Glorieta González Palencia, 2	16002 Cuenca	969 178 800	C. de Industria, Comercio y Turismo
Cuenca	Pl. Mayor, 1	16071 Cuenca	969 178 841	Ayuntamiento
Donostia-San Sebastián	C/ Fueros, 1	20005 San Sebastián	943 426 282	Gobierno Vasco
Donostia-San Sebastián	C/ Reina Regente, s/n.	20003 San Sebastián	943 481 166	Ayuntamiento - Centro de Atracción y Turismo
Eivissa	Vara del Rey, 13, bajo	07800 Eivissa	971 301 900	Conselleria Turisme
Gijón	C/ Marqués de San Esteban, 1 - 1.ª planta	33206 Gijón	985 346 046	C. de Industria, Comercio y Trabajo
Girona	Rambla de la Llibertat, 1	17004 Girona	972 226 575	Ajuntament y Generalitat
Girona	Estació Renfe	17007 Girona	972 216 296	Ajuntament, Assoc. Guies Turístiques
				i Assoc. d'Hosteleria
Granada	Pl. Mariana Pineda, 12, bajos	18009 Granada	958 226 668	Diputación
Granada	Corral del Carbón, s/n.	18009 Granada	958 221 022	Junta de Andalucía
Granada	Avda. Generalife, s/n.	18009 Granada	958 229 575	Junta de Andalucía
Guadalajara	Pl. de los Caidos, 6	19001 Guadalajara	949 211 626	Junta de Castilla La Mancha, Ayuntamiento
Huelva	Avda. de Alemania, 12	21001 Huelva	959 257 403	Turismo Andaluz S. A. (Junta de Andalucía)
Huesca	Pl. de la Catedral 1	22001 Huesca	974 292 170	Ayuntamiento
Jaén	C/ Arquitecto Berges, 1	23007 Jaén	953 222 737	Diputación - Palacio Municipal de Cultura
Jaén	C/ Maestra, 13	23002 Jaén	953 242 624	Junta de Andalucía
León	Pl. de la Regla, 4	24003 León	987 237 082	Junta de Castilla y León
Lleida	Avda. de Madrid, 36	25002 Lleida	973 270 997	Generalitat
Logroño	Paseo del Espolón, 1	26071 Logroño	941 260 665	Gobierno de la Rioja
Lugo	Pr. Maior, 27-29 (Galerías)	27001 Lugo	982 231 361	Xunta de Galicia
Madrid	C/ Duque de Medinaceli, 2	28014 Madrid	915 290 021	Comunidad de Madrid
Madrid	Pl. Mayor, 3	28012 Madrid	913 665 477	Ayuntamiento
Madrid	C/ Floridablanca, 10 (El Escorial)	28200 Madrid	918 901 554	Comunidad de Madrid
Madrid	Vestíbulo puerta 14 - Estación de Chamartín			
	C/ Agustín de Foxà, s/n.	28036 Madrid	913 159 976	Comunidad de Madrid
Madrid	Mercado Puerta de Toledo - locales 34-35			
	Pl. Puerta de Toledo, s/n.	28005 Madrid	913 641 876	Comunidad de Madrid
Madrid	Aeropuerto de Madrid-Barajas			
	Localización: Llegadas, terminal n.º 1	28042 Madrid	913 058 656	Comunidad de Madrid
Madrid	C/ Mayor, 69	28013 Madrid	915 290 021	Ayuntamiento
Mahón	Sa Revolleda de Dalt, 24	07703 Mahón	971 363 790	Consell Insular de Mahó
Málaga	Pasaje de Chinitas, 4	29015 Málaga	952 213 445	Junta de Andalucía
Málaga	Aeropuerto Internacional de Málaga	29006 Málaga	952 248 484	Junta de Andalucía
Málaga	Alameda Principal, 23	29012 Málaga	952 216 061	Ayuntamiento
			952 227 907	
Melilla	General Aizpuru, 20	52001 Melilla	952 674 013	Gobierno Autonómico
Mérida	C/ Sáenz de Buruaga, s/n.	06800 Mérida	924 315 353	Ayuntamiento
Murcia	C/ San Cristóbal, 6	30001 Murcia	968 366 130	Dirección General de Turismo
Murcia	Piano de San Francisco, s/n. Palacio Almudí. Bóveda, 5	30004 Murcia	968 219 801	Ayuntamiento
Ourense	C/ Curros Enríquez, 1, bajos (Edificio Torre)	32003 Ourense	988 372 020	Xunta de Galicia
Oviedo	Pl. de Alfonso II el Casto, 6 (Pl. de la Catedral)	33003 Oviedo	985 213 385	C. de Industria, Comercio y Turismo
Oviedo	C/ Marqués de Santa Cruz, 1	33007 Oviedo	985 227 586	Ayuntamiento - Oficina Municipal de Turismo
				"El Escorialín"
Palencia	C/ Mayor, 105	34071 Palencia	979 740 068	Junta Castilla y León
Palma de Mallorca	Pl. d'Espanya, s/n.	07002 Palma de Mallorca	971 754 329	Ajuntament
Palma de Mallorca	Aeropuerto de Son Sant Joan	07000 Palma de Mallorca	971 789 556	Consell Insular de Mallorca
Palma de Mallorca	Pl. de la Reina, 2	07072 Palma de Mallorca	971 712 216	Consell Insular de Mallorca
Palma de Mallorca	Santo Domingo, 11	07001 Palma de Mallorca	971 724 090	Ayuntamiento
Palmas de Gran Canaria, Las	Casa Turismo - Parque de Santa Catalina	35007 Las Palmas de Gran Canaria	928 264 623	Cabildo Insular
Pamplona/Iruña	C/ Eslava, 1	31001 Pamplona/Iruña	948 206 540	Gobierno de Navarra
Pontevedra	C/ General Mola, 1, bajo	36001 Pontevedra	986 850 814	Xunta de Galicia
Salamanca	Rúa Mayor, s/n. C/ Compañia, 2	37002 Salamanca	923 268 571	Junta de Castilla y León
Salamanca	Estación de Autobuses. C/ Filiberto Villalobos, 71	37007 Salamanca		Ayuntamiento
Salamanca	Estación de Renfe. Pº de la Estación, s/n.	37004 Salamanca		Ayuntamiento
Salamanca	Pl. Mayor, 32	37002 Salamanca	923 218 342	Ayuntamiento
Santa Cruz de Tenerife	Pl. de España, 1- Palacio Insular	38003 Santa Cruz de Tenerife	922 239 592	Cabildo Insular de Tenerife
Santander	Pl. Porticada, 5	39001 Santander	942 310 708	Consejería de Turismo
Santiago de Compostela	Rúa del Villar, 43	15706 Santiago de Compostela	981 584 081	Ayuntamiento
Segovia	Pl. Mayor, 10	40001 Segovia	921 460 334	Ayuntamiento
Segovia	Pl. del Azoguejo, 1	40001 Segovia	921 462 906	Patronato (mixto)
Sevilla	Aeropuerto. Autopista de San Pablo, s/n.	41007 Sevilla	954 449 128	Junta de Andalucía
Sevilla	Estación de Santa Justa. Avda. de Kansas City, s/n.	41007 Sevilla	954 537 626	Junta de Andalucía
Sevilla	Avda. de la Constitución, 21 B	41004 Sevilla	954 221 404	Junta de Andalucía
Sevilla	Paseo de las Delicias, 9 - Edificio Costurero de la Reina	41012 Sevilla	954 234 465	Ayuntamiento
Sevilla	Centro de Información de Sevilla			
	C/ Arjona, 28 (Naves del Barranco)	41001 Sevilla	954 505 600	Ayuntamiento
Soria	Pl. Ramón y Cajal, s/n.	42003 Soria	975 212 052	Junta Castilla y León
Tarragona	C/ Major, 39 - Edificio Antiguo Ayuntamiento	43003 Tarragona	977 245 064	Ajuntament
Tarragona	C/ Fortuny, 4	43003 Tarragona	977 233 415	Generalitat
Teruel	C/ Tomás Nogués, 1	44001 Teruel	978 602 279	Diputación General de Aragón
Toledo	C/ Puerta de Bisagra, s/n.	45003 Toledo	925 220 843	Junta de Castilla La Mancha
Valencia	C/ Paz, 48	46003 Valencia	963 986 422	Generalitat
Valencia	Pl. del Ayuntamiento	46002 Valencia	963 510 417	Ayuntamiento
Valencia	C/ Poeta Querol, s/n. Edif . Teatro Principal	46002 Valencia	963 514 907	Ayuntamiento
Valencia	Xátiva, 24	46007 Valencia	963 528 573	Ayuntamiento
Valladolid	C/ Santiago, 19	47001 Valladolid	983 344 013	Junta de Castilla y León
Vitoria-Gasteiz	Parque de la Florida, s/n.	01008 Vitoria-Gasteiz	945 131 321	Gobierno Vasco
Vitoria-Gasteiz	Avda. Gasteiz, esquina c/ Chile	01009 Vitoria-Gasteiz	945 161 598	Ayuntamiento
Zamora	C/ Santa Clara, 20	49014 Zamora	980 531 845	Junta de Castilla y León
Zaragoza	Glorieta Pío XII, s/n.	50003 Zaragoza	976 393 537	Patronato Municipal
Zaragoza	Pl. de Sas, 7 (SIPA)	50003 Zaragoza	976 298 438	Asociación de Entidad Pública
Zaragoza	Pl. del Pilar, s/n.	50003 Zaragoza	902 201 212	Ayuntamiento
Zaragoza	Glorieta Pío XII, s/n. Torreón de la Zuda	50003 Zaragoza	976 201 200	Ayuntamiento

Localidad *Place*	Nombre *Name*	Dirección - Código postal *Address - Post code*	Teléfono *Telephone*	Fax *Fax*	E-mail *E-mail*
Begur	Parador d' Aiguablava ****	C/ Playa de Aiguablava, s/n. - 17255	972 622 162	972 622 166	aiguablava @ parador.es
Alarcón	Parador de Alarcón ****	Avda. Amigos de los Castillos, 3 - 16213	969 330 315	969 330 303	alarcon @ parador.es
Albacete	Parador de Albacete ***	Ctra. N-301, km 251 - 02000	967 245 321	967 243 271	albacete @ parador.es
Alcalá de Henares	Hostelería de Alcalá de Henares ***	C/ Colegios, 3 - 28801	918 880 330	918 880 527	alcala @ parador.es
Alcañiz	Parador de Alcañiz ***	C/ Castillo de los Calatravos, s/n. - 44600	978 830 400	978 830 366	alcaniz @ parador.es
Almagro	Parador de Almagro ***	Ronda de San Francisco, 31 - 13270	926 860 100	926 860 150	almagro @ parador.es
Antequera	Parador de Antequera ***	P.° García de Olmo, s/n. - 29200	952 840 261	952 841 312	antequera @ parador.es
Arcos de la Frontera	Parador de Arcos de la Frontera ***	Pl. del Cabildo, s/n. - 11630	965 700 500	956 701 116	arcos @ parador.es
Argomániz	Parador de Argomániz ***	Ctra. N-I, km 363 - 01192	945 293 200	945 293 287	argomaniz @ parador.es
Artíes	Parador de Artíes ****	Ctra. Baqueira-Beret - 25599	973 640 801	973 641 001	arties @ parador.es
Ávila	Parador Raimundo de Borgoña ****	C/ Marqués de Chozas, 2 - 05001	920 211 340	920.226 166	avila @ parador.es
Ayamonte	Parador de Ayamonte ****	El Castillito, s/n. - 21400	959 320 700	959 320 700	ayamonte @ parador.es
Baiona	Parador de Baiona ****	C/ Monterreal, s/n. - 36300	986 355 000	986 355 076	baiona @ parador.es
Benavente	Parador de Benavente ****	Paseo Ramón y Cajal, s/n. - 49600	980 630 304	980.630 303	benavente @ parador.es
Benicarló	Parador de Benicarló ***	Avda. Papa Luna, 5 - 12580	964 470 100	964 470 934	benicarlo @ parador.es
Bielsa	Parador de Bielsa ***	Valle de la Pineta, s/n. - 22350	974 501 011	974 501 188	bielsa @ parador.es
Breña Baja	Parador de la Palma ****	Ctra. El Zumacal, s/n. - 38720	922 435 828	922 435 999	lapalma @ parador.es
Cáceres	Parador de Cáceres ****	C/ Ancha, 6 - 10003	927 211 759	927.211 729	caceres @ parador.es
Cádiz	Parador Hotel Atlántico ****	Avda. Duque de Nájera, 9 - 11002	956 226 905	956 214 582	cadiz @ parador.es
Calahorra	Parador de Calahorra ***	P.° Mercadal - 26500	941 130 358	941 135 139	calahorra @ parador.es
Cambados	Parador de Cambados ***	Paseo de la Calzada, s/n. - 36630	986 542 250	986 542 068	cambados @ parador.es
Cangas de Onís	Cangas de Onís *****	C/ Villanueva, s/n. - 33550	985 849 402	958 849 520	cangas @ parador.es
Cardona	Ducs de Cardona ****	Castell de Cardona - 08261	938 691 275	938 691 636	cardona @ parador.es
Carmona	Parador de Carmona ****	Alcázar, s/n. - 41410	954 141 010	954 141 712	carmona @ parador.es
Cazorla	Parador de Cazorla ***	Sierra de Cazorla, s/n.. - 23470	953 727 075	953 727 077	cazorla @ parador.es
Cervera de Pisuerga	Parador de Cervera de Pisuerga ***	Ctra. de Resoba, km 2,5 - 34840	979 870 075	979 870 105	cervera @ parador.es
Ceuta	Parador La Muralla ***	Pl. Ntra. Sra. de África, 15 - 51001	956 514 940	956 514 947	ceuta @ parador.es
Ciudad Rodrigo	Parador de Ciudad Rodrigo ****	Pl. Castillo, 1 - 37500	923 460 150	923 460 404	ciudadrodrigo @ parador.es
Córdoba	Parador de Córdoba ****	Avda. de la Arruzafa, s/n. - 14012	957 275 900	957 280 409	cordoba @ parador.es
Cuenca	Parador de Cuenca ****	Paseo Hoz del Huécar, s/n. - 16001	969 232 320	969 232 534	cuenca @ parador.es
Chinchón	Parador de Chinchón ****	Avenida Generalísimo, 1 - 28370	918 940 836	918 940 908	chinchon @ parador.es
El Saler	Parador de El Saler ****	Avda. de los Pinares, 151 - 46012	961 611 186	961 627 016	saler @ parador.es
Ferrol	Parador de Ferrol ***	C/ Almirante Fernández Martín, s/n. - 15401	981 356 720	981 356 721	ferrol @ parador.es
Fuente Dé	Parador de Fuente Dé ***	Ctra. de Fuente Dé, s/n. - 39588	942 736 651	942 736 654	fuentede @ parador.es
Gijón	Parador de Gijón ****	Parque Isabel la Católica, s/n. - 33203	985 370 511	985 370 233	gijon @ parador.es
Granada	Parador de Granada ****	C/ Real de la Alhambra, s/n. - 18009	958 221 440	958 222 264	granada @ parador.es
Guadalupe	Parador de Guadalupe ****	C/ Marqués de la Romana, 12 - 10140	927 367 075	927 367 076	guadalupe @ parador.es
Hierro, El	Parador de Turismo del Hierro ****	C/ Las Playas, s/n. - 38900	922 558 036	922 558 086	hierro @ parador.es
Hondarribia	Parador de Hondarribia ***	Pl. de Armas, 14 - 20280	943 645 500	943 642 153	hondarribia @ parador.es
Jaén	Parador de Jaén ****	Castillo de Santa Catalina - 23001	953 230 000	953 230 930	jaen @ parador.es
Jarandilla de la Vera	Parador de Jarandilla de la Vera ****	Avda. García Prieto, 1 - 10450	927 560 117	927 560 088	jarandilla @ parador.es
Jávea / Xàbia	Parador de Jávea ****	Avda. Mediterráneo, 7 - 03730	965 790 200	965 790 308	javea @ parador.es
la Seu d'Urgell	Parador Nacional de la Seu d'Urgell ***	C/ Sant Domènc, 6 - 25700	973 352 000	973 352 309	seo @ parador.es
León	Parador Hostal San Marcos *****	Pl. de San Marcos, 7 - 24001	987 237 300	987 233 458	leon @ parador.es
Málaga	Parador de Málaga Golf ****	Aptdo. Correos 324 - 29080	952 381 255	952 388 963	gibralfaro @ parador.es
Málaga	Parador Málaga-Gibralfaro ****	C/ Castillo de Gibralfaro, s/n. - 29016	952 221 902	952 221 904	malaga @ parador.es
Manzanares	Parador de Manzanares ***	Autovía de Andalucía, km 174 - 13200	926 610 400	926 610 935	manzanares @ parador.es
Mazagón	Parador de Mazagón ****	Playa de Mazagón - 21130	959 536 300	959 536 228	mazagon @ parador.es
Melilla	Don Pedro de Estopiñán ***	Avda. de Cándido Lobera, s/n. - 29801	952 684 940	952 683 486	melilla @ parador.es
Mérida	Parador de Mérida ****	Pl. de la Constitución, 3 - 06800	924 313 800	924 319 208	merida @ parador.es
Mojácar	Parador de Mojácar ****	C/ Playa de Mojácar, s/n.. - 04638	950 478 250	950 478 183	mojacar @ parador.es
Navarredonda de Gredos	Parador de Gredos ***	Ctra. Barraco-Béjar, km 43 - 05635	920 348 048	920 348 205	gredos @ parador.es
Nerja	Parador de Nerja ****	C/ Almuñécar, 8 - 29780	952 520 050	952 521 997	nerja @ parador.es
Olite	Parador de Olite ***	Pl. de los Teobaldos, 2 - 31390	948 740 000	948 740 201	olite @ parador.es
Oropesa	Parador de Oropesa ****	Pl. del Palacio, 1 - 45560	925 430 000	925 430 777	oropesa @ parador.es
Orotava, La	Parador de Cañadas del Teide - Pte. Calificación	Las Cañadas del Teide - 38300	922 374 841	922 382 352	canadas @ parador.es
Plasencia	Parador de Plasencia ****	Pl. San Vicente Ferrer, s/n. - 10600	927 425 870	927 425 872	plasencia @ parador.es
Pontevedra	Parador de Pontevedra ***	C/ Barón, 19 - 36002	986 855 800	986 852 195	pontevedra @ parador.es
Puebla de Sanabria	Parador de Puebla de Sanabria ***	Avda. Lago de Sanabria, 8 - 49300	980 620 001	980 620 351	puebla @ parador.es
Puerto Lumbreras	Parador de Puerto Lumbreras ***	Avda. Juan Carlos I, 77 - 30890	968 402 025	968 402 836	pto.lumbreras @ parador.es
Ribadeo	Parador de Ribadeo ****	C/ Amador Fernández, 7 - 27700	982 128 825	982 128 346	ribadeo @ parador.es
Ronda	Parador de Ronda ****	Pl. de España, s/n. - 29400	952 877 500	952 878 188	ronda @ parador.es
Salamanca	Parador de Salamanca ****	C/ Teso de la Feria, 2 - 37008	923 192 082	923 192 087	salamanca @ parador.es
San Sebastián de la Gomera	Parador de la Gomera ****	C/ Cerro la Horca, s/n. - 38800	922 871 100	922 871 116	gomera @ parador.es
Santiago de Compostela	Parador "Hotel Dos Reis Católicos" *****	Pl. do Obradoiro, 1 - 15705	981 582 200	981 563 094	santiago @ parador.es
Santillana del Mar	Parador de Santillana Gil Blas ****	Pl. de Ramón Pelayo, 11 - 39330	942 028 028	942 818 391	santillanagb @ parador.es
Santillana del Mar	Parador de Santillana ***	Pl. de Ramón Pelayo, s/n. - 39330	942 818 000	942 818 391	santillana @ parador.es
Sto. Domingo de la Calzada	Parador Sto. Domingo de la Calzada ****	Pl. El Santo, 3 - 26250	941 340 300	941 340 325	sto.domingo @ parador.es
Segovia	Parador de Segovia ****	Ctra. Valladolid, s/n. - 40003	921 443 737	921 437 362	segovia @ parador.es
Sigüenza	Parador de Sigüenza ****	Pl. del Castillo, s/n. - 19250	949 390 100	949 391 364	siguenza @ parador.es

Localidad / Place	Nombre / Name	Dirección - Código postal / Address - Post code	Teléfono / Telephone	Fax / Fax	E-mail / E-mail
Soria	Parador de Soria ***	Parque del Castillo, s/n. - 42005	975 240 800	975 240 803	soria @ parador.es
Sos del Rey Católico	Parador de Sos del Rey Católico ***	C/ Arq. Sainz de Vicuña, 1 - 50680	948 888 011	948 888 100	sos @ parador.es
Teruel	Parador de Teruel ***	Ctra. Sagunto-Burgos, N-234 - 44080	978 601 800	978 608 612	teruel @ parador.es
Toledo	Parador de Toledo ****	Cerro del Emperador, s/n. - 45002	925 221 850	925 225 166	toledo @ parador.es
Tordesillas	Parador de Tordesillas ***	Ctra. de Salamanca, 5 - 47100	983 770 051	983 771 013	tordesillas @ parador.es
Tortosa	Parador de Tortosa ****	C/ Castell de la Suda, s/n. - 43500	977 444 450	977 444 458	tortosa @ parador.es
Trujillo	Parador de Trujillo ****	C/ Santa Beatriz de Silva, 1 - 10200	927 321 350	927 321 366	trujillo @ parador.es
Tui	Parador de Tui ***	Avda. de Portugal, s/n. - 36700	986 600 300	986 602 163	tui @ parador.es
Ubeda	Parador de Úbeda ****	Pl. de Vázquez Molina, s/n. - 23400	953 750 345	953 751 259	ubeda @ parador.es
Verín	Parador de Verín ***	C/ Subida al Castillo, s/n. - 32600	988 410 075	988 412 017	verin @ parador.es
Vic	Parador de Vic ***	Paratge Bac de Sau, s/n. - 08500	938 122 323	938 122 368	vic @ parador.es
Vielha	Parador de Vielha ***	Ctra. del Túnel, s/n. - 25530	973 640 100	973 641 100	viella @ parador.es
Vilalba	Parador de Vilalba ***	C/ Valeriano Valdesuso, s/n. - 27800	982 510 011	982 510 090	vilalba @ parador.es
Villafranca del Bierzo	Parador de Villafranca del Bierzo ***	Avda. Calvo Sotelo, s/n. - 24500	987 540 175	987 540 010	villafranca @ parador.es
Zafra	Parador de Zafra ****	Pl. Corazón de María, 7 - 06300	924 554 540	924 551 018	zafra @ parador.es
Zamora	Parador de Zamora ****	Pl. de Viriato, 5 - 49001	980 514 497	980 530 063	zamora @ parador.es

ANDORRA / ANDORRA

Información general / General information

Código telefónico de Andorra / Andorra telephone prefix — + 376

Policía / Police	oficina / office	872 000
	urgencias / emergencies	110
Cruz Roja / Red Cross		825 225
Bomberos / Fire Brigade	oficina / office	890 900
	urgencias / emergencies	118
SUM (Servicio de Urgencias Médicas) / Medical Emergencies Service		116
Socorro de Montaña / Mountain Rescue		112
Asociación de Agencias de Viaje de Andorra		869 867
Ski Andorra		864 389
Unión Hotelera		820 625
Información de carreteras / Road information		848 884
Información horaria / Time information		157
Info. meteorológica / Weather information		848 851
Información nacional / National information		111

Ayuda y asistencia en carretera / Road side assistance

Automóvil Club d'Andorra
c/ Babot Camp, 13. Andorra la Vella. Tel. 803 400

Deportes / Sports

• Alpinismo / Mountain climbing
Federació Andorrana de Muntanyisme
Avda. Bra. Riberaygua, 39, 5è. Andorra la Vella. Tel. 867 444

• Atletismo / Athletics
Federació Andorrana d'Atletisme
Avda. Tarragona, 99B 2.° Andorra la Vella. Tel. 826 200

• Esquí / Ski
Federació Andorrana d'Esquí
Edif. El Pasturé, bloc, 2, 1er.
Andorra la Vella. Tels. 823 689 - 863 192

• Gimnasia / Gymnastics
Federació Andorrana de Gimnàstica
Poliesp. d'Andorra M.I. Govern. C/ Baixada del Molí, 31-35
Andorra la Vella. Tel. 835 126

• Golf / Golf
Club de Golf Andorra
Avda. Meritxell, 62, àtic. Andorra la Vella. Tel. 820 607

• Hípica / Horse riding
Federació Andorrana d'Hípica
B.P. 43 Poste Française. Andorra la Vella. Tel. 839 241

• Natación / Swimming
Federació Andorrana de Natació
Plaça Guillemó, 6, 3è 2.ª Andorra la Vella. Tel. 860 500

• Patinaje / Skating
Federació Andorrana de Patinatge - Polisportiu d'Andorra
C/ Baixada del Molí, 31-35. Tel. 860 480

Fiestas locales de interés / Local fiestas

Parroquia / Parish	Fecha / Date	Descripción / Description
Andorra la Vella, Escaldes-Engordany i Encamp	17 enero	Escudella de Sant Antoni
Totes les Parròquies	4 febrero	Carnaval
Escaldes-Engordany	4 febrero	Subhasta de Sant Antoni
Totes les Parròquies	23 abril	Diada de Sant Jordi - Festa del Llibre i de la Rosa
La Massana	Mayo	Andoflora (Fira de la Planta i la Flor)
Sant Julià de Lòria	Último sábado de mayo	Diada de Canòlic
Escaldes-Engordany	16 junio	Festa de la Parròquia
Totes les Parròquies	23 junio	Verbena de Sant Joan
Ordino	30 junio a 2 julio	Festa del Roser
Escaldes-Engordany	Julio	Festival Internacional de Jazz
La Massana	7 y 8 julio	Roser de La Massana
Escaldes-Encamp	24 a 27 julio	Festa Major
Sant Julià de Lòria	27 a 31 julio	Festa Major
Canillo	30 julio	Concurs de Gossos d'Atura
Ordino	Agosto	Trobada de Buners
Andorra la Vella	4 a 7 agosto	Mercat Medieval - Festa Major
Encamp	14 a 17 agosto	Festa Major d'Encamp
La Massana	15 y 16 agosto	Festa Major de La Massana
Totes les parroquies	8 setiembre	Diada de Nostra Senyora de Meritxell Festa Nacional
Ordino	16 setiembre	Festa Major
Ordino	Último sábado setiembre	Mostra de Gastronomia
Ordino	Setiembre - octubre	Festival Internacional Narciso Yepes
Sant Julià de Lòria	Primer domingo de octubre	Fira del Roser
Canillo	14 octubre	Fira del Bestiar i de l'Artesania
Andorra la Vella	27 octubre	Fira del Bestiar d'Andorra - Fira d'Andorra
Encamp i La Massana	31 octubre	Castanyada Popular
Andorra la Vella	Noviembre	Diada del Bacallà
Escaldes-Engordany	1 a 14 diciembre	Calendari d'Advent
Sant Julià de Lòria	Diciembre	Fira de Santa Llúcia
Andorra la Vella	Diciembre	Mercat de Santa Llúcia

Principales oficinas de turismo / Main tourist information centres

Oficina - Entidad / Office - Organization	Dirección / Address	Teléfono / Telephone	Fax / Fax
Oficina d'Informació i Turisme de Santa Coloma	Parc d'Enclar	863 680	869 807
Oficina d'Informació i Turisme d'Andorra La Vella	Avda. Meritxell, 33	827 790	869 807
Oficina d'Informació i Turisme d'Andorra La Vella	Plaça de la Rotonda	827 117	869 807
Sindicat d'Iniciativa - Oficina de Turisme d'Andorra La Vella	Carrer Dr. Vilanova, s/n.	820 214	825 823
Oficina de Turisme Valls de Canillo	Ctra. General	701 590	851 139
Oficina d'Informació i Turisme d'Encamp	Plaça del Consell General	731 000	831 878
Oficina d'Informació i Turisme del Pas de la Casa	Carrer Bernat III	855 292	856 547
Unió Pro-Turisme d'Escaldes-Engordany	Plaça Co-Prínceps	820 963	866 697
Unió Pro-Turisme de La Massana	Pl. del Quart	835 693	838 693
Iniciatives Turístiques d'Ordino	Nou Vial, s/n.	737 080	839 225
Oficina d'Informació i Turisme de Sant Julià de Lòria	Pl. Francesc Cairat	841 352	844 678

Información general / *General information*

Código telefónico de Portugal

Portugal telephone prefix	+ 351
Urgencias / *Emergencies*	112
Policía de Seguridad Pública / *Public Security Police*	217 654 242
(teclado alfanumérico) / *(alphanumeric keyboard)*	21 POLICIA
Guarda Nacional Republicana / *Republican Nacional Guard*	213 217 000

Ayuda y asistencia en carretera / *Road side assistance*

Asistencia ACP (Automóvel Club de Portugal)

• Pronto-Socorro: servicio permanente (24 horas)
219 429 103 (sur de Coimbra)

• *Pronto-Socorro: 24 hour service 219 429 103 (south of Coimbra)*

• Pronto-Socorro: servicio permanente (24 horas)
220 56732 (al norte de Coimbra)

• *Pronto-Socorro: 24 hour service 220 56732 (north of Coimbra)*

Ferrocarriles / *Railways*

Caminhos de Ferro EP *Portuguese State Railway Company*		Teléfono *Telephone*
Central		234 424 485
Aveiro		234 379 841
Coimbra	A	239 834 980
	B	239 834 984
Entroncamento		249 719 914
Faro		289 826 472
(Sta. Apolónia)		218 816 242
Lisboa (Gare de Oriente)		218 920 370
(Rosssio)		213 433 747
(Campanhã)		225 191 374
Porto (S. Bento)		222 019 517

Transporte de automóviles / *Car transport*

Barreiro	212 064 636
Castelo Branco	272 342 283
Faro	289 826 472 / 808 208 208
Guarda	271 211 565
Lisboa (Sta. Apolónia)	218 816 121
Porto (Campanhã)	225 191 328

Patrimonio de la Humanidad / *World Heritage Sites*

Fecha de la declaración
Date of declaration

1983	Centro Histórico de Angra do Heroismo nos Açores
1983	Mosteiro dos Jerónimos e Torre de Belém em Lisboa
1983	Mosteiro de Batalha
1983	Convento de Cristo em Tomar
1988	Centro Histórico de Évora
1989	Mosteiro de Alcobaça
1995	Paisagem Cultural de Sintra
1996	Centro Histórico de Porto
1998	Sitios Arqueológicos no Vale do Rio Côa
1999	Floresta Laurissilva na Madeira
2001	Región Vinícola do Alto Douro
2001	Centro Histórico de Guimarães

Emergencias / *Emergencies*: 112

Policía / *Police*

ABRANTES	241 377 070
AVEIRO	234 422 022
BARCELOS	253 802 570
BEJA	284 313 150
BRAGA	253 200 420
BRAGANÇA	273 303 400
CALDAS DA RAINHA	262 832 022
CARREGAL DO SAL	232 968 134
CASTELO BRANCO	272 340 622
COIMBRA	239 822 022
ELVAS	268 639 470
ESPINHO	227 340 038
ÉVORA	266 702 022
FARO	289 899 899
FIGUEIRA DA FOZ	233 422 022
GUARDA	271 208 340
GUIMARÃES	253 513 34/5
HORTA (Açores)	292 208 510
LAGOS	282 762 930
LEIRIA	244 812 447

Policía / *Police*

LISBOA	217 654 242
FUNCHAL (Madeira)	291 208 200
PONTA DELGADA (Açores)	296 115 000
PORTALEGRE	245 300 600
PORTIMÃO	282 417 717
PORTO	222 006 821
PORTO SANTO (Madeira)	291 982 423
PÓVOA DE VARZIM	252 298 190
SANTARÉM	243 322 022
SETÚBAL	265 522 022
TAVIRA	281 322 022
TOMAR	249 313 444
VIANA DO CASTELO	258 809 880
VILA REAL	259 330 240
VISEU	232 480 380

Bomberos / *Fire brigade*

LISBOA	213 422 222
PORTO	223 322 787

Parques Nacionales / *National Parks*

Instituto da Conservação da Natureza (ICN) / *Nature Conservation Institute*

• Direcção de Serviços de Apoio às Áreas Protegidas
Department of Support Services for Protected Areas

Rua Ferreira Lapa, 29. 1169-138 LISBOA. Tel. 213 523 317
Tel. 213 938 900 - www.icn.pt
Tel. 213 974 044 (linea azul/*blue line*) icn@icn.pt

• Direcção de Serviços da Conservação da Natureza
Department of Nature Conservation Services

Rua Ferreira Lapa, 38. 1150 LISBOA. Tel. 213 160 520

Parque Nacional Peneda-Gerês. 72 000 ha

Quinta das Parretas-Rodovia
4700 BRAGA. Tel. 253 203 480

Deportes / *Sports*

Deporte *Sports*	Institución *Organization*	Dirección *Address*	Teléfono *Telephone*	Fax *Fax*
• Atletismo / *Athletics*	Federação Portuguesa de Atletismo	Largo da Lagoa, 15 B 2795-116 LINDA-A-VELHA	214 146 020	214 146 021
• Caza y pesca / *Hunting and fishing*	Federação Portuguesa de Pesca Desportiva	Rua Eça de Queiróz, n.º 3, 1ª 1050-095 LISBOA	213 521 370	213 563 147
	Federação Portuguesa de Tiro com Armas de Caça	Alameda António Sérgio, 22, 8º C 1495-132 ALGÉS	214 126 160	214 126 162
• Ciclismo / *Cycling*	Federação Portuguesa de Ciclismo	Rua de Campolide, 237 1070-030 LISBOA	213 881 780	213 881 793
• Esquí / *Ski*	Federação Portuguesa de Esqui	Edifício Central de Camionagem Apartado 514. São Lázaro 6200 COVILHÃ	275 313 461	275 314 245
• Golf / *Golf*	Federação Portuguesa de Golfe	Av. das Túlipas, n.º 6 edifício Miraflores, 17º. Miraflores 1495-161 ALGÉS	214 123 780	214 107 972
• Vela / *Sailing*	Federação Portuguesa de Vela	Doca de Belém 1400-038 LISBOA	213 647 324	213 620 215

Fiestas locales de interés / *Local fiestas*

Localidad / *Local*	Fecha / *Date*	Fiesta / *Fiesta*
Santa Maria da Feira	Desde el siglo XVI se celebra el día 20 de enero	Festa das Fogaceiras ou das Fogaças en honor de S. Sebastião
Loulé	Carnaval	Carnavales, batalla de flores, Grandes Corsos e Desfiles
Mealhada	Carnaval	
Ovar	Carnaval	Carnavales: desfiles de máscaras y carrozas
Torres Vedras	Carnaval	Carnavales, batallas de flores
Loulé	Domingo de Pascua	Romería de Ntra. Sra. de la Piedad
Ponta Delgada	Pascua	Festa do Senhor Santo Cristo dos Milagres
Barcelos	3 de mayo	Fiesta de las Cruces Feria de alfarería, bailes
Sesimbra	3-5 de mayo	Fiesta del Senhor das Chagas, que data del s. XVI. Procesión
Monsanto	Domingo siguiente al 3 de mayo	Fiesta del Castillo
Fátima	12-13 de mayo	1.ª peregrinación anual
Vila Franca do Lima	2.º domingo de mayo	Fiesta de las Rosas. Desfile de las Mordomas
Caldas da Rainha	15 de mayo	Festas da Cidade
Coimbra	Finales de mayo	Queima das Fitas
Lisboa	13 de junio Junio	Santo António Festas da Cidade: bailes folclóricos

Localidad / *Local*	Fecha / *Date*	Fiesta / *Fiesta*
Porto	24 de junio	São João
Tavira	13, 24 y 29 de junio	Festas da Cidade en honor de los Santos Populares
Braga	23-24 de junio	Festa de S. João Baptista-Arraiais
Terceira (ilha) Açores	Junio	Festas do Divino Espírito Santo
Cascais	Junio	Festas do Mar
Cascais	Julio	Feira do Artesanato
Coimbra	1.ª semana de julio	Festas à Rainha Santa
Braga	4-12 de julio	Feira Nacional de Cerâmica
Tomar	En el mes de julio cada tres años	Festa dos Tabuleiros
Áveiro	Agosto	Festas da Ria
Guimarães	1.º domingo de agosto	Festas Gualterianas con cortejo histórico
Peniche	1.º domingo de agosto	Festa de Nossa Senhora da Boa Viagem
Funchal	15 de agosto	Festa de Nossa Senhora do Monte
Viana do Castelo	20-23 de agosto	Festas da Senhora da Agonia con procesión de barcas
Tomar	1.º domingo de setiembre	Festa do Círio da Senhora da Piedade
Campo Maior	1.ª semana de setiembre	Festa das Ruas ou Festa do Povo ou dos Artistas
Lamego	8 de setiembre	Romería a Nossa Senhora dos Remédios
Elvas	20-25 de setiembre	Festa do Senhor Jesus da Piedade
Funchal	31 de diciembre	São Silvestre

Principales oficinas de turismo / *Main tourist information centres*

Direcção-Geral do Turismo
Avda. António Augusto de Aguiar, 86
1069-021 Lisboa
Tel. 213 586 466
Fax 213 586 666

Direcciones útiles / *Useful addresses*

ICEP PORTUGAL. INVESTIMENTOS, COMÉRCIO
E TURISMO DE PORTUGAL
Av. 5 de Outubro, 101.
1050-051 Lisboa
Tel. 217 909 500. Fax 217 950 961
E-mail: dinf@icep.pt
www.portugalinsite.pt

DEPARTAMENTO DE TURISMO DA CÂMARA
MUNICIPAL DE LISBOA
Av. 5 de Outubro, 293, 8.º
1600-035 Lisboa
Tel. 217 996 100. Fax 217 934 628
E-mail: turismo@mail.cm-lisboa.pt
www.cm-lisboa.pt/turismo

ASSOCIAÇÃO DE TURISMO DE LISBOA - VISITORS AND
CONVENTION BUREAU
LISBOA WELCOME CENTER
Rua do Arsenal, 15.
1100-038 Lisboa
Tel. 210 312 700. Fax 210 312 899
E-mail: atl@-turismolisboa.pt
www.atl-turismolisboa.pt

JUNTA DE TURISMO DA COSTA DO ESTORIL
Arcadas do Parque.
2765-503 Estoril
Tel. 214 663 813. Fax 214 672 280
E-mail: estorilcoast@mail.telepac.pt
www.estorilcoast-tourism.com

DIVISÃO DE TURISMO DA CÂMARA MUNICIPAL DE SINTRA
Praça da República, 23. Edifício do Turismo
2710-616 SINTRA
Tel. 219 231 157 / 219 241 700. Fax 219 235 176
www.cm-sintra.pt

TURISMO PORTO
Rua Clube dos Fenianos, 25
4000-172 Porto
Tel. 222 052 740 / 223 393 470. Fax 223 323 303
E-mail: turismo.central@mail.telepac.pt
www.portoturismo.pt

Oficinas de turismo / *Tourist information centres*

ALENTEJO
Região de Turismo de São Mamede
Alto Alentejo - Estrada de Santana, 25
7300-238 Portalegre

Tel. 245 300 770. Fax 245 204 053
www.rtsm.pt

Região de Turismo de Setúbal
Costa Azul - Travessa Frei Gaspar, 10
2900-388 Setúbal
Tel. 265 539 120. Fax 265 539 127
www.costa-azul.rts.pt

Região de Turismo de Évora
Rua de Aviz, 90.
7000-591 Évora
Tel. 266 742 534 / 266 742 535. Fax 266 705 238

Região de Turismo da Planície Dourada
Praça da República, 12
7800-427 Beja
Tel. 284 310 150 - Fax 284 310 151
www.rt-planiciedourada.pt

ALGARVE
Região de Turismo do Algarve
Avda. 5 de Outubro, 18
8000-076 Faro
Tel. 289 800 400. Fax 289 800 489
www.rtalgarve.pt

BEIRAS
Região de Turismo da Rota da Luz
Rua João Mendonça, 8
3800-200 Aveiro
Tel. 234 423 680 / 234 420 760. Fax 234 428 326
www.rotadaluz.aveiro.co.pt

Região de Turismo de Dão-Lafões
Avda. Calaouste Gulbenkian
3510-055 Viseu
Tel. 232 420 950. Fax 232 420 957
www.rt-dao-lafoes.com

Região de Turismo da Serra da Estrela
Av. Frei Heitor Pinto
6200-113 Covilhã
Tel. 275 319 560 - Fax 275 319 569
www.rt-serradaestrela.pt

Região de Turismo do Centro
Largo da Portagem
3000-337 Coimbra
Tel. 239 855 930 / 239 833 019. Fax 239 825 576
www.turismo-centro.pt

PORTO E NORTE DE PORTUGAL
Região de Turismo do Alto Minho
Castelo de Santiago da Barra
4900-361 Viana do Castelo
Tel. 258 820 270 / 1 / 2 / 3. Fax 258 829 798
www.rtam.pt

Região de Turismo do Alto Tâmega e Barroso
Av. Tenente Valadim, 39 - 1º Dto.
5400-558 Chaves
Tel. 276 340 660 - Fax 276 321 419
www.rt-atb.pt

Região de Turismo do Nordeste Transmontano
Largo do Principal - Apartado 173
5301-902 Bragança
Tel. 273 331 078. Fax 273 331 913
www.bragancanet.pt/turismo

Região de Turismo do Verde Minho
Praceta Dr. José Ferreira Salgado, 90, 6º
4704-525 Braga
Tel. 253 202 770. Fax 253 202 779
www.rtvm.pt (provisional/*temporary*)

Região de Turismo da Serra do Marão
Praça Luís de Camões, 2
5000-626 Vila Real
Tel. 259 322 819 / 259 323 560 - Fax. 259 321 712
www.rtsmarao.pt

Região de Turismo do Douro Sul
Rua dos Bancos - Apartado 36
5101-909 Lamego
Tel. 254 615 770 - Fax 254 614 014

LISBOA E VALE DO TEJO
Região de Turismo de Leiria / Fátima
Jardim Luís de Camões
2401-801 Leiria
Tel. 244 823 773 / 244 814 748 - Fax. 244 833 533
N.º Verde: 800 202 559
www.rt-leiriafatima.pt

Região de Turismo dos Templários Floresta
Central e Albufeiras
Rua Serpa Pinto, 1
2300-592 Tomar
Tel. 249 329 000 - Fax 249 324 322
www.rttemplarios.pt

Região de Turismo do Oeste
Rua Direita
2510-060 Óbidos
Tel. 262 955 060 - Fax 262 955 061
www.rt-oeste.pt

Região de Turismo do Ribatejo
Campo Infante da Câmara - Casa do Campino
2000-014 Santarém
Tel. 243 330 330. Fax 243 330 340
www.regturibatejo.pt

AÇORES
Direcção Regional de Turismo dos Açores
Rua Comendador Ernesto Rebelo, 14
9900-112 Horta
Tel. 292 200 500. Fax 292 200 502
www.drtacores.pt

MADEIRA
Direcção Regional de Turismo da Madeira
Avda. Arriaga, 18
9004-519 Funchal
Tel. 291 211 900 - Fax 291 232 151
www.madeiratourism.org

Paradores (Pousadas) / *Parados*

Pousadas regionales
Regionals paradors

Monte de Santa Luzia
Apartado 30
4901-909 Viana do Castelo
Tel. 258 800 370. Fax 258 828 892

Nossa Senhora da Oliveira
Rua de Santa Maria, s/n.
4801-910 Guimarães
Tel. 253 514 157 / 8. Fax 253 514 204

São Bartolomeu
Estrada do Turismo
5300-271 Bragança
Tel. 273 331 493 / 4. Fax 273 323 453

São Bento
Estrada Nacional 304 - Soengas - Gerês - Caniçada
4850-047 Caniçada
Tel. 253 649 150. Fax 253 647 867

São Teotónio
Fortificações Praça Valença do Minho
4930-735 Valença do Minho
Tel. 251 800 260. Fax 251 824 397

São Gonçalo
Curva do Lancete, Serra do Marão Ansiães
4604-909 Amarante
Tel. 255 460 030 / 24. Fax 255 461 353

Barão de Forrester
Rua José Rufino
5070-031-Alijó
Tel. 259 959 467. Fax 259 959 304

Nossa Senhora das Neves
Rua da Muralha
6350-112 Almeida
Tel. 271 574 283 / 90. Fax 271 574 320

São Jerónimo
Caramulo
3475-031-Caramulo
Tel. 232 861 291 / 087. Fax 232 861 640

Santa Bárbara
Apartado 71 Póvoa das Quartas
3404-909 Oliveira do Hospital (Coimbra)
Tel. 238 609 652. Fax 238 609 645

São Lourenço
Estrada Nacional 232, Km 50 Penhas Douradas
6260-200 Manteigas
Tel. 275 980 050 / 1 / 2. Fax 275 982 453

Monsanto
Rua da Capela, 1
6060-091 Monsanto IDN
Tel. 277 314 471 / 2. Fax 277 314 481

Ria
Estrada Nacional 327 - Bico do Muranzel - Torreira
3870-301 Murtosa
Tel. 234 860 180. Fax 234 838 333

Santa Cristina
Rua Francisco Lemos
3150-142 Condeixa-a-Nova
Tel. 239 944 025 / 26. Fax 239 943 097

São Pedro
Castelo de Bode
2300 Tomar
Tel. 249 381 159 / 75. Fax 249 381 176

Mestre Afonso Domingues
Largo Mestre Afonso Domingues, 6
2440-102 Batalha
Tel. 244 765 260 / 1. Fax 244 765 247

Quinta da Ortiga
Estrada IP 8, Apartado 67
7540 Santiago do Cacém
Tel. 269 822 871. Fax 269 822 073

Santa Maria
R. 24 de Janeiro, 7
7330-122 Marvão
Tel. 245 993 201 / 2. Fax 245 993 440

São Miguel
Cerro de São Miguel
7470-999 Sousel
Tel. 268 550 050. Fax 268 551 155

Santa Luzia
Av. de Badajoz
7350-097 Elvas
Tel. 268 637 470 / 268 374 472. Fax 268 622 127

Vale do Gaio
Barragem Trigo de Morais
7595-034 Torrão
Tel. 265 669 610 / 797. Fax 265 669 545

São Gens
Alto de São Gens
7830 Serpa
Tel. 284 540 420 / 5. Fax 284 544 337

Santa Clara
Barragem de Santa Clara
7665-879 Santa Clara-a-Velha
Tel. 283 882 250. Fax 283 882 402

São Brás
Paço dos Ferreiros
8150-054 São Brás de Alportel
Tel. 289 842 305 / 6. Fax 289 841 726

Infante
Sagres 8650-385-Vila do Bispo (Faro)
Tel. 282 620 240 / 3. Fax 282 624 225

Conde de Ourém
2490-Ourém
Tel. 249 540 920. Fax 249 542 955

Pousadas en Monumentos Nacionales
Listed buildings

Dom Diniz
Terreiro
4920-296 Vila Nova da Cerveira
Tel. 251 708 120. Fax 251 708 129

Santa Maria do Bouro
Lugar do Terreiro - Bouro Santa Maria
4720-688 Amares
Tel. 253 371 970 / 253 371 971. Fax 253 371 976

Santa Marinha
Costa-Parque da Penha 4810-011-Guimarães
Tel. 253 511 249. Fax 253 514 459

Castelo de Óbidos
2510-Óbidos
Tel. 262 955 080 / 46. Fax 262 959 148

Dona Maria I
Largo do Palácio Nacional de Queluz
2745-191 Queluz
Tel. 214 356 158 / 72 / 81. Fax 214 356 189

Castelo de Palmela
Castelo de Palmela
2950-997 Palmela
Tel. 212 351 226 / 017. Fax 212 330 440

São Filipe
Castelo de São Filipe
2900-300 Setúbal
Tel. 265 550 070/ 265 524 981. Fax 265 539 240

Dom Afonso II
Castelo de Alcácer do Sal
7580 Alcácer do Sal
Tel. 265 613 070. Fax 265 613 074

Flor da Rosa
Mosteiro de Sta. Maria - Flor de Rosa
7430-999 Crato
Tel. 245 997 210. Fax 245 997 212

Rainha Santa Isabel
Largo de Dom Diniz, Apartado 88
7100-509 Estremoz
Tel. 268 332 075. Fax 268 332 079

Nossa Senhora da Assunção
Convento dos Loios, Apartado 61
7044-909 Arraiolos
Tel. 266 419 340 / 65. Fax 266 419 280

Dom João IV
Terreiro do Paço
7160-250 Vila Viçosa
Tel. 268 980 742. Fax 268 980 747

Pousada dos Lóios
Largo Conde Vila Flor
7000-804 Évora
Tel. 266 730 070. Fax 266 707 248

Castelo do Alvito
Apartado 9
7920-999 Alvito
Tel. 284 480 700. Fax 284 485 383

São Francisco
Largo D. Nuno Álvares Pereira, Apartado 63
7801-901 Beja
Tel. 284 313 580. Fax 284 329 143

Solar da Rede
Santa Cristina-Solar da Rede
5040 Mesão Frio
Tel. 254 890 130. Fax 254 890 139

Convento de Belmonte
6250-Belmonte
Tel. 275 910 300. Fax 275 910 310

Convento do Desagravio
3400-758 Vila Pouca da Beira
Tel. 238 670 080. Fax 238 670 081

Consejos y normas de seguridad vial (España)

1. Estado del vehículo

En caso de emprender un viaje es necesario llevar a cabo, con la antelación debida, una completa puesta a punto de su vehículo comprobando:

- Niveles de líquido de frenos, aceite, líquido limpiaparabrisas, agua, y líquido dirección.
- Alumbrado en correcto funcionamiento y altura de los faros.
- Carga de batería y estado de sus bornes.
- Estado de los frenos.
- Estado de la dirección "sin holguras".
- Estado de las bujías.
- Estado y dibujo de rodadura de los neumáticos.
- Estado de las escobillas del limpiaparabrisas.
- Estado de los manguitos del motor y sus abrazaderas a partes fijas.
- Posición correcta de los asientos y sus anclajes.
- Posición correcta del retrovisor "sin ángulos muertos".
- Haga el engrase y cambie el aceite, si fuera necesario.

• Verifique, antes de iniciar el viaje, la presión de los neumáticos y acostúmbrese a circular con el depósito de combustible lleno; ante cualquier situación anómala (retenciones, accidentes, inclemencias meteorológicas, etc.) le será de gran ayuda.

• Compruebe que lleva en su vehículo los recambios imprescindibles como son: rueda de repuesto a su presión necesaria, elevador manual de vehículo (gato), correa de ventilador y juego de luces en perfecto estado.

• En caso de avería o accidente, retire rápidamente el vehículo de la calzada al arcén, y siempre que sea posible, sáquelo de la carretera, estableciendo, en cada caso, las medidas de seguridad vial necesarias.

2. Conducción en caravana

• Si viaja en caravana evite siempre que sea posible los adelantamientos y, si los realiza, no lo haga nunca a más de dos vehículos seguidos.

• Mantenga, en todo momento, las distancias de seguridad entre vehículos.

• En las travesías de núcleos urbanos, extreme su atención ante la presencia de niños, peatones y ciclomotores, y recuerde que la velocidad máxima para circular por ellas es de 50 km/h.

• Si precisa detenerse, saque completamente el vehículo de la calzada al arcén y, si es posible, fuera de la carretera.

• Adecue su velocidad a la del tráfico que le rodea, olvídese de que la señalización le permite circular a mayores niveles.

3. Conducción en autopista y autovía

• En autopista y autovía circule siempre por el carril de la derecha. No cambie de carril más que cuando sea necesario para efectuar un adelantamiento. Una vez efectuado el mismo, vuelva gradualmente al carril derecho.

• Por ser el límite de velocidad 120 km/h, es necesario aumentar la distancia de seguridad entre vehículos.

• En autopista y autovía su vehículo ha de hacerse visible a los demás conductores mucho antes que en una carretera ordinaria, y ello a causa de las grandes velocidades con las que se circula. La mejor señal para advertir el adelantamiento a los demás es hacer destellos luminosos con las luces.

• Cuando tenga necesidad de cambiar de carril aplique la regla de seguridad: retrovisor - señal de maniobra, teniendo siempre presente que detrás pueden venir vehículos que marchen más rápidamente.

• Comience la maniobra de cambio de carril con mucha más antelación que en las carreteras ordinarias, de forma tal que los indicadores de dirección sean bien vistos, manteniendo éstos en funcionamiento durante toda la maniobra.

• Todo conductor que, por razones de emergencia, se vea obligado a circular con su vehículo a una velocidad inferior a 60 km/h en autopistas o autovías deberá abandonarla en la primera salida.

• Si necesita detenerse retire el vehículo lo más posible de la calzada y arcén.

4. Conductor

No olvide adoptar las precauciones elementales e imprescindibles para la conducción en las fechas de desplazamientos masivos y en recorridos de larga distancia.

• La víspera del viaje procure descansar y dormir lo suficiente. Así podrá conducir relajado y sin somnolencia.

• Evite durante el viaje las comidas copiosas, ya que producen efectos negativos con amodorramiento y digestiones pesadas.

• Suprima igualmente cualquier bebida alcohólica. El alcohol disminuye los reflejos y crea una falsa sensación de seguridad. Además, todo conductor queda obligado, bajo sanción, a someterse a las pruebas de alcoholemia, estupefacientes, psicotrópicos y otras análogas.

• Evite la conducción continuada durante muchas horas. Deténgase cada tres horas sacando el coche de la carretera, estire las piernas y respire aire puro, que nunca le vendrá mal. En cualquier caso, al menor síntoma de cansancio pare el coche fuera de la carretera y eche una cabezada.

• Los conductores y usuarios de motocicletas y ciclomotores deberán utilizar cascos protectores para circular por cualquier vía urbana o interurbana.

• Queda prohibido conducir utilizando auriculares conectados a aparatos reproductores de sonido o radioteléfonos.

• Recuerde que la distancia mínima de separación lateral para adelantar a peatones y vehículos de dos ruedas es de 1,50 metros.

• Mientras conduzca no se ponga metas, tiempos ni distancias.

• Adapte la velocidad a las condiciones de la vía.

• Lleve ropa cómoda y calzado adecuado para la conducción.

• Los objetos personales y los que pudiera necesitar durante el viaje, llévelos a mano.

• Si utiliza gafas graduadas no olvide llevar las de repuesto.

5. Preparación del viaje

Antes de iniciar su viaje llame al Centro de Información de Tráfico, teléfono 900 123 505, y solicite información sobre el estado de la circulación en la carretera que Vd. vaya a utilizar, así como datos sobre la situación meteorológica prevista en la zona, posibles itinerarios alternativos en caso de que existan retenciones de tráfico y cualquier otro tipo de información.

• Programe con antelación el plan de viaje, evitando a ser posible los desplazamientos en días y horas punta.

• Si dispone del tiempo necesario, elija para los itinerarios las vías que, contando con las debidas condiciones de seguridad, soporten menor densidad de tráfico.

• Siempre que sea posible, adelante la salida o retrase el regreso evitando coincidir con desplazamientos masivos.

6. Cinturón de seguridad, pasajeros y carga

• Utilice el cinturón de seguridad en las vías urbanas e interurbanas. Su uso es obligatorio tanto para el conductor como para el ocupante de asiento delantero, así como ocupantes de los asientos traseros que dispongan de ellos.

• Evite el exceso de equipaje. Lleve sólo lo verdaderamente necesario y colóquelo adecuadamente. Si puede evitar el llevar baca en el coche, mejor.

• En ningún caso coloque objetos de forma que impidan la perfecta visibilidad del conductor por el espejo retrovisor interior. Coloque la carga de forma equilibrada dentro del coche.

• Queda prohibido conducir con niños menores de 12 años, situados en los asientos delanteros del vehículo salvo que utilicen dispositivos homologados al efecto.

• El número máximo de personas que pueden transportarse no puede exceder del número de plazas para las que esté autorizado el vehículo, todas ellas emplazadas y acondicionadas en lugar destinado para ello.

7. Limitación de vehículos pesados

Con objeto de incrementar la seguridad vial y la fluidez del tráfico en la red vial española, la Dirección General de Tráfico dictó la Resolución de fecha 4 de marzo de 1993 por la que se restringe la circulación de vehículos de transporte de mercancías de más de 3.500 kg de P.M.A. en determinadas carreteras, ciertos días del año.

• Lo ideal sería que los señores transportistas no circulasen por las carreteras de mayor intensidad de tráfico los días y horas en que se desarrolla esta operación especial; pero si la necesidad de efectuar el viaje fuese ineludible, podrán encontrar siempre un itinerario alternativo.

• Por ello, el teléfono de información de Tráfico (900 123 505) en servicio las 24 horas del día y las diferentes Jefaturas Provinciales informarán en todo momento de los itinerarios alternativos previstos.

• Complementariamente, las Fuerzas de Vigilancia de la Agrupación de Tráfico de la Guardia Civil, en función de las condiciones en que se esté desarrollando el tráfico durante las horas en que está permitida la circulación de los vehículos afectados por las restricciones, podrán espaciar su circulación, e incluso, si las circunstancias lo aconsejan, detenerla temporalmente, de acuerdo con lo establecido al respecto en el art. 39.2 del Reglamento General de Circulación.

Road safety advice and regulations (Spain)

1. Condition of the vehicle

Before embarking on a journey you should allow sufficient time to carry out a thorough tune up of your vehicle, checking the following items:
- Levels of brake fluid, oil, screen wash, water and steering fluid.
- Correct operation of lights and position of headlights.
- Battery charge level and condition of its terminals.
- Condition of brakes.
- Correct steering alignment.
- Condition of spark plugs.
- Condition and wear on tyre tread.
- Condition of the wiper blades.
- Condition of the engine hose and its fixed clamps.
- Correct positioning of the seats and their anchor points.
- Correct position of the rear view mirror, ensuring there are no" blind spots".
- If necessary change the oil and lubricate.
- Before commencing the journey, check tyre pressure and get used to driving with a full tank of fuel. In unforeseeable circumstances (traffic hold ups, accidents, bad weather etc.) this will prove to be very useful.
- Check that you are carrying all the essential spare parts you need in your vehicle: spare wheel set to the required pressure, jack, fan belt and set of new light bulbs.
- In the event of a breakdown or accident quickly move your vehicle off the carriageway to the hard shoulder and wherever possible move it off the road, taking the appropriate road safety measures according to the circumstances.

2. Driving with a caravan

- If travelling with a caravan, avoid overtaking wherever possible and never overtake more than two vehicles at a time.
- Keep to the safe distance between vehicles at all times.
- When travelling through built up areas look out for children, pedestrians and motorcyclists and remember that the maximum speed limit is 50 km/h.
- If you need to stop, drive the vehicle off the carriageway and onto the hard shoulder. If possible, drive the vehicle off the road completely.
- Match your speed to that of the surrounding traffic. Ignore the fact that road signs may allow you to travel faster.

3. Travelling on motorways and dual carriageways

When travelling on motorways and dual carriageways, always keep to the right hand lane. Do not change lanes unless you need to in order to overtake. Once you have overtaken, gradually return to the right hand lane.
The maximum speed limit on these roads is 120 km/h, which means that safe distances between vehicles must be increased.
On motorways and dual carriageways your vehicle must be visible to other drivers much sooner than on ordinary roads because of the high speed at which vehicles travel. The best way of signalling to other drivers that you intend to overtake is to flash your lights.
When you need to change lanes, apply the safety rule: mirror, signal to manoeuvre, remembering that there may be vehicles travelling behind you at higher speeds.
Begin the manoeuvre to change lanes much earlier than on ordinary roads so that your indicator lights can be seen clearly and keep these lights on throughout the manoeuvre.
Any driver who is forced by an emergency to drive his vehicle at less than 60 km/h on motorways or dual carriageways should leave by the first available exit.
If you need to stop, move your vehicle as far as possible away from the carriageway and hard shoulder.

4. The Driver

Don't forget to take basic precautions when driving on particularly busy days and over long distances.
- The day before your journey, make sure you get enough rest and sleep so that you will be relaxed and not affected by sleepiness when driving.
- Avoid heavy meals during your journey as they can be difficult to digest and make you sleepy.
- Avoid all alcoholic drinks. Alcohol dulls your reflexes and creates a false sense of security. Furthermore, all drivers are required to submit to tests for alcoholism, drug addiction, addiction to psychotropic drugs and other similar tests.
- Avoid driving continuously for too many hours. There is no harm in resting every three hours, taking the vehicle off the road, stretching your legs and breathing fresh air. In all cases, at the slightest sign of tiredness, stop the car off the road and take a nap.
- Motorcycle and moped drivers and users must wear protective helmets when travelling along any urban streets or any roads connecting urban centres.
- Drivers are forbidden from wearing headphones connected to any playing device or radio telephone when driving.
- Remember that the minimum distance between you and any pedestrian or two-wheeled vehicle you overtake should be 1.50 metres.
- When you are driving, don't set yourself any targets, times or distances.
- Match your speed to the road conditions.
- Wear comfortable clothes and suitable footwear for driving.
- Keep any personal possessions or objects you may need during the journey within reach.
- If you wear spectacles, remember to take your spare pair with you.

5. Preparing for the journey

Before starting your journey, call the Traffic Information Centre (tel.: 900 123 505) and ask for information about the traffic conditions on the road you intend to use, as well as information about the weather conditions forecast in the area, alternative routes you may take if there are traffic holdups and any other information you may need.
- Plan your journey carefully in advance and, if possible, avoid travelling on busy days and during the rush hour.
- If you have enough time, chose routes which will be less busy, provided that they are safe.
- If possible, leave early on your outbound journey and delay your return journey so as to avoid the busiest times.

6. Safety belt, passengers and loads

- Wear your safety belt whenever travelling in urban areas or on roads connecting urban centres. Use of the safety belt is compulsory for the driver and for the passenger sitting beside him. Rear seat passengers must use safety belts if these have been fitted.
- Avoid carrying excess luggage. Only carry what is absolutely essential and pack it properly. If possible, it is better to avoid using a roof rack.
- Objects should not be loaded in a way which creates an obstacle to clear visibility for the driver using the rear view mirror. Make sure that the load is balanced in the car.
- Children under the age of 12 are forbidden from travelling in the front seat of a car unless they use approved devices for this purpose.
- The maximum number of people carried must never exceed the number of places which the vehicle is authorised to have and all passengers must be seated in the places provided for them.

7. Restrictions on heavy vehicles

In order to increase road safety and ease the flow of traffic along Spanish roads, the Central Traffic Authority passed a Resolution on 4th March 1993 which restricts the use of goods transport vehicles weighing more than 3,500 kg on specific roads at certain times of the year.

Ideally, hauliers should avoid travelling along the busiest roads on the days and at the times during which these special measures are in force. If their journey is unavoidable they should use an alternative route.

For this purpose they can call the 24 hour traffic information service (tel.: 900 123 505) or one of the provincial traffic authorities for information about the alternative routes provided.

Depending on traffic conditions during the hours when vehicles affected by the restrictions are allowed to travel, officers of the traffic department of the Civil Guard may space out these vehicles and, if required by circumstances, they may halt them temporarily in accordance with the terms of article 39.2 of the Spanish Highway Code.

Índice de topónimos / *Place index*

A

Alpandeire

Aldehuela del Rincón E (So.) 63 C1
Aldehuela, La E (Áv.) 99 A2
Aldehuela, La E (Mad.) 102 A5
Aldehuelas, Las E (So.) 43 D5
Aldeia P (Ave.) 73 D2
Aldeia P (San.) 112 B1
Aldeia P (Vis.) 74 D3
Aldeia Ana de Aviz P (Lei.) 94 B5
Aldeia Cimeira P (C. B.) 113 A1
Aldeia da Biscaia P (Év.) 128 B5
Aldeia da Cruz P (Lei.) 94 B5
Aldeia da Dona P (Guar.) 96 C1
Aldeia da Mata P (Por.) 113 A4
Aldeia da Ponte P (Guar.) 96 C1
Aldeia da Portela P (Set.) 126 D5
Aldeia da Ribeira P (C. B.) 94 C5
Aldeia da Ribeira P (Guar.) 96 C1
Aldeia da Ribeira P (San.) 111 B3
Aldeia da Serra P (Év.) 128 C3
Aldeia da Serra P (Guar.) 75 D5
Aldeia da Serra P (Lei.) 112 A1
Aldeia da Tôr P (Fa.) 174 C2
Aldeia das Amoreiras P (Be.) 160 A1
Aldeia das Dez P (Co.) 95 A2
Aldeia de Além P (San.) 111 B3
Aldeia de Eiras P (San.) 112 D2
Aldeia de Ferreira P (Év.) 129 C5
Aldeia de Irmãos P (Set.) 126 D5
Aldeia de Joanes P (C. B.) 95 C3
Aldeia de João Pires P (C. B.) 96 A4
Aldeia de Nacomba P (Vis.) 75 C2
Aldeia de Paio Pires P (Set.) 126 D4
Aldeia de Palheiros P (Be.) 160 A2
Aldeia de Ruins P (Be.) 144 A4
Aldeia de Santa Margarida P (C. B.) 96 A4
Aldeia de Santa Margarida P (San.) 112 B3
Aldeia de Santo António P (Guar.) 96 B2
Aldeia de São Brás do Regedouro P (Év.) 144 C1
Aldeia do Bispo P (C. B.) 96 A3
Aldeia do Bispo P (Guar.) 96 A1
Aldeia do Bispo P (Guar.) 96 C2
Aldeia do Cano P (Set.) 143 C5
Aldeia do Carvalho P (C. B.) 95 C2
Aldeia do Carvalho P (Vis.) 75 A5
Aldeia do Futuro P (Set.) 143 C2
Aldeia do Juzo P (Lis.) 126 B3
Aldeia do Mato P (San.) 112 B2
Aldeia do Meco P (Set.) 126 C5
Aldeia do Pinto P (Be.) 145 B5
Aldeia do Pombal P (Por.) 129 D2
Aldeia do Souto P (C. B.) 95 D2
Aldeia dos Delbas P (Be.) 144 A5
Aldeia dos Fernandes P (Be.) 160 B2
Aldeia dos Gagos P (San.) 112 B1
Aldeia dos Neves P (Be.) 160 C2
Aldeia Formosa P (Co.) 95 A1
Aldeia Fundeira P (Lei.) 94 B4
Aldeia Galega da Merceana P (Lis.) 110 D5
Aldeia Gavinha P (Lis.) 110 D5
Aldeia Grande P (Lis.) 110 D5
Aldeia Grande P (Set.) 127 A5
Aldeia Nova P (Bra.) 57 D3
Aldeia Nova P (Év.) 129 C3
Aldeia Nova P (Guar.) 76 C4
Aldeia Nova P (Guar.) 75 D4
Aldeia Nova P (Guar.) 96 A1
Aldeia Nova P (San.) 111 D1
Aldeia Nova P (Vis.) 75 B3
Aldeia Nova do Cabo P (C. B.) 95 C3
Aldeia Novada Favela P (Be.) 160 B2
Aldeia Novado Barroso P (V. R.) 55 B1
Aldeia Rica P (Guar.) 75 D4
Aldeia São Francisco de Assis P (C. B.) 95 B3
Aldeia Velha P (Co.) 94 D3
Aldeia Velha P (Guar.) 96 C2
Aldeia Velha P (Guar.) 75 D4
Aldeia Velha P (Por.) 128 C1
Aldeia Viçosa P (Guar.) 75 D5
Aldeias P (Guar.) 95 C1
Aldeias P (Vis.) 75 B1
Aldeias de Montoito P (Év.) 129 B5
Aldeire E (Gr.) 182 D1
Aldeonsancho E (Seg.) 81 C1
Aldeonte E (Seg.) 61 D5
Aldeyuso E (Vall.) 61 A3
Aldixe E (Lu.) 3 D4
Aldosende E (Lu.) 15 C4
Aldover E (Ta.) 88 C3
Aldreu P (Br.) 53 D2
Aleas E (Gua.) 82 C3
Aledo E (Mu.) 171 B1
Alegia/Alegría de Oria E (Gui.) 24 B2
Alegrete P (Por.) 113 D5
Alegría de Oria → Alegia E (Gui.) 24 B2
Alegría-Dulantzi E (Ál.) 23 C4
Aleixar, l' E (Ta.) 69 B5
Aleje E (Le.) 19 C4
Alejos, Los E (Alb.) 154 A1
Alella E (Bar.) 71 B3
Além do Rio P (V. C.) 53 C1
Alencarce de Baixo P (Co.) 93 D3
Alencarce de Cima P (Co.) 93 D3
Alende E (Po.) 14 A5
Alenquer P (Lis.) 127 A1
Alentisca P (Por.) 129 D2
Alentisque E (So.) 64 A4
Alentorn E (Ll.) 49 B5
Aler E (Hues.) 48 B4
Alera E (Zar.) 45 C3
Alerre E (Hues.) 46 D4
Alesanco E (La R.) 43 A2
Alesón E (La R.) 43 B2
Alfacar E (Gr.) 168 A5
Alfafar E (Val.) 125 A4
Alfafar P (Co.) 94 A3
Alfafara E (Ali.) 140 D4
Alfahuara E (Alm.) 170 B2
Alfaião P (Bra.) 57 A1
Alfaiates P (Guar.) 96 C1
Alfaix E (Alm.) 184 D1
Alfajarín E (Zar.) 66 C3
Alfambra E (Te.) 106 A1
Alfambras P (Fa.) 159 A4
Alfamén E (Zar.) 65 C4
Alfândega da Fé P (Bra.) 56 C4
Alfántega E (Hues.) 67 D1
Alfanzina P (Fa.) 173 D3
Alfara de Algimia E (Val.) 125 A1
Alfara de Carles E (Ta.) 88 B3
Alfara del Patriarca E (Val.) 125 A3
Alfaraz de Sayago E (Zam.) 78 A1
Alfarazes P (Guar.) 76 A5
Alfarb → Alfarp E (Val.) 124 D5
Alfarela de Jales P (V. R.) 55 C4
Alfarim P (Set.) 126 C5
Alfarnate E (Mál.) 180 D2
Alfarnatejo E (Mál.) 180 D2
Alfaro E (La R.) 44 D4
Alfarp/Alfarb E (Val.) 124 D5
Alfarràs E (Ll.) 68 C1
Alfarrasí E (Val.) 141 A3
Alfàs del Pi, l' E (Ali.) 141 C5
Alfauir E (Val.) 141 B3
Alfávila, La E (J.) 167 B3
Alfeiçao P (Fa.) 174 C2
Alfeiria P (Lis.) 126 D1
Alfeizerão P (Lei.) 110 D2
Alfena P (Port.) 54 A5
Alfera, La E (Alb.) 154 A1
Alferce P (Fa.) 159 D4
Alferrarede P (San.) 112 B3
Alfés E (Ll.) 68 C3
Alfinach E (Val.) 125 B2
Alfocea E (Zar.) 66 A2
Alfondeguilla/Fondeguilla E (Cas.) 125 B1
Alfoquia, La E (Alm.) 170 C4
Alforgemel P (San.) 111 B4
Alforja E (Ta.) 69 B5
Alfornón E (Gr.) 182 C3
Alforque E (Zar.) 67 A5
Alfouvar de Baixo P (Lis.) 126 C2
Alfouvés P (San.) 111 B4
Alfoz E (Lu.) 4 A3
Alfoz de Bricia E (Bur.) 21 C3
Alfrivida P (C. B.) 113 C1
Alfundão P (Be.) 144 B3
Algaba, La E (Sev.) 163 D3
Algadefe E (Le.) 38 D3
Algaiarens, lugar E (Bal.) 90 B1
Algaiat → Algayat E (Ali.) 156 B2
Algaida E (Bal.) 92 A4
Algaida E (Mu.) 155 D4
Algaida y Gata E (Cór.) 166 D5
Algaida, La E (Alm.) 183 C4
Algaida, La E (Cád.) 177 B3
Algaidón, El E (Mu.) 154 D2
Algalé P (Set.) 144 A2
Algallarín E (Cór.) 150 C5
Algámitas E (Sev.) 179 B2
Algar E (Cád.) 178 C4
Algar E (Cór.) 166 D4
Algar de Mesa E (Gua.) 84 C1
Algar de Palancia E (Val.) 125 A1
Algar, El E (Mu.) 172 C2
Algarão P (Lei.) 111 A3
Algarbes, Los E (Cór.) 165 D2
Algarga E (Gua.) 102 D4
Algarinejo E (Gr.) 167 A5
Algarra E (Cu.) 105 B5
Algarrobo E (Mál.) 181 B4
Algarrobo-Costa E (Mál.) 181 B4
Algars E (Ali.) 141 A4
Algarvia P (Aç.) 109 D4
Algatocín E (Mál.) 187 B1
Algayat/Algaiat E (Ali.) 156 B2
Algayón E (Hues.) 68 B1
Algaz P (San.) 112 A2
Alge P (Lei.) 94 B4
Algeciras E (Cád.) 187 A4
Algemesí E (Val.) 141 A1
Algeráz P (Vis.) 75 A5
Algeriz P (V. R.) 55 D3
Algerri E (Ll.) 68 C1
Algeruz P (Set.) 127 B4
Algés P (Lis.) 126 C3
Algete E (Mad.) 82 A5
Algezares E (Mu.) 156 A5
Algide P (Br.) 54 D4
Algimia de Alfara E (Val.) 125 A2
Algimia de Almonacid E (Cas.) 107 A5
Alginet E (Val.) 125 A5
Algoceira P (Be.) 159 B2
Algoda-Matola E (Ali.) 156 C3
Algodonales E (Cád.) 178 D3
Algodor E (Mad.) 101 C5
Algodor P (Be.) 161 A1
Algodre E (Zam.) 58 D3
Algodres P (Guar.) 75 C4
Algodres P (Guar.) 76 B2
Algora E (Gua.) 83 B3
Algorfa E (Ali.) 156 C4
Algorós E (Ali.) 156 C3
Algosinho P (Bra.) 57 B5
Algoso P (Bra.) 57 B4
Algoz P (Fa.) 174 A2
Alguaire E (Ll.) 68 C2
Alguazas E (Mu.) 155 D4
Alguber P (Lis.) 111 A4
Algueirão Mem Martins P (Lis.) 126 B2
Alguenya, l' → Algueña E (Ali.) 156 B2
Algueña/Alguenya, l' E (Ali.) 156 B2
Alhabia E (Alm.) 183 C2
Alhadas P (Co.) 93 C2
Alhagüeces E (Mu.) 171 A1
Alhais P (Lei.) 93 B4
Alhais P (Vis.) 75 B3
Alhama E (Ali.) 141 D5
Alhama de Almería E (Alm.) 183 D2
Alhama de Aragón E (Zar.) 64 C5
Alhama de Granada E (Gr.) 181 B2
Alhama de Murcia E (Mu.) 171 C1
Alhambra E (C. R.) 136 D3
Alhambras, Las E (Te.) 106 B4
Alhanchete, El E (Alm.) 170 D5
Alhandra P (Lis.) 127 A2
Alharilla E (J.) 151 A5
Alhaurín de la Torre E (Mál.) 180 B5
Alhaurín el Grande E (Mál.) 180 A5
Alhendín E (Gr.) 181 D1
Alhões P (Vis.) 74 D2
Alhóndiga E (Gua.) 103 A1
Alhondiguilla, La E (Gr.) 167 C4
Alhos Vedros P (Set.) 126 D4
Alía E (Các.) 117 B4
Aliaga E (Te.) 86 C5
Aliaguilla E (Cu.) 123 C2
Alias, Los E (Alm.) 184 C1
Alicante/Alacant E (Ali.) 157 C2
Alicate E (Mál.) 188 A2
Alicún E (Alm.) 183 C2
Alicún de Ortega E (Gr.) 168 D3
Alienes E (Ast.) 5 C4
Alija de la Ribera E (Le.) 38 D1
Alija del Infantado E (Le.) 38 B4
Alijão P (Br.) 54 D4
Alijó P (V. R.) 55 D5
Alimonde P (Bra.) 56 D1
Alins E (Hues.) 48 C1
Alins E (Ll.) 29 C5
Alins del Monte E (Hues.) 48 A5
Alinyà E (Ll.) 49 D3
Alió E (Ta.) 69 D5
Alique E (Gua.) 103 C1
Alisar, El E (Sev.) 163 C2
Aliseda E (Các.) 114 D4
Aliseda de Tormes, La E (Áv.) 99 A2
Alisios, Los E (S. Cruz T.) 196 B2
Alitaje E (Gr.) 167 D5
Aliud E (So.) 64 A3
Aljabaras, Las E (Cór.) 149 A5
Aljambra E (Alm.) 170 C4
Aljaraque E (Huel.) 176 B2
Aljariz E (Alm.) 170 D5
Aljezur P (Fa.) 159 B4
Aljibe y las Brancas de Sicilia, El E (Mu.) 171 A2
Aljorra, La E (Mu.) 172 B2
Aljubarrota P (Lei.) 111 A2
Aljube E (Alb.) 139 A5
Aljucén E (Bad.) 131 B2
Aljucer E (Mu.) 156 A5
Ajustrel P (Be.) 144 B5
Alkaiaga E (Na.) 12 D5
Alkiza E (Gui.) 24 B1
Alkotz E (Na.) 24 D3
Almaça P (Vis.) 94 C1
Almaceda P (C. B.) 95 B4
Almacelles E (Ll.) 68 B2
Almácetas, Las, lugar E (Alm.) 169 D4
Almáciga E (S. Cruz T.) 196 C1
Almaciles E (Gr.) 154 A5
Almáchar E (Mál.) 180 D4
Almada P (Set.) 126 C4
Almada de Ouro P (Fa.) 161 C4
Almadén E (C. R.) 133 D4
Almadén de la Plata E (Sev.) 147 D5
Almadena P (Fa.) 173 B2
Almadenejos E (C. R.) 134 A4
Almadenes E (Mu.) 155 B3
Almadrones E (Gua.) 83 B3
Almafrà E (Ali.) 156 C1
Almagarinos E (Le.) 17 D5
Almagreira P (Aç.) 109 D5
Almagreira P (Lei.) 93 C4
Almagro E (C. R.) 135 D3
Almagros, Los E (Mu.) 171 D1
Almajalejo E (Alm.) 170 C4
Almajano E (So.) 63 D1
Almajar E (Cád.) 177 C5
Almalaguês P (Co.) 94 A3
Almaluez E (So.) 64 A5
Almandoz E (Na.) 25 A2
Almansa E (Alb.) 140 A3
Almansas, Las E (J.) 152 D5
Almansil P (Fa.) 174 C3
Almanza E (Le.) 19 D5
Almanzora E (Alm.) 170 C4
Almarail E (So.) 63 D3
Almaraz E (Các.) 116 C1
Almaraz de Duero E (Zam.) 58 B4
Almarcha, La E (Cu.) 121 D2
Almarchal, El E (Cád.) 186 B4
Almarda E (Val.) 125 C2
Almargem P (Vis.) 75 A3
Almargem do Bispo P (Lis.) 126 C2
Almargen E (Mál.) 179 C2
Almargens P (Fa.) 174 D2
Almarza E (So.) 43 D5
Almarza de Cameros E (La R.) 43 C3
Almàssera E (Val.) 125 B3
Almassora → Almazora E (Cas.) 107 C5
Almatret E (Ll.) 68 B5
Almatriche E (Las P.) 191 D1
Almayate Alto E (Mál.) 181 A4
Almayate Bajo E (Mál.) 181 A4
Almazán E (So.) 63 C4
Almazcara E (Le.) 17 B5
Almazora/Almassora E (Cas.) 107 C5
Almazorre E (Hues.) 47 C3
Almazul E (So.) 64 B3
Almedíjar E (Cas.) 125 A1
Almedina E (C. R.) 137 A5
Almedina, La, lugar E (J.) 152 D5
Almedinilla E (Cór.) 167 A4
Almegíjar E (Gr.) 182 C3
Almeida P (Guar.) 76 C4
Almeida de Sayago E (Zam.) 58 A5
Almeidinha P (Vis.) 75 B5
Almeirim P (Be.) 160 B1
Almeirim P (San.) 111 C5
Almenar E (Ll.) 68 C1
Almenar de Soria E (So.) 64 A2
Almenara E (Cas.) 125 B1
Almenara de Adaja E (Vall.) 80 B1
Almenara de Tormes E (Sa.) 78 B2
Almendra E (Sa.) 57 C5
Almendra E (Zam.) 58 B3
Almendra P (Guar.) 76 B2
Almendral E (Bad.) 130 C5
Almendral E (Các.) 97 D4
Almendral de la Cañada E (To.) 100 A3
Almendral, El E (Alm.) 183 D1
Almendral, El E (Cád.) 185 D1
Almendral, El E (Gr.) 181 A2
Almendralejo E (Bad.) 131 B4
Almendricos E (Mu.) 171 A4
Almendro, El E (Huel.) 161 D3
Almendros E (Cu.) 103 A5
Almendros, Los E (Mad.) 102 A3
Almendros, Los E (Sa.) 78 C2
Almensilla E (Sev.) 163 D4
Almería E (Alm.) 183 D3
Almerimar E (Alm.) 183 B4
Almeza, La E (Val.) 106 A5
Almicerán, El E (J.) 169 B1
Almiruete E (Gua.) 82 C2
Almiserà E (Val.) 141 B3
Almoçageme P (Lis.) 126 B2
Almocáizar E (Alm.) 184 C1
Almócita E (Alm.) 183 B2
Almochuel E (Zar.) 66 D5
Almodôvar P (Be.) 160 C2
Almodóvar del Campo E (C. R.) 134 D4
Almodóvar del Pinar E (Cu.) 122 C2
Almodóvar del Río E (Cór.) 165 C1
Almofala P (Guar.) 76 D3
Almofala P (Vis.) 75 B2
Almofala P (Vis.) 74 C5
Almofrela P (Port.) 54 D5
Almogadel P (San.) 112 A1
Almogía E (Mál.) 180 B3
Almograve P (Be.) 159 B1
Almoguera E (Gua.) 102 D3
Almohaja E (Te.) 85 B5
Almoharín E (Các.) 131 D1
Almoines E (Val.) 141 C2
Almoinha P (Set.) 126 D5
Almolda, La E (Zar.) 67 B3
Almonacid de la Cuba E (Zar.) 66 B5
Almonacid de la Sierra E (Zar.) 65 C4
Almonacid de Toledo E (To.) 119 C2
Almonacid de Zorita E (Gua.) 103 A2
Almonacid del Marquesado E (Cu.) 121 B1
Almonaster la Real E (Huel.) 146 C5
Almonda P (San.) 111 C3
Almontarás E (Gr.) 169 B1
Almonte E (Huel.) 163 A5
Almoradí E (Ali.) 156 C4
Almoraima E (Cád.) 187 A3
Almorchón E (Bad.) 133 A4
Almornos P (Lis.) 126 C2
Almorox E (To.) 100 C3
Almorquim P (Lis.) 126 B2
Almoster E (Ta.) 69 B5
Almoster P (Lei.) 94 A5
Almoster P (San.) 111 B4
Almudáfar E (Hues.) 68 A2
Almudaina E (Ali.) 141 B4
Almudaina, S' E (Bal.) 90 B2
Almudena, La E (Mu.) 154 C5
Almudévar E (Hues.) 46 C5
Almunia de Doña Godina, La E (Zar.) 65 C4
Almunia de San Juan E (Hues.) 48 A5
Almunia del Romeral, La E (Hues.) 47 A3
Almunias, Las E (Hues.) 47 C3
Almuniente E (Hues.) 47 A5
Almuña E (Ast.) 5 C3
Almuñécar E (Gr.) 181 D4
Almuradiel E (C. R.) 152 A1
Almussafes E (Val.) 125 A5
Alobras E (Te.) 105 C3
Alocén E (Gua.) 103 B1
Alojera E (S. Cruz T.) 194 B1
Alomartes E (Gr.) 167 C5
Alón E (A Co.) 13 D2
Alonso de Ojeda E (Các.) 132 A1
Alonsotegi E (Viz.) 22 D1
Aloños E (Can.) 21 C1
Álora E (Mál.) 180 A3
Alorna P (San.) 111 C5
Alòs de Balaguer E (Ll.) 49 A5
Alós d'Isil E (Ll.) 29 B4
Alosno E (Huel.) 162 A2
Alovera E (Gua.) 82 C5
Alozaina E (Mál.) 179 D4
Alp E (Gi.) 50 C2
Alpalhão P (Por.) 113 B4
Alpandeire E (Mál.) 179 B5

Alpanseque

Alpanseque	E	(So.)	83	B1
Alparatas, Las	E	(Alm.)	184	D1
Alparrache	E	(So.)	63	D3
Alpartir	E	(Zar.)	65	C4
Alpatró	E	(Ali.)	141	B3
Alpedreira	P	(Por.)	130	A3
Alpedrete	E	(Mad.)	81	B5
Alpedrete de la Sierra	E	(Gua.)	82	B3
Alpedrinha	P	(C. B.)	95	C3
Alpedriz	P	(Lei.)	111	A1
Alpedroches	E	(Gua.)	83	A1
Alpens	E	(Bar.)	50	D3
Alpeñes	E	(Te.)	86	A4
Alpera	E	(Alb.)	139	D2
Alpiarça	P	(San.)	111	D4
Alpicat	E	(Ll.)	68	C2
Alporchinhos	P	(Fa.)	173	D3
Alporchones	E	(Mu.)	171	B2
Alportel	P	(Fa.)	174	D2
Alpouvar	P	(Fa.)	174	A2
Alpuente	E	(Val.)	124	A1
Alqueidão	P	(Co.)	93	C3
Alqueidão	P	(Co.)	95	B3
Alqueidão	P	(Lei.)	94	A5
Alqueidão	P	(Lis.)	126	B2
Alqueidão	P	(San.)	111	D1
Alqueidão	P	(San.)	111	D2
Alqueidão	P	(San.)	111	B3
Alqueidão	P	(San.)	112	B2
Alqueidão	P	(San.)	111	C3
Alqueidão da Serra	P	(Lei.)	111	B2
Alqueidão de Arrimal	P	(Lei.)	111	B2
Alqueidão de Santo Amaro	P	(San.)	112	B1
Alqueidão do Mato	P	(San.)	111	B3
Alquería	E	(Mál.)	180	D3
Alquería Blanca	E	(Bal.)	92	C5
Alqueria d'Asnar, l'	E	(Ali.)	141	A4
Alquería de Abajo, La	E	(Alm.)	170	B1
Alqueria de la Comtessa, l' → Alquería de la Condesa	E	(Val.)	141	C3
Alquería de la Condesa/Alqueria de la Comtessa, l'	E	(Val.)	141	C3
Alquería del Fargue	E	(Gr.)	182	A1
Alquería, La	E	(Alm.)	183	A4
Alquería, La	E	(Gr.)	169	D2
Alquería, La	E	(Mál.)	180	B4
Alquería, La	E	(Mu.)	155	C1
Alquerías → Lugar de Casillas	E	(Mu.)	156	A4
Alquerías del Niño Perdido/Alqueries, les	E	(Cas.)	107	C5
Alquerías Valencia	E	(Cas.)	125	C1
Alqueries de Benifloret	E	(Ali.)	141	A4
Alqueries, les → Alquerías del Niño Perdido	E	(Cas.)	107	C5
Alquerubim	P	(Ave.)	74	A4
Alqueva	P	(Év.)	145	B2
Alqueve	P	(Co.)	94	D2
Alquézar	E	(Hues.)	47	C4
Alquián, El	E	(Alm.)	184	A3
Alquibla, La	E	(Mu.)	155	C4
Alquife	E	(Gr.)	182	D1
Alquité	E	(Seg.)	62	B5
Alsasua → Altsasu	E	(Na.)	24	A3
Alsodux	E	(Alm.)	183	C2
Alta Mora	P	(Fa.)	161	B4
Altabix	E	(Ali.)	156	D2
Altable	E	(Bur.)	42	D1
Altafulla	E	(Ta.)	89	D1
Altamira	E	(A Co.)	2	C4
Altamira-San Kristobal	E	(Viz.)	11	B4
Altamiros	E	(Áv.)	79	D5
Altarejos	E	(Cu.)	121	D1
Alte	P	(Fa.)	174	B2
Altea	E	(Ali.)	141	D5
Altea la Vella → Altea la Vieja	E	(Ali.)	141	D5
Altea la Vieja/Altea la Vella	E	(Ali.)	141	D5
Alter do Chão	P	(Por.)	113	B5
Alter Pedroso	P	(Por.)	113	B5
Altet	E	(Ll.)	69	C2
Altet, El/Altet, l'	E	(Ali.)	157	C2
Altet, l' → Altet, El	E	(Ali.)	157	C2
Altico, El	E	(Alb.)	138	A5
Altico, El	E	(J.)	151	D3
Alto	E	(Lu.)	16	A3
Alto	E	(Lu.)	15	D2
Alto da Guerra	P	(Set.)	127	A5
Alto da Serra	P	(San.)	111	A3
Alto de la Mesa	E	(Huel.)	163	A1
Alto de la Muela	E	(Zar.)	65	D3
Alto do Moinho	P	(Set.)	126	C4
Alto Fica	P	(Fa.)	174	B2
Alto Palomo	E	(Mu.)	155	C3
Altobar de la Encomienda	E	(Le.)	38	C4
Altobordo	E	(Mu.)	171	B3
Altorricón	E	(Hues.)	68	B1
Altos-Arroyos, Los	E	(S. Cruz T.)	196	A2
Altsasu/Alsasua	E	(Na.)	24	A3
Altura	E	(Cas.)	124	D1
Altura	P	(Fa.)	175	B2
Alturas do Barroso	P	(V. R.)	55	B2
Altzaa	E	(Viz.)	23	C1
Altzaga	E	(Gui.)	24	B2
Altzibar-Karrika	E	(Gui.)	12	C5
Altzo	E	(Gui.)	24	B2
Altzola	E	(Gui.)	23	D1
Altzorritz → Alzórriz	E	(Na.)	25	B5
Altzusta	E	(Viz.)	23	B2
Alumbres	E	(Mu.)	172	C2
Alustante	E	(Gua.)	85	A5
Alva	P	(Vis.)	74	D3
Alvações de Tanha	P	(V. R.)	55	B5
Alvações do Corgo	P	(V. R.)	55	B5
Alvadia	P	(V. R.)	55	B3
Alvados	P	(Lei.)	111	C2
Alvaiade	P	(C. B.)	113	B1
Alvaiázere	P	(Lei.)	94	A5
Alvalade	P	(Set.)	143	D4
Alvarado-La Risca	E	(Bad.)	130	C3
Alvarães	P	(V. C.)	53	D2
Alvaré	E	(Ast.)	6	C2
Alvaredo	P	(V. C.)	34	C3
Alvaredos	P	(Bra.)	56	C1
Alvarelhos	P	(Port.)	54	A4
Alvarelhos	P	(V. R.)	56	A2
Alvarenga	P	(Ave.)	74	C2
Alvarenga	P	(Port.)	54	C4
Alvares	P	(Be.)	161	A1
Alvares	P	(Co.)	94	C4
Alvarim	P	(Ave.)	74	B5
Alvarim	P	(Vis.)	94	C1
Alvarinhos	P	(Lis.)	126	B2
Álvaro	P	(C. B.)	94	D4
Alvega	P	(San.)	112	C3
Alveite Grande	P	(Co.)	94	B2
Alveite Pequeno	P	(Co.)	94	C3
Alvelos	P	(Br.)	54	A3
Alvendre	P	(Guar.)	76	A5
Alverca da Beira	P	(Guar.)	76	A4
Alverca do Ribatejo	P	(Lis.)	126	D2
Alves	P	(Be.)	161	B2
Alvide	P	(Lis.)	126	B3
Alviobeira	P	(San.)	112	A1
Alvisquer	P	(Por.)	112	D3
Alvite	P	(Br.)	54	D3
Alvite	P	(V. R.)	55	B3
Alvite	P	(Vis.)	75	B2
Alvites	P	(Bra.)	56	B3
Alvito	P	(Be.)	144	C2
Alvito	P	(Br.)	54	A2
Alvito da Beira	P	(C. B.)	95	A5
Alvoco da Serra	P	(Guar.)	95	B2
Alvoco das Várzeas	P	(Co.)	95	A2
Alvoeira	P	(Co.)	94	D2
Alvor	P	(Fa.)	173	C2
Alvora	P	(V. C.)	34	B5
Alvorge	P	(Lei.)	94	A4
Alvorninha	P	(Lei.)	111	A3
Alvre	P	(Port.)	74	B1
Alxán	E	(Po.)	34	A3
Alxán	E	(Po.)	34	A2
Alzina, l'	E	(Ll.)	69	C1
Alzinar, l'	E	(Bar.)	70	B4
Alzira	E	(Val.)	141	A1
Alzórriz/Altzorritz	E	(Na.)	25	B5
Allariz	E	(Our.)	35	B3
Allariz	E	(Po.)	33	D1
Allendelagua	E	(Can.)	10	C4
Allepuz	E	(Te.)	106	C1
Alles	E	(Ast.)	8	B5
Allo	E	(Na.)	44	B1
Allonca, A	E	(Lu.)	16	D1
Alloza	E	(Te.)	86	D3
Allueva	E	(Te.)	86	A2
Amadora	P	(Lis.)	126	C3
Amaiur/Maia	E	(Na.)	25	B1
Amalloa	E	(Viz.)	11	C5
Amandi	E	(Ast.)	7	A4
Amarante	E	(Lu.)	15	B4
Amarante	P	(Port.)	54	D5
Amareleja	P	(Be.)	145	D3
Amarelhe	P	(Port.)	74	D1
Amarelle	E	(A Co.)	14	C2
Amares	P	(Br.)	54	B2
Amarguilla	E	(Alm.)	169	C5
Amaro	P	(Fa.)	175	A3
Amasa	E	(Gui.)	24	B1
Amatos	E	(Sa.)	78	D3
Amatos de Alba	E	(Sa.)	78	D3
Amatos de Salvatierra	E	(Sa.)	78	C5
Amatriáin	E	(Na.)	45	A1
Amavida	E	(Áv.)	79	C5
Amaya	E	(Bur.)	21	A5
Amayas	E	(Gua.)	84	C2
Amayuelas de Arriba	E	(Pa.)	40	C3
Ambás	E	(Ast.)	6	C3
Ambasaguas	E	(Viz.)	22	B1
Ambasaguas de Curueño	E	(Le.)	19	A5
Ambel	E	(Zar.)	65	A2
Ambingue	E	(Ast.)	7	B5
Ambite	E	(Mad.)	102	C2
Ambres	E	(Ast.)	17	C1
Ambroa	E	(A Co.)	3	A4
Ambrona	E	(So.)	83	C1
Ambrosero	E	(Can.)	10	A4
Ambroz	E	(Gr.)	181	D1
Ameal	P	(Ave.)	74	B3
Ameal	P	(Lei.)	94	B4
Ameal	P	(Lis.)	110	C5
Amedo	P	(Bra.)	56	A5
Ameixede	P	(Port.)	74	C1
Ameixeira	E	(Po.)	34	C3
Ameixenda	E	(A Co.)	13	B2
Ameixenda	E	(A Co.)	14	A2
Ameixial	P	(Fa.)	160	C4
Ameixial	P	(San.)	127	D1
Ameixiosa	P	(Vis.)	74	D2
Ameixoeira	P	(Lis.)	126	C3
Amêndoa	P	(C. B.)	112	C2
Amendoeira	P	(Bra.)	56	C3
Amendoeira da Serra	P	(Be.)	161	A1
Amendoeira do Campo	P	(Be.)	144	D5
Amer	E	(Gi.)	51	D4
Ames	E	(A Co.)	14	A3
Ames	E	(A Co.)	14	A2
Améscoa Baja	E	(Na.)	24	B4
Ametlla de Casserres, l'	E	(Bar.)	50	C4
Ametlla de Mar, l'	E	(Ta.)	89	A3
Ametlla de Merola, l'	E	(Bar.)	50	C5
Ametlla del Vallès, l'	E	(Bar.)	71	B2
Ameyugo	E	(Bur.)	22	D5
Amezketa	E	(Gui.)	24	B2
Amiadoso	E	(Our.)	35	B3
Amiais	P	(Vis.)	75	B4
Amiais de Baixo	P	(San.)	111	C3
Amiais de Cima	P	(San.)	111	C3
Amial	P	(Ave.)	74	A4
Amieira	P	(C. B.)	94	D4
Amieira	P	(Co.)	93	D2
Amieira	P	(Év.)	145	B2
Amieira	P	(Lei.)	93	B5
Amieira	P	(San.)	111	D1
Amieira Cova	P	(Por.)	112	D3
Amieira do Tejo	P	(Por.)	113	A3
Amieiro	P	(V. R.)	55	D5
Amil	E	(Po.)	14	A5
Amioso	P	(C. B.)	94	C5
Amioso do Senhor	P	(Co.)	94	C4
Amiudal	E	(Our.)	34	C1
Amoedo	E	(Po.)	34	A2
Amoeiro	E	(Our.)	35	A1
Amonde	P	(V. C.)	53	D1
Amor	P	(Lei.)	93	B5
Amora	P	(Set.)	126	D4
Amorebieta	E	(Viz.)	23	B1
Amoreira	P	(Co.)	94	C4
Amoreira	P	(Fa.)	161	A4
Amoreira	P	(Guar.)	76	B5
Amoreira	P	(Lei.)	110	D3
Amoreira	P	(Lis.)	126	C2
Amoreira	P	(Por.)	128	B1
Amoreira	P	(San.)	127	D1
Amoreira	P	(San.)	112	B3
Amoreira da Gândara	P	(Ave.)	74	A5
Amoreiras	P	(Guar.)	76	A5
Amoreiras	P	(Vis.)	75	A1
Amoreiras-Gare	P	(Be.)	159	D1
Amorim	P	(Port.)	53	D3
Amorín	E	(Po.)	33	D4
Amoroce	E	(Our.)	35	A3
Amorosa	P	(Fa.)	160	A4
Amoroto	E	(Viz.)	11	C5
Amparo, El	E	(S. Cruz T.)	195	C2
Ampolla, l'	E	(Ta.)	88	D3
Amposta	E	(Ta.)	88	C4
Ampudia	E	(Pa.)	60	A1
Ampuero	E	(Can.)	10	B5
Ampuyenta, La	E	(Las P.)	190	A3
Amurrio	E	(Ál.)	22	D2
Amusco	E	(Pa.)	40	C4
Amusquillo	E	(Vall.)	60	D2
Anadia	P	(Ave.)	94	A1
Anadón	E	(Te.)	86	A2
Anagueis	P	(Co.)	94	A3
Anais	P	(V. C.)	54	A1
Anaya	E	(Seg.)	80	D3
Anaya de Alba	E	(Sa.)	78	D4
Anayo	E	(Ast.)	7	B4
Anca	E	(A Co.)	3	A3
Ança	P	(Co.)	94	A2
Ancas	P	(Ave.)	74	A5
Ancede	P	(Port.)	74	D1
Ancéis	E	(A Co.)	2	C4
Anciles	E	(Hues.)	28	B5
Ancillo	E	(Can.)	10	A4
Ancín/Antzin	E	(Na.)	24	A5
Anclas, Las	E	(Gua.)	103	B1
Ancorados	E	(Po.)	14	B4
Anços	P	(Lei.)	93	D4
Anchuela del Campo	E	(Gua.)	84	C2
Anchuela del Pedregal	E	(Gua.)	84	D4
Anchuelo	E	(Mad.)	102	B1
Anchuras	E	(C. R.)	117	D4
Andabao	E	(A Co.)	14	D2
Andaluz	E	(So.)	63	A4
Andam	P	(Lei.)	111	B2
Andatza	E	(Gui.)	24	B1
Andavías	E	(Zam.)	58	B3
Andeiro	E	(A Co.)	2	C4
Andenes, Los	E	(S. Cruz T.)	196	B2
Andés	E	(Ast.)	5	A3
Andilla	E	(Val.)	124	B1
Andoain	E	(Gui.)	24	B1
Andoin	E	(Ál.)	24	A4
Andoio	E	(A Co.)	2	B5
Andorinha	P	(Co.)	94	D1
Andorinha	P	(Co.)	93	D2
Andorra	E	(Te.)	87	A2
Andorra la Vella	A	49	D	1
Andosilla	E	(Na.)	44	C2
Andra Mari	E	(Viz.)	10	D5
Andrade	E	(A Co.)	2	D3
Andrães	P	(V. R.)	55	B5
Andraitx	E	(Bal.)	91	B4
Andrés	P	(Lei.)	93	D5
Andrés	P	(San.)	112	A1
Andreses, Los	E	(Huel.)	146	B4
Andreus	P	(San.)	112	C2
Andújar	E	(J.)	151	A4
Anelhe	P	(V. R.)	55	C2
Anento	E	(Zar.)	85	C2
Anero	E	(Can.)	9	D4
Anes	E	(Ast.)	6	D4
Aneto	E	(Hues.)	48	D1
Anfeoz	E	(Our.)	35	A3
Angeja	P	(Ave.)	74	A4
Ángeles, Los	E	(Cád.)	187	A2
Ángeles, Los	E	(Cór.)	165	B1
Angiozar	E	(Gui.)	23	D2
Anglades, les	E	(Gi.)	52	A3
Anglès	E	(Gi.)	51	D4
Anglesola	E	(Ll.)	69	B2
Angón	E	(Gua.)	83	A2
Angoren	E	(Po.)	34	A2
Angostina	E	(Can.)	10	B5
Angosto	E	(Bur.)	22	B3
Angosto de Arriba	E	(Alm.)	169	D5
Angostura, La	E	(Áv.)	99	A2
Angostura, La	E	(Las P.)	191	D2
Angra do Heroísmo	P	(Aç.)	109	A5
Anguciana	E	(La R.)	43	A1
Angueira	P	(Bra.)	57	C3
Angüés	E	(Hues.)	47	B4
Anguiano	E	(La R.)	43	B3
Anguijes, Los	E	(Alb.)	138	C3
Anguita	E	(Gua.)	83	D2
Anguix	E	(Bur.)	61	B2
Anguix	E	(Gua.)	103	B2
Anhões	P	(V. C.)	34	B4
Aniés	E	(Hues.)	46	C3
Anieves	E	(Ast.)	6	C5
Aniñón	E	(Zar.)	64	D4
Anissó	P	(Br.)	54	C2
Anjarón	E	(Cór.)	166	B4
Anjos	P	(Aç.)	109	D5
Anjos	P	(Br.)	54	D2
Anleo	E	(Ast.)	5	A3
Anllares del Sil	E	(Le.)	17	B3
Anllo	E	(Lu.)	35	C1
Anllo	E	(Our.)	34	D1
Anllóns	E	(A Co.)	1	D4
Anna	E	(Val.)	140	D2
Anobra	P	(Co.)	93	D3
Anoeta	E	(Gui.)	24	B1
Anorias, Las	E	(Alb.)	139	B4
Anós	E	(A Co.)	1	D5
Anoves, les	E	(Ll.)	49	C4
Anquela del Ducado	E	(Gua.)	84	B3
Anquela del Pedregal	E	(Gua.)	84	D4
Anreade	P	(Vis.)	74	D1
Anroig/Enroig	E	(Cas.)	107	D1
Anserall	E	(Ll.)	49	D2
Anseriz	P	(Co.)	94	D2
Ansião	P	(Lei.)	94	A5
Ansó	E	(Hues.)	26	B4
Ansoain	E	(Na.)	25	A4
Ansul	P	(Guar.)	76	C4
Anta	P	(Ave.)	73	D1
Anta de Rioconejos	E	(Zam.)	37	B4
Antanhol	P	(Co.)	94	A3
Antas	E	(Alm.)	170	D5
Antas	E	(Po.)	34	B1
Antas	P	(Br.)	53	D2
Antas	P	(V. C.)	34	A5
Antas	P	(Vis.)	75	C4
Antas	P	(Vis.)	75	D2
Antas de Ulla	E	(Lu.)	15	B3
Antella	E	(Val.)	140	D1
Antenza	E	(Hues.)	48	C4
Anteporta	P	(San.)	111	A4
Antequera	E	(Mál.)	180	B2
Antes	E	(A Co.)	13	D2
Antes	P	(Ave.)	94	A1
Antigo	P	(V. R.)	55	C1
Antigua	E	(Las P.)	190	A3
Antigua, La	E	(Le.)	38	C4
Antigüedad	E	(Pa.)	41	A5
Antilla, La	E	(Huel.)	175	D2
Antillón	E	(Hues.)	47	B5
Antime	P	(Br.)	54	C3
Antimio de Abajo	E	(Le.)	38	D1
Antimio de Arriba	E	(Le.)	38	D1
Antius	E	(Bar.)	70	B1
Antões	P	(Lei.)	93	C4
Antolinos, Los	E	(Mu.)	172	C1
Antoñán del Valle	E	(Le.)	38	B1
Antoñana	E	(Ál.)	23	D5
Antoñanes del Páramo	E	(Le.)	38	C2
Antromero	E	(Ast.)	6	C3
Antuñano	E	(Bur.)	22	C1
Antuzede	P	(Co.)	94	A2
Antzin → Ancín	E	(Na.)	24	A5
Antzuola	E	(Gui.)	23	D2
Anue	E	(Na.)	25	A3
Ánxeles	E	(A Co.)	14	C2
Ánxeles	E	(A Co.)	15	A2
Anxeles, Os	E	(A Co.)	15	A2
Ánxeles, Os	E	(A Co.)	14	A3
Anxeriz	E	(A Co.)	14	A1
Anyós	A	50	A	1
Anzánigo	E	(Hues.)	46	C2
Anzas	E	(Lu.)	4	C3
Anzó	E	(Po.)	14	D4
Anzola	E	(Gr.)	167	C5
Añá	E	(A Co.)	14	D2
Añana-Gesaltza/Salinas de Añana	E	(Ál.)	22	D4
Añastro	E	(Bur.)	23	B5
Añavieja	E	(So.)	63	C1
Añaza	E	(S. Cruz T.)	196	B2
Añe	E	(Seg.)	80	D2
Añina-Polila	E	(Cád.)	177	C4
Añón de Moncayo	E	(Zar.)	64	D2
Añora	E	(Cór.)	149	D2
Añorbe	E	(Na.)	24	D5
Añover de Tajo	E	(To.)	101	C5
Añover de Tormes	E	(Sa.)	78	B1
Aoiz/Agoitz	E	(Na.)	25	B4
Aos	E	(Na.)	25	B4
Aostri de Losa	E	(Bur.)	22	D3
Aparecida, La	E	(Ali.)	156	B4
Aparecida, La	E	(Mu.)	172	B2
Apariços	P	(Lei.)	111	C1
Apelação	P	(Lis.)	126	D2
Aperregi	E	(Ál.)	23	A3
Apiche	E	(Mu.)	171	A2
Apiés	E	(Hues.)	47	A3
Apinaniz	E	(Ál.)	23	C5
Apostiça	P	(Set.)	126	D5
Aprikano	E	(Ál.)	23	A4
Apúlia	P	(Br.)	53	D3
Aquilué	E	(Hues.)	46	D2
Ara	E	(Hues.)	46	D1
Ará, La	E	(Ast.)	6	B5

Arrés

Arabayona	E	(Sa.)	79	A 2
Arabexo	E	(A Co.)	14	A 1
Aracena	E	(Huel.)	146	D 5
Arada	P	(Ave.)	73	D 2
Aradas	P	(Ave.)	73	D 4
Arades	E	(A Co.)	14	B 2
Arafo	E	(S. Cruz T.)	196	B 3
Aragoncillo	E	(Gua.)	84	B 3
Aragosa	E	(Gua.)	83	B 3
Araguás	E	(Hues.)	47	D 1
Aragüés del Puerto	E	(Hues.)	26	C 5
Arahal	E	(Sev.)	164	D 5
Arahuetes	E	(Seg.)	81	C 1
Araia	E	(Ál.)	23	D 3
Araitz	E	(Na.)	24	C 2
Arakaldo	E	(Viz.)	23	A 2
Arakil	E	(Na.)	24	C 3
Aral, El	E	(Sev.)	163	D 3
Aralla de Luna	E	(Le.)	18	C 3
Arama	E	(Gui.)	24	A 2
Aramaio	E	(Ál.)	23	C 2
Aramil	E	(Ast.)	6	D 4
Aramunt	E	(Ll.)	49	A 3
Aranarache/ Aranaratxe	E	(Na.)	24	A 4
Aranaratxe → Aranarache	E	(Na.)	24	A 4
Arancedo	E	(Ast.)	5	A 3
Arancón	E	(So.)	64	A 2
Aranda de Duero	E	(Bur.)	61	D 3
Aranda de Moncayo	E	(Zar.)	64	D 3
Aranda, Los	E	(Cór.)	166	C 3
Arándiga	E	(Zar.)	65	B 4
Arandilla	E	(Bur.)	62	B 2
Arandilla del Arroyo	E	(Cu.)	103	D 1
Aránegas, Los	E	(Alm.)	170	B 2
Aranga	E	(A Co.)	3	A 5
Arangas	E	(Ast.)	8	A 5
Arango	E	(Ast.)	6	A 3
Aranguren	E	(Na.)	25	A 4
Aranguren	E	(Viz.)	22	D 1
Aranhas	P	(C. B.)	96	B 4
Aranjassa, S'	E	(Bal.)	91	D 4
Aranjuez	E	(Mad.)	101	D 5
Arano	E	(Na.)	24	C 1
Arànser	E	(Ll.)	50	A 1
Arante	E	(Lu.)	4	C 3
Arantza	E	(Na.)	24	D 1
Arantzazu	E	(Gui.)	23	D 3
Arantzazu	E	(Viz.)	23	B 2
Aranyó, l'	E	(Ll.)	69	C 2
Aranzueque	E	(Gua.)	102	D 1
Arañuel	E	(Cas.)	107	A 4
Arão	P	(Fa.)	173	C 2
Arão	P	(V. C.)	34	A 4
Arapiles	E	(Sa.)	78	C 3
Aras	E	(Na.)	43	D 1
Aras de Alpuente	E	(Val.)	105	D 5
Arasán	E	(Hues.)	48	B 1
Arascués	E	(Hues.)	46	D 3
Arauxo	E	(Our.)	34	D 5
Arauzo de Miel	E	(Bur.)	62	B 1
Arauzo de Salce	E	(Bur.)	62	B 1
Arauzo de Torre	E	(Bur.)	62	B 2
Araya	E	(S. Cruz T.)	196	B 2
Arazede	P	(Co.)	93	D 2
Arazuri	E	(Na.)	24	D 4
Arbancón	E	(Gua.)	82	D 3
Arbaniés	E	(Hues.)	47	B 4
Arbeca	E	(Ll.)	69	A 3
Arbeitza → Arbeiza	E	(Na.)	24	B 5
Arbeiza/Arbeitza	E	(Na.)	24	B 5
Arbejal	E	(Pa.)	20	C 3
Arbejales	E	(Las P.)	191	C 2
Arbeteta	E	(Gua.)	83	D 5
Arbizu	E	(Na.)	24	B 3
Arbo	E	(Po.)	34	C 3
Arboç, l'	E	(Ta.)	70	B 5
Arboçar, l'	E	(Bar.)	70	C 4
Árbol	E	(Lu.)	3	D 4
Arboleas	E	(Alm.)	170	C 4
Arboleda, La/ Zugaztieta	E	(Viz.)	10	D 5
Arboledas, Las	E	(Mu.)	155	C 4
Arboleja, La	E	(Mu.)	156	A 5
Arbolí	E	(Ta.)	69	A 5
Arbón	E	(Ast.)	5	A 3
Arbúcies	E	(Gi.)	51	C 5
Arbués	E	(Hues.)	46	B 1
Arbuniel	E	(J.)	168	A 2
Arca	E	(A Co.)	14	C 2
Arca	E	(Po.)	14	B 4
Arcã	P	(V. R.)	55	C 5
Arca	P	(Vis.)	74	C 4
Arcahueja	E	(Le.)	39	A 1
Arcallana	E	(Ast.)	5	D 3
Arcas	E	(Cu.)	104	B 5
Arcas	P	(Ave.)	74	B 4
Arcas	P	(Bra.)	56	C 2
Arcas	P	(Vis.)	75	D 2
Arcas	P	(Vis.)	75	A 3
Arcas	P	(Vis.)	75	B 2
Arcavell	E	(Ll.)	49	D 1
Arce	E	(Can.)	9	B 4
Arcediano	E	(Sa.)	78	D 2
Arcena	P	(Lis.)	126	D 2
Arcenillas	E	(Zam.)	58	C 4
Arcentales	E	(Viz.)	22	C 1
Arcicóllar	E	(To.)	101	A 4
Arcillo	E	(Zam.)	58	A 4
Arco	P	(Bra.)	56	B 5
Arco da Calheta	P	(Ma.)	109	D 2
Arco de Baúlhe	P	(Br.)	55	A 3
Arco de São Jorge	P	(Ma.)	110	B 1
Arco, El	E	(Sa.)	78	B 1
Arconada	E	(Bur.)	42	A 1
Arconada	E	(Pa.)	40	C 3
Arcones	E	(Seg.)	81	D 2
Arcos	E	(A Co.)	13	B 2
Arcos	E	(Bur.)	41	D 3
Arcos	E	(Lu.)	15	B 4
Arcos	E	(Our.)	35	A 1
Arcos	E	(Our.)	36	C 1
Arcos	E	(Po.)	34	B 3
Arcos	E	(Po.)	14	B 4
Arcos	P	(Ave.)	94	A 1
Arcos	P	(Év.)	129	B 3
Arcos	P	(Port.)	53	D 3
Arcos	P	(V. C.)	53	D 1
Arcos	P	(V. R.)	55	C 1
Arcos	P	(Vis.)	75	C 1
Arcos de Jalón	E	(So.)	84	A 1
Arcos de la Cantera	E	(Cu.)	104	A 4
Arcos de la Frontera	E	(Cád.)	178	B 4
Arcos de la Polvorosa	E	(Zam.)	38	C 5
Arcos de la Sierra	E	(Cu.)	104	B 2
Arcos de las Salinas	E	(Te.)	106	A 5
Arcos de Valdevez	P	(V. C.)	34	B 5
Arcos, Los	E	(Na.)	44	A 1
Arcossó	P	(V. R.)	55	C 2
Arcozelo	P	(Br.)	54	A 2
Arcozelo	P	(Port.)	73	D 1
Arcozelo	P	(V. C.)	54	A 1
Arcozelo da Serra	P	(Guar.)	75	B 5
Arcozelo das Maias	P	(Vis.)	74	B 4
Arcozelos	P	(Vis.)	75	C 2
Arcs, els	E	(Ll.)	69	A 2
Arcucelos	E	(Our.)	35	D 4
Arcusa	E	(Hues.)	47	D 2
Archena	E	(Mu.)	155	D 4
Árchez	E	(Mál.)	181	B 3
Archidona	E	(Mál.)	180	C 1
Archidona	E	(Sev.)	163	C 1
Archilla	E	(Gua.)	83	A 5
Archillas, Los, lugar	E	(Gr.)	182	C 3
Archivel	E	(Mu.)	154	C 4
Ardaitz	E	(Na.)	25	B 3
Ardales	E	(Mál.)	179	D 3
Ardanatz → Ardanaz	E	(Na.)	25	B 5
Ardanaz/Ardanatz	E	(Na.)	25	B 5
Ardaña	E	(A Co.)	2	A 5
Ardãos	P	(V. R.)	55	C 1
Ardegão	P	(Br.)	54	D 4
Ardegão	P	(V. C.)	54	A 2
Ardemil	E	(A Co.)	14	C 1
Ardesaldo	E	(Ast.)	5	D 4
Ardèvol	E	(Ll.)	70	A 1
Ardiaca	E	(Ta.)	89	B 2
Ardido	P	(Lei.)	111	A 2
Ardisa	E	(Zar.)	46	B 3
Ardisana	E	(Ast.)	7	D 4
Ardite, lugar	E	(Mál.)	179	D 4
Arditurri	E	(Gui.)	12	D 5
Ardón	E	(Le.)	38	D 2
Ardoncino	E	(Le.)	38	D 1
Areal	P	(Vis.)	74	C 4
Areas	E	(Po.)	34	A 4
Areas	E	(Po.)	34	B 2
Areas	E	(Po.)	34	A 3
Areatza	E	(Viz.)	23	B 2
Arecida	E	(S. Cruz T.)	193	B 3
Areeiro	P	(Fa.)	174	C 3
Areeiros	E	(Po.)	34	A 2
Arega	P	(Lei.)	94	B 5
Areia	P	(Br.)	53	D 3
Areia	P	(Co.)	93	D 1
Areia	P	(Lis.)	126	A 3
Areia	P	(Por.)	112	D 3
Areia	P	(Port.)	53	D 4
Areia Branca	P	(Lis.)	110	C 4
Areias	P	(Br.)	54	A 2
Areias	P	(Bra.)	56	A 5
Areias	P	(San.)	112	A 1
Areias	P	(San.)	112	C 3
Areias de Vilar	P	(Br.)	54	A 2
Areias Gordas	P	(Set.)	127	A 4
Areiltza-Olazar	E	(Viz.)	23	A 2
Areirinha	P	(Lei.)	110	D 4
Arejos, Los	E	(Mu.)	171	B 4
Arelho	P	(Lei.)	110	D 3
Arellano	E	(Na.)	44	B 1
Arén	E	(Hues.)	48	D 3
Arena, La	E	(Viz.)	10	D 5
Arenal	E	(Cád.)	178	D 3
Arenal	E	(Can.)	9	C 5
Arenal d'en Castell, S'	E	(Bal.)	90	C 1
Arenal, El	E	(Áv.)	99	C 3
Arenal, El	E	(Seg.)	81	C 1
Arenal, S'	E	(Bal.)	91	D 4
Arenales	E	(Cór.)	166	A 4
Arenales	E	(Gr.)	167	D 5
Arenales de San Gregorio	E	(C. R.)	120	D 5
Arenales del Sol, Los/ Arenals del Sol	E	(Ali.)	157	C 3
Arenales, Los	E	(Ast.)	6	C 4
Arenales, Los	E	(Gr.)	167	A 5
Arenales, Los	E	(Sev.)	165	A 4
Arenals del Sol → Arenales del Sol, Los	E	(Ali.)	157	C 3
Arenas	E	(Ast.)	6	D 4
Arenas	E	(Ast.)	7	A 5
Arenas	E	(Mál.)	181	B 3
Arenas de Iguña	E	(Can.)	21	B 1
Arenas de San Juan	E	(C. R.)	136	A 1
Arenas de San Pedro	E	(Áv.)	99	C 3
Arenas del Rey	E	(Gr.)	181	C 2
Arenas, Las	E	(Ast.)	8	A 5
Arenas, Las	E	(Mad.)	101	D 3
Arenas, Las	E	(S. Cruz T.)	196	A 2
Arenas, Las	E	(Sev.)	177	D 3
Arenas-Areeta, Las	E	(Viz.)	10	D 5
Arene-Pelaio Deuna	E	(Viz.)	11	B 4
Arenes, Ses, lugar	E	(Bal.)	90	A 2
Arengades-Enginyers	E	(Gi.)	52	B 2
Arenillas	E	(So.)	63	A 5
Arenillas de Muñó	E	(Bur.)	41	C 3
Arenillas de Nuño Pérez	E	(Pa.)	40	C 1
Arenillas de Riopisuerga	E	(Bur.)	41	A 2
Arenillas de San Pelayo	E	(Pa.)	40	B 1
Arenillas de Valderaduey	E	(Le.)	39	C 3
Arenillas de Villadiego	E	(Bur.)	41	B 1
Arenillas, lugar	E	(Sev.)	164	B 2
Arenosos, Los	E	(Mál.)	179	A 4
Arens de Lledó	E	(Te.)	88	A 2
Arensandiaga	E	(Viz.)	23	A 1
Arentim	P	(Br.)	54	A 3
Arenys de Mar	E	(Bar.)	71	C 2
Arenys de Munt	E	(Bar.)	71	C 2
Arenzana de Abajo	E	(La R.)	43	B 2
Arenzana de Arriba	E	(La R.)	43	B 2
Areños	E	(Pa.)	20	C 3
Ares	E	(A Co.)	2	D 3
Ares del Maestrat → Ares del Maestre	E	(Cas.)	107	C 1
Ares del Maestre/ Ares del Maestrat	E	(Cas.)	107	C 1
Areso	E	(Na.)	24	C 2
Arespalditza → Respaldiza	E	(Ál.)	22	D 2
Aretxabaleta	E	(Ál.)	23	B 4
Aretxabaleta	E	(Gui.)	23	C 2
Áreu	E	(Ll.)	29	C 5
Arevalillo	E	(Áv.)	79	A 5
Arevalillo de Cega	E	(Seg.)	81	C 1
Arévalo	E	(Áv.)	80	A 2
Arévalo de la Sierra	E	(So.)	43	D 5
Arez	P	(Por.)	113	A 3
Arez	P	(Set.)	143	D 1
Arfa	E	(Ll.)	49	D 2
Arga de Baixo	P	(V. C.)	33	D 5
Arga de Cima	P	(V. C.)	33	D 5
Arga de São João	P	(V. C.)	33	D 5
Argalo	E	(A Co.)	13	C 3
Argallón	E	(Cór.)	148	D 3
Argamasilla de Alba	E	(C. R.)	136	D 1
Argamasilla de Calatrava	E	(C. R.)	135	A 4
Argamasón	E	(Alb.)	138	C 3
Argamasón, El	E	(Alm.)	184	D 2
Argamassa, S'	E	(Bal.)	90	A 4
Argame	E	(Ast.)	6	B 5
Argana	P	(Bra.)	56	B 2
Argana Alta	E	(Las P.)	192	C 4
Argana Baja	E	(Las P.)	192	C 4
Arganda del Rey	E	(Mad.)	102	A 3
Argandoña	E	(Ál.)	23	C 4
Arganil	P	(Co.)	94	D 2
Arganil	P	(San.)	112	D 1
Arganza	E	(Ast.)	5	C 5
Arganza	E	(Le.)	17	A 5
Argañín	E	(Zam.)	57	D 4
Argañoso	E	(Le.)	37	D 1
Argavieso	E	(Hues.)	47	A 4
Argayo del Sil	E	(Le.)	17	B 4
Argea	P	(San.)	111	D 3
Argecilla	E	(Gua.)	83	A 3
Argela	P	(V. C.)	33	D 5
Argelaguer	E	(Gi.)	51	D 2
Argelita	E	(Cas.)	107	A 4
Argemil	P	(V. R.)	56	A 1
Argençola	E	(Bar.)	69	D 2
Argente	E	(Te.)	85	D 5
Argentera, l'	E	(Ta.)	89	A 1
Argentona	E	(Bar.)	71	C 2
Argés	E	(To.)	119	A 1
Argilaga, l'	E	(Ta.)	69	D 5
Argolibio	E	(Ast.)	7	C 5
Argomaiz	E	(Ál.)	23	C 4
Argomedo	E	(Bur.)	21	C 3
Argomil	P	(Guar.)	76	A 5
Argomilla	E	(Can.)	9	C 5
Argoncilhe	P	(Ave.)	74	A 1
Argoños	E	(Can.)	10	A 4
Argovejo	E	(Le.)	19	C 3
Argozelo	P	(Bra.)	57	A 2
Argozón	E	(Lu.)	15	B 5
Argual	E	(S. Cruz T.)	193	B 3
Arguayo	E	(S. Cruz T.)	195	C 3
Arguedas	E	(Na.)	45	A 4
Arguedeira	P	(Vis.)	75	B 2
Argüelles	E	(Ast.)	6	C 4
Arguellite	E	(Alb.)	153	D 2
Argüero	E	(Ast.)	7	A 3
Arguineguín	E	(Las P.)	191	B 4
Arguís	E	(Hues.)	46	D 3
Arguisuelas	E	(Cu.)	122	D 1
Argujillo	E	(Zam.)	58	D 5
Aria	E	(Na.)	25	C 3
Ariant, lugar	E	(Bal.)	92	A 1
Ariany	E	(Bal.)	92	B 3
Aribe	E	(Na.)	25	C 3
Aricera	P	(Vis.)	75	B 1
Arico	E	(S. Cruz T.)	196	A 4
Arico el Nuevo	E	(S. Cruz T.)	196	A 4
Arico Viejo	E	(S. Cruz T.)	196	A 4
Arieiro	P	(Ave.)	73	D 5
Ariéstolas	E	(Hues.)	47	D 5
Arija	E	(Bur.)	21	B 3
Arinhos	P	(Ave.)	94	A 1
Arinsal	A	29	D	5
Ariñez	E	(Las P.)	191	C 2
Ariño	E	(Te.)	86	D 2
Ariola	P	(Guar.)	76	A 2
Aris	E	(Po.)	34	A 1
Arísgotas	E	(To.)	119	B 3
Aristot	E	(Ll.)	50	A 2
Ariz	P	(Port.)	74	C 1
Ariz	P	(Vis.)	75	B 2
Ariza	E	(Zar.)	64	B 5
Arizala	E	(Na.)	24	B 5
Arizkun	E	(Na.)	25	B 1
Arjona	E	(J.)	151	A 5
Arjonilla	E	(J.)	151	A 5
Arkiskil	E	(Na.)	24	C 2
Arkortxa	E	(Viz.)	23	A 1
Arlanza	E	(Le.)	17	C 5
Arlanzón	E	(Bur.)	42	A 3
Arlós	E	(Ast.)	6	B 3
Armada	E	(A Co.)	2	D 3
Armada, A	E	(Our.)	34	D 2
Armadouro	P	(Co.)	95	A 4
Armal	E	(Ast.)	5	A 4
Armallones	E	(Gua.)	84	A 4
Armamar	P	(Vis.)	75	B 1
Armañanzas	E	(Na.)	44	A 1
Armarção de Pera	P	(Fa.)	173	D 3
Armariz	E	(Our.)	35	B 3
Armellada	E	(Le.)	38	B 1
Armental	E	(Our.)	35	B 1
Armenteira	E	(Po.)	33	D 1
Armentera, l'	E	(Gi.)	52	B 3
Armenteros	E	(Sa.)	78	D 5
Armentia	E	(Ál.)	23	B 4
Armentia	E	(Bur.)	23	B 5
Armentón	E	(A Co.)	2	B 4
Armeñime	E	(S. Cruz T.)	195	C 4
Armil	P	(Br.)	54	C 3
Armilla	E	(Gr.)	181	D 1
Armillas	E	(Te.)	86	B 3
Armintza	E	(Viz.)	11	A 4
Armiñon	E	(Ál.)	23	A 5
Armunia	E	(Le.)	38	D 1
Armuña	E	(Seg.)	80	D 2
Armuña de Almanzora	E	(Alm.)	170	A 5
Armuña de Tajuña	E	(Gua.)	102	D 1
Arnadelo	E	(Le.)	16	D 5
Arnal	P	(Bra.)	55	D 5
Arnal	P	(Lei.)	93	D 5
Arnao	E	(Ast.)	6	B 3
Arnas	P	(Vis.)	75	D 3
Arnedillo	E	(La R.)	44	A 3
Arnedo	E	(Bur.)	21	C 3
Arnedo	E	(La R.)	44	B 3
Arnedo, lugar	E	(Alb.)	138	B 1
Arnego	E	(Po.)	15	A 5
Arnego	E	(Po.)	14	D 3
Arneiro	E	(Lu.)	3	D 5
Arneiro	P	(Lis.)	126	B 3
Arneiro	P	(Lis.)	110	D 5
Arneiro	P	(Por.)	113	B 2
Arneiro	P	(San.)	94	A 5
Arneiro das Milhariças	P	(San.)	111	C 3
Arneiro de Tremês	P	(San.)	111	C 3
Arneiros	P	(Lis.)	126	C 1
Arneiros	P	(Vis.)	75	A 1
Arnes	E	(Ta.)	88	A 3
Arneva	E	(Ali.)	156	B 4
Arnoia	E	(Our.)	34	D 2
Arnóia	P	(Br.)	54	D 4
Arnois	E	(Po.)	14	C 3
Arnoso	E	(Po.)	34	A 3
Arnoso (Santa Eulália)	P	(Br.)	54	A 3
Arnozela	P	(Br.)	54	D 4
Arnuero	E	(Can.)	10	A 4
Aro	E	(A Co.)	13	D 2
Arobes	E	(Ast.)	7	C 4
Aroche	E	(Huel.)	146	B 5
Aroeiras	P	(Lei.)	93	D 5
Arões	P	(Ave.)	74	B 3
Arona	E	(S. Cruz T.)	195	D 4
Arosa	P	(Br.)	55	A 3
Arosa	P	(Br.)	54	C 2
Arou	E	(A Co.)	1	B 5
Arouca	P	(Ave.)	74	C 2
Arousa	E	(Po.)	13	D 5
Arquillinos	E	(Zam.)	58	C 2
Arquillos	E	(J.)	152	A 3
Arrabal	P	(Lei.)	111	C 1
Arrabal	P	(Lei.)	111	B 2
Arrabal (Oia)	E	(Po.)	33	C 4
Arrabal de Portillo	E	(Vall.)	60	B 4
Arrabal de San Sebastián	E	(Sa.)	77	A 5
Arrabal Santa Bárbara, lugar	E	(Te.)	105	B 2
Arrabal, El	E	(Cu.)	105	C 5
Arrabalde	E	(Zam.)	38	B 4
Arrabaldo	E	(Our.)	35	A 2
Arrabassada i Savinosa	E	(Ta.)	89	D 1
Arracó, S'	E	(Bal.)	91	A 4
Arraia-Maeztu	E	(Ál.)	23	D 5
Arraiolos	P	(Év.)	128	C 4
Arraioz	E	(Na.)	25	A 2
Arraitz-Orkin	E	(Na.)	25	A 3
Arrancacepas	E	(Cu.)	103	D 3
Arrancada do Vouga	P	(Ave.)	74	A 4
Arranhó	P	(Lis.)	126	D 1
Arrankudiaga	E	(Viz.)	23	A 1
Arrarats	E	(Na.)	24	D 2
Arrasate o Mondragón	E	(Gui.)	23	C 2
Arrate	E	(Gui.)	23	D 1
Arratzu	E	(Viz.)	11	B 5
Arraya de Oca	E	(Bur.)	42	B 2
Arrayanes-Cruz-la Laguna	E	(J.)	151	D 4
Arre	E	(Na.)	25	A 4
Arreba	E	(Bur.)	21	D 3
Arreciadas	P	(San.)	112	B 3
Arrecife	E	(Cór.)	165	D 2
Arrecife	E	(Las P.)	192	C 4
Arredondo	E	(Can.)	10	A 5
Arreigada	P	(Port.)	54	B 5
Arreiro	P	(Lei.)	111	A 2
Arrentela	P	(Set.)	126	D 4
Arrepiado	P	(San.)	112	A 3
Arrés	E	(Hues.)	46	B 1

Arres de Jos

Arres de Jos E (Ll.) 28 C4
Arretxalde (Lezama) E (Viz.) 11 A5
Arriacha Cimeira P (Por.) 112 D3
Arriacha Fundeira P (Por.) 112 D3
Arriano E (Ál.) 22 D4
Arriate E (Mál.) 179 B4
Arribe (Araitz) E (Na.) 24 C2
Arrieta E (Las P.) 192 D3
Arrieta E (Viz.) 11 B5
Arrieta-Mendi E (Gui.) 23 D2
Arrifana P (Ave.) 74 A2
Arrifana P (Co.) 94 A3
Arrifana P (Co.) 94 B2
Arrifana P (Guar.) 76 A5
Arrifana P (Guar.) 95 B1
Arrifana P (Guar.) 96 C1
Arrifana P (Lis.) 111 B4
Arrifana P (San.) 112 B3
Arrifes P (Aç.) 109 A4
Arrigorriaga E (Viz.) 23 A1
Arrimal P (Lei.) 111 B3
Arriondas E (Ast.) 7 C4
Arrizada P (Fa.) 160 D3
Arroa-Bekoa E (Gui.) 12 A5
Arroa-Goikoa E (Gui.) 24 A1
Arroba de los Montes E (C. R.) 134 B1
Arroes E (Ast.) 7 A3
Arroios P (V. R.) 55 B5
Arrolobos E (Các.) 97 D2
Arronches P (Por.) 129 D1
Arróniz E (Na.) 44 B1
Arrotea E (Po.) 34 A3
Arroteia P (Fa.) 175 A3
Arroturas E (J.) 152 D4
Arrouquelas P (San.) 111 B4
Arroxo E (Lu.) 35 D1
Arroxo E (Lu.) 16 C2
Arroyal E (Bur.) 41 D2
Arroyal E (Can.) 21 B3
Arroyo E (Huel.) 146 C5
Arroyo Aceituno, El E (Alm.) 170 C5
Arroyo Albánchez, El E (Alm.) 170 B5
Arroyo Ancón E (Mál.) 180 A3
Arroyo Canales E (J.) 153 C3
Arroyo Cerezo E (Val.) 105 C4
Arroyo Corrales E (Mál.) 180 A3
Arroyo de Coche E (Mál.) 180 C3
Arroyo de Cuéllar E (Seg.) 60 C5
Arroyo de la Encomienda E (Vall.) 60 A3
Arroyo de la Luz E (Các.) 115 A3
Arroyo de la Miel-Benalmádena Costa E (Mál.) 180 B5
Arroyo de la Plata E (Sev.) 163 C2
Arroyo de las Fraguas E (Gua.) 82 C2
Arroyo de los Olivos E (Mál.) 180 B4
Arroyo de Priego E (Cór.) 166 D5
Arroyo de Salas E (Bur.) 42 C5
Arroyo de San Serván E (Bad.) 131 A3
Arroyo de San Zadornil E (Bur.) 22 C4
Arroyo de Verdelecho E (Alm.) 183 D1
Arroyo del Cerezo E (Cór.) 166 D5
Arroyo del Ojanco E (J.) 153 A2
Arroyo Hurtado E (Mu.) 155 A4
Arroyo Medina, El E (Alm.) 170 B4
Arroyo Molinos E (Cád.) 179 A3
Arroyo Molinos, lugar E (J.) 169 A2
Arroyofrío E (Alb.) 153 C2
Arroyofrío E (Te.) 105 B3
Arroyomolinos E (Các.) 131 C1
Arroyomolinos E (Mad.) 101 B3
Arroyomolinos de la Vera E (Các.) 98 B4
Arroyomolinos de León E (Huel.) 147 A4
Arroyuelo E (Bur.) 22 B4
Arroyuelos E (Cór.) 166 C4
Arruazu E (Na.) 24 B3
Arrúbal E (La R.) 44 A2
Arruda dos Pisões P (San.) 111 B4
Arruda dos Vinhos P (Lis.) 126 D1
Arsèguel E (Ll.) 50 A2
Arsenal de la Carraca E (Cád.) 185 D1
Artà E (Bal.) 92 D2
Arta E (Viz.) 23 C1
Artabia → Artavia E (Na.) 24 B5
Artaix → Artaj E (Val.) 124 C1
Artaj/Artaix E (Val.) 124 C1
Artajo/Artaxo E (Na.) 25 C5
Artajona E (Na.) 44 D1
Artana E (Cas.) 107 B5
Artasona E (Hues.) 48 A4
Artasona del Llano E (Hues.) 46 D5
Artavia/Artabia E (Na.) 24 B5
Artaxo → Artajo E (Na.) 25 C5
Artazu E (Na.) 24 C5
Artea E (Viz.) 23 B2
Arteaga de Arriba E (Alb.) 138 A5
Arteas de Abajo E (Cas.) 106 C5
Arteixo E (A Co.) 2 B4
Artenara E (Las P.) 191 B2
Artés E (Bar.) 70 D1
Artesa E (Cas.) 107 B5
Artesa de Lleida E (Ll.) 68 D3
Artesa de Segre E (Ll.) 49 B5
Artieda E (Na.) 25 C5
Artieda E (Zar.) 46 A1
Arties E (Ll.) 28 D4
Arto E (Hues.) 46 D2
Artola E (Mál.) 187 D1
Artoño E (Po.) 15 A3
Artozqui E (Na.) 25 C4
Artze E (Na.) 25 B4
Artze E (Na.) 24 D2
Artziniega E (Ál.) 22 C2
Arucas E (Las P.) 191 C1
Arure E (S. Cruz T.) 194 B2
Árvore P (Port.) 53 D4
Arvoredo P (Vis.) 75 B4
Arzádegos E (Our.) 56 A1
Arzallus E (Gui.) 24 A1
Arzila P (Co.) 93 D3
Arzúa E (A Co.) 14 D2
Ascara E (Hues.) 46 C1
Ascarza E (Bur.) 23 B4
Ascaso E (Hues.) 47 C1
Ascó E (Ta.) 88 C1
Ascoy E (Mu.) 155 C3
Asdrúbal E (C. R.) 135 A5
Asegur E (Các.) 97 C1
Asensios, Los E (Alm.) 170 B2
Asenso E (A Co.) 13 C2
Asiain E (Na.) 24 D4
Asiego E (Ast.) 8 A5
Asín E (Zar.) 46 A3
Asín de Broto E (Hues.) 47 B1
Askartza E (Ál.) 23 C4
Asma E (Lu.) 15 B5
Asma E (Lu.) 15 C5
Asnela P (Br.) 55 A3
Asomada, La E (Las P.) 190 B2
Asomada, La E (Las P.) 192 B4
Aspa E (Ll.) 68 D3
Aspariegos E (Zam.) 58 D2
Aspe E (Ali.) 156 C2
Asperelo E (Po.) 15 A5
Aspilla E (Alm.) 170 A3
Asprella E (Ali.) 156 D3
Aspurz E (Na.) 25 D5
Assafora P (Lis.) 126 B2
Assanha da Paz P (Lei.) 93 C4
Assares P (Bra.) 56 B4
Asseiceira P (San.) 111 A4
Asseiceira P (San.) 112 A2
Asseiceira Grande P (Lis.) 126 C1
Assenta P (Lis.) 110 B5
Assentiz P (San.) 111 B4
Assentiz P (San.) 111 D2
Asso-Veral E (Zar.) 26 A5
Assumar P (Por.) 129 C1
Assunção P (Por.) 129 D1
Assureiras P (V. R.) 55 D1
Astariz E (Our.) 35 A2
Asteasu E (Gui.) 24 B1
Astepe E (Viz.) 23 B1
Asterria E (Viz.) 23 B2
Asterrika E (Viz.) 11 D5
Astigarraga E (Gui.) 12 C5
Astillero, El E (Can.) 9 C4
Astor, l' E (Bar.) 69 D2
Astorga E (Le.) 38 A1
Astrain E (Na.) 24 D4
Astromil P (Port.) 54 B5
Astudillo E (Pa.) 40 D4
Astúlez E (Ál.) 22 D4
Astureses E (Our.) 34 D1
Asturianos E (Zam.) 37 B4
Atadoa P (Co.) 94 A3
Atães P (Br.) 54 B1
Atães P (Br.) 54 C3
Ataíde P (Port.) 54 C5
Ataija de Baixo P (Lei.) 111 B2
Ataija de Cima P (Lei.) 111 B2
Atajate E (Mál.) 179 A5
Atalaia P (C. B.) 112 D1
Atalaia P (C. B.) 113 B1
Atalaia P (Guar.) 76 B4
Atalaia P (Lis.) 110 D5
Atalaia P (Por.) 112 D3
Atalaia P (San.) 112 B2
Atalaia P (San.) 112 A3
Atalaia P (Set.) 127 A3
Atalaia do Campo P (C. B.) 95 C4
Atalaya E (Bad.) 147 A2
Atalaya E (Mu.) 171 C2
Atalaya de Cuenca, lugar E (Cu.) 104 B5
Atalaya del Cañavate E (Cu.) 122 A3
Atalaya, La E (Las P.) 191 C1
Atalaya, La E (Mál.) 180 C1
Atalaya, La E (Sa.) 97 B1
Atalaya-Isdabe E (Mál.) 187 D2
Atalayuela, lugar E (J.) 169 A2
Atallu E (Na.) 24 B2
Atán (Mazaricos) E (A Co.) 13 C2
Atanzón E (Gua.) 82 D5
Atapuerca E (Bur.) 42 A2
Ataquines E (Vall.) 80 A1
Atarés E (Hues.) 46 C1
Atarfe E (Gr.) 167 D5
Atarrabia → Villava E (Na.) 25 A4
Ataun E (Gui.) 24 A3
Atauta E (So.) 62 C4
Atazar, El E (Mad.) 82 A3
Atea E (Zar.) 85 A1
Ateca E (Zar.) 64 D5
Atei P (V. R.) 55 A3
Atenor P (Bra.) 57 B4
Atez E (Na.) 24 D3
Atiães P (Br.) 54 A2
Atiaga E (Ál.) 22 D4
Atienza E (Gua.) 83 A1
Atilhó P (V. R.) 55 B1
Atios E (Po.) 34 A3
Atochares E (Alm.) 184 B3
Atouguia P (San.) 111 D1
Atouguia da Baleia P (Lei.) 110 C3
Atrozela P (Lis.) 126 B3
Atxondo E (Viz.) 23 C2
Atxuri E (Viz.) 11 A5
Atzavares, les E (Ali.) 156 D3
Atzeneta d'Albaida, l' → Adzaneta de Albaida E (Val.) 141 A3
Atzeneta del Maestrat E (Cas.) 107 C3
Atzúvia, l' → Adsubia E (Ali.) 141 C3
Audanzas del Valle E (Le.) 38 C4
Aulabar E (J.) 168 B2
Aulaga, La E (Sev.) 163 B2
Aulago E (Alm.) 183 C1
Aulesti E (Viz.) 11 C5
Auñón E (Gua.) 103 B1
Aurín E (Hues.) 47 A1
Auritz E (Na.) 24 D2
Auritz/Burguete E (Na.) 25 C3
Aurizberri/Espinal E (Na.) 25 B3
Aurrekoetxe E (Viz.) 11 A5
Ausejo E (La R.) 44 A2
Ausejo de la Sierra E (So.) 63 D1
Ausias March E (Val.) 124 D5
Ausines, Los E (Bur.) 42 A3
Autilla del Pino E (Pa.) 40 B5
Autillo de Campos E (Pa.) 40 A4
Autol E (La R.) 44 B3
Auza E (Na.) 24 D3
Auzotxikia E (Gui.) 24 B2
Avanca P (Ave.) 74 A3
Avantos P (Bra.) 56 B3
Avarientos E (Các.) 97 C4
Ave Casta P (San.) 112 A1
Avedillo de Sanabria E (Zam.) 37 A4
Aveinte E (Áv.) 79 D4
Aveiras de Baixo P (Lis.) 111 B5
Aveiras de Cima P (Lis.) 111 A5
Aveiro P (Ave.) 73 D4
Avelal P (Vis.) 75 B4
Avelanoso P (Bra.) 57 C2
Avelar P (Lei.) 94 A5
Avelãs da Ribeira P (Guar.) 76 A4
Avelãs de Ambom P (Guar.) 76 A5
Avelãs de Caminho P (Ave.) 74 A5
Avelãs de Cima P (Ave.) 74 A5
Aveleda P (Br.) 54 B3
Aveleda P (Bra.) 37 A5
Aveleda P (Port.) 54 C4
Aveleda P (Port.) 53 D4
Aveledas P (V. R.) 56 A1
Aveledo P (Co.) 94 B2
Aveleira P (C. B.) 112 B2
Aveleira P (Co.) 94 B2
Aveleira P (Lei.) 94 A5
Aveleiras P (Guar.) 75 D4
Aveleiras P (V. C.) 34 B5
Avelinha P (Vis.) 75 A4
Aveloso P (Guar.) 76 A2
Avellà, l' → Avella, La E (Cas.) 107 D1
Avella, La/Avellà, l' E (Cas.) 107 D1
Avellanar E (Các.) 97 C2
Avellaneda E (Áv.) 99 A2
Avellanes, les E (Ll.) 48 D5
Avellanosa de Muñó E (Bur.) 41 C5
Avellanosa del Páramo E (Bur.) 41 C2
Avenal P (Co.) 94 A3
Avenal P (Lis.) 110 D5
Aveno E (Ast.) 6 D4
A-Ver-o-Mar P (Port.) 53 C3
Aves P (Port.) 54 B4
Avessada P (Lis.) 126 C2
Avessada P (San.) 112 D3
Avessadas P (Port.) 54 C5
Avià E (Bar.) 50 C4
Aviados E (Le.) 19 A4
Avidagos P (Bra.) 56 A4
Avidos P (Br.) 54 A4
Ávila E (Áv.) 80 A5
Avilés E (Ast.) 6 B3
Avilés E (Mu.) 154 D5
Avín E (Ast.) 7 D5
Avintes P (Port.) 74 A1
Avinyó E (Bar.) 50 D5
Avinyonet de Puigventós E (Gi.) 52 A2
Avinyonet del Penedès E (Bar.) 70 C4
Aviñante de la Peña E (Pa.) 20 B4
Avión E (Our.) 34 C1
Avis P (Por.) 128 D1
Avô P (Co.) 95 A2
Avões P (Vis.) 75 A1
Axpe E (Viz.) 23 C2
Ayacata E (Las P.) 191 C2
Ayacor/Aiacor E (Val.) 140 D2
Ayagaures E (Las P.) 191 C3
Ayamonte E (Huel.) 175 C2
Ayechu E (Na.) 25 C4
Ayegui E (Na.) 24 B5
Ayelo de Rugat/Aielo de Rugat E (Val.) 141 B3
Ayera E (Hues.) 47 A4
Ayerbe E (Hues.) 46 C3
Ayesa E (Na.) 45 B1
Aylagas E (So.) 62 D2
Aylanes E (Bur.) 21 D4
Ayllón E (Seg.) 62 B4
Ayna E (Alb.) 154 B1
Ayódar E (Cas.) 107 A5
Ayoluengo E (Bur.) 21 C5
Ayones E (Ast.) 5 C4
Ayoo de Vidriales E (Zam.) 38 A4
Ayora E (Val.) 140 A2
Ayuela E (Pa.) 20 B5
Ayuelas E (Bur.) 22 D5
Az E (Po.) 15 A4
Azabal E (Các.) 97 C2
Azadinos E (Le.) 18 D5
Azagra E (Na.) 44 C3
Azaila E (Te.) 66 D5
Azambuja P (Lis.) 127 B1
Azambujeira P (Lei.) 110 D4
Azambujeira P (San.) 111 B4
Azanúy E (Hues.) 48 A5
Azañón E (Gua.) 83 C5
Azara E (Hues.) 47 C4
Azarbe E (Mu.) 156 A4
Azares del Páramo E (Le.) 38 B3
Azaruja P (Év.) 129 A4
Azcona/Azkona E (Na.) 24 C5
Azedia P (Lis.) 126 D1
Azeitada P (San.) 111 C5
Azelha P (Lei.) 111 B2
Azenha P (Ave.) 93 D1
Azenha P (Co.) 93 C3
Azenha P (Lei.) 93 D5
Azenha Nova P (Co.) 93 C2
Azenha Velha P (Lis.) 110 B5
Azenhas P (Lis.) 126 B1
Azenhas do Mar P (Lis.) 126 B2
Ázere P (Co.) 94 C1
Ázere P (V. C.) 34 B5
Azervadinha P (San.) 127 D2
Azevedo P (Port.) 53 D4
Azevedo P (V. C.) 33 C5
Azevo P (Guar.) 76 B3
Azias P (V. C.) 54 B1
Azinhaga P (San.) 111 D4
Azinhal P (Be.) 160 D1
Azinhal P (Be.) 160 C3
Azinhal P (Fa.) 161 C4
Azinhal P (Fa.) 160 B4
Azinhal P (Guar.) 76 C4
Azinhal P (San.) 112 C1
Azinheira P (C. B.) 112 C1
Azinheira P (San.) 111 A4
Azinheira dos Barros P (Set.) 143 D3
Azinhoso P (Bra.) 57 A4
Azkarai E (Viz.) 22 D1
Azkoaga E (Ál.) 23 C2
Azkoitia E (Gui.) 24 A1
Azkona → Azcona E (Na.) 24 C5
Azkue → San Roque E (Gui.) 23 D1
Azlor E (Hues.) 47 C4
Aznalcázar E (Sev.) 163 C4
Aznalcóllar E (Sev.) 163 C3
Azões P (Br.) 54 A1
Azofra E (La R.) 43 A2
Azohía, La E (Mu.) 172 A3
Azoia P (Lei.) 111 B1
Azóia P (Lis.) 126 A3
Azóia P (Set.) 126 C5
Azóia de Baixo P (San.) 111 C4
Azóia de Cima P (San.) 111 C4
Azoños E (Can.) 9 C4
Azores E (Cór.) 167 A4
Azpeitia E (Gui.) 24 A1
Azpilgoeta E (Gui.) 23 D1
Aztegieta E (Ál.) 23 B4
Azuaga E (Bad.) 148 B3
Azuara E (Zar.) 66 B5
Azucaica E (To.) 119 B1
Azucarera, La E (Zam.) 59 A4
Azuébar E (Cas.) 125 A1
Azueira P (Lis.) 126 C1
Azuel E (Cór.) 150 C2
Azuelo E (Na.) 43 D1
Azuqueca de Henares E (Gua.) 102 C1
Azurara P (Port.) 53 D4
Azurva P (Ave.) 73 D4
Azurveira P (Ave.) 73 D5
Azután E (To.) 117 B1

B

Baamonde E (Lu.) 3 C5
Baamorto E (Lu.) 15 D5
Babe P (Bra.) 57 A1
Babilafuente E (Sa.) 79 A2
Babio E (Po.) 33 D3
Baçal P (Bra.) 57 A1
Bacares E (Alm.) 169 D5
Bacariza E (Alb.) 138 D3
Bacarot, El E (Ali.) 157 C2
Bacoco E (Bad.) 113 D5
Bacoi E (Lu.) 4 A3
Bácor-Olivar E (Gr.) 169 A3
Bachiller, El, lugar E (Alb.) 139 C3
Badajoz E (Bad.) 130 B3
Badalona E (Bar.) 71 B3
Badamalos P (Guar.) 96 C1
Badames E (Can.) 10 A5
Badarán E (La R.) 43 A2
Bade P (V. C.) 34 A4
Bádenas E (Te.) 85 D2
Badia Blava E (Bal.) 91 D4
Badia de Palma E (Bal.) 91 B4
Badia del Vallès E (Bar.) 71 A3
Badia Gran E (Bal.) 91 D5
Badilla E (Zam.) 57 D4
Badim P (V. C.) 34 B4
Badolatosa E (Sev.) 166 A5
Badorc, El E (Bar.) 70 B3
Badules E (Zar.) 85 C1
Baells E (Hues.) 48 B5
Baena E (Cór.) 166 D2
Baeres E (Ast.) 6 D5
Baeza E (J.) 152 A5
Bafareira P (C. B.) 95 A5
Bagà E (Bar.) 50 C2
Bagoada P (V. C.) 33 D5
Bagueixe P (Bra.) 56 D3
Bagueixos E (Lu.) 15 D2
Báguena E (Te.) 85 C2
Bagüés E (Zar.) 46 A1
Baguín E (Po.) 33 D1
Bagunte P (Port.) 53 D4
Bahabón E (Vall.) 60 D4
Bahabón de Esgueva E (Bur.) 61 D1
Bahía Dorada E (Mál.) 187 C2
Baião P (Port.) 54 D5
Baiãs P (Fa.) 174 A2
Baiasca E (Ll.) 49 B1
Baides E (Gua.) 83 B2
Baies, les → Bayas, Las E (Ali.) 156 D3
Bailén E (J.) 151 C4

Barrio Nuevo, El,

Bailo E (Hues.) 46 B 1
Baillo E (Le.) 37 B 3
Baíña E (Ast.) 6 C 5
Baíña E (Po.) 33 C 3
Baíñas E (A Co.) 13 C 1
Baio E (A Co.) 1 C 5
Baio Grande E (A Co.) 1 C 5
Baiões P (Vis.) 74 D 3
Baión E (Po.) 13 D 5
Baiona E (Po.) 33 C 3
Bairrada P (San.) 112 B 2
Bairrada P (San.) 112 A 2
Bairradas P (San.) 111 A 4
Bairral P (Ave.) 74 C 2
Bairrão P (Lei.) 94 B 4
Bairro P (Br.) 54 B 4
Bairro P (Lei.) 110 D 3
Bairro P (Lis.) 111 A 5
Bairro P (San.) 111 D 2
Bairro da Figueira P (Lei.) 111 A 3
Bairro da Mosca P (Set.) 127 A 3
Bairro da Sapec P (Set.) 127 A 5
Bairro de Almeirim P (Év.) 128 D 5
Bairro de Dona Constância P (San.) 111 B 4
Bairro do Degebe P (Év.) 128 D 4
Bairro dos Cadoços P (Set.) 143 C 2
Bairro Novo P (Év.) 129 A 4
Bairros P (Ave.) 74 C 1
Bairros dos Mortais P (San.) 111 B 3
Baixa da Banheira P (Set.) 126 D 4
Baixinho P (San.) 111 B 4
Bajamar E (S. Cruz T.) 196 B 1
Bajauri E (Bur.) 23 C 5
Bajos y Tagoro E (S. Cruz T.) 196 A 2
Bakaiku E (Na.) 24 B 3
Bakedano → Baquedano E (Na.) 24 B 4
Bakio E (Viz.) 11 A 4
Baladejos, Los E (Cád.) 186 B 2
Balado E (A Co.) 14 C 1
Balaguer E (Ll.) 68 D 1
Balança P (Br.) 54 C 1
Balanegra E (Alm.) 183 A 4
Balanzas, Los E (Mu.) 172 C 2
Balax E (Gr.) 169 C 4
Balazar P (Br.) 54 B 3
Balazar P (Port.) 53 D 3
Balazote E (Alb.) 138 B 3
Balbacil E (Gua.) 84 B 2
Balbarda E (Áv.) 79 D 5
Balbases, Los E (Bur.) 41 B 3
Balboa E (Bad.) 130 C 2
Balboa E (Le.) 16 D 4
Balcaide E (A Co.) 14 A 3
Balconchán E (Zar.) 85 B 2
Balcones, Los E (Ali.) 156 C 5
Balcones, Los E (Gr.) 169 A 4
Balconete E (Gua.) 83 A 5
Baldazos E (Mu.) 171 B 2
Baldellou E (Hues.) 48 C 5
Baldío E (Các.) 98 C 5
Baldio P (Év.) 129 C 5
Baldíos, Los E (S. Cruz T.) 196 B 2
Baldomar E (Ll.) 49 B 5
Baldornón E (Ast.) 6 D 4
Baldos P (Vis.) 75 C 2
Baldovar E (Val.) 124 A 1
Balea E (Po.) 33 C 1
Baleira E (Lu.) 16 B 2
Baleizão P (Be.) 145 A 4
Balenyà E (Bar.) 71 A 1
Balenyà E (Bar.) 51 A 5
Balerma E (Alm.) 183 A 4
Baliarrain E (Gui.) 24 B 2
Balisa E (Seg.) 80 C 2
Balmaseda E (Viz.) 22 C 1
Balmori E (Ast.) 8 A 4
Balneario del Cantalar, lugar E (Mu.) 154 B 4
Balneario Retortillo E (Sa.) 77 B 4
Baloca P (Ave.) 74 B 2
Balocas P (Co.) 94 D 2
Balón E (A Co.) 2 D 3
Balones E (Ali.) 141 B 4
Balonga E (Mu.) 156 A 2
Balouta E (Le.) 17 A 3
Balsa E (Lu.) 3 D 3
Balsa P (Por.) 113 D 4
Balsa P (Port.) 54 A 5
Balsa P (V. R.) 55 C 4
Balsa de Ves E (Alb.) 123 D 5
Balsapintada E (Mu.) 172 A 1
Balsareny E (Bar.) 50 C 5
Balsas P (Co.) 93 D 1
Balsas P (San.) 112 A 4
Balsicas E (Mu.) 172 B 1
Balsillas, lugar E (Gr.) 169 B 4
Baltanás E (Pa.) 60 D 1
Baltar E (Lu.) 4 A 5
Baltar E (Our.) 35 B 5
Baltar E (Po.) 14 A 4
Baltar P (Port.) 54 B 5
Baltezana E (Can.) 10 C 5
Baltrozes P (Vis.) 75 D 2
Balugães P (Br.) 53 D 2
Balurcos de Baixo P (Fa.) 161 B 3
Balurcos de Cima P (Fa.) 161 B 3
Ballabriga E (Hues.) 48 C 2
Ballesta, La E (Cór.) 149 C 3
Ballestero, El E (Alb.) 137 D 3
Ballesteros E (C. R.) 119 B 5
Ballesteros E (Mu.) 154 D 5
Ballesteros de Calatrava E (C. R.) 135 B 3
Ballesteros, lugar E (Cu.) 104 B 5
Ballobar E (Hues.) 68 A 3
Ballota E (Ast.) 5 D 3
Bama E (A Co.) 14 C 3
Bamba E (Zam.) 58 D 4
Bamio E (Po.) 13 D 4
Bamiro E (A Co.) 1 C 5
Banaguás E (Hues.) 46 C 1
Banariés E (Hues.) 46 D 4
Banastás E (Hues.) 46 D 4
Banastón E (Hues.) 47 D 2
Banática P (Set.) 126 C 3
Bancalàs, els E (Cas.) 107 C 3
Bancalejo, El E (Alm.) 170 C 3
Bances E (Ast.) 6 A 3
Banda de las Rosas E (S. Cruz T.) 194 B 1
Bandaliés E (Hues.) 47 A 4
Bandarises P (Vis.) 74 D 4
Bande E (Our.) 35 A 4
Bandeira E (Po.) 14 C 4
Bandeiras P (Aç.) 109 B 3
Bandoxa E (A Co.) 2 D 5
Banecidas E (Le.) 39 C 1
Bangueses E (Our.) 34 D 4
Bangueses de Abaixo E (Our.) 34 D 4
Banhos P (Ave.) 93 D 1
Banuncias E (Le.) 38 D 1
Banyalbufar E (Bal.) 91 B 3
Banyeres de Mariola E (Ali.) 140 D 4
Banyeres del Penedès E (Ta.) 70 A 5
Banyoles E (Gi.) 52 A 3
Banzás E (A Co.) 13 D 2
Baña, A E (A Co.) 13 D 2
Baña, La E (Le.) 37 A 3
Bañaderos E (Las P.) 191 C 1
Bañares E (La R.) 43 A 2
Bañeza, La E (Le.) 38 B 3
Baño E (A Co.) 13 B 3
Bañobárez E (Sa.) 77 A 3
Bañón E (Te.) 85 D 4
Baños de Agua Hedionda E (J.) 167 B 2
Baños de Alcantud, lugar E (Cu.) 104 A 1
Baños de Cerrato E (Pa.) 60 C 1
Baños de Ebro E (Ál.) 43 B 1
Baños de la Encina E (J.) 151 C 3
Baños de Ledesma E (Sa.) 78 B 2
Baños de Molgas E (Our.) 35 C 3
Baños de Montemayor E (Các.) 98 B 2
Baños de Panticosa E (Hues.) 27 A 4
Baños de Río Tobía E (La R.) 43 B 3
Baños de Rioja E (La R.) 43 A 1
Baños de Tajo E (Gua.) 84 C 5
Baños de Valdearados E (Bur.) 62 A 2
Baños de Zújar, lugar E (Gr.) 169 B 3
Baños y Mendigo E (Mu.) 172 A 1
Baños, Los E (Gr.) 181 B 2
Baños, Los E (Mu.) 155 C 4
Baños, Los E (Mu.) 156 A 3
Bañuelos E (Gua.) 63 A 5
Bañuelos de Bureba E (Bur.) 42 B 1
Bañuelos del Rudrón E (Bur.) 21 C 5
Bañugues E (Ast.) 6 C 2
Baquedano/Bakedano E (Na.) 24 B 4
Baquerín de Campos E (Pa.) 40 A 5
Baraçais P (Lei.) 110 D 4
Baraçal P (Guar.) 75 D 4
Baraçal P (Guar.) 96 B 1
Bárago E (Can.) 20 B 2
Baraguás E (Hues.) 46 D 1
Barahona de Fresno E (Seg.) 62 A 5
Barahonda Vieja E (Mu.) 139 C 5
Barajas E (Áv.) 99 B 2
Barajas de Melo E (Cu.) 103 A 4
Barakaldo E (Viz.) 10 D 5
Baralho P (San.) 112 C 4
Baralla E (Lu.) 16 B 3
Barallobre E (A Co.) 2 D 3
Barán E (Lu.) 15 D 4
Baranbio E (Ál.) 23 A 2
Baranda E (Bur.) 22 A 2
Barañain E (Na.) 24 D 4
Barão de São João P (Fa.) 173 B 2
Barão de São Miguel P (Fa.) 173 A 2
Baraona E (So.) 63 B 5
Barásoain E (Na.) 45 A 1
Barazón E (A Co.) 15 A 3
Barbacena P (Por.) 129 D 2
Barbacena, lugar E (Sev.) 163 B 3
Barbadás E (Our.) 35 B 2
Barbadelo E (Lu.) 16 A 4
Barbadillo E (Sa.) 78 B 3
Barbadillo de Herreros E (Bur.) 42 C 4
Barbadillo del Mercado E (Bur.) 42 B 5
Barbadillo del Pez E (Bur.) 42 C 4
Barbaído P (C. B.) 95 B 5
Barbalimpia E (Cu.) 104 A 5
Barbalos E (Sa.) 78 A 5
Barbantes E (Our.) 35 A 2
Barbaño E (Bad.) 131 A 3
Barbarin E (Na.) 44 B 1
Barbaruens E (Hues.) 48 A 1
Barbastro E (Hues.) 47 D 5
Barbate E (Cád.) 186 B 4
Barbatona E (Gua.) 83 C 2
Barbecho E (Ast.) 6 D 4
Barbeira E (A Co.) 13 D 2
Barbeiros E (A Co.) 14 C 1
Barbeita P (V. C.) 34 B 4
Barbeito E (A Co.) 14 D 1
Barbeito P (Vis.) 75 A 4
Barbens E (Ll.) 69 B 2
Barberà de la Conca E (Ta.) 69 C 4
Barberà del Vallès E (Bar.) 71 A 3
Barboa E (Ál.) 22 D 4
Bárboles E (Zar.) 65 D 2
Barbolla E (Seg.) 61 D 5
Barbolla, La E (Gua.) 83 B 1
Barbudo E (Po.) 34 B 1
Barbudo P (Br.) 54 B 2
Barbués E (Hues.) 47 A 5
Barbuñales E (Hues.) 47 C 5
Barca E (So.) 63 C 4
Barca de la Florida, La E (Cád.) 178 A 4
Barca, La E (Ast.) 5 D 5
Barca, La E (Cád.) 186 A 3
Barca, La E (Huel.) 161 D 4
Bárcabo E (Hues.) 47 D 3
Barcala E (Po.) 14 A 4
Barcarena P (Lis.) 126 C 3
Barcarrota E (Bad.) 130 C 5
Barcebal E (So.) 62 D 3
Barcebalejo E (So.) 62 D 3
Barceíno E (Sa.) 77 B 2
Barcel P (Bra.) 56 A 4
Barcela E (Po.) 34 C 3
Barcelinhos P (Br.) 54 A 3
Barcelona E (Bar.) 71 A 4
Barceloneta E (Gi.) 52 A 5
Barcelos P (Br.) 53 D 2
Bárcena E (Can.) 21 C 1
Bárcena de Campos E (Pa.) 40 C 1
Bárcena de Cicero E (Can.) 10 A 4
Bárcena de la Abadía E (Le.) 17 B 4
Bárcena de Pie de Concha E (Can.) 21 B 2
Bárcena de Pienza E (Bur.) 22 A 3
Bárcena del Bierzo E (Le.) 17 B 5
Bárcena del Monasterio E (Ast.) 5 B 4
Bárcena Mayor E (Can.) 21 A 2
Barcenaciones E (Can.) 9 A 5
Bárcenas E (Bur.) 22 A 2
Barcenilla E (Can.) 9 B 4
Barcenillas E (Can.) 20 D 1
Barcenillas de Cerezos E (Bur.) 22 A 2
Barcenillas del Ribero E (Bur.) 22 A 2
Barceo E (Sa.) 77 B 2
Barcia E (Ast.) 5 C 3
Barcia E (Our.) 34 D 2
Barcia E (Po.) 34 C 1
Barcial de la Loma E (Vall.) 39 B 5
Barcial del Barco E (Zam.) 38 C 5
Barcience E (To.) 100 D 5
Barciles Alto, lugar E (To.) 101 C 5
Barcina de los Montes E (Bur.) 22 B 5
Barcina del Barco E (Bur.) 22 C 4
Barcinas E (Gr.) 168 A 4
Barco P (Br.) 54 B 3
Barco P (C. B.) 95 B 3
Barco de Ávila, El E (Áv.) 98 D 2
Barco de Valdeorras, O E (Our.) 36 C 1
Barcones E (So.) 63 A 5
Barcos P (Vis.) 75 C 1
Barcouço P (Ave.) 94 A 2
Barchín del Hoyo E (Cu.) 122 B 2
Bardallur E (Zar.) 65 D 2
Bardaos E (A Co.) 3 A 2
Bardaos E (A Co.) 14 B 1
Bardauri E (Bur.) 23 A 5
Bardena del Caudillo E (Zar.) 45 D 4
Bardetes, Ses E (Bal.) 90 C 5
Baredo E (Po.) 33 C 3
Bareyo E (Can.) 10 A 4
Bargas E (To.) 101 B 5
Bargis, lugar E (Gr.) 182 B 3
Bargota E (Na.) 44 A 1
Barillas E (Na.) 45 A 5
Barinaga E (Viz.) 23 C 1
Barinas E (Mu.) 156 A 3
Bariones de la Vega E (Le.) 38 D 4
Barizo E (A Co.) 1 D 4
Barjacoba E (Zam.) 36 C 4
Barjas E (Le.) 16 C 5
Barlovento E (S. Cruz T.) 193 C 2
Barluenga E (Hues.) 47 A 3
Barniedo de la Reina E (Le.) 19 D 3
Baró, El E (Val.) 125 A 3
Baró, lugar E (Bur.) 22 C 3
Baroja E (Ál.) 23 B 5
Barona, la E (Cas.) 107 C 3
Baroncelle E (Lu.) 3 D 4
Baronia de Rialb, la E (Ll.) 49 C 5
Baronzás E (Our.) 35 C 4
Baroña E (A Co.) 13 C 4
Barós E (Hues.) 46 D 1
Barosa P (Lei.) 111 B 1
Barosa, La E (Le.) 36 D 1
Barqueira, A E (A Co.) 3 B 2
Barqueiros P (Br.) 53 D 3
Barqueres, les E (Bar.) 71 C 2
Barqueros E (Ast.) 5 A 3
Barqueros E (Mu.) 155 C 5
Barquilla E (Sa.) 76 D 4
Barquilla de Pinares E (Các.) 98 D 4
Barquillo, El E (Áv.) 98 D 2
Barquiña E (A Co.) 13 D 3
Barra Cheia P (Set.) 126 D 4
Barraca d'Aigües Vives, la E (Val.) 141 B 1
Barracão P (Guar.) 96 A 1
Barracão P (Lei.) 93 C 5
Barracas E (Cas.) 106 C 5
Barracel E (Our.) 35 B 3
Barraco, El E (Áv.) 100 B 1
Barracón, lugar E (Cór.) 166 B 4
Barracha P (Fa.) 174 D 2
Barrachina E (Te.) 85 D 3
Barrada P (Év.) 145 C 1
Barrada P (Fa.) 160 D 3
Barrada P (San.) 112 C 3
Barrado E (Các.) 98 B 4
Barral E (A Co.) 14 B 1
Barral-Correlos E (Lu.) 4 A 3
Barrán E (Our.) 15 A 5
Barranca, La E (Mad.) 81 B 4
Barrancão P (Fa.) 173 B 3
Barranco de la Madera E (Mál.) 179 C 3
Barranco de la Montesina E (J.) 152 D 4
Barranco de las Lajas E (S. Cruz T.) 196 B 2
Barranco de Quiles, El E (Alm.) 170 B 3
Barranco de Zafra E (Mál.) 180 B 4
Barranco del Agua, El, lugar E (Mál.) 180 C 1
Barranco del Sol E (Mál.) 180 B 3
Barranco do Velho P (Fa.) 174 C 2
Barranco Ferrer E (Gr.) 182 B 4
Barranco Grande E (S. Cruz T.) 196 B 2
Barranco Hondo E (S. Cruz T.) 196 B 2
Barranco la Arena E (S. Cruz T.) 196 A 2
Barranco Longo P (Fa.) 174 A 2
Barranco Molax E (Mu.) 155 C 3
Barrancos P (Be.) 146 B 3
Barrancos, Los E (Cád.) 178 B 4
Barrancos, Los E (Mad.) 101 B 1
Barranch E (Bal.) 90 A 2
Barranda E (Mu.) 154 C 4
Barranquete, El E (Alm.) 184 B 3
Barranquillo de Andrés, El E (Las P.) 191 B 3
Barrantes E (Po.) 13 D 5
Barrantes E (Po.) 33 D 4
Barrantes P (Lei.) 110 D 3
Barrañán E (A Co.) 2 B 4
Barrasa E (Bur.) 22 B 2
Barratera E (Mu.) 155 C 3
Barrax E (Alb.) 138 A 2
Barreda E (Ast.) 6 C 4
Barreda E (Can.) 9 B 4
Barredos E (Ast.) 6 D 5
Barreira P (Guar.) 76 A 3
Barreira P (Lei.) 111 B 1
Barreira P (San.) 111 D 1
Barreiralva P (Lis.) 126 B 1
Barreiras P (Lei.) 93 D 4
Barreiras P (Lis.) 110 D 4
Barreiras P (Por.) 112 C 4
Barreiras do Tejo P (San.) 112 B 3
Barreirinha P (San.) 111 B 3
Barreiro P (Set.) 126 D 4
Barreiro de Além P (Ave.) 74 A 3
Barreiro de Besteiros P (Vis.) 74 C 5
Barreiros E (Lu.) 16 B 2
Barreiros E (Lu.) 4 B 3
Barreiros P (Lei.) 93 B 5
Barreiros P (V. R.) 56 A 2
Barreiros P (Vis.) 75 B 4
Barrela P (V. R.) 55 C 4
Barrela, A E (Lu.) 15 B 5
Barren-Aldea E (Gui.) 24 A 3
Barrenta P (Lei.) 111 C 2
Barreosa P (Guar.) 95 A 2
Barrera, La E (Las P.) 191 D 2
Barreras E (Sa.) 77 A 2
Barreras, Las E (Gr.) 182 B 3
Barres E (Ast.) 4 D 3
Barretos P (Por.) 113 D 3
Barri de Mar → Barrio-Mar E (Cas.) 125 C 2
Barriada de Alcora, La E (Alm.) 183 B 2
Barriada de la Paz E (Sev.) 165 D 4
Barriada del Romeral E (Gr.) 182 B 4
Barriada Estación E (Mál.) 180 A 3
Barriada Estación E (Mál.) 179 A 5
Barriada Obrera del Sur E (Te.) 86 B 4
Barriaga, lugar E (Cór.) 165 D 2
Barrientos E (Le.) 38 B 2
Barriga E (Bur.) 22 C 3
Barrigões P (Fa.) 160 C 4
Barrika E (Viz.) 10 D 4
Barril P (Lis.) 126 B 1
Barril P (Vis.) 94 C 1
Barril de Alva P (Co.) 94 D 2
Barrillos E (Le.) 19 A 5
Barrillos e las Arrimadas E (Le.) 19 B 4
Barriños, Los, lugar E (Huel.) 161 B 2
Barrio E (Ál.) 22 D 4
Barrio E (Ast.) 19 B 1
Bárrio P (Lei.) 111 A 2
Bárrio P (V. C.) 34 A 5
Barrio Arroyo E (Val.) 123 D 3
Barrio de Archilla E (Alm.) 183 C 4
Barrio de Arriba E (Can.) 9 D 5
Barrio de Cascalla E (Our.) 36 D 1
Barrio de Díaz Ruiz E (Bur.) 22 B 5
Barrio de la Puebla, El E (Pa.) 20 B 5
Barrio de la Puente E (Le.) 18 A 4
Barrio de la Tercia E (Le.) 18 D 3
Barrio de la Vega E (Gr.) 182 A 1
Barrio de las Ollas E (Le.) 19 B 4
Barrio de Lomba E (Zam.) 37 A 4
Barrio de Muñó E (Bur.) 41 B 4
Barrio de Nuestra Señora E (Le.) 19 A 5
Barrio de Peral E (Mu.) 172 B 2
Barrio de Pinilla E (Le.) 18 D 5
Barrio de Rábano E (Zam.) 37 A 4
Barrio de Santa María E (Pa.) 20 D 4
Barrio de Santa María E (To.) 99 D 5
Barrio del Santuario E (Alb.) 139 D 1
Barrio Estación E (Le.) 19 A 4
Barrio Nuevo E (Cád.) 186 A 3
Barrio Nuevo E (Gr.) 169 D 3
Barrio Nuevo E (Gr.) 169 D 1
Barrio Nuevo, El, lugar E (Alb.) 138 D 4

Borraxeiros

Bercedo E (Bur.) 22 A2
Berceo E (La R.) 43 A3
Bercero E (Vall.) 59 C3
Berceruelo E (Vall.) 59 C3
Bercial E (Seg.) 80 C3
Bercial de San Rafael, El E (To.) 117 C1
Bercial de Zapardiel E (Áv.) 79 D2
Bercial, El E (To.) 117 B1
Bercianos de Aliste E (Zam.) 57 D1
Bercianos de Valverde E (Zam.) 38 B5
Bercianos de Vidriales E (Zam.) 38 B4
Bercianos del Páramo E (Le.) 38 C2
Bercianos del Real Camino E (Le.) 39 C2
Bercimuel E (Seg.) 62 A5
Bercimuelle E (Sa.) 98 D1
Bérchules E (Gr.) 182 C2
Berdejo E (Zar.) 64 C3
Berdeogas E (A Co.) 13 B1
Berdia E (A Co.) 14 B2
Berdillo E (A Co.) 2 A5
Berdoias E (A Co.) 13 B1
Berducedo E (Ast.) 5 A5
Berducido E (Po.) 34 B2
Berdún E (Hues.) 26 B5
Beresmo E (Our.) 34 C1
Berga E (Bar.) 50 C4
Berganciano E (Sa.) 77 D1
Berganúy E (Hues.) 48 C3
Berganzo E (Ál.) 23 B5
Bergara E (Gui.) 23 D2
Bergasa E (La R.) 44 B3
Bergasillas Bajera E (La R.) 44 B3
Berge E (Te.) 87 A3
Bergondo E (A Co.) 2 D4
Bergua E (Hues.) 47 B1
Beriain E (Na.) 25 A5
Beringel P (Be.) 144 C3
Beringelinho P (Be.) 160 C2
Berja E (Alm.) 183 A3
Berlanas, Las E (Áv.) 80 A4
Berlanga E (Bad.) 148 A2
Berlanga de Duero E (So.) 63 A4
Berlanga del Bierzo E (Le.) 17 B4
Berlangas de Roa E (Bur.) 61 C2
Berlengas P (Co.) 93 C1
Bermeja, La E (Mu.) 155 C4
Bermejal E (Huel.) 162 C4
Bermellar E (Sa.) 77 A2
Bermeo E (Viz.) 11 B4
Bermés E (Po.) 14 D4
Bermillo de Alba E (Zam.) 58 A3
Bermillo de Sayago E (Zam.) 57 D4
Bermún E (A Co.) 13 B2
Bernagoitia E (Viz.) 23 B1
Bernales E (Can.) 10 B5
Bernardos E (Seg.) 80 D1
Bernedo E (Ál.) 23 C5
Berninches E (Gua.) 103 B1
Bernueces E (Ast.) 6 D3
Bernués E (Hues.) 46 C1
Bernúy E (To.) 100 B5
Bernuy de Coca E (Seg.) 80 B1
Bernúy de Porreros E (Seg.) 81 A2
Bernúy-Salinero E (Áv.) 80 B5
Bernúy-Zapardiel E (Áv.) 79 D3
Berodia E (Ast.) 8 A5
Berrande E (Our.) 36 B5
Berredo E (Our.) 35 B3
Berredo E (Po.) 15 A3
Berreo E (A Co.) 14 B2
Berres E (Po.) 14 B4
Berrioplano E (Na.) 24 D4
Berriozar E (Na.) 25 A4
Berriz E (Viz.) 23 C1
Berro E (Alb.) 138 B4
Berro, El E (Mu.) 155 B5
Berrobi E (Gui.) 24 B2
Berrocal E (Huel.) 163 A2
Berrocal de Huebra E (Sa.) 78 A4
Berrocal de Salva Tierra E (Sa.) 78 C5
Berrocalejo E (Các.) 117 A1
Berrocalejo de Aragona E (Áv.) 80 B5
Berrocales del Jarama, Los E (Mad.) 102 A1
Berroeta E (Na.) 25 A2
Berrón, El E (Ast.) 6 D4
Berrozo E (Po.) 14 C5
Berroztegieta E (Ál.) 23 B4
Berrueces E (Vall.) 39 C5
Berrueco E (Zar.) 85 B2
Berrueco, El E (Mad.) 82 A3
Berrueco, El, lugar E (J.) 167 C1
Bertamiráns (Ames) E (A Co.) 14 A3
Bertoa E (A Co.) 2 A4
Bértola E (Po.) 34 A1
Beruete E (Na.) 24 D2
Berzocana E (Các.) 116 D4
Berzosa E (Mad.) 81 B5
Berzosa E (So.) 62 C3
Berzosa de Bureba E (Bur.) 22 C5
Berzosa de los Hidalgos E (Pa.) 20 C5
Berzosa del Lozoya E (Mad.) 82 A3
Berzosilla E (Pa.) 21 B4
Berzosilla, La E (Mad.) 81 B5
Besalú E (Gi.) 51 D3
Besande E (Le.) 19 D3
Bescanó E (Gi.) 51 D4
Bescaran E (Ll.) 50 A1
Bescós de Garcipollera E (Hues.) 26 D5
Beselga P (San.) 112 A2
Beselga P (Vis.) 75 D2
Beseño E (A Co.) 14 D3
Besians E (Hues.) 48 A3
Besora E (Ll.) 50 A4
Besouro P (Fa.) 174 C3
Bespén E (Hues.) 47 B4
Besteiras P (Ave.) 74 A3
Besteiras P (San.) 112 B1
Besteiros P (Be.) 161 A3
Besteiros P (Br.) 54 B2
Besteiros P (Fa.) 160 C4
Besteiros P (Por.) 113 D5
Besteiros P (Port.) 54 B5
Bestida P (Ave.) 73 D3
Bestué E (Hues.) 47 D1
Besullo E (Ast.) 17 B1
Betán E (Our.) 35 C3
Betancuria E (Las P.) 190 A3
Betanzos E (A Co.) 2 D4
Betelu E (Na.) 24 C2
Bétera E (Val.) 125 A3
Betés de Sobremonte E (Hues.) 27 A5
Betesa E (Hues.) 48 C2
Beteta E (Cu.) 104 B1
Betis E (Cád.) 186 C5
Betolatza E (Ál.) 23 B3
Betoñu E (Ál.) 23 B4
Betote E (Lu.) 16 A4
Betren E (Ll.) 28 D4
Betunes P (Fa.) 174 C2
Betxí E (Cas.) 107 B5
Beuda E (Gi.) 51 D2
Bexo E (A Co.) 13 D4
Bezana E (Bur.) 21 C3
Bezanes E (Ast.) 19 B1
Bezares E (La R.) 43 B2
Bezas E (Te.) 105 C2
Bezerreira P (Vis.) 74 C5
Béznar E (Gr.) 182 A3
Biañez E (Viz.) 22 B1
Biar E (Ali.) 140 C5
Bias do Sul P (Fa.) 175 A3
Biasteri → Laguardia E (Ál.) 43 C1
Bica P (Lei.) 111 A2
Bicas P (San.) 112 B4
Bicesse P (Lis.) 126 B3
Bico P (V. C.) 34 A5
Bicorp E (Val.) 140 C1
Bicos P (Be.) 143 C5
Bidania E (Gui.) 24 A2
Bidankoze → Vidángoz E (Na.) 26 A4
Bidaurreta → Vidaurreta E (Na.) 24 C4
Biduedo E (Our.) 35 A1
Biduido E (A Co.) 14 A3
Biedes E (Ast.) 7 B4
Biedes E (Ast.) 6 B4
Biel E (Zar.) 46 A2
Bielba E (Can.) 8 C5
Bielsa E (Hues.) 27 D5
Bienservida E (Alb.) 153 C1
Bienvenida E (Bad.) 147 C2
Bienvenida E (C. R.) 134 B5
Bierge E (Hues.) 47 C4
Biescas E (Hues.) 27 A5
Bigastro E (Ali.) 156 B4
Bigorne P (Vis.) 75 A2
Bigues E (Bar.) 71 A2
Bigüezal E (Na.) 25 D5
Bijuesca E (Zar.) 64 C3
Bikarregi E (Viz.) 23 B2
Bilar → Elvillar E (Ál.) 43 C1
Bilbao, lugar E (Sev.) 165 A5
Bilbao/Bilbo E (Viz.) 11 A5
Bilbo → Bilbao E (Viz.) 11 A5
Bilhó P (V. R.) 55 A4
Biloda E (Ál.) 23 B4
Biloria → Viloria E (Na.) 24 A5
Billabona → Villabona E (Gui.) 24 B1
Billela E (Viz.) 11 A4
Bimeda E (Ast.) 17 B2
Bimenes E (Ast.) 6 D5
Binaced E (Hues.) 67 D1
Binacua E (Hues.) 46 C1
Binéfar E (Hues.) 68 A1
Biniali E (Bal.) 91 D3
Biniamar E (Bal.) 91 D2
Biniancolla-Punta Prima E (Bal.) 90 D3
Biniaraix E (Bal.) 91 C2
Biniés E (Hues.) 26 B5
Binisafua Roters E (Bal.) 90 D3
Binissalem E (Bal.) 91 D3
Binixica E (Bal.) 90 C3
Biosca E (Ll.) 69 D1
Biota E (Zar.) 45 D3
Bioucas P (San.) 112 B2
Birre P (Lis.) 126 B3
Bisaurri E (Hues.) 48 B1
Bisbal de Falset, la E (Ta.) 68 D5
Bisbal del Penedès, la E (Ta.) 70 A5
Bisbal d'Empordà, la E (Gi.) 52 B4
Biscainhas P (Co.) 93 C2
Biscainho P (San.) 127 C2
Biscarrués E (Hues.) 46 B3
Biscoitos P (Aç.) 109 A5
Bisimbre E (Zar.) 65 B1
Bisjueces E (Bur.) 22 A3
Bismula P (Guar.) 96 C1
Bispeira P (Vis.) 74 B3
Bitarães P (Port.) 54 B5
Bitem E (Ta.) 88 C3
Bitoriano E (Ál.) 23 A3
Biure E (Gi.) 52 A1
Biure E (Ta.) 69 D3
Biurrun E (Na.) 24 D5
Bizarril P (Guar.) 76 C3
Bizmay, El E (Alm.) 170 B1
Blacos E (So.) 63 A2
Blacha E (Áv.) 99 C1
Blanca E (Mu.) 155 C3
Blancafort E (Ta.) 69 C4
Blancares Nuevos, lugar E (Alb.) 138 B2
Blancares Viejos, lugar E (Alb.) 138 B2
Blancas E (Te.) 85 B4
Blancos E (Mu.) 155 D4
Blancos E (Our.) 35 B4
Blanes E (Gi.) 72 A1
Blanquitos, Los E (S. Cruz T.) 195 D4
Blascoeles E (Áv.) 80 C4
Blascomillán E (Áv.) 79 C4
Blasconuño de Matacabras E (Áv.) 79 D1
Blascosancho E (Áv.) 80 B3
Blázquez, Los E (Cór.) 148 D1
Blecua E (Hues.) 47 B4
Bleda, La E (Bar.) 70 B4
Blesa E (Te.) 86 B2
Bliecos E (So.) 64 A4
Blimea E (Ast.) 6 D5
Blocona E (So.) 83 D1
Boa E (A Co.) 13 C3
Boa Farinha P (C. B.) 112 C1
Boa Ventura P (Ma.) 110 B1
Boa Vista P (Lei.) 93 C5
Boada E (Sa.) 77 C4
Boada de Campos E (Pa.) 39 D5
Boada de Roa E (Bur.) 61 B2
Boadella d'Empordà E (Gi.) 52 A2
Boadilla E (Sa.) 77 D4
Boadilla de Rioseco E (Pa.) 39 D4
Boadilla del Camino E (Pa.) 40 D3
Boadilla del Monte E (Mad.) 101 C2
Boado E (A Co.) 14 D2
Boal E (Ast.) 5 A4
Boaldeia P (Vis.) 74 D4
Boalhosa P (V. C.) 54 B1
Boalo, El E (Mad.) 81 B5
Boaña de Arriba E (A Co.) 13 D1
Boaño E (A Co.) 1 C5
Boassas P (Vis.) 74 D1
Boavista P (Co.) 93 B3
Boavista P (Fa.) 174 D3
Boavista P (Lei.) 110 D3
Boavista P (Lei.) 111 A2
Boavista P (Lei.) 110 D4
Boavista P (Lis.) 110 C5
Boavista P (Lis.) 110 B5
Boavista dos Pinheiros P (Be.) 159 C2
Bobadela P (Co.) 95 A1
Bobadela P (V. R.) 55 C1
Bobadela P (V. R.) 56 A1
Bobadilla E (Gr.) 181 D1
Bobadilla E (J.) 167 A2
Bobadilla E (La R.) 43 B3
Bobadilla E (Mál.) 180 A2
Bobadilla del Campo E (Vall.) 79 C1
Bobadilla-Estación E (Mál.) 180 A2
Bobal P (V. R.) 55 A4
Bobar, El E (Alm.) 184 A3
Bobes E (Ast.) 6 C4
Bobia E (Ast.) 7 D5
Boborás E (Our.) 34 D1
Boca P (Ave.) 73 D5
Boca de Huérgano E (Le.) 19 D3
Bocacara E (Sa.) 77 B5
Bocado P (Co.) 94 D2
Bocairent E (Val.) 140 D4
Bocaleones E (Cád.) 178 D3
Boceguillas E (Seg.) 61 D5
Bocígano E (Gua.) 82 B2
Bocigas E (Vall.) 80 B1
Bocigas de Perales E (So.) 62 B3
Bocos E (Bur.) 22 A3
Bocos de Duero E (Vall.) 61 A3
Boche E (Alb.) 154 A2
Bochones E (Gua.) 83 A1
Bodaño E (Po.) 14 D4
Bodas, Las E (Le.) 19 B4
Bodegones, Los E (Huel.) 176 D2
Bodera, La E (Gua.) 83 A1
Bodiosa P (Vis.) 74 D4
Bodón, El E (Sa.) 97 A1
Bodonal de la Sierra E (Bad.) 146 D3
Bodurria E (Gr.) 169 B4
Boebre E (A Co.) 2 D3
Boecillo E (Vall.) 60 A3
Boedo E (A Co.) 2 C4
Boelhe P (Port.) 74 C1
Boente E (Po.) 34 B2
Boeza E (Le.) 17 D5
Bofinho P (Lei.) 94 A5
Bogajo E (Sa.) 77 B3
Bogalhal P (Guar.) 76 B3
Bogarra E (Alb.) 138 A5
Bogarre E (Gr.) 168 B4
Bogas de Baixo P (C. B.) 95 A4
Bogas de Cima P (C. B.) 95 B4
Bogas do Meio P (C. B.) 95 B4
Bohodón, El E (Áv.) 80 A3
Bohonal E (Bad.) 118 A5
Bohonal de Ibor E (Các.) 116 D1
Bohoyo E (Áv.) 98 D2
Boí E (Ll.) 48 D1
Boialvo P (Ave.) 74 B5
Boiça do Louro P (Lis.) 111 A4
Boiças P (San.) 111 A4
Boidobra P (C. B.) 95 C2
Boim P (Port.) 54 C5
Boimente E (Lu.) 3 D2
Boimo P (V. C.) 34 C5
Boimorto E (A Co.) 14 D2
Boimorto E (Our.) 35 B1
Boiro E (A Co.) 13 D4
Boisan E (Le.) 37 D2
Boivães P (V. C.) 54 B1
Boivão P (V. C.) 34 A4
Boixadors E (Bar.) 70 A1
Boizán E (Lu.) 3 C4
Bojal, El E (Mu.) 156 A5
Bola, A E (Our.) 35 A3
Bolaimí E (Alm.) 170 C3
Bolaños de Calatrava E (C. R.) 135 D3
Bolaños de Campos E (Vall.) 39 B5
Bolbaite E (Val.) 140 D2
Boldú E (Ll.) 69 B2
Bolea E (Hues.) 46 D3
Boleiros P (San.) 111 C2
Boleta P (Co.) 93 D2
Bolfiar P (Ave.) 74 A5
Bolho P (Co.) 94 A1
Bolhos P (Lei.) 110 C4
Bolibar E (Gui.) 23 C3
Bolibar E (Viz.) 23 C1
Boliqueime P (Fa.) 174 B2
Bolmente E (Lu.) 35 C1
Bolmir E (Can.) 21 A3
Bolnuevo E (Mu.) 171 D3
Bolo, O E (Our.) 35 A1
Bolo, O E (Our.) 36 C2
Bolos E (Po.) 14 B4
Boltaña E (Hues.) 47 C2
Bolulla E (Ali.) 141 C4
Bolvir E (Gi.) 50 C1
Bollacín E (Can.) 21 C2
Bólliga E (Cu.) 103 D3
Bollullos de la Mitación E (Sev.) 163 D4
Bollullos Par del Condado E (Huel.) 163 A4
Bom Sucesso P (Co.) 93 C2
Bomba, La E (Gi.) 52 B2
Bombardeira P (Lis.) 110 B5
Bombarral P (Lei.) 110 D4
Bombel P (Év.) 127 D4
Bon E (Po.) 33 D2
Bon Vento P (Lei.) 110 D4
Bonabal P (Lis.) 110 B5
Bonansa E (Hues.) 48 C2
Bonanza E (Cád.) 177 B3
Bonares E (Huel.) 162 D4
Bonastre E (Ta.) 70 A5
Bonaterra E (Ta.) 70 A5
Bonavista E (Ta.) 89 C1
Bonete E (Alb.) 139 C3
Boniches E (Cu.) 105 A5
Bonielles E (Ast.) 6 B4
Bonilla E (Cu.) 103 C3
Bonilla de la Sierra E (Áv.) 99 B1
Bonillo, El E (Alb.) 137 C3
Bonitos P (Lei.) 93 C4
Bonmatí E (Gi.) 51 D4
Bono E (Hues.) 48 D1
Bonrepós i Mirambell E (Val.) 125 A3
Bonxe E (Lu.) 15 D1
Boñar E (Le.) 19 B4
Boo E (Ast.) 18 C1
Boo E (Can.) 9 B4
Boo E (Can.) 9 C4
Boós E (So.) 63 A3
Boqueixón E (A Co.) 14 C3
Boquerizo E (Ast.) 8 B4
Boquilobo P (San.) 111 D3
Boquiñeni E (Zar.) 65 C1
Bora E (Po.) 34 A1
Borau E (Hues.) 26 C5
Borba P (Br.) 54 D4
Borba P (Év.) 129 C3
Borba da Montanha P (Br.) 54 D4
Borba de Godim P (Port.) 54 C4
Borbalán E (S. Cruz T.) 194 B2
Borbela P (V. R.) 55 B4
Borbén E (Po.) 34 B2
Borbotó E (Val.) 125 A3
Borcos E (Bur.) 41 C1
Bordalba E (Zar.) 64 B4
Bordalos P (Por.) 128 D1
Bordecorex E (So.) 63 B5
Bordeira P (Fa.) 174 C2
Bordeira P (Fa.) 173 A2
Bordeiro P (Co.) 94 C3
Bordeje E (So.) 63 C4
Bòrdes, es E (Ll.) 28 C4
Bordeta, La E (Ll.) 68 C3
Bordils E (Gi.) 52 B4
Bordinheira P (Lis.) 110 C5
Bordón E (Te.) 87 A5
Bordonhos P (Vis.) 74 D3
Borge, El E (Mál.) 180 D4
Borges Blanques, les E (Ll.) 69 A3
Borges del Camp, les E (Ta.) 89 B1
Borgonyà E (Bar.) 51 A4
Borgonyà E (Gi.) 52 A3
Borines E (Ast.) 7 B4
Borja E (Zar.) 65 A1
Borjabad E (So.) 63 D3
Borleña E (Can.) 21 B1
Bormate E (Alb.) 139 A1
Bormoio E (A Co.) 1 D5
Bormujos E (Sev.) 163 D4
Bornacha P (Fa.) 175 B2
Borneiro E (A Co.) 1 C5
Bornes P (Bra.) 56 C4
Bornes de Aguiar P (V. R.) 55 C3
Bornos E (Cád.) 178 B3
Boroa E (Viz.) 23 B1
Borobia E (So.) 64 C3
Borox E (To.) 101 C4
Borralha P (Ave.) 74 A5
Borralha P (V. R.) 55 A2
Borralhal P (Vis.) 74 C5
Borrassà E (Gi.) 52 A2
Borrastre E (Hues.) 47 B1
Borraxeiros E (Po.) 15 A3

Borreco

Borreco P (San.) 111 D3
Borredà E (Bar.) 50 D3
Borrenes E (Le.) 37 A1
Borriana → Burriana E (Cas.) 107 C5
Borricén E (Mu.) 172 C2
Borrifáns E (A Co.) 14 D1
Borriol E (Cas.) 107 C4
Bortedo E (Bur.) 22 C1
Bosc de la Batllòria, el E (Gi.) 71 C1
Boscdetosca E (Gi.) 51 C3
Boscos de Tarragona, els E (Ta.) 89 D1
Bosque E (A Co.) 2 D3
Bosque (Cabana) E (A Co.) 1 D4
Bosque, El E (Cád.) 178 D4
Bossòst E (Ll.) 28 C4
Bostronizo E (Can.) 21 B1
Bot E (Ta.) 88 B2
Botão P (Co.) 94 A2
Botarell E (Ta.) 89 B1
Botaya E (Hues.) 46 C1
Boticas P (V. R.) 55 C2
Botija E (Các.) 115 D4
Bótoa E (Bad.) 130 B1
Botorrita E (Zar.) 66 A4
Botos E (Po.) 14 D4
Bouça P (Bra.) 56 B2
Bouça P (C. B.) 95 C2
Bouça P (Co.) 94 B4
Bouça Cova P (Guar.) 76 A4
Bouça Fria P (Br.) 55 A3
Bouças Donas P (V. C.) 34 C5
Bouceguedim P (Ave.) 74 C2
Bouceiros P (Lei.) 111 C2
Bouçoães P (V. R.) 56 B1
Bougado (Santiago) P (Port.) 54 A4
Bouro (Santa Maria) P (Br.) 54 C2
Bouro (Santa Marta) P (Br.) 54 C2
Bousés E (Our.) 35 D5
Bouxinhas P (Lei.) 94 A5
Bouza E (Our.) 35 A2
Bouza E (Our.) 34 C1
Bouza, La E (Sa.) 76 D3
Bouzas E (Le.) 37 B1
Bouzón E (Po.) 34 A3
Bóveda E (Lu.) 15 D2
Bóveda E (Lu.) 15 D5
Bóveda E (Lu.) 15 C2
Bóveda E (Lu.) 15 C1
Bóveda E (Our.) 35 C3
Bóveda E (Our.) 35 B1
Bóveda de la Ribera E (Bur.) 22 B3
Bóveda de Toro, La E (Zam.) 59 A5
Bóveda del Río Almar E (Sa.) 79 B3
Bovera E (Ll.) 68 C5
Box E (Ast.) 6 C4
Boxinos P (C. B.) 95 B4
Boya E (Zam.) 37 C5
Bozoo E (Bur.) 22 D5
Brabos E (Áv.) 79 D4
Braçais P (Lei.) 94 B5
Braçal P (Co.) 94 C3
Bracana E (Cór.) 167 B4
Brácana E (Gr.) 167 B5
Bràfim E (Ta.) 69 D5
Braga P (Br.) 54 B2
Bragada P (Bra.) 56 D2
Bragadas P (V. R.) 55 B2
Bragade E (A Co.) 2 D5
Bragado P (V. R.) 55 C2
Bragança P (Bra.) 56 D1
Bragança P (Lis.) 110 D5
Brahojos de Medina E (Vall.) 79 C1
Branca P (Ave.) 74 A3
Branca P (San.) 127 C2
Brancanes P (Fa.) 174 D3
Brandara P (V. C.) 54 A1
Brandariz E (Po.) 14 C3
Brandeso E (A Co.) 14 D3
Brandilanes E (Zam.) 57 D3
Brandim P (V. R.) 55 A1
Brandomés E (Po.) 14 C3
Brandomil E (A Co.) 13 C1
Brandoñas E (A Co.) 13 C1
Branqueira P (Fa.) 174 B3
Brántega E (Po.) 15 A3
Branzá E (A Co.) 14 D3
Branzelo P (Port.) 74 B1
Braña, A E (Lu.) 16 B1
Braña, La E (Ast.) 4 D3
Braña, La E (Ast.) 6 B3
Braña, La E (Le.) 19 B3
Brañas E (A Co.) 15 B2
Brañas Verdes E (A Co.) 1 B5
Brañillín E (Ast.) 18 C3
Braño E (A Co.) 13 C3
Brañosera E (Pa.) 20 D3
Brañuelas E (Le.) 17 D5
Braojos E (Mad.) 81 D2
Brasal E (A Co.) 13 C2
Brasfemes P (Co.) 94 A2
Brates E (A Co.) 14 D2
Bravães P (V. C.) 54 B1
Bravos E (Lu.) 3 D2
Bravos, Los E (Huel.) 146 C4
Brazacorta E (Bur.) 62 B2
Brazatortas E (C. R.) 134 D5
Brazoes P (San.) 112 A2
Brazuelo E (Le.) 37 D1
Brea E (A Co.) 2 A5
Brea E (A Co.) 14 B1
Brea de Aragón E (Zar.) 65 A4
Brea de Tajo E (Mad.) 102 D3
Breda E (Gi.) 71 C1
Brejão P (Be.) 159 B2
Brejo P (Lei.) 94 B5
Brejo Fundeiro P (C. B.) 112 C2
Brejo Mouro P (Set.) 143 D2
Brejoeira P (San.) 127 D2
Brejos P (Fa.) 174 A3
Brejos Correteiros P (Set.) 127 A4
Brejos da Moita P (Set.) 127 A4
Brejos de Azeitão P (Set.) 126 D5
Brejos de Canes P (Set.) 127 B5
Brenes E (Sev.) 164 A3
Brenha P (Co.) 93 C2
Brenla E (A Co.) 1 D5
Breña Alta E (S.Cruz T.) 193 C3
Breña Baja E (S.Cruz T.) 193 C3
Breña, La E (Las P.) 191 D2
Breñas, Las E (Las P.) 192 B5
Bres E (Ast.) 4 C4
Brescos P (Set.) 143 B3
Bretanha P (Aç.) 109 A4
Bretó E (Zam.) 58 C1
Bretocino E (Zam.) 58 C1
Bretoña E (Lu.) 4 B4
Bretún E (So.) 43 D5
Brexo E (A Co.) 2 C4
Briallos E (Po.) 14 A5
Brías E (So.) 63 A5
Bribes E (A Co.) 2 C4
Bricia E (Ast.) 8 A4
Bricia E (Bur.) 21 C3
Brieva E (Seg.) 81 A2
Brieva de Cameros E (La R.) 43 B4
Brieves E (Ast.) 5 C3
Brihuega E (Gua.) 83 A4
Brime de Sog E (Zam.) 38 A4
Brime de Urz E (Zam.) 38 B5
Brimeda E (Le.) 38 A1
Brincones E (Sa.) 77 C1
Brinches P (Be.) 145 A4
Brinkola E (Gui.) 23 D3
Briñas E (La R.) 43 A1
Brión E (A Co.) 14 A3
Brión E (A Co.) 2 D3
Briones E (La R.) 43 B1
Briongos E (Bur.) 62 A1
Brisas, Las E (Gua.) 103 B1
Britelo P (Br.) 54 D4
Britelo P (V. C.) 34 C5
Britiande P (Vis.) 75 B1
Brito P (Br.) 54 B3
Brito P (Bra.) 56 B1
Brito de Baixo P (Bra.) 56 C1
Briviesca E (Bur.) 42 B1
Brizuela E (Bur.) 21 D3
Broega P (Set.) 127 A4
Brogueira P (San.) 111 D3
Bronco, El E (Các.) 97 C3
Bronchales E (Te.) 105 A1
Broño E (A Co.) 13 D2
Brosmos E (Lu.) 35 D1
Brotas P (Év.) 128 B2
Broto E (Hues.) 27 B5
Broullón E (Po.) 33 D2
Brovales E (Bad.) 146 D2
Broza E (Lu.) 15 D5
Brozas E (Các.) 114 D2
Bruc, el E (Bar.) 70 C2
Brucardes, les E (Bar.) 70 C1
Brucó P (Bra.) 57 A5
Brucs E (Gi.) 51 A3
Brués E (Our.) 34 D1
Brufe P (Br.) 54 C1
Brugos de Fenar E (Le.) 18 D4
Bruguera E (Gi.) 52 B5
Bruguerol E (Gi.) 52 C5
Brujuelo E (J.) 167 D1
Brul E (Ast.) 4 D3
Brull, el E (Bar.) 71 B1
Brullés E (Bur.) 41 B1
Brunete E (Mad.) 101 B2
Brunhais P (Br.) 54 C2
Brunheda P (Bra.) 56 A4
Brunheiras P (Be.) 143 B5
Brunheirinho P (San.) 112 C4
Brunhos P (Co.) 93 C3
Brunhosinho P (Bra.) 57 B4
Brunhoso P (Bra.) 56 D4
Brunyola E (Gi.) 51 D5
Buarcos P (Co.) 93 B3
Búbal E (Lu.) 35 B1
Buberos E (So.) 64 A3
Bubierca E (Zar.) 64 D5
Bubión E (Gr.) 182 B2
Buçaco P (Ave.) 94 B1
Bucarrero E (Can.) 9 D5
Bucelas P (Lis.) 126 D2
Bucesta E (La R.) 43 D3
Buciegas E (Cu.) 103 D2
Buciños E (Lu.) 15 B5
Bucos P (Br.) 54 D2
Buchabade E (Po.) 34 B1
Budens P (Fa.) 173 A2
Budia E (Gua.) 83 B5
Budiño E (A Co.) 14 C2
Budiño E (Po.) 34 A3
Buelles E (Ast.) 8 C5
Buen Paso E (S.Cruz T.) 195 D2
Buen Suceso E (Bad.) 147 A1
Buenache de Alarcón E (Cu.) 122 B2
Buenache de la Sierra E (Cu.) 104 C4
Buenafuente del Sistal, La E (Gua.) 84 A4
Buenamadre E (Sa.) 77 C3
Buenamesón E (Mad.) 102 C4
Buenas Noches E (Mál.) 187 C2
Buenasbodas E (To.) 117 D2
Buenaventura E (To.) 99 D3
Buenavista E (Gr.) 181 B1
Buenavista E (Sa.) 78 C4
Buenavista → Sierra, La E (Cór.) 166 B3
Buenavista de Abajo E (S.Cruz T.) 193 C3
Buenavista de Arriba E (S.Cruz T.) 193 C3
Buenavista de Valdavia E (Pa.) 20 B5
Buenavista del Norte E (S.Cruz T.) 195 B2
Buendía E (Cu.) 103 B2
Buenlugar E (Las P.) 191 C1
Bueña E (Te.) 85 C5
Buera E (Hues.) 47 C4
Buerba E (Hues.) 47 C1
Bueres E (Ast.) 19 B1
Buesa E (Hues.) 47 B1
Buetas E (Hues.) 48 A2
Bueu E (Po.) 33 D2
Bufaganyes E (Gi.) 52 B5
Bufalhão P (Co.) 94 C2
Bufalí E (Val.) 141 A3
Bufarda P (Lei.) 110 C4
Buferrera E (Ast.) 7 D5
Bugalhão P (V. R.) 55 A2
Bugalhos P (San.) 111 C3
Bugallido E (A Co.) 14 A3
Bugarín E (Po.) 34 B3
Bugariña E (Po.) 34 C2
Bugarra E (Val.) 124 C3
Bugedo E (Bur.) 22 D5
Bugéjar E (Gr.) 170 A1
Búger E (Bal.) 92 A2
Buitrago E (Sev.) 164 B3
Buitrago E (So.) 63 D1
Buitrago del Lozoya E (Mad.) 81 D3
Buitrón, El E (Huel.) 162 D2
Buiza E (Le.) 18 D3
Bujalance E (Cór.) 150 C5
Bujalaro E (Gua.) 83 A3
Bujaraloz E (Zar.) 67 B4
Bujarrabal E (Gua.) 83 C2
Bujeo, El E (Cád.) 186 D5
Bularros E (Áv.) 79 D4
Bulbuente E (Zar.) 65 A1
Bulnes E (Ast.) 20 A1
Bullas E (Mu.) 155 A4
Bunheiro P (Ave.) 73 D3
Bunhosa P (Co.) 93 C2
Buniel E (Bur.) 41 C3
Bunyola E (Bal.) 91 C3
Buñales E (Hues.) 47 A5
Buño E (A Co.) 1 D4
Buñol E (Val.) 124 C4
Buñuel E (Na.) 45 B5
Burato E (A Co.) 13 D4
Burbáguena E (Te.) 85 C2
Burbia E (Le.) 17 A4
Burbunera E (Cór.) 166 D4
Burela E (Lu.) 4 A2
Burés E (A Co.) 13 D4
Burés, El E (Bar.) 70 C2
Bureta E (Zar.) 65 B1
Burete E (Mu.) 154 D4
Burga P (Bra.) 56 C4
Burgães P (Port.) 54 B4
Burganes de Valverde E (Zam.) 38 C5
Burgás E (Lu.) 3 C4
Burgau P (Fa.) 173 B3
Burgelu → Elburgo E (Ál.) 23 C4
Burgi → Burgui E (Na.) 26 A5
Burgo E (Lu.) 3 C3
Burgo P (Ave.) 74 B2
Burgo de Ebro, El E (Zar.) 66 C3
Burgo de Osma, El E (So.) 62 D3
Burgo Ranero, El E (Le.) 39 B2
Burgo, El E (Mál.) 179 C4
Burgo, O E (A Co.) 2 C4
Burgohondo E (Áv.) 100 A2
Burgomillodo E (Seg.) 61 C5
Burgos E (Bur.) 41 D3
Burgueira E (Po.) 33 C4
Burguete → Auritz E (Na.) 25 C3
Burgui/Burgi E (Na.) 26 A5
Burguillos E (Sev.) 164 A2
Burguillos de Toledo E (To.) 119 B1
Burguillos del Cerro E (Bad.) 146 D1
Burinhosa P (Lei.) 111 A1
Buriz E (Lu.) 3 B4
Burjassot E (Val.) 125 A3
Burjulú E (Alm.) 171 A5
Burlada E (Na.) 25 A4
Burón E (Le.) 19 C2
Burrero, El E (Las P.) 191 D3
Burres E (A Co.) 14 D2
Burriana/Borriana E (Cas.) 107 C5
Burrueco E (Alb.) 138 B5
Buruaga E (Ál.) 23 B3
Burujón E (To.) 118 D1
Burunchel E (J.) 153 A5
Buscalque E (Our.) 34 D5
Buscás E (A Co.) 14 C1
Buscastell E (Bal.) 89 C4
Busdongo de Arbás E (Le.) 18 C3
Buseu E (Ll.) 49 B2
Busmayor E (Le.) 16 C5
Busmente-Herias-La Muria E (Ast.) 5 A4
Busnela E (Bur.) 21 C2
Busot E (Ali.) 157 C1
Busquistar E (Gr.) 182 C3
Bustantegua E (Can.) 21 D1
Bustarenga P (Vis.) 74 C3
Bustares E (Gua.) 82 D1
Bustarviejo E (Mad.) 81 D4
Buste, El E (Zar.) 65 A1
Busteliño E (Our.) 35 C3
Bustelo E (Our.) 35 C3
Bustelo P (Ave.) 74 B5
Bustelo P (Port.) 54 D5
Bustelo P (Port.) 54 C5
Bustelo P (Port.) 54 A5
Bustelo P (V. R.) 55 D1
Bustelo P (Vis.) 74 D2
Bustelo P (Vis.) 75 B2
Bustidoño E (Can.) 21 B3
Bustillo de Cea E (Le.) 39 D1
Bustillo de Chaves E (Vall.) 39 C4
Bustillo de la Vega E (Pa.) 40 A2
Bustillo del Monte E (Can.) 21 B4
Bustillo del Oro E (Zam.) 59 A2
Bustillo del Páramo E (Bur.) 41 C1
Bustillo del Páramo E (Le.) 38 C2
Bustillo del Páramo de Carrión E (Pa.) 40 A2
Busto E (Ast.) 5 C3
Busto E (Lu.) 16 A5
Busto E (Po.) 14 D4
Busto de Bureba E (Bur.) 22 C5
Busto de Treviño E (Bur.) 23 B5
Busto, El E (Na.) 44 A1
Busto, O E (A Co.) 13 D1
Bustos E (Le.) 38 A2
Bustos P (Ave.) 73 D5
Bustriguado E (Can.) 8 D5
Busturenga P (Ave.) 74 A4
Busturia E (Viz.) 11 B4
Butjosa, La E (Bar.) 70 C1
Butsènit E (Ll.) 69 A1
Butsènit E (Ll.) 68 C3
Buxán E (A Co.) 14 A3
Buxán E (A Co.) 14 A2
Buxán E (A Co.) 13 B1
Buxantes E (A Co.) 13 B2
Buzanada E (S.Cruz T.) 195 D5

C

Ca l'Avi E (Bar.) 70 B4
Ca l'Esteper E (Bar.) 71 A2
Ca n'Amat E (Bar.) 70 C3
Ca n'Amat E (Bar.) 70 D3
Caamaño E (A Co.) 13 C4
Caamouco E (A Co.) 2 D3
Caaveiro E (A Co.) 3 A3
Cabacés E (Ta.) 68 D5
Cabaco, El E (Sa.) 77 D5
Cabaços P (Fa.) 161 A4
Cabaços P (Lei.) 94 A5
Cabaços P (V. C.) 54 A1
Cabaços P (Vis.) 75 C2
Cabalar E (A Co.) 3 A3
Cabaleiros E (A Co.) 14 B1
Caballar E (Seg.) 81 B2
Caballeros, Los E (Gr.) 182 C2
Caballón, lugar E (Huel.) 162 D3
Cabana E (A Co.) 1 D4
Cabana Maior P (V. C.) 34 B5
Cabanabona E (Ll.) 69 C1
Cabanas E (A Co.) 2 D3
Cabanas E (Lu.) 3 C2
Cabanas E (Our.) 36 A2
Cabanas P (Fa.) 175 B3
Cabanas P (Port.) 54 B4
Cabanas P (Set.) 127 A4
Cabanas P (V. R.) 55 C3
Cabanas P (V. R.) 55 D3
Cabanas de Baixo P (Bra.) 76 B1
Cabanas de Cima P (Bra.) 56 B5
Cabanas de Torres P (Lis.) 110 D5
Cabanas de Viriato P (Vis.) 94 D1
Cabanas do Chão P (Lis.) 110 D5
Cabanelas P (Ave.) 74 B2
Cabanelas P (Br.) 54 A2
Cabanelas P (Bra.) 56 B3
Cabanelas P (Port.) 53 D5
Cabanella E (Ast.) 5 A3
Cabanelles E (Gi.) 52 A2
Cabanes E (Cas.) 107 D3
Cabanes E (Gi.) 52 B2
Cabanillas E (Na.) 45 B5
Cabanillas E (So.) 63 D5
Cabanillas de la Sierra E (Mad.) 81 D4
Cabanillas de San Justo E (Le.) 17 C5
Cabanillas del Campo E (Gua.) 82 C5
Cabanyes E (Gi.) 52 C5
Cabanyes, les E (Bar.) 70 B4
Cabanzón E (Can.) 8 C5
Cabañaquinta E (Ast.) 18 D1
Cabañas E (Bur.) 42 A3
Cabañas de Aliste E (Zam.) 57 D1
Cabañas de Castilla, Las E (Pa.) 40 D2
Cabañas de Ebro E (Zar.) 65 D2
Cabañas de la Dornilla E (Le.) 17 B5
Cabañas de la Sagra E (To.) 101 B5
Cabañas de Polendos E (Seg.) 81 A2
Cabañas de Sayago E (Zam.) 58 B5
Cabañas de Tera E (Zam.) 38 A5
Cabañas de Virtus, lugar E (Bur.) 21 C3
Cabañas de Yepes E (To.) 120 A1
Cabañas del Castillo E (Các.) 116 D3
Cabañas Raras E (Le.) 17 A5
Cabañas, lugar E (Cád.) 179 A3
Cabañeros E (Le.) 38 D3
Cabañes de Esgueva E (Bur.) 61 C1
Cabañuelas, Las E (Alm.) 183 C3
Cabárceno E (Can.) 9 C5
Cabarcos E (Le.) 36 D1
Cabarcos E (Lu.) 4 B3
Cabeça P (Guar.) 95 B2
Cabeça Boa P (Bra.) 76 B1
Cabeça da Igreja P (Bra.) 36 B5
Cabeça das Mós P (San.) 112 C3
Cabeça das Pombas P (Lei.) 111 B3
Cabeça de Carneiro P (Év.) 129 C5
Cabeça do Poço P (C. B.) 112 C1
Cabeça Gorda P (Be.) 144 D4
Cabeça Gorda P (Lis.) 110 C5
Cabeça Gorda P (San.) 111 B4
Cabeça Gorda P (San.) 111 C3

Camino Real

Cabeça Santa	P	(Port.)	74	C1
Cabeça Veada	P	(Lei.)	111	B3
Cabeçadas	P	(Co.)	94	D2
Cabeçais	P	(Ave.)	74	B2
Cabeção	P	(Év.)	128	C2
Cabeças	P	(Ave.)	73	D3
Cabeças	P	(Lei.)	94	B5
Cabeças Verdes	P	(Co.)	73	C5
Cabeceiras de Basto	P	(Br.)	55	A3
Cabecinhas	P	(Ave.)	73	D5
Cabecinhas	P	(San.)	127	D1
Cabeço	P	(Co.)	73	C5
Cabeco	P	(Lei.)	93	C4
Cabeço de Cámara	P	(Fa.)	174	B3
Cabeço de Vide	P	(Por.)	129	B1
Cabeço do Soudo	P	(San.)	111	D2
Cabeços	P	(Co.)	93	D1
Cabeçudo	P	(C. B.)	94	C5
Cabeçudos	P	(Br.)	54	A4
Cabeçudos	P	(Por.)	113	D4
Cabeda	P	(Lis.)	126	D1
Cabeza de Béjar, La	E	(Sa.)	98	C1
Cabeza de Campo	E	(Le.)	36	D1
Cabeza de Diego Gómez	E	(Sa.)	78	A3
Cabeza de Framontanos	E	(Sa.)	77	B1
Cabeza del Buey	E	(Bad.)	133	B4
Cabeza del Caballo	E	(Sa.)	77	A1
Cabeza del Obispo, lugar	E	(Cór.)	165	D3
Cabeza Gorda, lugar	E	(Cád.)	177	B3
Cabeza la Vaca	E	(Bad.)	147	A4
Cabeza Pedro, lugar	E	(Cór.)	149	C5
Cabezabellosa	E	(Các.)	98	A4
Cabezabellosa de la Calzada	E	(Sa.)	78	D2
Cabezadas, Las	E	(S. Cruz T.)	193	C2
Cabezamesada	E	(To.)	120	D1
Cabezarados	E	(C. R.)	134	D3
Cabezarrubias del Puerto	E	(C. R.)	134	D5
Cabezas de Alambre	E	(Áv.)	79	D3
Cabezas de Bonilla	E	(Áv.)	99	B1
Cabezas de San Juan, Las	E	(Sev.)	178	A2
Cabezas del Pozo	E	(Áv.)	79	D2
Cabezas del Villar	E	(Áv.)	79	B4
Cabezas Rubias	E	(Huel.)	162	A1
Cabezo	E	(Các.)	97	D1
Cabezo de la Plata	E	(Mu.)	156	B5
Cabezo de Torres	E	(Mu.)	156	A4
Cabezón	E	(Vall.)	60	B2
Cabezón de Cameros	E	(La R.)	43	C4
Cabezón de la Sal	E	(Can.)	9	A5
Cabezón de la Sierra	E	(Bur.)	62	C1
Cabezón de Liébana	E	(Can.)	20	B2
Cabezón de Valderaduey	E	(Vall.)	39	C4
Cabezudos, Los	E	(Huel.)	176	D2
Cabezuela	E	(Seg.)	81	B1
Cabezuela de Salvatierra	E	(Sa.)	78	C5
Cabezuela del Valle	E	(Các.)	98	B3
Cabezuelas, Las	E	(Mad.)	81	A5
Cabia	E	(Bur.)	41	C3
Cabida	E	(Gua.)	82	B2
Cabildo y la Campana, El	E	(Mu.)	171	A4
Cabizuela	E	(Áv.)	80	A3
Cable, El	E	(Las P.)	192	C4
Cabó	E	(Ll.)	49	C3
Cabo	P	(V. C.)	34	B4
Cabo Blanco	E	(S. Cruz T.)	195	D5
Cabo de Gata	E	(Alm.)	184	B4
Cabo de Palos	E	(Mu.)	172	D2
Cabo Espichel	P	(Set.)	126	C5
Caboalles de Abajo	E	(Le.)	17	C3
Caboalles de Arriba	E	(Le.)	17	C3
Cabolafuente	E	(Zar.)	84	B1
Caborana	E	(Ast.)	18	C1
Cabòries, les (Avinyonet del Penedès)	E	(Bar.)	70	C4
Cabornera	E	(Le.)	18	C3
Caborredondo	E	(Bur.)	42	A1
Caborredondo	E	(Can.)	9	A4
Cabouco	P	(Aç.)	109	B4
Cabovilaño	E	(A Co.)	2	B4
Cabra	E	(Cór.)	166	C4
Cabra de Mora	E	(Te.)	106	B2
Cabra del Camp	E	(Ta.)	69	C4
Cabra del Santo Cristo	E	(J.)	168	C2
Cabração	P	(V. C.)	34	A5
Cabrahíga	E	(Bad.)	147	A1
Cabrales	E	(Ast.)	8	A5
Cabranes	E	(Ast.)	7	A4
Cabredo	E	(Na.)	23	D5
Cabreira	P	(Co.)	94	C3
Cabreira	P	(Guar.)	76	B5
Cabreiro	P	(Ave.)	74	C3
Cabreiro	P	(V. C.)	34	B5
Cabreiros	E	(Lu.)	3	C4
Cabrejas del Campo	E	(So.)	64	A2
Cabrejas del Pinar	E	(So.)	63	A2
Cabrejas, lugar	E	(Cu.)	103	D5
Cabrela	P	(Év.)	127	D4
Cabrera	E	(Sa.)	78	B4
Cabrera de Mar	E	(Bar.)	71	B3
Cabrera, La	E	(Mad.)	81	D3
Cabreras, Las	E	(J.)	167	C3
Cabreras, Los	E	(Alm.)	170	C3
Cabrerizos	E	(Sa.)	78	D2
Cabrero	E	(Các.)	98	A4
Cabreros del Monte	E	(Vall.)	59	B1
Cabreros del Río	E	(Le.)	38	D2
Cabretón	E	(La R.)	44	C5
Cabria	E	(Pa.)	21	A4
Cabrianes	E	(Bar.)	70	C1
Cabril	P	(Ave.)	74	B3
Cabril	P	(Co.)	95	A3
Cabril	P	(V. R.)	54	D1
Cabril	P	(Vis.)	75	B4
Cabril	P	(Vis.)	74	D2
Cabril, El, lugar	E	(Cór.)	148	D4
Cabrils	E	(Bar.)	71	B3
Cabrillanes	E	(Le.)	18	A3
Cabrillas	E	(Mál.)	181	A4
Cabrillas	E	(Sa.)	77	D4
Cabrita	E	(J.)	168	B2
Cabriz	P	(Lis.)	126	B2
Cabriz	P	(V. R.)	55	B3
Cabrum	P	(Ave.)	74	B3
Cabueñes	E	(Ast.)	6	D3
Cacabelos	E	(Le.)	17	A5
Caçães	P	(Port.)	54	B4
Caçarelhos	P	(Bra.)	57	B3
Caçarilhe	P	(Br.)	54	D3
Caceira	P	(Co.)	93	C3
Cacela Velha	P	(Fa.)	175	B2
Cacemes	P	(Ave.)	94	B1
Cáceres	E	(Các.)	115	B3
Cacia	P	(Ave.)	73	D4
Cacilhas	P	(Set.)	126	D3
Cacín	E	(Gr.)	181	B2
Cachada	E	(Po.)	33	D1
Cachamuíña	E	(Our.)	35	B2
Cache	P	(V. R.)	55	C4
Cacheiras	E	(A Co.)	14	B3
Cachoeiras	P	(Lis.)	127	A1
Cachoeiras	P	(Lis.)	126	D1
Cachopo	P	(Fa.)	160	D4
Cachopos	P	(Set.)	143	C1
Cachorrilla	E	(Các.)	96	D5
Cachorro	P	(Aç.)	109	B3
Cadafais	P	(Lis.)	127	A1
Cadafaz	P	(Co.)	94	D3
Cadafaz	P	(Guar.)	75	D5
Cadafaz	P	(Por.)	112	D3
Cadafresnas	E	(Le.)	16	D5
Cadagua	E	(Bur.)	22	B2
Cadaixo	P	(Co.)	94	B3
Cadalso	E	(Các.)	97	A3
Cadalso de los Vidrios	E	(Mad.)	100	C3
Cadaqués	E	(Gi.)	52	D2
Cadaval	P	(Lis.)	110	D4
Cadavedo	E	(Ast.)	5	C3
Cadeçais	P	(Co.)	94	C3
Cadenes, Ses	E	(Bal.)	91	D4
Cades	E	(Can.)	8	C5
Cádiar	E	(Gr.)	182	C2
Cadima	P	(Co.)	93	D1
Cádiz	E	(Cád.)	185	C1
Cadoiço	P	(Lei.)	111	B2
Cadolla	E	(Ll.)	49	A2
Cadramón, O	E	(Lu.)	4	A3
Cadreita	E	(Na.)	44	D3
Cadrelo	E	(Po.)	34	A1
Cadrete	E	(Zar.)	66	A3
Cadriceira	P	(Lis.)	126	C1
Cadrón	E	(Po.)	15	A4
Cafede	P	(C. B.)	95	C5
Cagido	P	(Vis.)	94	C1
Cagitán	E	(Mu.)	155	B3
Caheruelas, Las	E	(Cád.)	186	D4
Caia	P	(Por.)	130	A2
Caia Santiago	P	(Por.)	113	C5
Caíde de Rei	P	(Port.)	54	C5
Caideros	E	(Las P.)	191	B1
Caimari	E	(Bal.)	92	A2
Caín de Valdeón	E	(Le.)	19	D1
Caión	E	(A Co.)	2	B4
Caires	P	(Br.)	54	B2
Cairrão	P	(Guar.)	96	A1
Caixaria	P	(Lis.)	126	C1
Caixas	P	(Set.)	126	C5
Cájar	E	(Gr.)	182	A1
Cajigar	E	(Hues.)	48	C3
Cajiz	E	(Mál.)	181	A4
Cal Canonge	E	(Ta.)	69	D4
Cal Ferreres	E	(Bar.)	70	C1
Cala	E	(Huel.)	147	B5
Cala Blanca	E	(Bal.)	90	A2
Cala Blava	E	(Bal.)	91	D4
Cala Bona	E	(Bal.)	92	D3
Cala de Sant Vicenç	E	(Bal.)	92	B1
Cala del Moral, La	E	(Mál.)	180	D4
Cala d'en Bou	E	(Bal.)	89	C4
Cala D'or	E	(Bal.)	92	C5
Cala Figuera	E	(Bal.)	92	C5
Cala Galdana	E	(Bal.)	90	B2
Cala Lliteres	E	(Bal.)	92	D2
Cala Llombards	E	(Bal.)	92	B5
Cala Llonga	E	(Bal.)	90	A4
Cala Llonga	E	(Bal.)	90	D2
Cala Mesquida	E	(Bal.)	92	D2
Cala Millor	E	(Bal.)	92	D3
Cala Moreia-Cala Morlanda	E	(Bal.)	92	D3
Cala Morell, lugar	E	(Bal.)	90	A1
Cala Murada	E	(Bal.)	92	C4
Cala Pi	E	(Bal.)	91	D5
Cala Ratjada	E	(Bal.)	92	D2
Cala Reona	E	(Mu.)	172	D2
Cala Santanyí	E	(Bal.)	92	B5
Cala Tarida	E	(Bal.)	89	C4
Cala Vadella	E	(Bal.)	89	C5
Calabacino, El	E	(Huel.)	146	D5
Calabazanos	E	(Pa.)	40	C5
Calabazares	E	(Huel.)	146	C5
Calabazas	E	(Vall.)	60	A5
Calabazas de Fuentidueña	E	(Seg.)	61	B4
Calabor	E	(Zam.)	37	A5
Calabuig	E	(Gi.)	52	B3
Calaceite	E	(Te.)	88	A2
Caladrones	E	(Hues.)	48	B4
Calaf	E	(Bar.)	70	A1
Calafell	E	(Ta.)	70	A5
Calahonda	E	(Gr.)	182	B4
Calahonda-Chaparral	E	(Mál.)	188	B2
Calahorra	E	(La R.)	44	C3
Calahorra de Boedo	E	(Pa.)	40	D1
Calahorra, La	E	(Gr.)	182	D1
Calalberche	E	(To.)	100	D3
Calamocos	E	(Le.)	17	B5
Calamocha	E	(Te.)	85	C3
Calamonte	E	(Bad.)	131	B3
Cala'n Porter	E	(Bal.)	90	C3
Calanda	E	(Te.)	87	B3
Calañas	E	(Huel.)	162	C2
Calar de la Santa	E	(Mu.)	154	B3
Calardos	E	(Gr.)	181	A1
Calasanz	E	(Hues.)	48	B5
Calasparra	E	(Mu.)	155	A3
Calatañazor	E	(So.)	63	A2
Calatayud	E	(Zar.)	65	A5
Calatorao	E	(Zar.)	65	C4
Calavera, La	E	(Mu.)	172	C1
Calaveras de Abajo	E	(Le.)	19	D5
Calaveras de Arriba	E	(Le.)	19	D5
Calçadas	P	(San.)	112	A2
Calçadinha	P	(Por.)	129	D3
Calcena	E	(Zar.)	64	D3
Caldas da Felgueira	P	(Vis.)	95	A1
Caldas da Rainha	P	(Lei.)	110	D3
Caldas de Luna	E	(Le.)	18	B3
Caldas de Monchique	P	(Fa.)	159	C4
Caldas de Reis	E	(Po.)	14	A5
Caldas de Vizela	P	(Br.)	54	B4
Caldas, Las	E	(Ast.)	6	B4
Calde	E	(Lu.)	15	D2
Calde	P	(Vis.)	75	A3
Caldearenas	E	(Hues.)	46	D2
Caldebarcos	E	(A Co.)	13	B3
Caldelas	E	(Po.)	34	A4
Caldelas	E	(Po.)	34	B1
Caldelas	P	(Br.)	54	B3
Caldelas	P	(Br.)	54	B2
Caldelas	P	(Lei.)	111	C1
Caldeliñas	E	(Our.)	35	D5
Calderones, Los, lugar	E	(Mu.)	155	C5
Calders	E	(Bar.)	70	D1
Caldes de Malavella	E	(Gi.)	52	A5
Caldes de Montbui	E	(Bar.)	71	A2
Caldes d'Estrac	E	(Bar.)	71	C2
Caldesiños	E	(Our.)	36	B3
Caldevilla de Valdeón	E	(Le.)	19	D2
Caldones	E	(Ast.)	6	D3
Caldueño	E	(Ast.)	8	A4
Caleao	E	(Ast.)	19	A1
Calella	E	(Bar.)	71	D2
Calella de Palafrugell	E	(Gi.)	52	C5
Calendário	P	(Br.)	54	A4
Calera de León	E	(Bad.)	147	B4
Calera y Chozas	E	(To.)	117	C1
Calera, La	E	(Các.)	117	B3
Calera, La	E	(S. Cruz T.)	194	B2
Calera, La, lugar	E	(C. R.)	136	D3
Calero, El	E	(Las P.)	191	D2
Caleruega	E	(Bur.)	62	A1
Caleruela	E	(J.)	152	D4
Caleruela	E	(To.)	117	B1
Cales de Mallorca	E	(Bal.)	92	C4
Caleta de Famara	E	(Las P.)	192	C3
Caleta de Vélez	E	(Mál.)	181	B4
Caleta del Sebo	E	(Las P.)	192	D2
Caleta, La	E	(S. Cruz T.)	195	C4
Caleta, La	E	(S. Cruz T.)	195	C2
Caleta, La	E	(S. Cruz T.)	194	C4
Caleta-Guardia, La	E	(Gr.)	182	A4
Caletas, Las	E	(S. Cruz T.)	193	C4
Caletillas, Las	E	(S. Cruz T.)	196	B2
Calhandriz	P	(Lis.)	126	D2
Calhariz	P	(San.)	111	B4
Calhariz	P	(Set.)	126	D5
Calheiros	P	(V. C.)	34	A5
Calheta	P	(Aç.)	109	C3
Calheta	P	(Ma.)	109	D2
Calheta de Nesquim	P	(Aç.)	109	C4
Calhetas	P	(Aç.)	109	B4
Caliças	P	(Fa.)	173	B2
Calicasas	E	(Gr.)	167	D5
Caliero	E	(Ast.)	6	B3
Càlig	E	(Cas.)	108	B1
Calmarza	E	(Zar.)	84	C1
Calo	E	(A Co.)	14	A3
Calo	E	(A Co.)	1	C5
Caló, Es	E	(Bal.)	90	D5
Calomarde	E	(Te.)	105	A2
Calonge	E	(Bal.)	92	C5
Calonge	E	(Gi.)	52	C5
Calonge de Segarra	E	(Bar.)	70	A1
Calonge, El	E	(Cór.)	165	A2
Caloura	P	(Aç.)	109	B5
Calp → Calpe	E	(Ali.)	141	D5
Calpe/Calp	E	(Ali.)	141	D5
Caltojar	E	(So.)	63	B5
Calvão	P	(Ave.)	73	D5
Calvão	P	(V. R.)	55	C1
Calvaria	P	(Lei.)	93	C5
Calvaria de Cima	P	(Lei.)	111	B1
Calvario	E	(A Co.)	2	D3
Calvario	E	(Po.)	33	C4
Calvário	P	(C. B.)	112	B1
Calvario, El	E	(Sev.)	164	D5
Calvarrasa de Abajo	E	(Sa.)	78	D3
Calvarrasa de Arriba	E	(Sa.)	78	D3
Calvelha	P	(Port.)	53	D4
Calvelhe	P	(Bra.)	57	A3
Calvelo	E	(Our.)	35	C3
Calvelo	P	(V. C.)	54	A1
Calvelle	E	(Our.)	35	B2
Calvera	E	(Hues.)	48	C2
Calvet, El	E	(Bar.)	70	C2
Calvete	P	(Co.)	93	C3
Calvià	E	(Bal.)	91	B4
Calvinos	P	(San.)	112	A1
Calvos	E	(A Co.)	14	D3
Calvos	E	(Our.)	35	B2
Calvos	E	(Po.)	34	B2
Calvos	P	(Br.)	54	C2
Calvos	P	(C. B.)	112	C1
Calvos	P	(Fa.)	174	A2
Calvos	P	(Vis.)	74	D4
Calvos de Randín	E	(Our.)	35	A5
Calvos de Sobrecamiño	E	(A Co.)	14	D2
Calypo Fado	E	(To.)	101	A3
Calzada de Béjar, La	E	(Sa.)	98	B2
Calzada de Calatrava	E	(C. R.)	135	C4
Calzada de Don Diego	E	(Sa.)	78	B3
Calzada de la Valdería	E	(Le.)	38	A3
Calzada de los Molinos	E	(Pa.)	40	B3
Calzada de Oropesa, La	E	(To.)	99	A5
Calzada de Tera	E	(Zam.)	38	A5
Calzada de Valdunciel	E	(Sa.)	78	C2
Calzada de Vergara	E	(Alb.)	139	B1
Calzada del Coto	E	(Le.)	39	C2
Calzada, La	E	(Las P.)	191	D1
Calzadilla	E	(Các.)	97	A4
Calzadilla de la Cueza	E	(Pa.)	40	A3
Calzadilla de los Barros	E	(Bad.)	147	B2
Calzadilla de los Hermanillos	E	(Le.)	39	C2
Calzadilla de Tera	E	(Zam.)	38	A5
Calzadilla del Campo	E	(Sa.)	78	A2
Calzadizo, lugar	E	(Alb.)	137	D3
Callao Salvaje	E	(S. Cruz T.)	195	C4
Calldetenes	E	(Bar.)	51	B5
Calle	E	(A Co.)	14	C1
Calle, A	E	(Po.)	34	A2
Callejo, El	E	(Can.)	10	B4
Callejo, El	E	(Viz.)	22	B1
Callejones	E	(S. Cruz T.)	193	C3
Callén	E	(Hues.)	47	A5
Calleras	E	(Ast.)	5	C4
Calles	E	(Val.)	124	A2
Callezuela, La	E	(Ast.)	6	B3
Callobre	E	(A Co.)	2	D4
Callobre	E	(A Co.)	2	D5
Callobre	E	(Po.)	14	B4
Callosa de Segura	E	(Ali.)	156	B4
Callosa d'en Sarrià	E	(Ali.)	141	C5
Callosilla	E	(Ali.)	156	B3
Callús	E	(Bar.)	70	B1
Camacha	P	(Ma.)	109	B1
Camacha	P	(Ma.)	110	C2
Camachos, Los	E	(Mu.)	172	C2
Camachos, Los	E	(Mu.)	172	C1
Camaleño	E	(Can.)	20	B1
Camallera	E	(Gi.)	52	B3
Camango	E	(Ast.)	7	D4
Camanzo	E	(Po.)	14	C3
Camañas	E	(Te.)	85	D5
Câmara de Lobos	P	(Ma.)	110	B2
Camarasa	E	(Ll.)	69	A1
Camarate	P	(Lis.)	126	D2
Camarena	E	(To.)	101	A4
Camarena de la Sierra	E	(Te.)	106	A4
Camarenilla	E	(To.)	101	A5
Camargo	E	(Can.)	9	C4
Camargo, lugar	E	(Gr.)	168	B3
Camarilla, lugar	E	(C. R.)	136	D5
Camarillas	E	(Te.)	86	C5
Camarinha	P	(San.)	112	B1
Camariñas	E	(A Co.)	1	B5
Camarles	E	(Ta.)	88	D4
Camarma de Esteruelas	E	(Mad.)	102	B1
Camarnal	P	(Lis.)	127	A1
Camarneira	P	(Co.)	93	D1
Camarões	P	(Lis.)	126	C2
Camarzana de Tera	E	(Zam.)	38	A5
Camás	E	(Ast.)	7	A4
Camas	E	(Sev.)	163	D4
Camasobres	E	(Pa.)	20	C3
Camba	E	(Lu.)	3	D1
Camba	E	(Our.)	36	A4
Camba	E	(Po.)	15	B4
Camba	P	(Co.)	95	A3
Cambados	E	(Po.)	13	D5
Cambás	E	(A Co.)	3	B4
Cambas	P	(C. B.)	95	A4
Cambeda	E	(A Co.)	13	C1
Cambedo	P	(V. R.)	55	D1
Cambela	E	(Our.)	36	B3
Cambelas	P	(Lis.)	110	B5
Cambeo	E	(Our.)	35	B1
Cambeses	E	(Po.)	34	A2
Cambeses	P	(Br.)	54	A3
Cambeses	P	(V. C.)	34	B4
Cambeses do Rio	P	(V. R.)	55	B1
Cambil	E	(J.)	168	A2
Camboño	E	(A Co.)	13	C3
Cambra	P	(Vis.)	74	C4
Cambre	E	(A Co.)	2	C4
Cambre	E	(A Co.)	2	A4
Cambres	P	(Vis.)	75	B1
Cambrils	E	(Ta.)	89	B1
Cambrón	E	(Các.)	97	C2
Cambroncino	E	(Các.)	97	C2
Cameixa	E	(Our.)	34	D1
Camella, La	E	(S. Cruz T.)	195	C4
Camellarets	E	(Ta.)	68	C5
Camelle	E	(A Co.)	1	C5
Cameno	E	(Bur.)	42	B1
Camesa de Valdivia	E	(Pa.)	21	A4
Camí Molins	E	(Ta.)	70	A5
Camijanes	E	(Can.)	8	C5
Caminayo	E	(Le.)	19	D3
Caminha	P	(V. C.)	33	C5
Camino Real	E	(Mál.)	180	C3

Caminomorisco

Caminomorisco E (Các.) 97 C2
Caminreal E (Te.) 85 C4
Camiño Real E (Lu.) 3 C5
Camocha, La E (Ast.) 6 D3
Camós E (Gi.) 52 A3
Camos E (Po.) 33 D3
Camp de les Comes E (Gi.) 52 A4
Camp de Mirra, el → Campo de Mirra E (Ali.) 140 C4
Campamento E (Cád.) 187 A4
Campana, La E (Sev.) 164 D3
Campanario E (Bad.) 132 C3
Campanário P (Ma.) 110 A2
Campanas P (Ave.) 93 D1
Campanas/Kanpaneta E (Na.) 25 A5
Campanero E (Sa.) 77 A4
Campanet E (Bal.) 92 A2
Campaneta, La E (Ali.) 156 B4
Campanhã P (Port.) 54 A5
Campanhó P (V. R.) 55 A4
Campanillas E (Mál.) 180 B4
Campano, Lo E (Mu.) 172 B3
Campano, lugar E (Cád.) 185 D2
Campañó E (Po.) 34 A1
Campañones E (Ast.) 6 C3
Camparañón E (So.) 63 C2
Camparca P (Co.) 93 D3
Campaspero E (Vall.) 61 A4
Campazas E (Le.) 39 A4
Campdevànol E (Gi.) 51 A3
Campeã P (V. R.) 55 A5
Campelo E (Po.) 34 A1
Campêlo P (Lei.) 94 B4
Campelos P (Bra.) 75 D1
Campelos P (Lei.) 94 C4
Campelos P (Lis.) 110 C5
Campell E (Ali.) 141 C4
Campelles E (Gi.) 50 D2
Campello, el E (Ali.) 157 D1
Campia P (Vis.) 74 C4
Campiello E (Ast.) 6 C4
Campiello E (Ast.) 18 A1
Campilduero, lugar E (Sa.) 77 A3
Campillejos E (Gua.) 82 B2
Campillo E (Alb.) 153 C1
Campillo E (Can.) 21 D1
Campillo E (Mu.) 171 A2
Campillo E (Zam.) 58 A3
Campillo de Abajo E (Mu.) 172 A2
Campillo de Altobuey E (Cu.) 122 D3
Campillo de Aragón E (Zar.) 84 D1
Campillo de Aranda E (Bur.) 61 D3
Campillo de Arenas E (J.) 167 D3
Campillo de Azaba E (Sa.) 96 D1
Campillo de Deleitosa E (Các.) 116 C2
Campillo de Dueñas E (Gua.) 85 A3
Campillo de la Jara, El E (To.) 117 C3
Campillo de la Virgen E (Alb.) 138 D4
Campillo de las Doblas E (Alb.) 138 D4
Campillo de los Jiménez E (Mu.) 155 A4
Campillo de Llerena E (Bad.) 148 A1
Campillo de Mena E (Bur.) 22 B2
Campillo de Ranas E (Gua.) 82 B2
Campillo de Salvatierra E (Sa.) 78 C5
Campillo del Moro E (Alm.) 183 D3
Campillo del Negro, El, lugar E (Alb.) 139 A4
Campillo del Río E (J.) 151 D5
Campillo, El E (Alm.) 170 A4
Campillo, El E (Alm.) 170 B3
Campillo, El E (Huel.) 162 D2
Campillo, El E (J.) 152 D3
Campillo, El E (Sev.) 165 B3
Campillo, El E (Te.) 105 D2
Campillo, El E (Vall.) 59 C5
Campillo, El, lugar E (Sev.) 163 C3
Campillos E (Mál.) 179 D2
Campillos-Paravientos E (Cu.) 105 B5
Campillos-Sierra E (Cu.) 105 A4
Campina P (Fa.) 174 B2
Campina P (Fa.) 174 C3
Campina P (Fa.) 175 A3
Campina P (Vis.) 75 C4
Campinho P (Év.) 145 C1
Campino E (Bur.) 21 C3
Campins E (Bar.) 71 C1
Campisábalos E (Gua.) 82 C1
Campitos, Los E (S. Cruz T.) 196 C2
Campizes P (Co.) 93 D3
Camplongo de Arbas E (Le.) 18 D3
Campllong E (Gi.) 52 A5
Campo E (A Co.) 14 B1
Campo E (Ast.) 6 B5
Campo E (Hues.) 48 B2
Campo E (Le.) 18 D3
Campo E (Le.) 37 B1
Campo E (Lu.) 15 D3
Campo E (Lu.) 15 B4
Campo E (Po.) 34 C2
Campo P (Br.) 54 A2
Campo P (Év.) 145 B1
Campo P (Lei.) 110 D3
Campo P (Port.) 54 A5
Campo P (Vis.) 75 A4
Campo Abajo E (Mu.) 156 A1
Campo Arcís E (Val.) 123 D4
Campo Arriba E (Mu.) 139 D5
Campo Benfeito P (Vis.) 75 A2
Campo Coy E (Mu.) 154 D5
Campo de Abajo E (Val.) 124 A1
Campo de Aras E (Cór.) 166 B5
Campo de Arca P (Ave.) 74 B3
Campo de Arriba E (Val.) 124 A1
Campo de Besteiros P (Vis.) 74 C5
Campo de Cámara E (Mál.) 180 B3
Campo de Caso (Caso) E (Ast.) 19 B1
Campo de Cima P (Ma.) 109 B1
Campo de Criptana E (C. R.) 120 C4
Campo de Cuéllar E (Seg.) 60 D5
Campo de Ledesma E (Sa.) 77 D1
Campo de Matanzas E (Mu.) 156 A4
Campo de Mirra/ Camp de Mirra, el E (Ali.) 140 C4
Campo de Peñaranda, El E (Sa.) 79 B2
Campo de San Pedro E (Seg.) 62 A4
Campo de Víboras P (Bra.) 57 B3
Campo de Villavidel E (Le.) 38 D2
Campo del Agua E (Le.) 16 D4
Campo do Gerês P (Br.) 54 C1
Campo Humano E (Gr.) 167 B5
Campo Lugar E (Các.) 132 B1
Campo Maior P (Por.) 130 A2
Campo Nubes E (Cór.) 167 A3
Campo Real E (Mad.) 102 B2
Campo Real E (Zar.) 45 C1
Campo Real, lugar E (Cór.) 166 A4
Campo Redondo P (Be.) 143 C5
Campo y Santibáñez E (Le.) 18 D5
Campo, El E (Pa.) 20 C3
Campo, O E (A Co.) 14 D2
Campo, O (San Xoán de Río) E (Our.) 36 A2
Campoalbillo E (Alb.) 139 A1
Campobecerros E (Our.) 36 A4
Campocámara E (Gr.) 169 B2
Campocerrado E (Sa.) 77 C4
Campodarbe E (Hues.) 47 C2
Campodón E (Mad.) 101 C2
Campofrío E (Huel.) 163 A1
Campogrande de Aliste E (Zam.) 57 D1
Campohermoso E (Alm.) 184 C3
Campohermoso E (Le.) 19 A4
Campo-Huerta E (Cád.) 179 A3
Campolara E (Bur.) 42 B4
Campolongo E (A Co.) 13 D2
Campomanes E (Ast.) 18 C2
Campomanes E (Bad.) 131 C2
Camponaraya E (Le.) 17 A5
Camporramiro E (Lu.) 15 C5
Camporredondo E (J.) 152 D3
Camporredondo E (Our.) 34 D2
Camporredondo E (Vall.) 60 C4
Camporredondo de Alba E (Pa.) 20 A3
Camporrells E (Hues.) 48 B5
Camporrobles E (Val.) 123 C2
Camporrotuno E (Hues.) 47 D2
Campos E (Bal.) 92 B4
Campos E (Te.) 86 C4
Campos P (Br.) 54 C3
Campos P (Br.) 55 A2
Campos P (V. C.) 33 D4
Campos P (V. R.) 55 B2
Campos del Río E (Mu.) 155 C4
Campos y Salave E (Ast.) 4 D3
Campos, Los E (Alm.) 170 C1
Campos, Los E (Ast.) 6 B3
Campos, Los E (Sa.) 77 C3
Campos, Los E (So.) 43 D5
Camposancos E (Po.) 33 C5
Campotéjar E (Gr.) 168 A3
Campotéjar Alta E (Mu.) 155 D4
Campredó E (Ta.) 88 C4
Camprodon E (Gi.) 51 B2
Camprovín E (La R.) 43 B2
Camps E (Bar.) 70 B1
Campsa E (Ta.) 89 C1
Campuzano E (Can.) 9 B5
Camuñas E (To.) 120 A4
Can Blanc E (Gi.) 51 C3
Can Bondia (Masies de Voltregà, les) E (Bar.) 51 A4
Can Canals de Mas Bover E (Bar.) 70 C3
Can Canyameres E (Bar.) 71 A2
Can Casablanques E (Bar.) 71 A3
Can Casablanques E (Bar.) 70 D3
Can Claramunt E (Bar.) 70 B3
Can Coral E (Bar.) 70 A4
Can Dalmases E (Bar.) 70 C3
Can Guasch E (Bal.) 89 D4
Can Manent E (Bar.) 50 C5
Can Marçal E (Bar.) 50 C5
Can Martí E (Bar.) 70 B3
Can Mas E (Bar.) 70 C3
Can Negre E (Bal.) 89 D4
Can Palaueda E (Bar.) 71 A2
Can Parellada E (Bar.) 70 C3
Can Pastilla E (Bal.) 91 D4
Can Picafort E (Bal.) 92 B2
Can Ponç E (Bar.) 50 C5
Can Ratés E (Bar.) 71 D2
Can Reixac E (Bar.) 71 B2
Can Rovira E (Bar.) 71 A2
Can Salgot E (Bar.) 71 A2
Can Sansó E (Bal.) 90 A4
Can Trias E (Bar.) 70 D4
Can Tries E (Bar.) 70 D3
Can Tura E (Bar.) 70 D3
Can Vidal E (Bar.) 50 C5
Can Vilalba E (Bar.) 70 D3
Can Vilar E (Gi.) 52 B5
Cana Negreta E (Bal.) 89 D4
Cana Ventura E (Bal.) 89 D4
Cana, Es E (Bal.) 90 A4
Canadelo P (Port.) 55 A4
Canado P (Vis.) 75 A3
Canados P (Lis.) 111 A5
Canal P (San.) 111 C3
Canal Caveira P (Set.) 143 D3
Canal, El E (Alm.) 183 A4
Canaleja E (Alb.) 137 C4
Canaleja E (Huel.) 146 C5
Canaleja, La E (Cád.) 186 B2
Canaleja, La E (Val.) 106 A5
Canalejas E (Alm.) 171 A4
Canalejas E (Le.) 19 D5
Canalejas de Peñafiel E (Vall.) 61 A4
Canalejas del Arroyo E (Cu.) 103 D2
Canales E (Alm.) 170 C2
Canales E (Áv.) 79 D2
Canales E (Gr.) 182 A1
Canales de la Sierra E (La R.) 42 D4
Canales de Molina E (Gua.) 84 C3
Canales del Ducado E (Gua.) 83 D4
Canales, Las E (Mu.) 171 A2
Canales-La Magdalena E (Le.) 18 C4
Canaletes E (Bar.) 70 B3
Canalica, La E (Alm.) 170 C3
Canalosa, La E (Ali.) 156 B2
Canals E (Val.) 140 D2
Canara E (Mu.) 154 D4
Canas P (Co.) 94 B3
Canas de Santa Maria P (Vis.) 74 D5
Canas de Senhorim P (Vis.) 75 A5
Canaval E (Lu.) 35 D1
Canaviais P (Év.) 128 D4
Cancajos, Los E (S. Cruz T.) 193 C3
Cancarix E (Alb.) 155 B2
Cancela P (Vis.) 94 C1
Cancelada E (Mál.) 187 D2
Cancelas P (Co.) 94 B4
Cancelas P (Guar.) 76 A2
Cancelo E (Lu.) 16 B4
Cancelos P (Port.) 74 B1
Cances E (A Co.) 2 A4
Cances Grande E (A Co.) 2 A4
Cancienes E (Ast.) 6 C3
Canda, A E (Our.) 36 C4
Candal P (Ave.) 74 C3
Candal P (Co.) 94 B3
Candal P (Lei.) 94 A5
Candana de Curueño, La E (Le.) 19 A4
Candanal E (Ast.) 6 D4
Candanchú E (Hues.) 26 D4
Candanedo de Boñar E (Le.) 19 B4
Candanedo de Fenar E (Le.) 18 D4
Candás E (Ast.) 6 C3
Candás E (Our.) 35 B4
Candasnos E (Hues.) 67 D3
Candeda E (Our.) 36 C2
Candeda E (Our.) 36 D2
Candedo P (Bra.) 56 B1
Candedo P (V. R.) 55 D4
Candeeira P (Ave.) 74 A5
Candeeiros P (Lei.) 111 A3
Candelaria E (S. Cruz T.) 196 B3
Candelária P (Aç.) 109 B3
Candelária P (Aç.) 109 A4
Candelario E (Sa.) 98 C2
Candeleda E (Áv.) 99 B4
Candemil P (Port.) 54 D5
Candemil P (V. C.) 33 D5
Candemuela E (Le.) 18 B3
Candilichera E (So.) 64 A2
Candín E (Le.) 17 A4
Cando E (A Co.) 13 D3
Candolías E (Can.) 21 C2
Candón E (Huel.) 162 C4
Candosa P (Co.) 94 D2
Candoso P (Bra.) 56 A5
Canduas E (A Co.) 1 C4
Caneças P (Lis.) 126 C2
Canedo E (Ast.) 5 B3
Canedo E (Le.) 17 A5
Canedo E (Lu.) 16 A5
Canedo E (Our.) 35 B2
Canedo P (Ave.) 74 A1
Canedo P (V. R.) 55 B2
Canedo de Basto P (Br.) 55 A3
Canedo do Chão P (Vis.) 75 B4
Caneiro P (San.) 111 D2
Caneiro P (San.) 127 D1
Caneiros P (C. B.) 95 A4
Caneja E (Mu.) 154 C4
Canejan E (Ll.) 28 D3
Canelas P (Ave.) 74 A4
Canelas P (Ave.) 74 C2
Canelas P (Port.) 74 B1
Canelas P (Port.) 73 D1
Canelas P (V. R.) 75 B1
Canelles E (Gi.) 52 A3
Canena E (J.) 152 A4
Canencia E (Mad.) 81 D3
Canero E (Ast.) 5 C3
Canet d'Adri E (Gi.) 51 D4
Canet de Mar E (Bar.) 71 D2
Canet d'en Berenguer E (Val.) 125 B2
Canetlo Roig E (Cas.) 88 A5
Câneve P (Co.) 94 A4
Canfranc E (Hues.) 26 D5
Canfranc-Estación E (Hues.) 26 D4
Cangas E (Lu.) 4 B2
Cangas E (Po.) 33 D2
Cangas de Onís E (Ast.) 7 C4
Cangas del Narcea E (Ast.) 17 B1
Canhardo P (San.) 111 D2
Canhas P (Ma.) 110 A2
Canhestros P (Be.) 144 A3
Caniçada P (Br.) 54 C2
Caniçal P (Ma.) 110 C1
Caniçal Cimeiro P (C. B.) 112 D1
Caniceira P (Co.) 93 C1
Caniceira P (San.) 111 D4
Caniço P (Ma.) 110 C2
Canicosa de la Sierra E (Bur.) 62 D1
Canicouba E (Po.) 34 A1
Canidelo P (Port.) 53 D4
Canidelo P (Port.) 53 D5
Caniles E (Gr.) 169 C4
Canillas de Abajo E (Sa.) 78 A3
Canillas de Aceituno E (Mál.) 181 A3
Canillas de Albaida E (Mál.) 181 B3
Canillas de Esgueva E (Vall.) 61 A2
Canillas de Río Tuerto E (La R.) 43 A2
Canillas de Torneros E (Sa.) 78 B3
Canillo A 30 A5
Canizo, O E (Our.) 36 B4
Canjáyar E (Alm.) 183 B2
Cano P (Por.) 129 A2
Canonja, La E (Ta.) 89 C1
Canos, Los E (Alm.) 183 B1
Cánovas E (Mu.) 171 D2
Canovelles E (Bar.) 71 B2
Cánoves E (Bar.) 71 B1
Canredondo E (Gua.) 83 D4
Cans E (Po.) 34 A3
Cansado P (Por.) 112 C5
Canseco E (Le.) 19 A3
Cansinos, Los E (Cór.) 150 B5
Cantabrana E (Bur.) 22 A5
Cantagallo E (Sa.) 98 B2
Cantal, El E (Alm.) 170 B3
Cantalapiedra E (Sa.) 79 B1
Cantalejo E (Seg.) 81 B1
Cantalgallo, lugar E (Bad.) 147 D2
Cantalobos E (Hues.) 67 A1
Cantalojas E (Gua.) 82 C1
Cantalpino E (Sa.) 79 A2
Cantalucía E (So.) 62 D2
Cantallops E (Bar.) 71 A2
Cantallops E (Gi.) 52 A1
Cantanhede P (Co.) 93 D1
Cantaracillo E (Sa.) 79 B3
Cantareros, Los E (Mu.) 171 C2
Cantarranas E (Cád.) 186 B3
Cantavieja E (Te.) 107 A1
Canteiros E (A Co.) 2 D2
Cantejeira-Pumarín E (Le.) 16 D4
Cantelães P (Br.) 54 D2
Cantera, La E (S. Cruz T.) 195 D4
Canteras E (Mu.) 172 B2
Canteras, Las E (Cád.) 185 D1
Canteras, Las E (S. Cruz T.) 195 B2
Canteras, Las E (Sa.) 78 C2
Cantillana E (Sev.) 164 B2
Cantimpalos E (Seg.) 81 A2
Cantinas, Las, lugar E (Huel.) 161 C2
Cantiveros E (Áv.) 79 D3
Canto de Calvão P (Co.) 73 C5
Cantoblanco E (Alb.) 123 D5
Cantolla, La E (Can.) 9 D5
Cantón, El E (Mu.) 156 B2
Cantonigròs E (Bar.) 51 B4
Cantoral de la Peña E (Pa.) 20 C4
Cantoria E (Alm.) 170 B4
Canturri E (Ll.) 49 C2
Canya, La E (Gi.) 51 C3
Canyada de Bihar, la → Cañada E (Ali.) 140 C5
Canyada dels Pins, la → Cañada, La E (Val.) 125 A3
Canyada, la → Cañada, La E (Ali.) 156 D2
Canyamars E (Bar.) 71 C2
Canyamel E (Bal.) 92 D3
Canyelles E (Bar.) 70 B5
Canyelles E (Gi.) 72 B1
Canyelles-Almadrava E (Gi.) 52 C2
Canyet de Mar E (Gi.) 72 B1
Cañada Ancha E (Cád.) 186 A3
Cañada Buendía E (Alb.) 154 D2
Cañada Catena E (J.) 153 B3
Cañada de Agra E (Alb.) 155 A1
Cañada de Alcalá E (J.) 167 C3
Cañada de Benatanduz E (Te.) 86 D5
Cañada de Calatrava E (C. R.) 135 A3
Cañada de Canara E (Mu.) 155 A4
Cañada de Cañepla, La E (Alm.) 170 A1
Cañada de Gallego E (Mu.) 171 D3
Cañada de la Cruz E (Mu.) 154 A4
Cañada de la Jara E (Cád.) 186 D5
Cañada de la Leña E (Mu.) 156 A2
Cañada de las Cruces, La E (Alm.) 170 B4
Cañada de Morote E (Alb.) 154 A1
Cañada de San Urbano, La E (Alm.) 184 A3
Cañada de Tobarra E (Alb.) 138 D5
Cañada de Verich, La E (Te.) 87 C3
Cañada del Gamo E (Cór.) 148 D3
Cañada del Hoyo E (Cu.) 104 C5
Cañada del Provencio E (Alb.) 154 A1
Cañada del Quintanar, lugar E (Alb.) 138 B3
Cañada del Rabadán E (Cór.) 165 C2
Cañada del Real Tesoro E (Mál.) 179 A5
Cañada del Salobral o Molina, lugar E (Alb.) 138 C4
Cañada del Trigo E (Mu.) 156 A2
Cañada Grande, La E (Alm.) 170 B1
Cañada Hermosa E (Mu.) 155 D5
Cañada Incosa-Cerro Pelado E (J.) 151 D4
Cañada Juncosa E (Alb.) 138 B4
Cañada Rosal E (Sev.) 165 B2
Cañada Vellida E (Te.) 86 B5
Cañada, La E (Áv.) 80 C5
Cañada, La E (Áv.) 99 A1
Cañada, La E (Cu.) 123 B2
Cañada, La/Canyada dels Pins, la E (Val.) 125 A3
Cañada, La/Canyada, la E (Ali.) 156 D2
Cañada/Canyada de Bihar, la E (Ali.) 140 C5
Cañadajuncosa E (Cu.) 122 A3
Cañadas E (Alb.) 153 D4

Celada

Caspe E (Zar.) 67 C5
Caspueñas E (Gua.) 82 D5
Cassà de la Selva E (Gi.) 52 A5
Casserres E (Bar.) 50 C4
Castadón E (Our.) 35 B2
Castainço P (Vis.) 75 D2
Castala E (Alm.) 183 A3
Castalla E (Ali.) 140 D5
Castanedo E (Ast.) 5 A4
Castanedo E (Can.) 9 D4
Castanesa E (Hues.) 48 C1
Castanheira P (Ave.) 74 A2
Castanheira P (Bra.) 57 A4
Castanheira P (C. B.) 113 A1
Castanheira P (Guar.) 76 B5
Castanheira P (Guar.) 75 D3
Castanheira P (Lei.) 111 A2
Castanheira P (V. C.) 34 A5
Castanheira Cimeira P (C. B.) 94 D5
Castanheira de Pera P (Lei.) 94 B4
Castanheira do Ribatejo P (Lis.) 127 A1
Castanheira do Vouga P (Ave.) 74 B5
Castanheiro P (Ave.) 74 B3
Castanheiro P (Co.) 93 C2
Castanheiro do Sul P (Vis.) 75 C1
Castanyet E (Gi.) 51 D5
Castañar de Ibor E (Các.) 116 D2
Castañar, El E (To.) 119 A3
Castañares E (Bur.) 41 D3
Castañares de Rioja E (La R.) 43 A1
Castañeda E (A Co.) 15 A2
Castañeda E (Sa.) 78 D3
Castañedo E (Ast.) 5 D3
Castañedo E (Ast.) 6 A4
Castañedo del Monte E (Ast.) 6 B5
Castañeiras-Fuente de Oliva E (Le.) 16 D4
Castañera E (Ast.) 7 C4
Castañera E (Ast.) 7 A4
Castañeras E (Ast.) 5 D3
Castaño del Robledo E (Huel.) 146 C5
Castaño, El E (Viz.) 10 C5
Castaños, Los E (Alm.) 184 C1
Castañuelo E (Huel.) 146 D5
Cástaras E (Gr.) 182 C3
Castarnés E (Hues.) 48 C1
Castedo P (Bra.) 56 B5
Castedo P (V. R.) 55 D5
Casteição P (Guar.) 76 A3
Castejón E (Cu.) 103 C2
Castejón E (Na.) 44 D4
Castejón de Alarba E (Zar.) 85 A1
Castejón de Henares E (Gua.) 83 B3
Castejón de las Armas E (Zar.) 64 D5
Castejón de Monegros E (Hues.) 67 B3
Castejón de Sos E (Hues.) 48 B1
Castejón de Tornos E (Te.) 85 B2
Castejón de Valdejasa E (Zar.) 46 A5
Castejón del Campo E (So.) 64 B2
Castejón del Puente E (Hues.) 47 D5
Castel de Cabra E (Te.) 86 C4
Casteláns E (Po.) 34 B2
Castelão P (Fa.) 160 D4
Castelãos P (Bra.) 56 C3
Castelãos P (V. R.) 55 C1
Casteleiro P (Guar.) 96 A2
Castelejo P (C. B.) 95 C3
Castelflorite E (Hues.) 67 C1
Castelhanas P (Lei.) 93 C4
Castelhanos P (Fa.) 161 A3
Castelnou E (Te.) 87 A1
Castelo E (A Co.) 2 C5
Castelo E (A Co.) 14 B2
Castelo E (Lu.) 15 D3
Castelo E (Lu.) 4 A2
Castelo P (Br.) 54 D4
Castelo P (Bra.) 56 C4
Castelo P (C. B.) 94 C5
Castelo P (Lei.) 93 D5
Castelo P (San.) 112 B1
Castelo P (San.) 93 D5
Castelo P (San.) 112 D2
Castelo P (Vis.) 74 B5
Castelo P (Vis.) 75 C2
Castelo Bom P (Guar.) 76 C5
Castelo Branco P (Aç.) 109 A3
Castelo Branco P (Bra.) 56 D5
Castelo Branco P (C. B.) 113 C1
Castelo de Paiva P (Ave.) 74 C1
Castelo de Penalva P (Vis.) 75 B4
Castelo de Vide P (Por.) 113 C4
Castelo do Neiva P (V. C.) 53 C2
Castelo Melhor P (Guar.) 76 B2
Castelo Mendo P (Guar.) 76 C5
Castelo Novo P (C. B.) 95 C4
Castelo Picão P (Lis.) 126 C1
Castelo Rodrigo P (Guar.) 76 C3
Castelo Viegas P (Co.) 94 A3
Casteloais E (Our.) 36 A2
Castelões P (Ave.) 74 B3
Castelões P (Port.) 54 C5
Castelões P (Vis.) 74 C5
Castelserás E (Te.) 87 B2
Castelvispal E (Te.) 106 D3
Castell d'Aro E (Gi.) 52 B5
Castell de Cabres E (Cas.) 87 D5
Castell de Castells E (Ali.) 141 C4
Castell de Ferro E (Gr.) 182 B4
Castell de l'Areny E (Bar.) 50 C3
Castell de Montbui, el E (Bar.) 71 A2
Castell de Montornès E (Ta.) 69 D5
Castell, el E (Ta.) 88 B5
Castell, Es E (Bal.) 90 D2
Castelladral E (Bar.) 50 B5
Castellanos E (Le.) 39 C2
Castellanos E (Zam.) 37 B4
Castellanos de Castro E (Bur.) 41 B3
Castellanos de Moriscos E (Sa.) 78 D2
Castellanos de Villiquera E (Sa.) 78 C2
Castellanos de Zapardiel E (Áv.) 79 D2
Castellar E (J.) 152 C3
Castellar de la Frontera E (Cád.) 187 A3
Castellar de la Muela E (Gua.) 84 D4
Castellar de la Ribera E (Ll.) 49 D4
Castellar de n'Hug E (Bar.) 50 D2
Castellar de Santiago E (C. R.) 152 B1
Castellar de Tost E (Ll.) 49 D3
Castellar del Riu E (Bar.) 50 B3
Castellar del Vallès E (Bar.) 71 A2
Castellar, El E (Cór.) 167 A4
Castellar, El E (Te.) 106 B2
Castellar-l'Oliveral E (Val.) 125 B4
Castellàs E (Ll.) 49 C2
Castellbell i el Vilar E (Bar.) 70 C2
Castellbisbal E (Bar.) 70 D3
Castellbó E (Ll.) 49 D2
Castellcir E (Bar.) 71 A1
Castelldans E (Ll.) 68 D3
Castelldefels E (Bar.) 70 D5
Castellfollit de la Roca E (Gi.) 51 C2
Castellfollit de Riubregós E (Bar.) 69 D1
Castellfollit del Boix E (Bar.) 70 B2
Castellfort E (Cas.) 107 B1
Castellgalí E (Bar.) 70 C2
Castellnou de Bages E (Bar.) 70 C1
Castellnou de Seana E (Ll.) 69 A2
Castellnovo E (Cas.) 125 A1
Castelló de Farfanya E (Ll.) 68 D1
Castelló de la Plana → Castellón de la Plana E (Cas.) 107 C5
Castelló de la Ribera E (Val.) 141 A1
Castelló de Rugat E (Val.) 141 B3
Castelló d'Empúries E (Gi.) 52 B2
Castellolí E (Bar.) 70 B2
Castellón de la Plana/Castelló de la Plana E (Cas.) 107 C5
Castellonet de la Conquesta E (Val.) 141 B3
Castellote E (Te.) 87 A4
Castells, els E (Ll.) 49 B2
Castellserà E (Ll.) 69 A1
Castellterçol E (Bar.) 71 A1
Castellvell del Camp E (Ta.) 89 B1
Castellví de Rosanes E (Bar.) 70 C3
Castenda E (A Co.) 14 B1
Castielfabib E (Val.) 105 C4
Castiello E (Ast.) 18 C1
Castiello E (Ast.) 7 A3
Castiello de Jaca E (Hues.) 26 D5
Castigaleu E (Hues.) 48 C3
Castil de Campo E (Cór.) 167 A3
Castil de Lences E (Bur.) 22 A5
Castil de Peones E (Bur.) 42 B2
Castil de Tierra E (So.) 64 A3
Castil de Vela E (Pa.) 39 D5
Castilblanco E (Áv.) 79 D4
Castilblanco E (Bad.) 117 C5
Castilblanco de Henares E (Gua.) 83 A3
Castilblanco de los Arroyos E (Sev.) 164 A2
Castildelgado E (Bur.) 42 D2
Castilfalé E (Le.) 39 A3
Castilforte E (Gua.) 103 D1
Castilfrío de la Sierra E (So.) 64 A1
Castilhão P (Vis.) 75 A2
Castiliscar E (Zar.) 45 C2
Castilmimbre E (Gua.) 83 B5
Castilnuevo E (Gua.) 84 D4
Castilruiz E (So.) 64 B1
Castillazuelo E (Hues.) 47 D4
Castilleja de Guzmán E (Sev.) 163 D4
Castilleja de la Cuesta E (Sev.) 163 D4
Castilleja del Campo E (Sev.) 163 B4
Castilléjar E (Gr.) 169 C2
Castillejo E (Sa.) 78 C5
Castillejo de Azaba E (Sa.) 96 D1
Castillejo de Dos Casas E (Sa.) 76 D4
Castillejo de Iniesta E (Cu.) 122 D3
Castillejo de Martín Viejo E (Sa.) 77 A4
Castillejo de Mesleón E (Seg.) 61 D5
Castillejo de Robledo E (So.) 62 A3
Castillejo de Yeltes E (Sa.) 77 C4
Castillejo del Romeral E (Cu.) 103 D4
Castillejo-Sierra E (Cu.) 104 B2
Castillo E (Các.) 97 B2
Castillo E (Can.) 10 A4
Castillo Anzur, lugar E (Cór.) 166 A4
Castillo de Alba E (Zam.) 58 A2
Castillo de Baños E (Gr.) 182 C4
Castillo de Bayuela E (To.) 100 A4
Castillo de Castellar E (Cád.) 187 A3
Castillo de Garcimuñoz E (Cu.) 121 D2
Castillo de la Albaida E (Cór.) 149 D5
Castillo de las Guardas, El E (Sev.) 163 B2
Castillo de Locubín E (J.) 167 B3
Castillo de Tajarja E (Gr.) 181 C1
Castillo de Villamalefa E (Cas.) 107 A4
Castillo del Pla E (Hues.) 48 B5
Castillo del Romeral E (Las P.) 191 D3
Castillo Pedroso E (Can.) 21 B1
Castillo, El E (Las P.) 190 B3
Castillo, El E (Le.) 18 A4
Castillo, El E (Mad.) 102 A2
Castillo-Albaráñez E (Cu.) 103 D3
Castillonroy E (Hues.) 68 B1
Castillo-Nuevo/Gazteluberri E (Na.) 25 D5
Castillos, Los E (Gr.) 182 C4
Castinçal P (Co.) 94 C2
Castiñeira E (Our.) 36 B3
Castiñeiras E (A Co.) 13 C5
Castralvo E (Te.) 106 A2
Castraz E (Sa.) 77 C4
Castrecias E (Bur.) 21 A5
Castrejón E (Sa.) 78 B3
Castrejón de la Peña E (Pa.) 20 B4
Castrejón de Trabancos E (Vall.) 59 B5
Castrelo E (A Co.) 13 C1
Castrelo E (Po.) 14 C5
Castrelo de Abaixo E (Our.) 36 B5
Castrelo de Cima E (Our.) 36 B5
Castrelo de Miño E (Our.) 34 D2
Castrelo do Val E (Our.) 35 D5
Castrelos E (A Co.) 14 C1
Castrelos E (Po.) 33 D2
Castrelos E (Zam.) 36 D5
Castrelos P (Bra.) 56 D1
Castresana E (Bur.) 22 B2
Castriciones E (Bur.) 22 B3
Castril E (Gr.) 169 B1
Castrillejo de la Olma E (Pa.) 40 B3
Castrillo de Bezana E (Bur.) 21 C3
Castrillo de Cabrera E (Le.) 37 B2
Castrillo de Cepeda E (Le.) 18 A5
Castrillo de Don Juan E (Pa.) 61 A2
Castrillo de Duero E (Vall.) 61 B3
Castrillo de la Guareña E (Zam.) 79 A1
Castrillo de la Reina E (Bur.) 42 C5
Castrillo de la Ribera E (Le.) 38 D1
Castrillo de la Valduerna E (Le.) 38 A2
Castrillo de la Vega E (Bur.) 61 C3
Castrillo de las Piedras E (Le.) 38 A2
Castrillo de los Polvazares E (Le.) 38 A1
Castrillo de Murcia E (Bur.) 41 B2
Castrillo de Onielo E (Pa.) 60 D1
Castrillo de Porma E (Le.) 19 A5
Castrillo de Riopisuerga E (Bur.) 40 D1
Castrillo de Rucios E (Bur.) 41 D1
Castrillo de San Pelayo E (Le.) 38 B2
Castrillo de Sepúlveda E (Seg.) 61 C5
Castrillo de Solarana E (Bur.) 41 D5
Castrillo de Valderaduey E (Le.) 39 D1
Castrillo de Villavega E (Pa.) 40 C2
Castrillo del Val E (Bur.) 42 A3
Castrillo-Matajudíos E (Bur.) 41 A3
Castrillo-Tejeriego E (Vall.) 60 D2
Castriz E (A Co.) 13 D1
Castro E (A Co.) 2 D2
Castro E (A Co.) 2 D4
Castro E (A Co.) 1 D5
Castro E (Lu.) 15 D2
Castro E (Lu.) 15 D1
Castro E (Po.) 14 B5
Castro E (Po.) 34 A2
Castro E (Po.) 14 C3
Castro E (So.) 62 D5
Castro P (V. R.) 56 A3
Castro (Carballedo) E (Lu.) 15 B5
Castro (Dozón) E (Po.) 15 A5
Castro Caldelas E (Our.) 36 A2
Castro Daire P (Vis.) 75 A2
Castro de Alcañices E (Zam.) 57 D3
Castro de Avelãs P (Bra.) 56 D1
Castro de Escuadro E (Our.) 35 D3
Castro de Filabres E (Alm.) 183 D1
Castro de Fuentidueña E (Seg.) 61 C4
Castro de la Lomba E (Le.) 18 B4
Castro de Laza, O E (Our.) 35 D4
Castro de Rei E (Lu.) 15 D4
Castro de Rei E (Lu.) 4 A5
Castro del Río E (Cór.) 166 C2
Castro Enríquez E (Sa.) 78 A3
Castro Laboreiro P (V. C.) 34 D4
Castro Marim P (Fa.) 175 C2
Castro Roupal P (Bra.) 56 D3
Castro Verde P (Be.) 160 C1
Castro Vicente P (Bra.) 56 D4
Castroañe E (Le.) 39 C1
Castrobarto E (Bur.) 22 B2
Castrobol E (Vall.) 39 B4
Castrocalbón E (Le.) 38 A3
Castroceniza E (Bur.) 42 A5
Castrocontrigo E (Le.) 37 D3
Castrodeza E (Vall.) 59 D3
Castrofeito E (A Co.) 14 C2
Castrofuerte E (Le.) 38 D3
Castrogonzalo E (Zam.) 38 D5
Castrojeriz E (Bur.) 41 A3
Castrojimeno E (Seg.) 61 C5
Castromaior E (Lu.) 15 C3
Castromaior E (Lu.) 3 D4
Castromao E (Our.) 36 C3
Castromembibre E (Vall.) 59 B2
Castromil E (Zam.) 36 C5
Castromocho E (Pa.) 40 A5
Castromonte E (Vall.) 59 C2
Castromudarra E (Le.) 19 C5
Castroncelos E (Lu.) 16 A5
Castronuevo E (Zam.) 58 D2
Castronuevo de Esgueva E (Vall.) 60 B2
Castronuño E (Vall.) 59 B4
Castropepe E (Zam.) 38 D5
Castropetre E (Le.) 36 D1
Castropodame E (Le.) 17 C5
Castropol E (Ast.) 4 C3
Castroponce E (Vall.) 39 C4
Castroquilame E (Le.) 37 A1
Castroserna de Abajo E (Seg.) 81 D1
Castroserna de Arriba E (Seg.) 81 D1
Castroserracín E (Seg.) 61 C5
Castrotierra de la Valduerna E (Le.) 38 A2
Castrotierra de Valmadrigal E (Le.) 39 B2
Castro-Urdiales E (Can.) 10 C4
Castrovega de Valmadrigal E (Le.) 39 B3
Castroverde E (Lu.) 16 A2
Castroverde de Campos E (Zam.) 39 B5
Castroverde de Cerrato E (Vall.) 60 D2
Castrovido E (Bur.) 42 C5
Castroviejo E (La R.) 43 B3
Castuera E (Bad.) 132 C4
Catadau E (Val.) 124 D5
Catalán, lugar E (Mál.) 181 A3
Catalmerejos, Los E (Alb.) 138 A5
Catarroeira P (San.) 127 D1
Catarroja E (Val.) 125 A4
Catarruchos P (Co.) 93 D2
Catí E (Cas.) 107 D1
Catifarra P (Set.) 143 B5
Cativelos P (Guar.) 75 B5
Catllar, el E (Ta.) 89 D1
Catoira E (Po.) 14 A4
Catral E (Ali.) 156 C3
Catribana P (Lis.) 126 B2
Caudé E (Te.) 105 D2
Caudete E (Alb.) 140 B4
Caudete de las Fuentes E (Val.) 123 D3
Caudiel E (Cas.) 106 D5
Caulès E (Gi.) 72 A1
Caunedo E (Ast.) 17 D2
Cava E (Ll.) 50 A2
Cavaca P (Guar.) 75 C4
Cavada, La E (Can.) 9 D5
Cavadinha P (San.) 111 D1
Cavadoude P (Guar.) 76 A5
Cavaleiro P (Be.) 159 B2
Cavaleiros P (Ave.) 94 A2
Cavaleiros P (Co.) 93 D3
Cavalinhos P (Lei.) 111 B1
Cavalos P (Fa.) 160 C4
Caveira P (Set.) 143 B2
Cavernães P (Vis.) 75 A4
Cavês P (Br.) 55 A3
Caviedes E (Can.) 8 D5
Caxarias P (San.) 111 D1
Caxias P (Lis.) 126 C3
Cayés E (Ast.) 6 C4
Cayuela E (Bur.) 41 C3
Cazadores E (Las P.) 191 C2
Cazalegas E (To.) 100 A5
Cazalilla E (J.) 151 B5
Cazalla de la Sierra E (Sev.) 148 B5
Cazanuecos E (Le.) 38 C3
Cazás E (Lu.) 3 C4
Cazo E (Ast.) 7 C5
Cazón E (Lu.) 15 C5
Cazorla E (J.) 152 D5
Cazurra E (Zam.) 58 C4
Cea E (Le.) 39 D2
Cea E (Po.) 13 D5
Ceadea E (Zam.) 57 D2
Ceal E (J.) 168 D2
Cebanico E (Le.) 19 D5
Cebas E (Gr.) 169 B1
Cebolais de Baixo P (C. B.) 113 B1
Cebolais de Cima P (C. B.) 113 B1
Cebolla E (To.) 100 B5
Cebral E (Our.) 14 D5
Cebrecos E (Bur.) 41 D5
Cebreiro E (A Co.) 14 C3
Cebreiro, O E (Lu.) 16 C4
Cebreiros E (Our.) 35 B2
Cebreros E (Áv.) 100 C1
Cebrones del Río E (Le.) 38 B3
Ceceda E (Ast.) 7 A4
Ceclavín E (Các.) 114 D1
Cecos E (Ast.) 16 D2
Cedães P (Bra.) 56 B3
Cedaínhos P (Bra.) 56 B4
Cedeira E (A Co.) 3 A1
Cedeira E (Po.) 34 A2
Cedemonio E (Ast.) 5 A4
Cedillo E (Các.) 113 C2
Cedillo de la Torre E (Seg.) 61 D4
Cedillo del Condado E (To.) 101 B4
Cedofeita E (Lu.) 4 C3
Cedovim P (Guar.) 76 A2
Cedrillas E (Te.) 106 B2
Cedrim P (Ave.) 74 B4
Cedrón E (Lu.) 16 B3
Cedros P (Aç.) 109 A3
Cee E (A Co.) 13 B2
Ceferina E (Cád.) 185 D1
Cefiñas, Las E (Huel.) 146 B4
Cefontes E (Ast.) 6 D3
Cegarra, Los E (Mu.) 170 D3
Ceguilla (Aldealengua de Pedraza) E (Seg.) 81 C2
Cehegín E (Mu.) 154 D4
Ceilán E (A Co.) 14 A2
Ceinos de Campos E (Vall.) 39 C5
Ceira P (Co.) 94 A3
Ceiroco P (Co.) 95 A3
Ceiroquinho P (Co.) 94 D3
Ceivães P (V. C.) 34 B4
Cela E (A Co.) 2 C4
Cela E (Alm.) 169 D4
Cela E (Lu.) 15 D1
Cela E (Lu.) 15 D3
Cela E (Our.) 34 D5
Cela E (Po.) 33 D2
Cela E (Po.) 34 A3
Cela E (Le.) 16 D5
Cela P (Lei.) 111 A2
Cela P (V. C.) 34 C4
Cela P (V. R.) 55 D2
Cela P (Vis.) 75 A3
Cela de Cima P (Lei.) 111 B1
Cela de Núñez/Sela de Nunyes E (Ali.) 141 A4
Cela Velha P (Lei.) 111 A2
Celada E (Le.) 38 A2

Celada de la Torre

Celada de la Torre E (Bur.) 41 D2
Celada de Roblecedo E (Pa.) 20 C3
Celada del Camino E (Bur.) 41 B3
Celada, La E (Cór.) 166 D5
Celada-Marlantes E (Can.) 21 A3
Celadas E (Te.) 105 D1
Celadas, Las E (Bur.) 41 C1
Celadilla del Páramo E (Le.) 38 C1
Celadilla del Río E (Pa.) 20 A5
Celadilla-Sotobrín E (Bur.) 41 D2
Cela-Estación E (Alm.) 169 D4
Celanova E (Our.) 35 A3
Celas E (A Co.) 2 C4
Celas P (Bra.) 56 C2
Celavente E (Our.) 36 C2
Celavisa P (Co.) 94 D3
Celeiro E (Lu.) 4 B3
Celeiro E (Lu.) 3 D2
Celeiros E (Our.) 36 A3
Celeirós E (Our.) 35 D2
Celeiros E (Po.) 34 B3
Celeirós P (Br.) 54 B3
Celeirós P (V. R.) 55 C5
Celeirós P (V. R.) 55 D2
Celigueta/Zeligeta E (Na.) 25 B5
Celín E (Alm.) 183 B3
Celis E (Can.) 8 C5
Celorico da Beira P (Guar.) 75 D5
Celorico de Basto P (Br.) 54 D4
Celorio E (Ast.) 8 A4
Celrà E (Gi.) 52 A4
Céltigos E (Lu.) 16 A3
Celucos E (Can.) 8 C5
Cella E (Te.) 105 C1
Cellera de Ter, la E (Gi.) 51 D4
Celles E (Ast.) 6 D4
Cellorigo E (La R.) 22 D5
Cem Soldos P (San.) 112 A2
Cembranos E (Le.) 38 D1
Cembrero E (Pa.) 40 C1
Cementerio E (Mu.) 171 A2
Cenascuras E (Gr.) 169 A4
Cendejas de Enmedio E (Gua.) 83 A3
Cendejas de la Torre E (Gua.) 83 A3
Cenegro E (So.) 62 B4
Cenera E (Ast.) 18 C1
Cenes de la Vega E (Gr.) 182 A1
Cenicero E (La R.) 43 B1
Cenicientos E (Mad.) 100 C3
Cenizate E (Alb.) 123 A5
Centeáns E (Po.) 34 A3
Centelles E (Bar.) 71 A1
Centenera E (Gua.) 82 D5
Centenera E (Hues.) 48 B3
Centenera de Andaluz E (So.) 63 B4
Centenera del Campo E (So.) 63 C4
Centenero E (Hues.) 46 C2
Centenillo, El E (J.) 151 C2
Central Térmica
Puente Nuevo E (Cór.) 149 C4
Centroña E (A Co.) 2 D3
Ceo E (Po.) 34 B2
Cepães P (Br.) 54 C3
Cepeda E (Sa.) 98 A1
Cepeda la Mora E (Áv.) 99 C1
Cepedelo E (Our.) 36 C4
Cepelos P (Ave.) 74 B3
Cepero, El, lugar E (Alb.) 139 C4
Cepillo, El, lugar E (Alb.) 137 C4
Cepões P (Vis.) 75 B1
Cepões P (Vis.) 75 A4
Cepos P (Co.) 94 D3
Cequelinos E (Po.) 34 C3
Cerbón E (So.) 64 A1
Cerca de Arriba E (Ast.) 6 D3
Cerca Velha P (Fa.) 174 B2
Cercadillo E (Gua.) 83 B1
Cercadillos E (Las P.) 191 B2
Cercado, El E (Alm.) 170 C2
Cercado, El E (S.Cruz T.) 194 B2
Cercados de Espinos E (Las P.) 191 B3
Cercados, Los E (Las P.) 191 C3
Cercal P (Co.) 93 C3
Cercal P (Lei.) 94 B4
Cercal P (Lis.) 111 A4
Cercal P (San.) 111 C1
Cercal P (Set.) 143 B5
Cerceda E (A Co.) 2 B5
Cerceda E (A Co.) 14 C2
Cerceda E (Mad.) 81 B5
Cercedilla E (Mad.) 81 A4
Cercio E (Po.) 14 D4
Cercio P (Bra.) 57 C4
Cercosa P (Vis.) 94 B1
Cercosa P (Vis.) 74 C4
Cercs E (Bar.) 50 C3
Cerdá E (Val.) 140 D2
Cerdal P (V. C.) 34 A4
Cerdanyola del Vallès E (Bar.) 71 A3
Cerdedelo E (Our.) 36 A4
Cerdedo E (Po.) 14 B5
Cerdedo P (V. R.) 55 A2
Cerdeira E (Our.) 35 B3
Cerdeira P (Co.) 94 D2
Cerdeira P (Guar.) 96 B1
Cerdeira P (V. R.) 55 C3
Cerdeira P (Vis.) 94 B1
Cerdeira P (Vis.) 75 B3
Cerdido E (A Co.) 3 B2
Cerdigo E (Can.) 10 C4
Cereceda E (Ast.) 7 B4
Cereceda E (Áv.) 98 D2
Cereceda E (Bur.) 22 A4
Cereceda E (Can.) 10 B5
Cereceda E (Gua.) 83 C5
Cereceda de la Sierra E (Sa.) 77 D5
Cerecinos de Campos E (Zam.) 59 A1
Cerecinos del Carrizal E (Zam.) 58 C2
Cereixedo E (Lu.) 16 D4
Cereixido E (Lu.) 16 C2
Cereixo E (A Co.) 1 B5
Cereixo E (Po.) 14 B4
Cerejais P (Bra.) 56 C5
Cerejeira P (C. B.) 113 A1
Cerejeira P (San.) 112 A2
Cerejeiras P (Co.) 94 B4
Cerejo P (Guar.) 76 A4
Cereo E (A Co.) 1 D5
Ceresa E (Hues.) 47 D1
Ceresola E (Hues.) 47 B2
Cerezal E (Các.) 97 C2
Cerezal de Aliste E (Zam.) 58 A3
Cerezal de la Guzpeña E (Le.) 19 D4
Cerezal
de Peñahorcada E (Sa.) 77 A1
Cerezal de Puertas E (Sa.) 77 C2
Cerezal de Sanabria E (Zam.) 37 C4
Cerezales del Condado E (Le.) 19 B5
Cerezo E (Các.) 97 C3
Cerezo de Abajo E (Seg.) 81 D1
Cerezo de Arriba E (Seg.) 82 A1
Cerezo de Mohernando E (Gua.) 82 C3
Cerezo de Río Tirón E (Bur.) 42 C1
Cerezo, El E (J.) 153 C4
Cerezos, Los E (Te.) 106 B4
Cerler E (Hues.) 28 B5
Cermoño E (Ast.) 5 D4
Cernache P (Co.) 94 A3
Cernache do
Bom Jardim P (C. B.) 94 B5
Cernadilla E (Zam.) 37 C5
Cernado E (Our.) 36 B3
Cernecina E (Zam.) 58 A4
Cernégula E (Bur.) 21 D5
Cerollera, La E (Te.) 87 C3
Cerponzóns E (Po.) 34 A1
Cerqueda E (A Co.) 1 D4
Cerquedo P (Co.) 94 B1
Cerradura, La E (J.) 167 D2
Cerrajón, El E (J.) 167 B3
Cerralba E (Mál.) 180 A4
Cerralbo E (Sa.) 77 A2
Cerralbos, Los E (To.) 100 B5
Cerratón de Juarros E (Bur.) 42 B2
Cerrazo E (Can.) 9 A4
Cerreda E (Our.) 35 C1
Cerredelo E (Our.) 35 B4
Cerredo E (Ast.) 5 B4
Cerredo E (Ast.) 17 C3
Cerricos, Los E (Alm.) 170 B3
Cerrillares, Los, lugar E (Mu.) 139 C5
Cerrillo de Maracena E (Gr.) 181 D1
Cerrillos, Los, lugar E (C. R.) 136 D2
Cerro P (Fa.) 160 B4
Cerro Alarcón E (Mad.) 101 A1
Cerro da Vinha P (Fa.) 161 B3
Cerro de Águia P (Fa.) 174 A3
Cerro de Andévalo, El E (Huel.) 162 B1
Cerro de
Santiago, lugar E (Huel.) 163 B4
Cerro do Ouro P (Fa.) 174 A2
Cerro Lobo E (Alb.) 138 D4
Cerro Muriano E (Cór.) 149 D5
Cerro Negro E (Gr.) 182 B3
Cerro Perea E (Sev.) 165 C3
Cerro, El E (Mál.) 181 A3
Cerro, El E (Sa.) 98 A2
Cerroblanco E (Alb.) 137 D4
Cerrogordo, El E (Alm.) 170 B4
Cerva P (V. R.) 55 A3
Cervães P (Br.) 54 A2
Cervantes E (Lu.) 16 C3
Cervatos E (Can.) 21 A3
Cervatos de la Cueza E (Pa.) 40 A3
Cervela E (Lu.) 15 D4
Cervelló E (Bar.) 70 D4
Cervera E (Ll.) 69 C2
Cervera de Buitrago E (Mad.) 82 A3
Cervera
de la Cañada E (Zar.) 64 D4
Cervera de los Montes E (To.) 99 D4
Cervera de Pisuerga E (Pa.) 20 C4
Cervera del Llano E (Cu.) 121 D1
Cervera del Maestrat
→ Cervera del
Maestre E (Cas.) 108 A1
Cervera del Maestre/
Cervera del Maestrat E (Cas.) 108 A1
Cervera del Rincón E (Te.) 86 A4
Cervera del Río Alhama E (La R.) 44 C5
Cerveruela E (Zar.) 85 D1
Cervià de les Garrigues E (Ll.) 69 A4
Cervià de Ter E (Gi.) 52 A3
Cervillego de la Cruz E (Vall.) 79 D1
Cervo E (A Co.) 3 A1
Cervo E (Lu.) 4 A2
Cesar P (Ave.) 74 A2
Céspedes E (Bur.) 22 A3
Céspedes E (Cór.) 165 B1
Cespedosa de Agadones E (Sa.) 97 B1
Cespedosa de Tormes E (Sa.) 98 D1
Cespón E (A Co.) 13 D4
Cestona → Zestoa E (Gui.) 24 A1
Cesuras E (A Co.) 2 D5
Cesuris E (Our.) 36 B2
Cete P (Port.) 54 B5
Cetina E (Zar.) 64 C5
Ceuta E (Ce.) 188 B5
Ceutí E (Mu.) 155 D4
Cevico de la Torre E (Pa.) 60 C1
Cevico Navero E (Pa.) 61 A1
Cexo E (Our.) 35 A3
Cezura E (Pa.) 21 A4
Ciadoncha E (Bur.) 41 B4
Ciaño E (Ast.) 6 D5
Cibanal E (Zam.) 57 C5
Cibea E (Ast.) 17 C2
Cibões P (Br.) 54 C1
Ciborro P (Év.) 128 B3
Cibuyo E (Ast.) 17 B1
Cícere E (A Co.) 13 D1
Cicouro P (Bra.) 57 C2
Cid Toledo E (Cór.) 166 B3
Cida E (Ast.) 6 B4
Cida, A E (Our.) 14 D5
Cidad de
Valdeporres, lugar E (Bur.) 21 C3
Cidade P (Lei.) 110 D3
Cidadelha de Jales P (V. R.) 55 C3
Cidadelhe P (Guar.) 76 B3
Cidadelhe P (V. C.) 34 C5
Cidadelhe P (V. R.) 55 A5
Cidamón E (La R.) 43 A1
Cidones E (So.) 63 C1
Cidral P (San.) 111 A4
Ciempozuelos E (Mad.) 101 D4
Cierva, La E (Cád.) 178 C3
Cierva, La E (Cu.) 104 D4
Cieza E (Mu.) 155 C3
Cifuentes E (Gua.) 83 C4
Cifuentes de Rueda E (Le.) 19 B5
Cigales E (Vall.) 60 A2
Cigudosa E (So.) 64 B1
Cigüenza E (Bur.) 22 A3
Ciguera E (Le.) 19 C3
Cigüñuela E (Vall.) 59 D3
Cihuela E (So.) 64 C4
Cihuri E (La R.) 43 A1
Cijuela E (Gr.) 181 C1
Ciladas P (Év.) 129 D3
Cilanco E (Alb.) 123 C5
Cillamayor E (Pa.) 20 D4
Cillán E (Áv.) 79 D5
Cillanueva E (Le.) 38 D1
Cillaperlata E (Bur.) 22 B4
Cillas E (Gua.) 84 D3
Cilleros E (Các.) 96 D4
Cilleros de la Bastida E (Sa.) 78 A5
Cilleruelo E (Alb.) 138 A4
Cilleruelo de Abajo E (Bur.) 61 C1
Cilleruelo de Arriba E (Bur.) 61 D1
Cilleruelo de Bezana E (Bur.) 21 C3
Cilleruelo de Bricia E (Bur.) 21 C3
Cilleruelo de
San Mamés E (Seg.) 62 A4
Cilloruelo E (Sa.) 78 D3
Cima de Vila E (Lu.) 15 C1
Cima de Vila E (Our.) 35 B2
Cima de Vila E (Our.) 35 D4
Cimada, La E (Mál.) 179 B3
Cimadas Cimeiras P (C. B.) 112 D1
Cimadas Fundeiras P (C. B.) 112 D1
Cimadevilla E (Ast.) 7 A3
Cimanes de la Vega E (Le.) 38 D4
Cimanes del Tejar E (Le.) 18 C5
Cimballa E (Zar.) 84 D2
Cimbres P (Vis.) 75 B1
Cimo de Vila P (Port.) 55 A5
Cimo de Vila de
Castanheira P (V. R.) 56 A1
Cimo dos Ribeiros P (San.) 112 C2
Cinco Casas E (C. R.) 136 C1
Cinco Olivas E (Zar.) 67 A5
Cinco Vilas P (Guar.) 76 C4
Cinconogueiras E (Our.) 35 B1
Cincovillas E (Gua.) 83 A1
Cinctorres E (Cas.) 87 B5
Cinés E (A Co.) 2 D5
Cinfães P (Vis.) 74 D1
Cinge E (Lu.) 4 C3
Cinta, La E (Alm.) 170 C5
Cintrão P (Lei.) 110 D4
Cintruénigo E (Na.) 44 D4
Ciñera E (Le.) 18 D3
Cional E (Zam.) 37 C5
Cipérez E (Sa.) 77 C2
Ciquiril E (Po.) 14 B5
Cira E (Po.) 14 C3
Cirat E (Cas.) 107 A4
Cirauqui/Zirauki E (Na.) 24 C5
Circes E (A Co.) 14 D3
Cirés E (Hues.) 48 C2
Ciria E (So.) 64 C3
Ciriza/Ziritza E (Na.) 24 D4
Ciruela E (So.) 63 A4
Ciruelas E (Gua.) 82 D4
Ciruelos E (To.) 101 D5
Ciruelos de Cervera E (Bur.) 62 A1
Ciruelos de Coca E (Seg.) 80 B1
Ciruelos del Pinar E (Gua.) 84 A2
Cirueña E (La R.) 43 A2
Cirujales E (Le.) 18 A4
Cirujales del Río E (So.) 64 A1
Cirujeda E (Te.) 86 C4
Cisla E (Áv.) 79 C3
Cisnera, La E (S.Cruz T.) 196 A4
Cisneros E (Pa.) 40 A3
Cisnes, urbanización Los E (Sa.) 78 D3
Cistella E (Gi.) 52 A2
Cisterna P (Bra.) 36 B5
Cistérniga E (Vall.) 60 B3
Cistierna E (Le.) 19 C4
Citores del Páramo E (Bur.) 41 B2
Ciudad Jardín
Virgen del Milagro E (Pa.) 40 C5
Ciudad Quesada E (Ali.) 156 C4
Ciudad Real E (C. R.) 135 B2
Ciudad Rodrigo E (Sa.) 77 A5
Ciudalcampo E (Mad.) 81 D5
Ciutadella de Menorca E (Bal.) 90 A2
Ciutadilla E (Ll.) 69 C3
Cívica E (Gua.) 83 B4
Civís E (Ll.) 49 D1
Civit E (Ll.) 69 D3
Cizur E (Na.) 24 D4
Cizur Mayor/
Zizur Nagusia E (Na.) 24 D4
Claras P (Lei.) 93 B4
Claravalls E (Ll.) 69 B2
Clareanes P (Fa.) 174 C2
Clares E (Gua.) 84 B2
Clarés de Ribota E (Zar.) 64 D4
Clariana E (Bar.) 70 B5
Clariana E (Bar.) 70 A2
Clariana de Cardener E (Ll.) 50 A5
Clarines P (Fa.) 161 A3
Claveros, Los E (Alm.) 169 D4
Clavijo E (La R.) 43 D2
Clavinque E (Sev.) 164 B4
Clua, La E (Ll.) 49 B5
Coalla E (Ast.) 6 A4
Coaña E (Ast.) 5 A3
Coaxe E (Po.) 14 A4
Cobarredeiras E (A Co.) 2 D2
Cobaticas E (Mu.) 172 D2
Cobatillas E (Mu.) 156 A4
Cobatillas E (Te.) 86 C5
Cobatillas, Las E (Alm.) 154 A5
Cobatillas, Las, lugar E (Cád.) 186 C2
Cobatillas, lugar E (Alb.) 154 D1
Cobatillas, lugar E (Cór.) 165 C1
Cóbdar E (Alm.) 170 B5
Cobeja E (To.) 101 C5
Cobeña E (Mad.) 102 A1
Cobertelada E (So.) 63 C4
Cobertinha P (Vis.) 74 D3
Cobeta E (Gua.) 84 B3
Cobisa E (To.) 119 B1
Cobo, El E (Mu.) 154 D3
Cobos de Cerrato E (Pa.) 41 B5
Cobos de Fuentidueña E (Seg.) 61 B5
Cobos de Segovia E (Seg.) 80 C3
Cobos Junto
a la Molina E (Bur.) 41 D1
Cobrana E (Le.) 17 B5
Cobre P (Lis.) 126 B3
Cobreces E (Can.) 9 A4
Cobreros E (Zam.) 37 A4
Cobres E (Po.) 34 A2
Cobro P (Bra.) 56 A4
Coca E (Seg.) 80 C1
Coca de Alba E (Sa.) 79 A3
Cocañín E (Ast.) 6 D5
Cocentaina E (Ali.) 141 A4
Cocón, El E (Mu.) 171 B4
Cocoteros, Los E (Las P.) 192 D4
Coculina E (Bur.) 41 C1
Cochadas P (Co.) 93 C1
Cocharro P (San.) 127 C1
Codal P (Ave.) 74 B2
Codaval P (V. R.) 55 D4
Codeçais P (Bra.) 56 A4
Codeçais P (Vis.) 75 A2
Codeçais P (Vis.) 75 A3
Codeceda P (Br.) 54 B1
Codeceira P (Lei.) 111 C1
Codeçoso P (V. R.) 55 B1
Codeçoso P (V. R.) 55 A2
Codes E (Gua.) 84 B2
Codesal E (Zam.) 37 C5
Codeseda E (Po.) 14 B5
Codesedo E (Our.) 35 C3
Codesido E (Lu.) 3 C4
Codeso E (A Co.) 14 C3
Codesoso E (A Co.) 15 A2
Codesseiro P (Guar.) 76 A4
Codessoso P (V. R.) 55 B2
Codo E (Zar.) 66 C5
Codoñera, La E (Te.) 87 C3
Codornillos E (Le.) 39 C2
Codorniz E (Seg.) 80 B2
Codos E (Zar.) 65 C5
Codosera, La E (Bad.) 114 A5
Coelhal P (Co.) 94 D4
Coelhal P (Lei.) 94 C4
Coelheira P (Lei.) 94 B4
Coelheira P (Vis.) 74 C3
Coelhoso P (Bra.) 57 A2
Coelhoso P (Vis.) 74 C5
Coence E (Lu.) 15 B3
Coentral P (Lei.) 94 C4
Coentral das Barreiras P (Lei.) 94 C4
Coeses E (Lu.) 15 D2
Cofiñal E (Le.) 19 B2
Cofita E (Hues.) 47 D5
Cofrentes E (Val.) 124 A5
Cogeces de Íscar E (Vall.) 60 B4
Cogeces del Monte E (Vall.) 60 D4
Cogollo E (Ast.) 6 B3
Cogollor E (Gua.) 83 B4
Cogollos E (Bur.) 41 D4
Cogollos de Guadix E (Gr.) 168 D5
Cogollos Vega E (Gr.) 168 A5
Cogolludo E (Gua.) 82 D3
Cogorderos E (Le.) 38 A1
Cogul, el E (Ll.) 68 D4
Cogula P (Guar.) 76 A3
Cogullada, la E (Val.) 141 A1
Cogullos E (Bur.) 21 D3
Coimbra P (Co.) 94 A2
Coimbra P (Lei.) 110 C3
Coimbrão P (Lei.) 93 B4
Coimbrões P (Vis.) 75 A5
Coín E (Mál.) 180 A5
Coina P (Set.) 126 D4
Coira E (Our.) 35 B3
Coiras E (Our.) 15 A5
Coiro E (A Co.) 13 C2
Coiro E (Po.) 33 D2
Coirón E (Po.) 33 D1
Coirós E (A Co.) 2 D4
Coito P (Co.) 94 D1
Coja P (Co.) 94 D2
Coja P (Guar.) 75 C3
Cojáyar E (Gr.) 182 D3

Corzáns

Cojos de Robliza E (Sa.) 78 A3
Cojos, Los E (Val.) 123 C4
Colantres E (A Co.) 2 D4
Colares P (Lis.) 126 B2
Colégio P (Fa.) 173 B2
Coleja P (Bra.) 76 A1
Colera E (Gi.) 52 C1
Colherinhas P (Guar.) 75 C4
Colilla, La E (Áv.) 80 A5
Colina E (Bur.) 22 A2
Colinas de Trasmonte E (Zam.) 38 C5
Colinas del Campo de Martín Moro E (Le.) 17 D4
Colinas, Las E (Mad.) 101 C3
Colinas, Las E (Zar.) 66 A3
Colindres E (Can.) 10 A4
Colmeal P (Co.) 94 D3
Colmeal P (Guar.) 76 B3
Colmeal da Torre P (C. B.) 95 D1
Colmeias P (Lei.) 93 C5
Colmenar E (Mál.) 180 D3
Colmenar de la Sierra E (Gua.) 82 B2
Colmenar de Montemayor E (Sa.) 98 A2
Colmenar de Oreja E (Mad.) 102 B4
Colmenar del Arroyo E (Mad.) 100 D2
Colmenar Viejo E (Mad.) 81 C5
Colmenar, El E (Mál.) 187 A1
Colmenar, El, lugar E (Alb.) 138 B4
Colmenarejo E (Mad.) 101 B1
Colmenares E (Pa.) 20 C4
Colo de Pito P (Vis.) 75 A2
Colombres E (Ast.) 8 C4
Colomera E (Gr.) 167 D4
Colomers E (Gi.) 52 B3
Colonia de la Estación E (Sa.) 76 D5
Colònia de Sant Jordi E (Bal.) 92 A5
Colònia de Sant Pere, Sa E (Bal.) 92 C2
Colonia de Tejada, lugar E (Huel.) 161 C3
Colònia Estevenell E (Gi.) 51 B2
Colònia Fàbrica E (Ta.) 68 C5
Colònia Güell, la E (Bar.) 70 D4
Colonia Nuestra Señora del Prado E (To.) 99 D5
Colònia Rosal, La E (Bar.) 50 C4
Colònia Sedó E (Bar.) 70 C3
Colònia Valls, la E (Bar.) 70 B1
Colos P (Be.) 159 D1
Columbeira P (Lei.) 110 D4
Columbrianos E (Le.) 17 B5
Colunga E (Ast.) 7 B3
Colungo E (Hues.) 47 D4
Colúns E (A Co.) 13 C2
Coll E (Ll.) 48 D1
Coll de Nargó E (Ll.) 49 C3
Coll d'en Rabassa E (Bal.) 91 C4
Collada E (Ast.) 5 B4
Collada, La E (Ast.) 6 D4
Collado E (Áv.) 98 D2
Collado E (Các.) 98 C4
Collado de Contreras E (Áv.) 79 D3
Collado del Mirón E (Áv.) 99 A1
Collado Hermoso E (Seg.) 81 B2
Collado Villalba E (Mad.) 81 B5
Collado, El E (Cu.) 104 C2
Collado, El E (Huel.) 146 D5
Collado, El E (So.) 44 A5
Collado, El E (Val.) 106 A5
Collado, El, lugar E (Gr.) 182 D3
Collado-Mediano E (Mad.) 81 B5
Collados E (Cu.) 104 A3
Collados E (Te.) 85 D2
Collados, Los E (Alb.) 154 A1
Collados, Los E (Alm.) 184 D1
Collanzo E (Ast.) 18 D2
Collao E (Ast.) 6 D4
Collazos de Boedo E (Pa.) 20 C5
Collbató E (Bar.) 70 C3
Colldejou E (Ta.) 89 A1
Colle E (Le.) 19 B4
Collejares E (J.) 168 D1
Collera E (Ast.) 7 D4
Collfred E (Ll.) 49 B5
Collía E (Ast.) 7 C4
Cólliga E (Cu.) 104 A5
Colliguilla E (Cu.) 104 A4
Colloto E (Ast.) 6 C4
Colls, lugar E (Hues.) 48 C3
Collsuspina E (Bar.) 71 A1
Coma, la E (Ll.) 50 A3
Coma, Sa E (Bal.) 92 D3
Comares E (Mál.) 180 D3
Coma-ruga E (Ta.) 70 A5
Combarro E (Po.) 33 D1
Combarros E (Le.) 38 A1
Comeiras de Baixo P (San.) 111 C4
Comeiras de Cima P (San.) 111 C3
Comenda P (Por.) 113 A4
Comendador E (Mál.) 180 B4
Comesaña E (Po.) 33 D3
Comillas E (Can.) 8 D4
Cómpeta E (Mál.) 181 B3
Compludo E (Le.) 37 C1
Comporta P (Set.) 143 B1
Compostilla E (Le.) 37 B1
Comunión/Komunioi E (Ál.) 22 D5
Con E (Ast.) 7 D5
Concabella E (Ll.) 69 C1
Concavada P (San.) 112 C3
Conceição P (Be.) 144 A5
Conceição P (Fa.) 174 C3
Conceição P (Fa.) 175 B2
Conceição P (Lis.) 126 B3
Concejero E (Bur.) 22 B2
Concejo E (Cád.) 178 B4
Concepción E (Huel.) 162 D1
Concepción, La E (Alm.) 170 D5
Concepción, La E (Cór.) 167 A4
Concud E (Te.) 105 D2
Concha E (Gua.) 84 C2
Concha, La E (Can.) 21 D1
Concha, La E (Can.) 9 C4
Cónchar E (Gr.) 182 A2
Conchel E (Hues.) 67 D1
Condado E (Bur.) 22 A4
Condado de Castilnovo E (Seg.) 81 D1
Condado, O E (Our.) 35 B1
Conde P (Br.) 54 B4
Condeixa-a-Nova P (Co.) 94 A3
Condeixa-a-Velha P (Co.) 94 A3
Condemios de Abajo E (Gua.) 82 D1
Condemios de Arriba E (Gua.) 82 C1
Condes E (Lu.) 15 B2
Condes P (Ave.) 73 D5
Condesa, La E (J.) 151 B4
Condomina, La E (Mu.) 171 B2
Condós E (A Co.) 2 D4
Conduzo E (A Co.) 2 C4
Conesa E (Ta.) 69 C3
Conforto E (Lu.) 4 C4
Confrides E (Ali.) 141 B4
Congeitaria P (San.) 112 B1
Congo-Canal E (Alm.) 183 C4
Congosta E (Zam.) 38 A4
Congosto E (Bur.) 21 A5
Congosto E (Le.) 17 B5
Congosto de Valdavia E (Pa.) 20 B5
Congosto, El E (Cu.) 121 C1
Congostrina E (Gua.) 82 D2
Conil E (Las P.) 192 C4
Conil de la Frontera E (Cád.) 185 D3
Conilleres, les E (Bar.) 70 B4
Conlelas P (Bra.) 56 D1
Conqueiros P (C. B.) 113 A1
Conques E (Ll.) 49 A4
Conquezuela E (So.) 83 C1
Conquista E (Cór.) 150 B2
Conquista de la Sierra E (Các.) 116 B4
Conquista del Guadiana E (Bad.) 131 D1
Conreria, la E (Bar.) 71 B3
Consell E (Bal.) 91 D3
Consolação P (Lei.) 110 C4
Consolación E (C. R.) 136 B3
Constance P (Port.) 54 C5
Constância P (San.) 112 A3
Constantí E (Ta.) 89 C1
Constantim P (Bra.) 57 C3
Constantim P (V. R.) 55 B5
Constantina E (Sev.) 148 C5
Constanzana E (Áv.) 79 D3
Consuegra E (To.) 119 D4
Consuegra de Murera E (Seg.) 81 C1
Contador, El E (Alm.) 170 A3
Contamina E (Zar.) 64 C5
Contenças P (Co.) 94 B1
Contige P (Vis.) 75 B4
Contim P (V. R.) 55 A1
Contim P (Vis.) 75 C1
Contins P (Bra.) 56 B3
Contreras E (Bur.) 42 B5
Convento P (San.) 111 C5
Convento de Duruelo, El E (Áv.) 79 C4
Conventos, Los E (Mu.) 171 B3
Convoy, El E (Alm.) 171 A4
Conxo E (A Co.) 14 B3
Coo E (Can.) 9 A5
Coomonte E (Zam.) 38 C4
Copa, La E (Mu.) 155 A4
Cope E (Mu.) 171 C4
Copernal E (Gua.) 82 D3
Copons E (Bar.) 70 A2
Coquilla de Huebra E (Sa.) 78 A4
Cora E (Po.) 14 B4
Corachar/Coratxà E (Cas.) 87 D4
Corala, La E (Vall.) 60 B3
Corao E (Ast.) 7 C4
Coratxà → Corachar E (Cas.) 87 D4
Corbalán E (Te.) 106 A2
Corbatón E (Te.) 85 D4
Corbera E (Val.) 141 B1
Corbera de Llobregat E (Bar.) 70 D4
Corbera d'Ebre E (Ta.) 88 B2
Corbillos de los Oteros E (Le.) 39 A2
Corbins E (Ll.) 68 D2
Corbón del Sil E (Le.) 17 B4
Corçà E (Gi.) 52 B4
Corcitos P (Fa.) 174 C2
Corcoesto E (A Co.) 1 D4
Córcoles E (Gr.) 167 B4
Córcoles E (Gua.) 103 B1
Corcolilla E (Val.) 106 A5
Corcos E (Le.) 19 C5
Corcos E (Vall.) 60 B1
Corcoya E (Sev.) 166 A5
Corcubión E (A Co.) 13 B2
Corchuela E (To.) 99 B5
Corchuela, La E (Bad.) 130 B3
Cordido E (Lu.) 4 A2
Cordinhã P (Co.) 94 A1
Cordiñanes de Valdeón E (Le.) 19 D1
Córdoba E (Cór.) 149 D5
Cordobilla E (Cór.) 166 A4
Cordobilla de Lácara E (Bad.) 131 B1
Cordovilla E (Alb.) 139 A5
Cordovilla E (Sa.) 79 A3
Cordovilla de Aguilar E (Pa.) 21 A4
Cordovilla la Real E (Pa.) 40 D4
Cordovín E (La R.) 43 A2
Corduente E (Gua.) 84 C4
Corella E (Na.) 44 D4
Corera E (La R.) 44 A2
Cores E (A Co.) 1 D4
Coreses E (Zam.) 58 D3
Corga P (Ave.) 74 A2
Corga P (Br.) 54 A4
Corga P (Co.) 93 C1
Corga P (Vis.) 75 B4
Corgas P (C. B.) 112 D1
Corgas P (Guar.) 95 A2
Corgo P (Br.) 55 A3
Corgo, O E (Lu.) 16 A2
Córgomo E (Our.) 36 C1
Coria E (Các.) 97 A5
Coria del Río E (Sev.) 163 D5
Corias E (Ast.) 17 B1
Corias E (Ast.) 6 A4
Córigos E (Ast.) 18 D1
Coripe E (Sev.) 178 D2
Coriscada P (Guar.) 76 A3
Coristanco E (A Co.) 2 A5
Corme-Aldea E (A Co.) 1 D4
Corme-Porto E (A Co.) 1 C4
Cornago E (La R.) 44 B5
Cornanda E (A Co.) 13 D3
Cornazo E (Po.) 13 D5
Córneas E (Lu.) 16 C2
Corneda E (Our.) 34 D1
Corneira E (A Co.) 13 D2
Cornejo E (Bur.) 21 D2
Cornellà de Llobregat E (Bar.) 71 A4
Cornellà del Terri E (Gi.) 52 A3
Cornellana E (Ll.) 50 A3
Cornes E (A Co.) 14 A3
Cornes P (V. C.) 33 D4
Corneyana E (Ast.) 6 A4
Cornicabra E (Bad.) 148 A1
Corniero E (Le.) 19 C3
Cornisa del Suroeste E (Las P.) 191 B4
Cornoces E (Our.) 35 A1
Cornoedo E (A Co.) 2 D4
Cornón de la Peña E (Pa.) 20 A4
Cornudella de Montsant E (Ta.) 69 A5
Cornudilla E (Bur.) 22 B5
Coromina, La E (Bar.) 50 B5
Corón E (Po.) 13 D5
Coronada, La E (Bad.) 132 C3
Coronada, La E (Cór.) 148 D3
Coronado (São Romão) P (Port.) 54 A4
Coroneles E (Can.) 21 B4
Coronil, El E (Sev.) 178 C1
Corpa E (Mad.) 102 C2
Corporales E (La R.) 42 D2
Corporales E (Le.) 37 C2
Corporario E (Sa.) 57 A5
Corrada E (Ast.) 6 A3
Corral de Abaixo-Corral de Arriba-Penelas E (Lu.) 15 D2
Corral de Almaguer E (To.) 120 C2
Corral de Ayllón E (Seg.) 62 A5
Corral de Calatrava E (C. R.) 135 A3
Corral de Garcíñigo E (Sa.) 78 A5
Corral de la Bodega, lugar E (Huel.) 162 D4
Corral de las Arrimadas E (Le.) 19 B4
Corral, El E (Alm.) 182 D4
Corralejo E (Gua.) 82 B2
Corralejo E (Las P.) 190 B1
Corrales E (Huel.) 176 B2
Corrales E (Le.) 16 D5
Corrales E (Zam.) 58 C5
Corrales de Buelna, Los E (Can.) 9 B5
Corrales de Duero E (Vall.) 61 B2
Corrales, Los E (Gr.) 169 A5
Corrales, Los E (Sev.) 179 C1
Corrales, Los E (Val.) 123 D3
Corral-Rubio E (Alb.) 139 B3
Correcillas E (Le.) 19 A3
Corredoira E (Po.) 14 B5
Corredoira E (Po.) 14 A4
Corredoria, La E (Ast.) 6 C4
Corredoura P (Lei.) 111 B2
Corredoura P (San.) 111 C4
Correxais E (Our.) 36 C2
Corró d'Amunt E (Bar.) 71 B2
Corroios P (Set.) 126 D4
Corros, Los E (Ast.) 5 C4
Corros, Los E (Ast.) 6 D4
Corrubedo E (A Co.) 13 B5
Corsino P (Fa.) 159 B4
Cortas de Blas, Las E (Vall.) 60 A1
Corte Besteiros P (Fa.) 175 A2
Corte da Velha P (Be.) 161 A1
Corte de Peleas E (Bad.) 130 D4
Corte do Ouro P (Fa.) 160 C4
Corte do Pinto P (Be.) 161 C1
Corte Figueira P (Be.) 160 C3
Corte Gafo de Baixo P (Be.) 161 A1
Corte Gafo de Cima P (Be.) 161 A1
Corte Garcia P (Fa.) 174 C2
Corte João Marques P (Fa.) 160 D4
Corte Malhão P (Be.) 160 A2
Corte Pequena P (Be.) 160 D1
Corte Serranos P (Fa.) 160 D4
Corte Sines P (Be.) 161 B1
Corte Tabelião P (Fa.) 161 B3
Corte Vicente Anes P (Be.) 144 B4
Corte Zorrinho P (Be.) 160 B2
Corte, La E (Huel.) 146 C5
Cortecillas, Las E (Sev.) 163 B1
Corteconcepción E (Huel.) 147 A5
Cortegaça P (Ave.) 73 D2
Cortegaça P (Lis.) 126 B2
Cortegaça P (Vis.) 94 B1
Cortegada E (Our.) 34 D3
Cortegada E (Our.) 35 C4
Cortegada E (Po.) 14 D4
Cortegana E (Bad.) 130 D4
Cortegana E (Huel.) 146 C5
Cortegazas E (Our.) 34 C2
Cortelazor E (Huel.) 146 D5
Cortelha P (Fa.) 160 C4
Cortelha P (Fa.) 175 B2
Cortellas E (Po.) 34 A2
Cortém P (Lei.) 110 D3
Corterrangel E (Huel.) 146 D5
Corterredor P (Co.) 94 C3
Cortes E (Gr.) 168 C5
Cortes E (Mál.) 187 D2
Cortes E (Na.) 65 B1
Cortes P (Ave.) 74 B4
Cortes P (C. B.) 112 C1
Cortes P (Co.) 94 C4
Cortes P (Lei.) 111 C1
Cortes P (San.) 111 C1
Cortes P (V. C.) 34 B4
Cortes de Aragón E (Te.) 86 B3
Cortes de Arenoso E (Cas.) 106 D3
Cortes de Baixo P (C. B.) 95 C2
Cortes de Baza E (Gr.) 169 B2
Cortes de la Frontera E (Mál.) 179 A5
Cortes de Pallás E (Val.) 124 B5
Cortes de Tajuña E (Gua.) 83 D3
Cortes do Meio P (C. B.) 95 C2
Cortes Pereiras P (Fa.) 161 B3
Cortes y Graena E (Gr.) 168 C5
Cortesa, La, lugar E (Alb.) 138 C3
Cortezona, La E (Bad.) 131 C2
Cortiçada P (C. B.) 95 D3
Cortiçada P (Guar.) 75 C4
Cortiçada P (Lei.) 111 A2
Cortiçada P (Vis.) 74 C5
Cortiçadas do Lavre P (Év.) 128 A3
Cortiçal P (San.) 111 B3
Corticeiro de Baixo P (Co.) 93 C1
Cortiçô P (Guar.) 75 C4
Cortiçô P (V. R.) 55 B1
Cortiçô da Serra P (Guar.) 75 D5
Cortiços P (Bra.) 56 C3
Cortiços P (San.) 111 C5
Cortiguera E (Le.) 17 B5
Cortijillos E (Cád.) 187 A4
Cortijillos, Los E (Mál.) 181 A3
Cortijo del Cura E (Gr.) 169 C2
Cortijo Alto, El E (Alm.) 183 D2
Cortijo Blanco E (Mál.) 180 D3
Cortijo Blanco, El E (Alm.) 170 A4
Cortijo de Baratas E (Gr.) 167 A5
Cortijo de la Mesa, lugar E (Cád.) 186 A2
Cortijo de la Monja, lugar E (C. R.) 151 D1
Cortijo de la Orozca E (Gr.) 167 A5
Cortijo de las Tinadas, lugar E (Alb.) 137 D1
Cortijo de los Cáliz, lugar E (J.) 167 C3
Cortijo de Macián, lugar E (Alm.) 170 B1
Cortijo de Tortas E (Alb.) 137 D5
Cortijo del Aire E (Gr.) 167 D5
Cortijo del Cura E (Alb.) 153 D1
Cortijo del Marqués E (Sev.) 165 C5
Cortijo del Rojo, lugar E (Alm.) 170 B2
Cortijo Grande, El E (Alm.) 184 D1
Cortijo Nuevo E (J.) 169 A3
Cortijo, El E (La R.) 43 C1
Cortijos Altos, Los E (Alm.) 170 B4
Cortijos de Abajo E (C. R.) 119 A5
Cortijos de Arriba E (C. R.) 119 A5
Cortijos de Marín E (Alm.) 183 C4
Cortijos Nuevos E (J.) 153 B3
Cortijos Nuevos del Campo E (Gr.) 170 A1
Cortijuelo E (J.) 168 D1
Cortijuelo, lugar E (J.) 168 A2
Cortijuelos E (Mál.) 181 A3
Cortina E (Ast.) 18 C1
Cortina, lugar E (Sev.) 165 A5
Cortinhola P (Fa.) 160 B4
Cortiñán E (A Co.) 2 D4
Cortiuda E (Ll.) 49 C4
Cortos E (Áv.) 80 B4
Cortos E (So.) 64 A1
Cortos de la Sierra E (Sa.) 78 B4
Corts E (Gi.) 52 A3
Corts, les E (Gi.) 52 C3
Coruche P (Guar.) 75 C3
Coruche P (San.) 127 D2
Corujas P (Bra.) 56 C3
Corujeira P (Co.) 93 C1
Corujeira P (Guar.) 95 D1
Corujeira P (Lis.) 126 D1
Corujeira P (San.) 112 C1
Corujeira P (Vis.) 74 C4
Corujeira P (Vis.) 75 B3
Corujera, La E (S. Cruz T.) 196 A2
Corujos P (Fa.) 161 B4
Corullón E (Le.) 16 D5
Corumbela E (Mál.) 181 B3
Coruña del Conde E (Bur.) 62 B2
Coruña, A/Coruña, La E (A Co.) 2 C4
Coruña, La → Coruña, A E (A Co.) 2 C4
Coruño E (Ast.) 6 C4
Coruxo E (Po.) 33 D3
Corval P (Év.) 145 B1
Corval P (Vis.) 94 C1
Corveira E (A Co.) 2 C4
Corveira P (Vis.) 74 C5
Corvelle E (Lu.) 4 A4
Corvelle E (Lu.) 3 D4
Corvelle E (Our.) 35 A4
Corvera E (Can.) 9 B5
Corvera E (Mu.) 172 A1
Corvillón E (Our.) 35 B3
Corvillos de la Sobarriba E (Le.) 39 A1
Corvio E (Pa.) 20 D4
Corvo P (Vis.) 74 D1
Corzáns E (Po.) 34 B3

Dorrón

Curas, Los E (Mu.) 171 C 3
Curbe E (Hues.) 67 A 1
Cures E (A Co.) 13 C 4
Curiel de Duero E (Vall.) 61 A 3
Curillas E (Le.) 38 A 2
Curopos P (Bra.) 56 B 1
Currais P (Ave.) 74 B 3
Currais P (Fa.) 160 D 4
Curral das Freiras P (Ma.) 110 B 2
Curral dos Boieiros P (Fa.) 175 A 2
Currás E (Our.) 35 B 2
Currás E (Po.) 33 D 4
Currás E (Po.) 14 A 5
Currelos E (Lu.) 15 C 4
Currelos P (Vis.) 94 D 1
Curro E (Po.) 14 A 5
Curros P (V. R.) 55 D 3
Curros P (V. R.) 55 C 2
Curtis E (A Co.) 15 A 1
Curtis-Estación E (A Co.) 14 D 1
Curva, La E (Alm.) 183 A 4
Curvaceira P (Vis.) 75 B 5
Curvaceiras Grandes P (San.) 112 A 2
Curvaceiras Pequenas P (San.) 112 A 2
Curval P (Ave.) 74 A 3
Curvatos P (Be.) 160 C 3
Curvos P (Br.) 53 D 2
Cusanca E (Our.) 14 D 5
Custóias P (Guar.) 76 A 1
Custóias P (Port.) 53 D 5
Cutanda E (Te.) 85 D 3
Cútar E (Mál.) 180 D 3
Cutián E (Po.) 14 B 5
Cuzcurrita de Juarros E (Bur.) 42 A 3
Cuzcurrita de Río Tirón E (La R.) 42 D 1

CH

Chã P (Ave.) 74 B 3
Chã P (San.) 111 C 2
Chã P (V. R.) 55 D 4
Chã P (V. R.) 55 B 1
Chã de Baixo P (San.) 111 C 3
Chã de Cima P (San.) 111 C 3
Chacim P (Bra.) 56 C 4
Chacín E (A Co.) 13 C 2
Chacones, Los E (Alm.) 170 B 4
Chafiras, Las E (S.Cruz T.) 195 D 5
Chagarcía Medianero E (Sa.) 79 A 5
Chaguazoso E (Our.) 36 B 3
Chaguazoso E (Our.) 36 C 5
Chaherrero E (Áv.) 79 D 3
Chaián E (A Co.) 14 B 2
Chaín E (Po.) 34 B 2
Chainça P (Co.) 94 A 4
Chainça P (Lei.) 111 B 2
Chainça P (San.) 112 B 3
Chalamera E (Hues.) 67 D 2
Chamadouro P (Vis.) 94 C 1
Chamartín E (Áv.) 79 D 5
Chaminé P (San.) 112 B 4
Chamoim P (Br.) 54 C 1
Champana P (Fa.) 175 B 2
Chamusca P (Co.) 95 A 1
Chamusca P (San.) 111 D 4
Chan E (Po.) 34 B 2
Chan, A (Cotobade) E (Po.) 34 B 1
Chança P (Por.) 113 A 4
Chança-Gare P (Co.) 94 A 4
Chancelaria P (Por.) 113 A 5
Chancelaria P (San.) 111 D 2
Chandoiro E (Our.) 36 B 2
Chandrexa E (Our.) 35 D 2
Chano E (Le.) 17 A 3
Chans, As E (Po.) 34 B 3
Chantada E (Lu.) 15 B 5
Chañe E (Seg.) 60 C 5
Chao E (A Co.) 2 D 4
Chao E (Lu.) 3 C 4
Chao E (Lu.) 4 B 2
Chão da Feira P (Lei.) 111 B 2
Chão da Parada P (Lei.) 110 D 3
Chão da Vã P (C. B.) 95 B 5
Chão das Donas P (Fa.) 173 C 2
Chão das Eiras P (San.) 112 A 1
Chão das Maias P (San.) 112 B 2
Chão de Codes P (San.) 112 C 2
Chão de Couce P (Lei.) 94 A 5
Chão de Lamas P (Co.) 94 A 3
Chão de Lopes P (San.) 112 C 2
Chão de Lopes Pequeno P (San.) 112 C 2
Chão de Lucas P (San.) 112 B 3
Chão de Maçãs P (San.) 111 D 1
Chão de Pias P (Lei.) 111 B 2
Chão do Carvalho P (Ave.) 74 B 3
Chão do Galego P (C. B.) 113 A 1
Chão do Porto P (V. C.) 33 D 5
Chão do Sapo P (Lis.) 110 D 4
Chão Pardo P (Lei.) 111 B 2
Chão Sobral P (Co.) 95 A 2
Chaorna E (So.) 84 A 1
Chaos E (Lu.) 3 D 2
Chãos P (C. B.) 95 C 3
Chãos P (Guar.) 76 A 3
Chãos P (Lei.) 94 B 5
Chãos P (Lei.) 111 A 3
Chãos P (Lei.) 111 A 2
Chãos P (Lis.) 126 C 1
Chãos P (San.) 112 A 1
Chãos P (San.) 111 A 3
Chãos P (Set.) 143 B 4
Chapa Fridão P (Port.) 54 D 4
Chaparral E (Mu.) 155 A 4
Chaparral P (Set.) 143 C 5
Chaparral Alto, El E (Alm.) 170 A 3
Chaparral, El E (Ali.) 156 D 4
Chaparral, El E (Gr.) 167 D 5
Chapas, Las E (Mál.) 188 A 2
Chapatales, Los E (Sev.) 178 A 1
Chapela E (Po.) 34 A 2
Chapinería E (Mad.) 100 D 2
Chapinha P (Co.) 94 B 3
Chapinheira P (Co.) 94 C 3
Charán E (Mu.) 154 C 3
Charco de los Hurones E (Cád.) 178 C 4
Charco del Pino E (S.Cruz T.) 195 D 4
Charco del Tamujo E (C. R.) 119 B 5
Charco Dulce E (Cád.) 186 B 2
Charcofrío, lugar E (Sev.) 163 B 3
Charche, El E (Alm.) 170 C 2
Charches E (Gr.) 169 A 5
Charilla E (J.) 167 C 3
Charneca P (Lei.) 94 A 5
Charneca P (Lei.) 93 D 4
Charneca P (Lis.) 126 B 3
Charneca P (Lis.) 126 B 1
Charneca P (Lis.) 126 C 3
Charneca P (San.) 111 B 4
Charneca P (San.) 111 D 3
Charneca da Caparica P (Set.) 126 C 4
Charnequinhas P (Set.) 143 C 5
Charo E (Hues.) 48 A 2
Charruada P (San.) 111 D 2
Chãs P (Guar.) 76 B 2
Chãs P (Lei.) 93 B 5
Chãs P (Lei.) 93 C 4
Chãs de Égua P (Co.) 95 A 2
Chãs de Tavares P (Vis.) 75 C 5
Chasna E (S.Cruz T.) 196 A 2
Chatún E (Seg.) 60 D 5
Chauchina E (Gr.) 181 C 1
Chaulines, Los E (Gr.) 182 C 4
Chavães P (Port.) 54 D 5
Chavães P (Vis.) 75 C 1
Chave E (A Co.) 13 D 3
Chave E (Lu.) 15 C 4
Chave P (Ave.) 74 B 2
Chaveira P (San.) 112 D 1
Chaveiral P (Guar.) 95 A 1
Chaves P (V. R.) 55 D 1
Chaviães P (V. C.) 34 C 3
Chavião P (V. C.) 34 A 5
Chavín E (Lu.) 3 D 2
Chayofa E (S.Cruz T.) 195 C 5
Checa E (Gua.) 84 D 5
Cheiras P (Guar.) 76 B 5
Cheires P (V. R.) 55 C 5
Cheleiros P (Lis.) 126 B 2
Cheles E (Bad.) 129 D 5
Chelo P (Co.) 94 B 2
Chelva E (Val.) 124 A 2
Chella E (Val.) 140 D 2
Chequilla E (Gua.) 84 D 5
Chera E (Val.) 124 B 3
Chércoles E (So.) 64 A 5
Chercos E (Alm.) 170 B 5
Chericoca, La, lugar E (Alb.) 138 C 3
Cherín E (Gr.) 183 A 2
Chert/Xert E (Cas.) 108 A 1
Cheste E (Val.) 124 C 3
Chía E (Hues.) 48 B 1
Chica-Carlota, La E (Cór.) 165 D 2
Chiclana de la Frontera E (Cád.) 185 D 2
Chiclana de Segura E (J.) 152 D 2
Chiguergue E (S.Cruz T.) 195 C 3
Chilches E (Mál.) 180 D 4
Chilches/Xilxes E (Cas.) 125 C 1
Chiloeches E (Gua.) 102 C 1
Chillarón de Cuenca E (Cu.) 104 A 4
Chillarón del Rey E (Gua.) 83 B 5
Chillón E (C. R.) 133 D 4
Chilluévar E (J.) 152 D 5
Chimeneas E (Gr.) 181 C 1
Chimiche E (S.Cruz T.) 196 A 4
Chimillas E (Hues.) 46 D 4
Chinas, Las E (Huel.) 146 C 5
Chinchilla de Monte-Aragón E (Alb.) 139 A 3
Chinchón E (Mad.) 102 A 4
Chío E (S.Cruz T.) 195 C 3
Chipar de Cima P (Ave.) 93 D 1
Chipiona E (Cád.) 177 A 4
Chiprana E (Zar.) 67 C 5
Chiqueda P (Lei.) 111 A 2
Chirán E (Alm.) 183 A 3
Chirche E (S.Cruz T.) 195 C 4
Chirivel E (Alm.) 170 B 3
Chiriveta E (Hues.) 48 C 4
Chirles/Xirles E (Ali.) 141 C 5
Chirritana, La E (Cór.) 165 A 2
Chisagües E (Hues.) 27 D 5
Chite E (Gr.) 182 A 3
Chiva de Morella/ Xiva de Morella E (Cas.) 87 C 5
Chiva E (Val.) 124 C 4
Chive, El E (Alm.) 184 C 1
Cho E (S.Cruz T.) 195 D 5
Choca do Mar P (Ave.) 73 D 5
Choça Queimada P (Fa.) 161 B 4
Chodes E (Zar.) 65 B 4
Chodos/Xodos E (Cas.) 107 B 3
Chopera, La E (Mad.) 101 B 1
Chopos, Los E (J.) 167 B 3
Chorense P (Br.) 54 C 1
Chorente E (Lu.) 15 D 4
Chorente P (Br.) 54 A 3
Choriza, La E (Alb.) 138 B 3
Chorosas P (Co.) 93 D 1
Chorro, El E (Mál.) 180 A 3
Chosendo P (Vis.) 75 D 2
Chospes, Los E (Alb.) 137 D 4
Choutaria P (Lis.) 126 C 2
Chouto P (San.) 112 A 4
Chóvar E (Cas.) 125 B 1
Chozas E (J.) 153 B 3
Chozas de Abajo E (Le.) 38 C 1
Chozas de Arriba E (Le.) 38 C 1
Chozas de Canales E (To.) 101 A 4
Chucena E (Huel.) 163 B 4
Chuche, El E (Alm.) 183 D 3
Chueca E (To.) 119 B 2
Chulilla E (Val.) 124 B 2
Chumberas, Las E (S.Cruz T.) 196 B 2
Chumillas E (Cu.) 122 C 2
Churra E (Mu.) 156 A 4
Churriana E (Mál.) 180 B 5
Churriana de la Vega E (Gr.) 181 D 1

D

Dacón E (Our.) 35 A 1
Dade P (Vis.) 74 D 4
Daganzo de Arriba E (Mad.) 102 A 1
Dagorda P (Lis.) 110 D 4
Daimalos-Vados, lugar E (Mál.) 181 B 3
Daimés E (Ali.) 156 D 3
Daimiel E (C. R.) 135 D 2
Daimús E (Val.) 141 C 2
Daimuz E (Alm.) 170 B 3
Daires P (Vis.) 74 B 5
Dalí E (Alm.) 169 D 4
Dalías E (Alm.) 183 B 3
Dalvares P (Vis.) 75 B 1
Dama, La E (S.Cruz T.) 194 B 2
Damil E (Lu.) 15 D 1
Dantxarinea E (Na.) 25 A 1
Darbo E (Po.) 33 D 2
Dardavaz P (Vis.) 94 C 1
Darei P (Vis.) 75 B 4
Darmós E (Ta.) 88 D 1
Darnius E (Gi.) 52 A 1
Daroca E (Zar.) 85 B 2
Daroca de Rioja E (La R.) 43 C 2
Darque P (V. C.) 53 C 1
Darrical E (Alm.) 183 A 3
Darro E (Gr.) 168 C 5
Das E (Gi.) 50 C 2
Daspera P (C. B.) 95 A 5
Daya Nueva E (Ali.) 156 C 4
Daya Vieja E (Ali.) 156 C 4
De la Loma E (Gr.) 182 A 3
Deán Grande E (A Co.) 13 C 5
Deão P (V. C.) 53 D 1
Deba E (Gui.) 11 D 5
Decermilo P (Vis.) 75 B 4
Degaña E (Ast.) 17 B 3
Degolados P (San.) 112 D 2
Degollada, La E (S.Cruz T.) 196 A 4
Dégracia Cimeira P (Por.) 112 D 3
Dégracia Fundeira P (Por.) 112 D 3
Degracias P (Co.) 93 D 4
Degrada E (Lu.) 16 D 3
Dehesa E (Gr.) 181 B 1
Dehesa Baja, La E (S.Cruz T.) 196 A 2
Dehesa de Campoamor E (Ali.) 156 C 5
Dehesa de los Montes E (Gr.) 180 D 1
Dehesa de Marinartín E (Mad.) 101 B 3
Dehesa de Montejo E (Pa.) 20 C 4
Dehesa de Perosín E (Sa.) 96 D 2
Dehesa de Romanos E (Pa.) 20 C 5
Dehesa de San Isidro, lugar E (Huel.) 163 A 4
Dehesa de Val, La E (Alb.) 138 A 5
Dehesa de Villandrando E (Pa.) 41 A 4
Dehesa del Cañaveral E (Cór.) 166 C 5
Dehesa Mayor E (Seg.) 60 D 5
Dehesa Mayorga E (Bad.) 114 A 5
Dehesa, La E (Alb.) 154 A 4
Dehesa, La E (Alb.) 154 B 2
Dehesa, La E (Alb.) 138 B 5
Dehesa, La E (Huel.) 163 A 1
Dehesa, La E (Mad.) 101 C 1
Dehesas E (Le.) 37 A 1
Dehesas de Guadix E (Gr.) 168 D 3
Dehesas Viejas E (Gr.) 168 A 4
Dehesas, Las E (Mad.) 81 A 4
Dehesas, Las E (S.Cruz T.) 195 D 2
Dehesilla E (Gr.) 166 D 5
Deià → Deyá E (Bal.) 91 C 2
Deifontes E (Gr.) 168 A 5
Deilão P (Bra.) 57 B 1
Deilão P (Vis.) 74 D 2
Deixa-o-Resto P (Set.) 143 B 3
Deixebre E (A Co.) 14 C 2
Deleitosa E (Các.) 116 C 2
Delfià E (Gi.) 52 B 1
Delgada P (Lei.) 110 D 4
Delgadas, Las E (Huel.) 163 A 2
Delgadillo E (Gr.) 168 C 4
Delika E (Ál.) 22 D 3
Delongo P (San.) 112 A 2
Deltebre E (Ta.) 88 D 4
Demetrios, Los E (Cu.) 104 C 2
Demo P (Lei.) 111 C 2
Dénia E (Ali.) 142 A 3
Denúy E (Hues.) 48 C 1
Deocriste P (V. C.) 53 D 1
Derde E (Alm.) 170 B 1
Derio E (Viz.) 11 A 5
Derramadero, lugar E (Alb.) 154 B 1
Derramador, El E (Ali.) 156 C 3
Derramador, El E (Val.) 123 D 4
Derrea da Cimeira P (Lei.) 94 C 4
Desamparados, Los E (Ali.) 156 B 4
Desbarate P (Fa.) 174 D 2
Descargamaría E (Các.) 97 B 2
Descoberto P (C. B.) 95 B 4
Desejosa P (Vis.) 75 C 1
Desierto, El E (S.Cruz T.) 195 D 4
Desojo E (Na.) 44 A 1
Despujol, El E (Bar.) 51 A 4
Desteriz E (Our.) 34 D 3
Destriana E (Le.) 38 A 2
Destriz P (Vis.) 74 B 4
Deva E (Ast.) 6 D 3
Dévanos E (So.) 64 C 1
Devesa E (Lu.) 15 C 2
Devesa E (Our.) 15 A 5
Devesa E (Our.) 36 A 5
Devesa E (Po.) 14 A 5
Devesa de Boñar, La E (Le.) 19 B 4
Devesa de Curueño E (Le.) 19 A 5
Devesa, A E (Lu.) 4 C 3
Devesa, A E (Po.) 14 A 4
Devesos E (A Co.) 3 C 2
Dexo E (A Co.) 2 C 3
Deyá/Deià E (Bal.) 91 C 2
Deza E (So.) 65 B 4
Dianteiro P (Vis.) 74 C 3
Díaz, Los E (Mu.) 172 B 3
Dicastillo E (Na.) 44 B 1
Diego Álvaro E (Áv.) 79 A 5
Diezma E (Gr.) 168 B 5
Dílar E (Gr.) 182 A 2
Dima E (Viz.) 23 B 2
Dine P (Bra.) 36 C 5
Diogo Dias P (Fa.) 160 D 3
Diogo Martins P (Be.) 161 A 3
Diomondi E (Lu.) 15 C 5
Dios Le Guarde E (Sa.) 77 C 5
Dioses, Los E (Alm.) 170 C 5
Distriz E (Lu.) 35 D 1
Distriz E (Lu.) 3 C 4
Diustes E (So.) 43 D 4
Doade E (Lu.) 35 D 1
Doade E (Our.) 34 C 1
Dobres E (Can.) 20 B 2
Dobro E (Bur.) 21 D 4
Doctoral, El E (Las P.) 191 D 3
Dodro E (A Co.) 14 A 4
Dogueno P (Be.) 160 C 3
Doiras E (Ast.) 5 A 4
Dois Portos P (Lis.) 126 D 1
Dólar E (Gr.) 183 A 1
Dolores E (Ali.) 156 C 4
Dolores E (Mu.) 172 C 1
Dolores, Los E (Ali.) 156 C 3
Dolores, Los E (Mu.) 172 B 2
Dom Durão P (Lis.) 110 D 4
Domaio E (Po.) 34 A 2
Dombate E (A Co.) 1 C 5
Dombellas E (So.) 63 C 1
Domenes E (Alm.) 169 C 5
Domeny-Taialà E (Gi.) 52 A 4
Domeño E (Val.) 124 B 2
Domeño (Romanzado) E (Na.) 25 C 5
Dómez E (Zam.) 57 D 2
Dominga Chã P (Guar.) 76 A 4
Domingão P (Por.) 112 C 5
Domingo García E (Seg.) 80 C 2
Domingo Pérez E (Gr.) 168 A 3
Domingo Pérez E (To.) 100 B 5
Domingo Señor E (Sa.) 78 A 4
Domingos da Vinha P (Por.) 112 D 3
Dominguizo P (C. B.) 95 C 3
Don Álvaro E (Bad.) 131 C 3
Don Benito E (Bad.) 132 A 2
Don Gonzalo E (Mu.) 154 D 5
Dona Bolida P (San.) 111 C 4
Dona Maria P (Lis.) 126 C 2
Donadillo E (Zam.) 37 C 4
Donadío E (J.) 152 B 5
Donado E (Zam.) 37 C 4
Donai P (Bra.) 56 D 1
Donalbai E (Lu.) 15 C 1
Donamaria E (Na.) 24 D 2
Donas E (Po.) 33 D 3
Donas P (C. B.) 95 C 3
Donatos, Los E (Alm.) 169 D 4
Doncos E (Lu.) 16 C 4
Done Bikendi Harana E (Ál.) 23 D 5
Donelo P (V. R.) 75 C 1
Doney de la Requejada E (Zam.) 37 B 4
Doneztebe/Santesteban E (Na.) 24 D 2
Donhierro E (Seg.) 80 A 2
Donillas E (Le.) 18 A 5
Doniños E (A Co.) 2 D 3
Donís E (Lu.) 16 D 3
Donjimeno E (Áv.) 79 D 3
Donões P (V. R.) 55 B 1
Donón E (Po.) 33 C 2
Donostia-San Sebastián E (Gui.) 12 C 5
Donramiro E (Po.) 14 D 4
Donvidas E (Áv.) 80 A 2
Doña Ana E (Mál.) 180 B 4
Doña Blanca E (Cád.) 177 C 5
Doña Inés E (Mu.) 154 D 5
Doña María E (Alm.) 183 C 1
Doña Mencía E (Cór.) 166 D 3
Doña Rama E (Cór.) 149 A 3
Doña Santos E (Bur.) 62 B 1
Doñinos de Ledesma E (Sa.) 78 A 2
Doñinos de Salamanca E (Sa.) 78 C 3
Dor E (A Co.) 1 B 5
Dordóniz E (Bur.) 23 B 5
Dorna P (V. R.) 55 D 2
Dorna P (Vis.) 74 C 5
Dornelas E (Po.) 34 A 3
Dornelas P (Ave.) 74 B 3
Dornelas P (Br.) 54 B 2
Dornelas P (Guar.) 75 C 4
Dornelas P (V. R.) 55 B 2
Dornelas do Zêzere P (Co.) 95 A 3
Dornes P (San.) 112 B 1
Doroña E (A Co.) 3 A 4
Doroño E (Bur.) 23 B 4
Dorrao/Torrano E (Na.) 24 B 4
Dòrria E (Gi.) 50 D 2
Dorrón E (Po.) 33 D 1

Dos Aguas

Dos Aguas E (Val.) 124 C5
Dos Hermanas E (Sev.) 164 A5
Dos Torres de Mercader E (Te.) 87 A4
Dosbarrios E (To.) 120 A1
Doso E (A Co.) 3 A3
Dosrius E (Bar.) 71 C2
Dossãos P (Br.) 54 B1
Dos-Torres E (Cór.) 149 D1
Douro P (Lei.) 94 B5
Dozón E (Po.) 15 A5
Drago, El E (Cád.) 178 A4
Dragonal E (Las P.) 191 D1
Dragonte E (Le.) 16 D5
Driebes E (Gua.) 102 D3
Drova, La E (Val.) 141 B2
Duana, la → Aduanas E (Ali.) 142 A3
Duáñez E (So.) 63 D2
Duas Igrejas P (Ave.) 74 A2
Duas Igrejas P (Br.) 54 A1
Duas Igrejas P (Bra.) 57 C4
Duas Igrejas P (Port.) 54 C5
Dúas Igrexas E (Po.) 14 C5
Dúdar E (Gr.) 182 A1
Dueñas E (Pa.) 60 B1
Duesaigües E (Ta.) 89 A1
Dueso E (Can.) 10 A4
Duesos E (Ast.) 7 C4
Duio E (A Co.) 13 A2
Dumbría E (A Co.) 13 B1
Dunas, Las E (Sa.) 78 C2
Duques, Los E (Val.) 123 D4
Durana E (Ál.) 23 B3
Durango E (Viz.) 23 C1
Duratón E (Seg.) 61 D5
Durazno, El E (S.Cruz T.) 196 A2
Dúrcal E (Gr.) 182 A2
Durón E (Gua.) 83 B5
Durrães P (Br.) 53 D2
Durro E (Ll.) 48 D1
Durruma Kanpezu E (Ál.) 23 D5
Duruelo E (Áv.) 80 A5
Duruelo E (Seg.) 81 D1
Duruelo de la Sierra E (So.) 43 A5

E

Ea E (Viz.) 11 C4
Eaurta → Jaurrieta E (Na.) 25 D3
Écija E (Sev.) 165 C3
Echarren E (Na.) 24 C5
Echarri/Etxarri E (Na.) 24 D4
Edral P (Bra.) 56 B1
Edrosa P (Bra.) 56 C1
Edroso P (Bra.) 36 B5
Edroso P (Bra.) 56 C2
Ega P (Co.) 93 D3
Egea E (Hues.) 48 B2
Eguaria P (Lis.) 126 B2
Egües E (Na.) 25 A4
Egulbati E (Na.) 25 A4
Eguzkialdea E (Na.) 24 D1
Ehari E (Ál.) 23 B4
Eibar E (Gui.) 23 D1
Eidián E (Po.) 15 A3
Eira de Ana P (Br.) 53 D2
Eira dos Vales P (Co.) 94 B3
Eira Pedrinha P (Co.) 94 A3
Eira Vedra P (Br.) 54 D2
Eira Velha P (C. B.) 112 C1
Eirado P (Guar.) 75 C3
Eirado P (V. C.) 34 B4
Eiras E (Our.) 35 A2
Eiras P (Co.) 94 A2
Eiras P (Lis.) 126 D1
Eiras P (V. C.) 34 B5
Eiras P (V. R.) 55 D1
Eiras, As E (Po.) 33 D5
Eirigo P (Vis.) 74 B5
Eiriz P (Port.) 54 B4
Eiriz P (V. R.) 55 C3
Eirol P (Ave.) 74 A4
Eirón E (A Co.) 13 D2
Eirós E (Po.) 34 A1
Eitzaga E (Viz.) 23 C1
Eivados P (Bra.) 56 A3
Eivissa E (Bal.) 89 D4
Eixo P (Ave.) 73 D4
Eja P (Port.) 74 B1
Ejea de los Caballeros E (Zar.) 45 D4
Ejeme E (Sa.) 78 D4
Ejep E (Hues.) 48 A3
Ejido, El E (Alm.) 183 B4
Ejulve E (Te.) 86 D4
Ekora → Yécora E (Ál.) 43 D1
Elantxobe E (Viz.) 11 B4
Elbarrena E (Gui.) 24 B1
Elbete E (Na.) 25 A2
Elburgo/Burgelu E (Ál.) 23 C4
Elcano E (Na.) 25 A4
Elciego/Eltziego E (Ál.) 43 C1
Elcoaz E (Na.) 25 C4
Elche de la Sierra E (Alb.) 154 C1
Elche/Elx E (Ali.) 156 D3
Elda E (Ali.) 156 C1
Elduain E (Gui.) 24 B2
Elechas E (Can.) 9 C4
Eleizalde (Amoroto) E (Viz.) 11 C5
Elejalde Forua E (Viz.) 11 B5
Elexalde E (Viz.) 23 A1
Elgea E (Ál.) 23 C3
Elgeta E (Gui.) 23 C2
Elgoibar E (Gui.) 23 D1
Elgorriaga E (Na.) 24 D2
Eliana, l' E (Val.) 124 D3
Elizondo (Baztan) E (Na.) 25 A2
Eljas E (Các.) 96 C3
Elkano E (Gui.) 12 A5
Elo → Monreal E (Na.) 25 B5
Elorrio E (Viz.) 23 C2
Elorz E (Na.) 25 A4
Elosu E (Gui.) 23 D2
Eltzaburu E (Na.) 24 D3
Eltziego → Elciego E (Ál.) 43 C1
Elvas P (Por.) 130 A3
Elvillar/Bilar E (Ál.) 43 C1
Elviria E (Mál.) 188 B2
Elx → Elche E (Ali.) 156 D3
Éller E (Ll.) 50 B1
Embid E (Gua.) 84 D3
Embid de Ariza E (Zar.) 64 C5
Embid de la Ribera E (Zar.) 65 A4
Embún E (Hues.) 26 B5
Emerandos E (Viz.) 11 B4
Empalme E (Po.) 33 D1
Empalme, El E (Cas.) 108 A4
Emparedada, lugar E (Cór.) 165 C1
Emperador E (Val.) 125 B3
Empúria-Brava E (Gi.) 52 C2
Empúries E (Gi.) 52 C3
Ena E (Hues.) 46 C2
Enate E (Hues.) 47 D4
Encamp A 30 A5
Encarnação P (Lis.) 126 B1
Encarnación, La E (Mu.) 154 D4
Encarnaciones, Las E (Sev.) 179 A2
Encebras, Las E (Mu.) 155 D2
Encima Angulo E (Bur.) 22 C2
Encín y La Canaleja, El E (Mad.) 102 B1
Encina de San Silvestre E (Sa.) 77 D2
Encina, La E (Ali.) 140 B4
Encina, La E (Sa.) 97 A1
Encinacorba E (Zar.) 65 C5
Encinahermosa, lugar E (Alb.) 138 A2
Encinar de los Reyes, El E (Mad.) 101 D1
Encinar, urbanización El E (Sa.) 78 D3
Encinarejo de Córdoba E (Cór.) 165 D1
Encinares E (Áv.) 98 D2
Encinares, Los E (J.) 167 C2
Encinas E (Seg.) 61 D5
Encinas de Abajo E (Sa.) 78 D3
Encinas de Arriba E (Sa.) 78 D4
Encinas de Esgueva E (Vall.) 61 A2
Encinas Reales E (Cór.) 166 C5
Encinasola E (Huel.) 146 B3
Encinasola de las Minayas E (Sa.) 78 A2
Encinasola de los Comendadores E (Sa.) 77 B2
Encinedo E (Le.) 37 B3
Encinilla-Grija E (Sev.) 177 D3
Encinillas E (Seg.) 81 A2
Encio E (Bur.) 22 D5
Enciso E (La R.) 44 A4
Encomienda de Mudela, lugar E (C. R.) 135 D5
Encomienda, La E (Cu.) 121 C3
Encourados P (Br.) 54 A3
Encrobas, As E (A Co.) 2 C5
Endrinal E (Sa.) 78 B5
Eneritz → Enériz E (Na.) 24 D5
Enériz/Eneritz E (Na.) 24 D5
Enfesta E (A Co.) 14 B2
Enfesta E (A Co.) 2 D4
Enfesta E (Our.) 35 D5
Enfesta (Pontecesures) E (Po.) 14 A4
Enfistiella, La E (Ast.) 18 D1
Énguera E (Val.) 140 C2
Enguídanos E (Cu.) 123 A2
Enillas, Las E (Zam.) 58 B4
Enix E (Alm.) 183 C3
Énova, l' E (Val.) 141 A2
Enquerentes E (A Co.) 14 C3
Enroig → Anroig E (Cas.) 107 D1
Entins E (A Co.) 13 D3
Entoma E (Our.) 36 D1
Entradas P (Be.) 160 C1
Entrago E (Ast.) 18 A1
Entrala E (Zam.) 58 C4
Entralgo E (Ast.) 18 D1
Entrambasaguas E (Bur.) 22 C2
Entrambasaguas E (Can.) 9 D4
Entrambasaugas E (Lu.) 15 C3
Entrambasmestas E (Can.) 21 C1
Entre Ambos-os-Rios P (V. C.) 34 C5
Entre-a-Serra P (C. B.) 94 D5
Entrecinsa E (Our.) 36 B4
Entrecruces E (A Co.) 2 A5
Entredicho, El E (Mu.) 154 A5
Entrego, El E (Ast.) 6 D5
Entrena E (La R.) 43 C2
Entrepeñas E (Zam.) 37 B4
Entrerrios E (Bad.) 132 B2
Entrerrios E (Mál.) 188 B1
Entrialgo E (Ast.) 6 B3
Entrimo E (Our.) 34 D5
Entrín Alto E (Bad.) 130 D4
Entrín Bajo E (Bad.) 130 D4
Entroncamento P (San.) 111 D3
Entroncamento P (Set.) 127 A3
Envendos P (San.) 112 D2
Enviny E (Ll.) 49 B2
Enxabarda P (C. B.) 95 B3
Enxameia P (Guar.) 76 A2
Enxames E (Our.) 36 A5
Enxames P (C. B.) 95 D3
Enxara do Bispo P (Lis.) 126 C1
Enxofães P (Co.) 94 A1
Epele E (Gui.) 24 C1
Épila E (Zar.) 65 C3
Era E (Ast.) 6 A3
Era Alta E (Mu.) 155 D5
Era de la Viña E (Cád.) 179 A3
Erada P (C. B.) 95 B3
Erandio E (Viz.) 10 D5
Erandio-Goikoa E (Viz.) 10 D5
Eras, Las E (Alb.) 139 C1
Eras, Las E (S.Cruz T.) 196 A4
Eratsun E (Na.) 24 D2
Erbecedo E (A Co.) 2 A5
Erbedeiro E (Lu.) 15 C5
Erbille E (Po.) 34 A3
Erbogo E (A Co.) 14 A3
Ercina, La E (Le.) 19 B4
Erdozain E (Na.) 25 B4
Ereira P (Co.) 93 C3
Ereira P (Lis.) 110 D5
Ereira P (San.) 111 B5
Ereiras P (Lei.) 93 D4
Ereño E (Viz.) 11 C5
Ereñozu E (Gui.) 24 C1
Eresué E (Hues.) 48 B1
Ergoien E (Gui.) 12 C5
Ería, La E (Ast.) 6 C3
Erias E (Các.) 97 B2
EricE (Atez) E (Na.) 24 D3
EricE (Iza) E (Na.) 24 D3
Ericeira P (Lis.) 126 B1
Eriste E (Hues.) 28 B5
Erjos E (S.Cruz T.) 195 C3
Erjos del Tanque E (S.Cruz T.) 195 C3
Erla E (Zar.) 46 A4
Ermedelo E (A Co.) 13 D3
Ermelo P (V. C.) 34 C5
Ermelo P (V. R.) 55 A4
Ermesinde P (Port.) 54 A5
Ermida E (A Co.) 13 D2
Ermida P (Bra.) 56 C1
Ermida P (C. B.) 112 D1
Ermida P (Co.) 93 C1
Ermida P (V. C.) 34 C5
Ermida P (V. R.) 55 B5
Ermida P (Vis.) 74 D2
Ermida, A E (Our.) 14 C5
Ermidas-Aldeia P (Set.) 143 D4
Ermidas-Sado P (Set.) 143 D4
Ermigeira P (Lis.) 110 C5
Ermita de la Esperanza E (Cór.) 166 B3
Ermita de Patiño E (Mu.) 156 A5
Ermita del Ramonete E (Mu.) 171 C3
Ermita Nueva E (J.) 167 C4
Ermita Nueva → Sangonera la Verde E (Mu.) 155 D5
Ermita Virgen de la Sierra E (Cór.) 166 C3
Ermita, l' → Ermita, La E (Ali.) 158 A1
Ermita, La E (Gr.) 169 B2
Ermita, La/Ermita, l' E (Ali.) 158 A1
Ermitabarri-Ibarra E (Viz.) 23 A2
Ermo E (A Co.) 3 B2
Ermua E (Viz.) 23 C1
Ernes E (Lu.) 16 D1
Erra P (San.) 127 D1
Erratzu E (Na.) 25 B1
Errenteria E (Viz.) 11 B5
Errenteria → Rentería E (Gui.) 12 C5
Errezil E (Gui.) 24 A1
Errezu → Riezu E (Na.) 24 C4
Erribera E (Ál.) 22 C4
Errigoiti/Rigoitia E (Viz.) 11 B5
Erro E (Na.) 25 B3
Erroitegi E (Ál.) 23 D4
Erronkari → Roncal E (Na.) 26 A4
Errotaldea E (Gui.) 24 B2
Erts A 29 D 5
Erustes E (To.) 100 B5
Ervas Tenras P (Guar.) 76 A4
Ervedal P (Co.) 95 A1
Ervedal P (Co.) 93 C2
Ervedal P (Por.) 129 A1
Ervedeira P (Lei.) 93 B4
Ervedo P (V. R.) 55 D1
Ervedosa P (Bra.) 56 B2
Ervedosa P (Guar.) 76 A3
Ervedosa do Douro P (Vis.) 75 C1
Ervedoso P (Ave.) 74 B3
Ervideira P (Lei.) 94 C4
Ervideira P (Por.) 112 C5
Ervideiro P (Br.) 54 D3
Ervidel P (Be.) 144 B4
Ervilhais P (Vis.) 74 C1
Ervilhal P (Vis.) 74 D3
Es Cap de Barbària E (Bal.) 90 C5
Esa → Yesa E (Na.) 25 C5
Esblada E (Ta.) 70 A4
Escabralhado P (Guar.) 96 C1
Escacena del Campo E (Huel.) 163 B4
Escairón E (Lu.) 15 C5
Escala, l' E (Gi.) 52 C3
Escalada E (Bur.) 21 C4
Escalada E (Huel.) 146 C5
Escalante E (Can.) 10 A4
Escaldes-Engordany, les A 50 A1
Escalera E (Gua.) 84 B4
Escalhão P (Guar.) 76 C2
Escaló E (Ll.) 29 B5
Escalona E (Hues.) 47 D1
Escalona E (To.) 100 C4
Escalona del Prado E (Seg.) 81 A1
Escalona, La E (S.Cruz T.) 195 D4
Escalonilla E (Áv.) 100 A1
Escalonilla E (To.) 100 C5
Escalos de Baixo P (C. B.) 95 D5
Escalos de Cima P (C. B.) 95 D5
Escamilla E (Gua.) 103 C1
Escamplero E (Ast.) 6 B4
Escanilla E (Hues.) 47 D3
Escaño E (Bur.) 21 D3
Escañuela E (J.) 167 B1
Escapães P (Ave.) 74 A2
Escarabajosa de Cabezas E (Seg.) 81 A2
Escarabajosa de Cuéllar E (Seg.) 60 D4
Escarabote E (A Co.) 13 C4
Escardarcs E (Gi.) 50 C1
Escarei P (V. R.) 55 B3
Escariche E (Gua.) 102 D2
Escarigo P (C. B.) 95 D2
Escarigo P (Guar.) 76 D3
Escarihuela, La E (Mu.) 171 A3
Escariz (São Mamede) P (Br.) 54 A2
Escaro, lugar E (Le.) 19 D2
Escaroupim P (San.) 127 B1
Escároz/Ezkaroze E (Na.) 25 D3
Escarrilla E (Hues.) 27 A4
Escart E (Ll.) 49 B1
Escàs A 29 D 5
Escatelares P (Set.) 143 B3
Escatrón E (Zar.) 67 A5
Esclanyà E (Gi.) 52 C4
Esclavitud E (A Co.) 14 A3
Esclet E (Gi.) 52 A5
Escó E (Zar.) 25 D5
Escóbados de Abajo E (Bur.) 22 A5
Escobar de Campos E (Le.) 39 D3
Escobar de Polendos E (Seg.) 81 A2
Escobar, El E (Mu.) 172 A1
Escobedo E (Can.) 9 C5
Escobedo E (Can.) 9 C4
Escober de Tábara E (Zam.) 58 A1
Escobonal, El E (S.Cruz T.) 196 A3
Escobosa de Almazán E (So.) 63 D4
Escombreras E (Mu.) 172 C3
Escopete E (Gua.) 102 D2
Escorca E (Bal.) 91 D2
Escorial, El E (Mad.) 101 A1
Escorihuela E (Te.) 106 A1
Escornabois E (Our.) 35 C4
Escorratel, El E (Ali.) 156 B4
Escós E (Ll.) 49 B2
Escoura P (Port.) 74 A1
Escoural P (Ave.) 94 B1
Escoural P (Co.) 93 C1
Escóznar E (Gr.) 167 C5
Escuadra E (Po.) 34 B1
Escuadro E (Po.) 14 C4
Escuadro E (Zam.) 58 A5
Escucha E (Te.) 86 B4
Escudeiros P (Br.) 54 B3
Escuelas, Las E (J.) 168 A1
Escuer E (Hues.) 27 A5
Escuernavacas E (Sa.) 77 B2
Esculca P (Co.) 94 D2
Escúllar E (Alm.) 183 B1
Escullos, Los E (Alm.) 184 C3
Escuredo E (Le.) 18 B5
Escuredo E (Zam.) 37 B3
Escurial E (Các.) 132 A1
Escurial de la Sierra E (Sa.) 78 A5
Escurquela P (Vis.) 75 C2
Escusa P (Por.) 113 C4
Escusa P (Por.) 112 D4
Escusa (Ribadumia) E (Po.) 13 D5
Escúzar E (Gr.) 181 D2
Esfiliana E (Gr.) 168 D5
Esfrega P (C. B.) 95 A5
Esglésies, les E (Ll.) 48 D2
Esgos E (Our.) 35 C2
Esgueira P (Ave.) 73 D4
Esguevillas de Esgueva E (Vall.) 60 C2
Eskantzana E (Ál.) 23 A5
Eskoriatza E (Gui.) 23 C3
Eslava E (Na.) 45 B1
Eslida E (Cas.) 125 B1
Esmelle E (A Co.) 2 D2
Esmolfe P (Vis.) 75 B4
Esmoriz P (Ave.) 73 D2
Esmorode E (A Co.) 13 D1
Espada, La E (Mu.) 155 D3
Espadanal P (Co.) 94 D1
Espadanedo P (Bra.) 56 C2
Espadanedo P (Vis.) 74 C1
Espadaña E (Sa.) 77 C2
Espadañedo E (Zam.) 37 C4
Espadilla E (Cas.) 107 A4
Espadín, El E (Alm.) 170 C2
Espaén E (Ll.) 49 C2
Espargo P (Ave.) 74 A2
Espariz P (Co.) 94 D2
Esparra, l' E (Gi.) 51 D5
Esparragal E (Mu.) 156 A4
Esparragal E (Mu.) 171 A3
Esparragal, El E (Cór.) 167 A3
Esparragal, El, lugar E (Cád.) 186 C1
Esparragalejo E (Bad.) 131 B2
Esparragosa de la Serena E (Bad.) 132 C5
Esparragosa de Lares E (Bad.) 133 A2
Esparreguera E (Bar.) 70 C3
Espartal, El E (Mad.) 82 A4
Espartinas E (Sev.) 163 D4
Esparza E (Na.) 25 D4
Espasande E (Ast.) 4 C4
Espasande E (Lu.) 4 B4
Espasante E (A Co.) 3 C1
Especiosa P (Bra.) 57 C3
Espedrada P (Guar.) 76 A4
Espeja E (Sa.) 76 D5
Espeja de San Marcelino E (So.) 62 C2
Espejo E (Cór.) 166 B2
Espejón E (So.) 62 C1
Espejos de la Reina, Los E (Le.) 19 D3
Espeliz E (Alm.) 184 A2
Espelt, l' E (Bar.) 70 A2
Espelúy E (J.) 151 B4
Espera E (Cád.) 178 B3
Esperança P (Br.) 54 C2
Esperança P (Por.) 130 A1
Esperante E (Lu.) 15 B4

Fenazar

Esperanza, La E (Gr.) 181 A 1
Esperanzas, Las E (Mu.) 172 C 1
Esperela E (Lu.) 16 B 2
Espés E (Hues.) 48 C 1
Espiçandeira P (Lis.) 126 D 1
Espiche P (Fa.) 173 B 2
Espiel E (Cór.) 149 C 3
Espierba E (Hues.) 27 D 5
Espigas E (A Co.) 13 C 2
Espina de Tremor E (Le.) 18 A 4
Espina, La E (Ast.) 5 D 4
Espina, La E (Le.) 19 D 4
Espinal → Aurizberri E (Na.) 25 B 3
Espinama E (Can.) 20 A 2
Espinar, El E (Seg.) 80 D 5
Espinar, El, lugar E (To.) 119 C 1
Espinardo E (Mu.) 156 A 4
Espinaredo E (Ast.) 7 B 5
Espinavell E (Gi.) 51 B 1
Espindo P (Br.) 54 D 2
Espinelves E (Gi.) 51 B 5
Espinhal P (Co.) 94 B 3
Espinhal P (Co.) 94 B 4
Espinhal P (Guar.) 96 A 2
Espinhal P (Guar.) 76 B 5
Espinheira P (Co.) 73 D 5
Espinheira P (Lei.) 110 D 3
Espinheira P (Lis.) 111 A 5
Espinheira P (San.) 111 B 3
Espinheiro P (Co.) 94 B 3
Espinheiro P (Co.) 93 D 1
Espinheiro P (Guar.) 75 D 4
Espinheiro P (Lei.) 111 B 2
Espinheiro P (San.) 112 B 2
Espinheiro P (San.) 111 C 3
Espinhel P (Ave.) 74 A 5
Espinho P (Ave.) 73 D 1
Espinho P (Vis.) 74 C 4
Espinho P (Vis.) 75 A 5
Espinho P (Vis.) 75 D 1
Espinho P (Vis.) 94 B 1
Espinho Grande P (C. B.) 113 A 1
Espinho Pequeno P (C. B.) 113 A 1
Espinhosa P (Bra.) 56 B 1
Espinhosa P (Vis.) 75 D 1
Espinhosela P (Bra.) 56 D 1
Espinilla E (Can.) 21 A 2
Espino E (Mál.) 181 A 3
Espino de la Orbada E (Sa.) 79 A 2
Espino de los Doctores E (Sa.) 78 A 2
Espino, El E (Le.) 17 B 4
Espino, El E (So.) 64 A 1
Espinos, Los E (Las P.) 191 A 2
Espinosa de Cerrato E (Pa.) 41 B 5
Espinosa de Cervera E (Bur.) 62 A 1
Espinosa de Henares E (Gua.) 82 D 3
Espinosa de la Ribera E (Le.) 18 C 5
Espinosa de los Caballeros E (Áv.) 80 B 2
Espinosa de los Monteros E (Bur.) 22 A 2
Espinosa de Villagonzalo E (Pa.) 40 D 1
Espinosa del Camino E (Bur.) 42 B 2
Espinosilla de San Bartolomé E (Bur.) 41 C 1
Espinoso del Rey E (To.) 118 A 2
Espiñeira E (Lu.) 4 B 3
Espiñeira E (Our.) 14 D 5
Espiño E (Our.) 36 C 3
Espiño E (Our.) 35 C 5
Espiñoso E (Our.) 35 A 3
Espirdo E (Seg.) 81 A 2
Espirito Santo E (Po.) 33 D 2
Espírito Santo P (Be.) 161 A 2
Espírito Santo P (Co.) 93 D 3
Espite P (San.) 111 D 1
Espiunca P (Ave.) 74 C 2
Esplegares E (Gua.) 83 D 4
Espluga Calba, l' E (Ll.) 69 B 3
Espluga de Francolí, l' E (Ta.) 69 B 4
Esplugues de Llobregat E (Bar.) 71 A 4
Esplús E (Hues.) 68 A 1
Espolla E (Gi.) 52 B 1
Esponellà E (Gi.) 52 A 3
Esporles E (Bal.) 91 C 3
Esporões P (Br.) 54 B 3
Esporões P (Guar.) 76 A 3
Esposa E (Hues.) 26 C 5
Esposade P (Port.) 74 A 1
Esposende P (Br.) 53 D 2
Espot E (Ll.) 29 B 5
Espragosa P (Be.) 160 D 2
Espronceda E (Na.) 44 A 1
Espumaderas, Las, lugar E (J.) 153 B 4
Espunyola, l' E (Bar.) 50 B 4
Esquedas E (Hues.) 46 D 3
Esquio P (Co.) 94 B 4
Esquivel E (Sev.) 164 A 3
Esquivias E (To.) 101 C 4
Establés E (Gua.) 84 B 2
Establiments E (Bal.) 91 C 3
Estacada, La E (Mu.) 155 C 1
Estação P (San.) 112 B 4
Estacas E (Po.) 34 B 2
Estacas E (Po.) 14 A 4
Estació de Sant Vicenç de Calders, l' E (Ta.) 70 A 5
Estació, l' → Estación, La E (Ali.) 156 C 2
Estación E (Lu.) 16 A 5
Estación E (Mál.) 180 B 4
Estación E (Mu.) 171 A 3
Estación E (To.) 101 C 4
Estación de Aljucén E (Bad.) 131 B 2
Estación de Almonaster E (Huel.) 146 C 5
Estación de Archidona E (Mál.) 180 C 1
Estación de Arroyo-Malpartida E (Các.) 115 A 3
Estación de Begíjar E (J.) 152 A 5
Estación de Cabra E (J.) 168 C 2
Estación de Chinchilla E (Alb.) 139 A 3
Estación de El Espinar E (Seg.) 81 A 4
Estación de Espelúy E (J.) 151 C 5
Estación de Fernán Núñez E (Cór.) 166 B 2
Estación de Ferrocarril E (Sev.) 164 B 3
Estación de Gorafe E (Gr.) 169 A 4
Estación de Guadix E (Gr.) 168 D 5
Estación de Huelma E (J.) 168 C 2
Estación de Huesa E (J.) 168 C 2
Estación de Huétor Tájar E (Gr.) 181 B 1
Estación de La Calahorra, lugar E (Gr.) 169 A 5
Estación de Linares-Baeza E (J.) 151 D 4
Estación de Moreda E (Gr.) 168 C 4
Estación de Obejo E (Cór.) 149 D 4
Estación de Pedro-Martínez E (Gr.) 168 C 3
Estación de Río Záncara E (C. R.) 121 A 5
Estación de Salinas E (Mál.) 180 D 1
Estación de Vadollano E (J.) 151 D 4
Estación Emperador E (To.) 119 B 5
Estación Férrea E (Cád.) 187 A 4
Estación Férrea E (Mu.) 155 C 3
Estación Ferrocarril E (Các.) 114 A 4
Estación Ferrocarril E (Huel.) 163 B 4
Estación Mora de Rubielos E (Te.) 106 C 4
Estación Portazgo E (Zar.) 66 B 1
Estación Urda Peleches E (To.) 119 C 4
Estación y Pajares, La E (Mad.) 101 A 1
Estación, La E (Alm.) 183 C 1
Estación, La E (Alm.) 183 B 1
Estación, La E (Alm.) 171 A 4
Estación, La E (Áv.) 80 C 5
Estación, La E (Áv.) 80 B 3
Estación, La E (C. R.) 134 D 5
Estación, La E (Cór.) 166 D 3
Estación, La E (Cór.) 166 C 3
Estación, La E (Cór.) 150 C 5
Estación, La E (Cór.) 165 A 2
Estación, La E (Gr.) 169 A 5
Estación, La E (Mad.) 101 B 1
Estación, La E (Mad.) 100 D 1
Estación, La E (Mad.) 81 B 5
Estación, La E (Pa.) 20 C 4
Estación, La E (Sa.) 78 A 3
Estación, La E (Sa.) 78 B 3
Estación, La E (Sa.) 79 B 1
Estación, La E (Te.) 87 A 1
Estación, La E (To.) 101 D 4
Estación, La E (Zam.) 58 D 3
Estación, La, lugar E (Alm.) 183 B 1
Estación, La, lugar E (Bad.) 131 B 5
Estación, La, lugar E (Bad.) 147 B 1
Estación, La, lugar E (Mál.) 179 B 4
Estación, La/Estació, l' E (Ali.) 156 C 2
Estación, lugar E (Cád.) 187 A 4
Estada E (Hues.) 48 A 4
Estadilla E (Hues.) 48 A 4
Estall E (Hues.) 48 C 4
Estamariu E (Ll.) 50 A 2
Estancos, Los E (Las P.) 190 B 2
Estanquillo, El E (S. Cruz T.) 194 C 2
Estany d'en Mas, S' E (Bal.) 92 C 4
Estany, l' E (Bar.) 51 A 5
Estanyol E (Gi.) 51 D 4
Estaña E (Hues.) 48 B 4
Estaràs E (Ll.) 69 D 2
Estarreja P (Ave.) 73 D 3
Estartit, l' E (Gi.) 52 C 3
Estás E (Po.) 33 D 4
Estébanez de la Calzada E (Le.) 38 B 2
Estebanvela E (Seg.) 62 B 5
Esteiramantens P (Fa.) 175 A 3
Esteiro E (A Co.) 3 A 2
Esteiro E (A Co.) 13 C 3
Esteiro E (A Co.) 13 D 4
Esteiro P (Co.) 95 A 4
Estela P (Port.) 53 D 3
Estela Montes P (Fa.) 174 B 2
Estella del Marqués E (Cád.) 177 D 4
Estella/Lizarra E (Na.) 24 B 5
Estellenchs E (Bal.) 91 B 3
Estepa E (Sev.) 165 D 5
Estepa de San Juan E (So.) 63 D 1
Estépar E (Bur.) 41 C 3
Estepona E (Mál.) 187 C 2
Ester P (Vis.) 74 D 2
Esteras de Lubia E (So.) 64 A 2
Esteras de Medinaceli E (So.) 83 D 2
Estercuel E (Te.) 86 C 3
Esteriz E (Po.) 33 D 3
Esterri d'Àneu E (Ll.) 29 B 5
Esterri de Cardós E (Ll.) 29 C 5
Estesos, Los E (Cu.) 121 D 5
Estet E (Hues.) 48 C 1
Estevais P (Bra.) 56 B 5
Estevais P (Bra.) 56 D 5
Estevais P (C. B.) 112 B 1
Esteval P (Fa.) 174 C 3
Esteval dos Mouros P (Fa.) 174 B 2
Esteveira P (Fa.) 174 B 2
Esteveira P (San.) 112 C 4
Estevês P (C. B.) 113 A 1
Estevesiños E (Our.) 35 D 5
Estibeira P (Be.) 159 B 2
Estiche de Cinca E (Hues.) 67 D 1
Estivella E (Val.) 125 B 2
Esto E (A Co.) 1 D 5
Estói P (Fa.) 174 D 3
Estollo E (La R.) 43 A 3
Estômbar P (Fa.) 173 D 2
Estopiñán E (Hues.) 48 C 5
Estorãos P (V. C.) 53 D 1
Estorde E (A Co.) 13 B 2
Estoril P (Lis.) 126 B 3
Estorniho P (Lei.) 110 D 4
Estorninhos P (Fa.) 175 B 2
Estorninos E (Các.) 114 C 1
Estrada P (Lei.) 93 D 4
Estrada P (Lei.) 110 C 4
Estrada da Bouça P (Lei.) 93 C 5
Estrada, A E (Po.) 14 B 4
Estramil E (A Co.) 2 B 4
Estrecho de San Ginés, El E (Mu.) 172 C 2
Estrecho, El E (Mu.) 172 A 2
Estreito P (C. B.) 95 A 4
Estreito P (San.) 111 D 1
Estreito da Calheta P (Ma.) 109 D 2
Estreito de Câmara de Lobos P (Ma.) 110 B 2
Estrela P (Be.) 145 C 2
Estrella, La E (To.) 117 C 2
Estremera E (Mad.) 102 D 4
Estremoz P (Év.) 129 B 3
Estribeiro P (Lis.) 111 A 5
Estriégana E (Gua.) 83 C 2
Estrivela E (Po.) 34 A 1
Estubeny E (Val.) 140 D 2
Esturãos P (V. R.) 55 D 2
Etayo E (Na.) 24 B 5
Etreros E (Seg.) 80 C 3
Etxalar E (Na.) 25 A 1
Etxaleku E (Na.) 24 D 3
Etxano E (Viz.) 23 B 1
Etxarri → Echarri E (Na.) 24 D 4
Etxarri-Aranatz E (Na.) 24 B 3
Etxauri E (Na.) 24 D 4
Etxebarria E (Viz.) 23 C 1
Euba E (Viz.) 23 B 1
Eucisia P (Bra.) 56 C 5
Eugenia P (C. B.) 96 B 4
Eugi E (Na.) 25 B 3
Eulate E (Na.) 24 A 4
Eume E (A Co.) 3 A 3
Eurovillas E (Mad.) 102 C 2
Évora P (Év.) 128 D 5
Évora de Alcobaça P (Lei.) 111 A 2
Évora Monte P (Év.) 129 A 3
Extramiana E (Bur.) 22 B 4
Extremo P (V. C.) 34 B 4
Ézaro E (A Co.) 13 B 2
Ezcaray E (La R.) 42 D 3
Ezkaroze → Escároz E (Na.) 25 D 3
Ezkio E (Gui.) 24 A 2
Ezkio-Itsaso E (Gui.) 24 A 2
Ezkurra E (Na.) 24 D 2
Ezprogui E (Na.) 45 B 1
Ezquerra E (Bur.) 42 C 2
Eztuniga → Zúñiga E (Na.) 24 A 5

F

Faba-Bargelas, La E (Le.) 16 C 4
Fabara E (Zar.) 87 D 1
Fabero E (Le.) 17 B 4
Fábrica Azucarera E (Zar.) 65 C 3
Fàbrica de Giner, la → Primera del Río E (Cas.) 87 C 5
Fábrica del Pedroso E (Sev.) 148 B 5
Fàbrica, La E (Bar.) 70 C 2
Fábrica, La E (Gr.) 181 A 1
Facinas E (Cád.) 186 C 4
Facós E (Our.) 34 D 4
Facha P (V. C.) 54 A 1
Facheca/Fageca E (Ali.) 141 B 4
Facho P (Lei.) 111 A 2
Facho P (Port.) 53 D 4
Fadón E (Zam.) 58 A 4
Faedal, El E (Ast.) 5 D 4
Faedo E (Ast.) 6 A 3
Faedo E (Ast.) 5 D 3
Fafe P (Br.) 54 C 3
Fafião P (V. R.) 54 D 1
Fagajesto E (Las P.) 191 B 2
Fageca → Facheca E (Ali.) 141 B 4
Fago E (Hues.) 26 B 5
Fagundo E (S. Cruz T.) 193 B 2
Faia P (Br.) 55 A 3
Faia P (Guar.) 75 D 5
Faia P (Vis.) 75 C 2
Faial P (Ma.) 110 B 1
Faial da Terra P (Aç.) 109 D 5
Faião P (Lis.) 126 B 2
Fail P (Vis.) 74 D 5
Faiões P (V. R.) 55 D 1
Faisca E (A Co.) 2 D 3
Faitús E (Gi.) 51 B 2
Fajã da Ovelha P (Ma.) 109 D 1
Fajã de Cima P (Aç.) 109 B 4
Fajã Grande P (Aç.) 109 A 2
Fajão P (Co.) 94 D 3
Fajarda P (San.) 127 C 1
Fajãzinha P (Aç.) 109 A 2
Fajões P (Ave.) 74 B 2
Fajozes P (Port.) 53 D 4
Falachos P (Guar.) 76 A 4
Falagueira P (Por.) 113 A 3
Falagueira Venda Nova P (Lis.) 126 C 3
Falces E (Na.) 44 D 2
Falfosa P (Fa.) 174 C 3
Falgorosa P (Ave.) 74 B 5
Falgoselhe P (Ave.) 74 B 5
Falgueiras P (Bra.) 56 C 2
Fals E (Bar.) 70 B 1
Falset E (Ta.) 89 A 1
Famalicão P (Guar.) 95 D 1
Famalicão P (Lei.) 110 D 2
Famelga E (Po.) 34 B 1
Famões P (Lei.) 110 D 4
Famorca E (Ali.) 141 B 4
Fanadia P (Lei.) 110 D 3
Fanadix E (Ali.) 142 A 4
Fandinhães P (Port.) 74 C 1
Fangarifau P (Set.) 127 C 5
Fanhais P (Lei.) 111 A 1
Fanhões P (Lis.) 126 D 2
Fanlillo E (Hues.) 47 B 1
Fanlo E (Hues.) 27 C 5
Fanzara E (Cas.) 107 B 5
Fânzeres P (Port.) 54 A 5
Fañabé E (S. Cruz T.) 195 C 4
Fañanás E (Hues.) 47 A 4
Fao E (A Co.) 14 C 3
Fão P (Br.) 53 D 3
Far d'Empordà, el E (Gi.) 52 B 2
Faraján E (Mál.) 179 B 5
Faramontanos de Tábara E (Zam.) 58 B 1
Faramontaos E (Our.) 35 A 1
Faramontaos E (Our.) 35 C 2
Farasdués E (Zar.) 45 D 3
Fareja P (Br.) 54 C 3
Fareja P (Vis.) 75 A 2
Farejinhas P (Vis.) 75 A 2
Farelos P (Fa.) 161 A 3
Farena E (Ta.) 69 B 5
Farga de Bebié, La E (Gi.) 51 A 3
Farga de Moles, La E (Ll.) 49 D 1
Faria P (Br.) 53 D 3
Farinha Branca P (Por.) 128 B 1
Fariza E (Zam.) 57 C 4
Farlete E (Zar.) 66 D 2
Farminhão P (Vis.) 74 D 5
Farnadeiros E (Lu.) 15 D 3
Faro E (Le.) 17 B 3
Faro E (Lu.) 3 D 1
Faro P (Fa.) 174 C 3
Faro do Alentejo P (Be.) 144 C 3
Farrapa E (A Co.) 13 B 1
Farrera E (Ll.) 49 C 1
Fárrio P (San.) 111 D 1
Fartosas P (Co.) 94 A 4
Farves P (Vis.) 74 C 4
Fasgar E (Le.) 17 D 4
Fasnia E (S. Cruz T.) 196 A 3
Fataga E (Las P.) 191 C 3
Fatarella, la E (Ta.) 88 B 1
Fataunços P (Vis.) 74 D 4
Fatela P (C. B.) 95 D 3
Fátima E (Gr.) 169 C 1
Fátima P (San.) 111 C 2
Faucena E (Gr.) 168 B 4
Faura E (Val.) 125 B 2
Favacal P (Co.) 94 B 4
Favaios P (V. R.) 55 D 5
Favais P (V. R.) 55 B 3
Favara E (Val.) 141 B 1
Favões P (Port.) 74 C 1
Fayón E (Zar.) 68 B 5
Fayos, Los E (Zar.) 64 D 1
Fazamões P (Vis.) 75 A 1
Fazenda P (Por.) 112 D 4
Fazenda das Lajes P (Aç.) 109 A 2
Fazendas de Almeirim P (San.) 111 D 5
Fazouro E (Lu.) 4 B 2
Feal E (A Co.) 2 D 2
Feáns E (A Co.) 2 C 4
Feás E (A Co.) 3 B 1
Feás E (Our.) 35 B 5
Feás E (Our.) 34 D 1
Febres P (Co.) 93 D 1
Febró, la E (Ta.) 69 B 5
Feces de Abaixo E (Our.) 55 D 1
Fechaladrona E (Ast.) 18 D 1
Feijó P (Set.) 126 C 4
Feira P (Ave.) 74 A 2
Feira P (Ave.) 74 B 4
Feira do Monte E (Lu.) 3 D 5
Feirão P (Vis.) 75 A 1
Feiro P (V. C.) 53 D 1
Feital P (Guar.) 76 A 4
Feiteira P (Ave.) 73 D 5
Feiteira P (Fa.) 160 D 4
Feitos P (Br.) 53 D 2
Feitosa P (V. C.) 54 A 1
Feitoso P (Co.) 93 C 2
Feitoso P (Lei.) 111 A 3
Feixe P (San.) 128 A 1
Felanitx E (Bal.) 92 B 4
Felechares de la Valdería E (Le.) 38 A 3
Feleches E (Ast.) 6 D 4
Felechosa E (Ast.) 19 A 2
Felgar P (Bra.) 56 C 5
Felgueira P (Ave.) 74 B 3
Felgueira P (Vis.) 94 C 1
Felgueiras P (Br.) 54 D 3
Felgueiras P (Bra.) 56 C 4
Felgueiras P (Bra.) 76 C 1
Felgueiras P (Port.) 54 C 4
Felgueiras P (Vis.) 75 A 1
Felgueirasa P (Co.) 95 A 1
Felguera E (Ast.) 18 B 1
Felguera, La E (Ast.) 18 C 1
Felguerina E (Ast.) 19 B 1
Feli E (Mu.) 171 B 3
Felipa, La E (Alb.) 139 A 2
Felix E (Alm.) 183 C 3
Felmil E (Lu.) 3 D 5
Felmín E (Le.) 18 D 3
Femés E (Las P.) 192 B 5
Fenais da Ajuda P (Aç.) 109 C 4
Fenais da Luz P (Aç.) 109 B 4
Fenazar E (Mu.) 155 D 3

Fene E (A Co.) 2 D3
Férez E (Alb.) 154 C2
Feria E (Bad.) 131 A5
Fermedo P (Ave.) 74 B2
Fermelã P (Ave.) 74 A4
Fermentães P (Bra.) 56 D2
Fermentãos P (Vis.) 74 D2
Fermentelos P (Ave.) 74 A5
Fermontelos P (Vis.) 74 D3
Fermoselle E (Zam.) 57 C5
Fernán Núñez E (Cór.) 166 A2
Fernán Pérez E (Alm.) 184 C3
Fernancaballero E (C. R.) 135 B1
Fernandes P (Be.) 161 B2
Fernandilho P (Fa.) 161 A4
Fernandina, La E (J.) 151 D3
Fernandinho P (Lis.) 126 C1
Fernando Pó P (Set.) 127 C4
Fernão Ferro P (Set.) 126 D4
Fernão Joanes P (Guar.) 95 D1
Fernão Vaz P (Be.) 160 A2
Ferradosa P (Bra.) 56 C5
Ferradosa P (Bra.) 56 B2
Ferragudo P (Év.) 145 C1
Ferragudo P (Fa.) 173 C2
Ferral P (V. R.) 55 A1
Ferral del Bernesga E (Le.) 18 D5
Ferraría E (Lu.) 16 A5
Ferraria P (Lei.) 111 A1
Ferraria P (Por.) 112 D3
Ferraria de São João P (Co.) 94 B4
Ferrarias P (Fa.) 174 B3
Ferrarias P (Fa.) 174 A2
Ferrarias P (Lei.) 94 A5
Ferrarias Cimeiras P (C. B.) 113 B1
Ferreira E (A Co.) 3 A3
Ferreira E (A Co.) 1 D5
Ferreira E (Gr.) 182 D1
Ferreira E (Lu.) 35 C1
Ferreira E (Lu.) 4 A2
Ferreira P (Bra.) 56 C2
Ferreira P (Port.) 54 B5
Ferreira P (V. C.) 34 A5
Ferreira de Aves P (Vis.) 75 B3
Ferreira do Alentejo P (Be.) 144 B3
Ferreira do Zêzere P (San.) 112 B1
Ferreira-a-Nova P (Co.) 93 C2
Ferreiras P (Fa.) 174 A2
Ferreirim P (Vis.) 75 B1
Ferreirim P (Vis.) 75 C2
Ferreiro E (A Co.) 14 D2
Ferreiró P (Port.) 53 D4
Ferreiroa E (Po.) 15 A4
Ferreirola E (Gr.) 182 C3
Ferreiros E (Lu.) 16 B3
Ferreiros E (Our.) 34 D5
Ferreiros E (Our.) 35 B1
Ferreirós E (Po.) 14 D3
Ferreirós E (Po.) 14 A4
Ferreiros P (Ave.) 94 A1
Ferreiros P (Ave.) 74 A3
Ferreiros P (Br.) 54 B2
Ferreiros P (Br.) 54 C2
Ferreiros P (Bra.) 56 B1
Ferreiros P (V. C.) 34 B5
Ferreiros de Arriba E (Lu.) 16 B5
Ferreiros de Avões P (Vis.) 75 A1
Ferreiros de Tendais P (Vis.) 74 D1
Ferreiros de Valboa E (Lu.) 16 B4
Ferreirós do Dão P (Vis.) 94 D1
Ferreirúa E (Lu.) 16 A5
Ferreirúa E (Our.) 35 C1
Ferrel P (Lei.) 110 C3
Ferrera E (Ast.) 7 A5
Ferrera E (Ast.) 5 C3
Ferreras E (Le.) 18 B5
Ferreras de Abajo E (Zam.) 58 A1
Ferreras de Arriba E (Zam.) 57 D1
Ferreries E (Bal.) 90 B2
Ferrero E (Ast.) 6 C2
Ferreros E (Ast.) 6 B5
Ferreros E (Zam.) 37 B4
Ferreruela de Huerva E (Te.) 85 D2
Ferreruela de Tábara E (Zam.) 58 A2
Ferro P (C. B.) 95 C2
Ferro, Lo E (Mu.) 172 B1
Ferrocinto P (Vis.) 74 D4
Ferroi E (Lu.) 15 D3
Ferrol E (A Co.) 2 D3
Ferronha P (Vis.) 75 D2
Fervença P (Br.) 54 D4
Fervença P (V. R.) 55 A4
Fervenzas E (A Co.) 3 A5
Fervidelas P (V. R.) 55 A1
Festín E (Po.) 34 B2
Fet, lugar E (Hues.) 48 C4
Fetais P (Lei.) 110 C3
Fetais P (Lis.) 126 D1
Feteira P (Lei.) 93 C5
Feteira P (Lis.) 110 C4
Feteiras P (Aç.) 109 A4
Feteiras P (Lei.) 94 A5
Fétil P (Lei.) 93 D5
Fiães P (Ave.) 74 A2
Fiães P (Guar.) 75 D4
Fiães P (V. C.) 34 C3
Fiães P (V. R.) 56 A1
Fiães do Rio P (V. R.) 55 A1
Fiães do Tâmega P (V. R.) 55 C2
Fiais da Beira P (Co.) 94 D1
Fial P (Ave.) 74 A4
Fiestras E (Our.) 35 C4
Figaredo E (Ast.) 18 C1
Figaró (Montmany) E (Bar.) 71 A1
Figarol E (Na.) 45 B2
Figarona E (Ast.) 6 D4
Figols E (Bar.) 50 C3
Fígols E (Ll.) 49 D3
Figueira P (Ave.) 74 B5
Figueira P (Bra.) 56 D5
Figueira P (Fa.) 173 A3
Figueira P (Fa.) 173 C2
Figueira P (Lei.) 94 B5
Figueira P (Port.) 74 B1
Figueira P (Vis.) 75 B1
Figueira da Foz P (Co.) 93 B3
Figueira de Castelo Rodrigo P (Guar.) 76 C3
Figueira do Lorvão P (Co.) 94 B2
Figueira dos Cavaleiros P (Be.) 144 A3
Figueira e Barros P (Por.) 129 A1
Figueiras E (Lu.) 4 A3
Figueiras P (Lei.) 93 C5
Figueiras P (Set.) 127 C4
Figueiredo P (Ave.) 74 C2
Figueiredo P (Br.) 54 B3
Figueiredo P (Br.) 54 B2
Figueiredo P (C. B.) 94 D5
Figueiredo P (Guar.) 95 B1
Figueiredo P (Lis.) 126 C1
Figueiredo das Donas P (Vis.) 74 D4
Figueiredo de Alva P (Vis.) 74 D3
Figueirido E (Po.) 34 A1
Figueirinha P (Be.) 160 D2
Figueiró E (Po.) 33 D4
Figueiró P (Port.) 54 B4
Figueiró da Granja P (Guar.) 75 C5
Figueiró da Serra P (Guar.) 75 C5
Figueiró do Campo P (Co.) 93 D3
Figueiró dos Vinhos P (Lei.) 94 B5
Figueiroa E (A Co.) 3 B1
Figueiros P (Lis.) 111 A4
Figuera, la E (Ta.) 68 D5
Figueral, Es E (Bal.) 90 A3
Figueras E (Ast.) 4 C3
Figueres E (Gi.) 52 B2
Figuerinha P (Bra.) 57 B4
Figuerola del Camp E (Ta.) 69 C4
Figuerola d'Orcau E (Ll.) 49 A4
Figueroles E (Cas.) 107 B4
Figueruela de Abajo E (Zam.) 57 B1
Figueruela de Arriba E (Zam.) 57 B1
Figueruela de Sayago E (Zam.) 58 A5
Figueruelas E (Zar.) 65 D2
Filgueira E (A Co.) 15 A2
Filgueira E (Lu.) 15 B3
Filgueira E (Po.) 34 D3
Filgueira E (Po.) 14 D4
Filgueira E (Po.) 14 B5
Filgueira de Barranca E (A Co.) 2 D5
Filgueira de Traba E (A Co.) 14 D1
Filhós P (San.) 111 C3
Filiel E (Le.) 37 C2
Finca España E (S. Cruz T.) 196 B2
Finca Fierro E (Our.) 35 B2
Fines E (Alm.) 170 B4
Finestras, lugar E (Hues.) 48 C5
Finestrat E (Ali.) 141 C5
Finisterre → Fisterra E (A Co.) 13 A2
Finos, Los E (Alm.) 170 B3
Fiñana E (Alm.) 183 B1
Fiolhoso P (V. R.) 55 D4
Fión E (Lu.) 15 C5
Firgas E (Las P.) 191 C1
Firvedas P (V. R.) 55 B1
Fiscal E (Hues.) 47 B1
Fiscal P (Br.) 54 B2
Fisterra/Finisterre E (A Co.) 13 A2
Fisteus E (A Co.) 15 A1
Fistéus E (Lu.) 36 B1
Fitero E (Na.) 44 C5
Fitoiro E (Our.) 36 A2
Flaçà E (Gi.) 52 B4
Flamengos P (Aç.) 109 A3
Flariz E (Our.) 35 C5
Flecha de Torío, La E (Le.) 19 A4
Flecha, La E (Vall.) 60 A3
Flechas E (Zam.) 37 B5
Flix E (Ta.) 68 C5
Flor da Rosa P (Co.) 94 A3
Flor da Rosa P (Por.) 113 B4
Flor del Camp E (Ta.) 89 B1
Florderrei E (Our.) 36 A5
Florejacs E (Ll.) 69 C1
Flores E (Zam.) 57 D2
Flores de Ávila E (Áv.) 79 C3
Flores del Sil E (Le.) 37 B1
Floresta, la E (Bar.) 71 A3
Floresta, la E (Bar.) 71 B3
Floresta, la E (Ll.) 69 A3
Florida de Liébana E (Sa.) 78 C2
Florida, La E (Bar.) 71 A3
Florida, La E (S. Cruz T.) 195 D3
Fogars de Montclús E (Bar.) 71 C1
Fogars de Tordera E (Bar.) 71 D1
Fogueteiro P (Set.) 126 D4
Foia, La E (Ali.) 156 D3
Foia, la → Foya, La E (Cas.) 107 B4
Foios E (Val.) 125 B3
Fóios P (Guar.) 96 C2
Foitos P (Lei.) 93 C4
Foixà E (Gi.) 52 B4
Fojedo E (Le.) 38 C1
Fojo Lobal P (V. C.) 54 A1
Foldada E (Pa.) 20 D4
Folgorosa P (Lis.) 110 D5
Folgosa E (Lu.) 16 A2
Folgosa P (Co.) 94 C3
Folgosa P (Vis.) 75 A4
Folgosa P (Vis.) 75 B1
Folgosa do Madalena P (Guar.) 95 B1
Folgosa do Salvador P (Guar.) 95 B1
Folgosinho P (Guar.) 75 C5
Folgoso E (Our.) 35 B2
Folgoso E (Our.) 35 C4
Folgoso E (Po.) 14 C5
Folgoso P (Ave.) 74 B1
Folgoso P (Vis.) 75 A2
Folgoso de la Carballeda E (Zam.) 37 C5
Folgoso de la Ribera E (Le.) 17 C5
Folgoso do Courel E (Lu.) 16 B5
Folgueiras E (Lu.) 16 C3
Folgueiro E (Lu.) 3 D1
Folgueras E (Ast.) 6 A3
Folgueroles E (Bar.) 51 B5
Folhada P (Port.) 54 D5
Folhadal P (Vis.) 75 A5
Folhadela P (V. R.) 55 B5
Folhadosa P (Guar.) 95 A1
Folharido P (Ave.) 74 B3
Folques P (Co.) 94 D2
Folladela E (A Co.) 15 A2
Folledo E (Le.) 18 C3
Follente E (Po.) 14 A5
Folloso E (Le.) 18 A4
Fombellida E (Vall.) 61 A2
Fombuena E (Zar.) 85 D1
Fompedraza E (Vall.) 61 A3
Foncastín E (Vall.) 59 C4
Foncea E (La R.) 42 D1
Foncebadón E (Le.) 37 C1
Fonciello E (Ast.) 6 C4
Foncuberta E (Our.) 35 C2
Fondarella E (Ll.) 69 A2
Fondeguilla → Alfondeguilla E (Cas.) 125 B1
Fondó E (Ali.) 156 B1
Fondo E (Ast.) 6 C3
Fondó de Les Neus, el → Hondón de las Nieves E (Ali.) 156 C2
Fondó dels Frares, el → Hondón de los Frailes E (Ali.) 156 B3
Fondón E (Alm.) 183 B2
Fondós E (Po.) 14 B5
Fonelas E (Gr.) 168 D4
Fonfría E (Lu.) 16 C1
Fonfría E (Te.) 85 D2
Fonfría E (Zam.) 57 D2
Fonoll, el E (Ta.) 69 C3
Fonollosa E (Bar.) 70 B1
Fonsagrada, A E (Lu.) 16 C1
Font Calent E (Ali.) 156 D2
Font de la Figuera, la E (Val.) 140 B4
Font de Sa Cala E (Bal.) 92 D2
Font del Còdol, la E (Bar.) 70 C3
Font d'en Carròs, la E (Val.) 141 C3
Font d'en Segures, la → Fuente En-Segures E (Cas.) 107 C2
Font Granada, la E (Bar.) 71 A2
Font, Sa E (Bal.) 90 A4
Fontaciera E (Ast.) 6 D3
Fontainhas P (Br.) 53 D3
Fontainhas P (Lei.) 111 B3
Fontainhas P (San.) 111 C4
Fontainhas P (San.) 111 D1
Fontainhas P (San.) 112 A2
Fontainhas P (San.) 111 C1
Fontainhas P (Vis.) 75 B4
Fontán E (A Co.) 2 D4
Fontanales E (Las P.) 191 C2
Fontanar E (Gua.) 82 C5
Fontanar E (J.) 169 A2
Fontanar de Alarcón, El, lugar E (Alb.) 138 B4
Fontanar de las Viñas E (Alb.) 138 C5
Fontanar, El E (Cór.) 166 A3
Fontanarejo E (C. R.) 134 B1
Fontanars dels Alforins E (Val.) 140 C4
Fontaneira E (Lu.) 16 B2
Fontanelas P (Lis.) 126 B2
Fontanil de los Oteros E (Le.) 39 A2
Fontanilla E (Huel.) 161 C4
Fontanillas de Castro E (Zam.) 58 C2
Fontanilles E (Gi.) 52 C4
Fontanosas E (C. R.) 134 B4
Fontañera, La E (Các.) 113 D4
Fontão P (Guar.) 95 B2
Fontão P (V. C.) 53 D1
Fontclara E (Gi.) 52 C4
Fontcoberta E (Gi.) 52 A3
Fonte Arcada P (Guar.) 75 D5
Fonte Arcada P (Port.) 54 B5
Fonte Arcada P (Vis.) 75 C2
Fonte Barreira P (Set.) 127 C4
Fonte Boa P (Br.) 53 D3
Fonte Boa dos Nabos P (Lis.) 126 B1
Fonte Coberta P (Br.) 54 A3
Fonte da Matosa P (Fa.) 173 D2
Fonte da Pedra P (San.) 111 C4
Fonte da Telha P (Set.) 126 C4
Fonte de Aldeia P (Bra.) 57 C4
Fonte de Don João P (San.) 112 A2
Fonte do Corcho P (Fa.) 160 D4
Fonte Fria P (Guar.) 75 C4
Fonte Grada P (Lis.) 110 C5
Fonte Longa P (Bra.) 56 A5
Fonte Longa P (C. B.) 113 B1
Fonte Longa P (Guar.) 76 A2
Fonte Longa P (San.) 111 B3
Fonte Mercê P (V. R.) 56 A3
Fonte Santa P (Lei.) 111 A2
Fonte Santa P (San.) 112 A3
Fonte Soeiro P (Év.) 129 C4
Fonte Zambujo P (Fa.) 161 B3
Fontearcada E (Our.) 35 B4
Fontecada E (A Co.) 13 D2
Fontecha E (Le.) 38 C2
Fontecha E (Pa.) 20 B4
Fontefría E (Our.) 35 A1
Fonteira P (V. R.) 55 C5
Fonteita E (Lu.) 16 A2
Fontelas P (V. R.) 75 A1
Fontelo P (Vis.) 75 B1
Fontellas E (Na.) 45 A5
Fontemanha P (Ave.) 74 B5
Fontenla E (Po.) 34 B3
Fontenla e Cachadas E (Po.) 14 A5
Fonteo E (Lu.) 16 B2
Fonterma P (Co.) 93 C2
Fontes P (Fa.) 173 D2
Fontes P (Lei.) 111 C1
Fontes P (V. R.) 55 B5
Fontes Barrosas P (Bra.) 56 D1
Fonteta E (Gi.) 52 B4
Fontetxa E (Ál.) 22 D5
Fontihoyuelo E (Vall.) 39 C4
Fontilles E (Ali.) 141 D4
Fontinha P (Ave.) 74 A4
Fontinha P (Co.) 93 D1
Fontinha P (Lei.) 93 D5
Fontioso E (Bur.) 41 D5
Fontiveros E (Áv.) 79 D3
Fontoria E (Le.) 17 A4
Fontoria de Cepeda E (Le.) 38 A1
Fontpineda E (Bar.) 70 D4
Fonts, les → Fuentes, Las E (Cas.) 108 B3
Fontscaldes E (Ta.) 69 C4
Fonz E (Hues.) 48 A5
Fonzaleche E (La R.) 42 D1
Foradada E (Ll.) 69 B1
Foradada del Toscar E (Hues.) 48 A2
Forca P (Vis.) 75 C3
Forcada P (Ave.) 74 A5
Forcadela E (Po.) 33 D4
Forcalhos P (Guar.) 96 D2
Forcall E (Cas.) 87 B5
Forcarei E (Po.) 14 C5
Forcas E (Our.) 35 D2
Forcat E (Hues.) 48 C1
Forès E (Ta.) 69 C3
Forfoleda E (Sa.) 78 C2
Forjães P (Br.) 53 D2
Forles P (Vis.) 75 B3
Formão P (Lei.) 94 B4
Formariz E (Zam.) 57 C5
Formariz P (V. C.) 34 A5
Formentera del Segura E (Ali.) 156 C4
Formiche Alto E (Te.) 106 B2
Formiche Bajo E (Te.) 106 B3
Formigais P (San.) 112 A1
Formigal E (Hues.) 27 A4
Formigal P (Co.) 93 C3
Formigal P (Lei.) 110 D3
Formigal P (San.) 111 C1
Formigales E (Hues.) 48 A2
Formil P (Bra.) 56 D1
Formilo P (Vis.) 75 B1
Forna E (Le.) 37 A3
Fornalha P (Be.) 160 C3
Fornalha P (Fa.) 174 D3
Fornalha P (Fa.) 159 D4
Fornalhas Velhas P (Be.) 143 D5
Fornalutx E (Bal.) 91 D2
Fornea P (Co.) 95 A3
Fornea, A E (Lu.) 4 B3
Fornelo P (Port.) 53 D4
Fornelo P (Vis.) 74 C3
Fornelo do Monte P (Vis.) 74 C4
Fornelos E (A Co.) 1 C5
Fornelos E (Po.) 34 B3
Fornelos E (Po.) 33 C4
Fornelos P (Br.) 53 D3
Fornelos P (Br.) 54 C3
Fornelos P (V. C.) 54 A1
Fornelos P (V. R.) 55 B5
Fornelos P (Vis.) 74 C1
Fornelos de Montes E (Po.) 34 B2
Fornells E (Bal.) 90 C1
Fornells E (Gi.) 52 C4
Fornells de la Selva E (Gi.) 52 A5
Fornes E (Gr.) 181 C2
Fornillos E (Hues.) 47 D5
Fornillos de Aliste E (Zam.) 57 D2
Fornillos de Apiés E (Hues.) 47 A3
Fornillos de Fermoselle E (Zam.) 57 C4
Forninhos P (Guar.) 75 C4
Forno Telheiro P (Guar.) 75 D4
Fórnoles E (Te.) 87 C3
Fornos P (Ave.) 74 A2
Fornos P (Ave.) 74 C1
Fornos P (Bra.) 76 D1
Fornos de Algodres P (Guar.) 75 C5
Fornos de Ledra P (Bra.) 56 B2
Fornos do Pinhal P (V. R.) 56 A2
Fornos Maceira Dão P (Vis.) 75 A5
Foro E (A Co.) 15 A1
Foro de Albergaria P (Set.) 143 C2
Foronda E (Ál.) 23 B3
Foros da Adúa P (Év.) 128 B4
Foros da Amora P (Set.) 126 D4
Foros da Biscaia P (San.) 127 D1
Foros da Boa Vista P (Set.) 127 C3
Foros da Caiada P (Be.) 143 C5
Foros da Fonte Seca P (Év.) 129 B4
Foros da Palhota P (Év.) 127 D3
Foros de Amendonça P (Set.) 128 A5
Foros de Mora P (Év.) 128 B2
Foros de Salvaterra P (San.) 127 B1
Foros do Almada P (San.) 127 C2
Foros do Arrão P (Por.) 112 B5
Foros do Biscainho P (San.) 127 C2
Foros do Domingão P (Por.) 112 C5
Foros do Mocho P (Por.) 128 B1
Foros do Queimado P (Év.) 129 A4
Foros do Rebocho P (San.) 127 D2
Forques, les E (Gi.) 52 B2
Fortaleny E (Val.) 141 B1
Fortaleza E (Gr.) 167 B5

Fustiñana

Fortanete E (Te.) 106 D 1
Fortes P (Fa.) 161 B 4
Fortià E (Gi.) 52 B 2
Fortios P (Por.) 113 C 4
Fortuna E (Mad.) 101 C 2
Fortuna E (Mu.) 156 A 3
Fortunho P (V. R.) 55 B 4
Forxa, A E (Our.) 35 B 4
Forxán E (Lu.) 4 B 2
Forzáns E (Po.) 34 B 1
Fosca, La E (Gi.) 52 C 5
Fotea E (Huel.) 175 C 2
Fountura P (V. C.) 34 A 4
Foxado E (A Co.) 15 A 1
Foxáns E (A Co.) 14 C 3
Foxo E (A Co.) 2 B 4
Foya, La/Foia, la E (Cas.) 107 B 4
Foz E (Lu.) 4 B 2
Foz P (San.) 112 B 4
Foz da Moura P (Co.) 95 A 2
Foz de Alge P (Lei.) 94 B 5
Foz de Arouce P (Co.) 94 B 3
Foz de Odeleite P (Fa.) 161 C 4
Foz do Arelho P (Lei.) 110 D 3
Foz do Cobrão P (C. B.) 113 A 1
Foz do Sousa P (Port.) 74 A 1
Foz Giraldo P (C. B.) 95 B 4
Fozana E (Ast.) 6 C 4
Fozara E (Po.) 34 B 2
Foz-Calanda E (Te.) 87 B 3
Frade de Baixo P (San.) 111 D 5
Frade de Cima P (San.) 111 D 5
Fradelos P (Ave.) 74 A 3
Fradelos P (Br.) 54 A 4
Fradellos E (Zam.) 57 D 2
Frades E (A Co.) 14 D 1
Frades E (Po.) 34 B 2
Frades P (Br.) 54 C 2
Frades P (Bra.) 56 B 1
Frades de la Sierra E (Sa.) 78 B 5
Frades Nuevo, lugar E (Sa.) 78 A 2
Fradizela P (Bra.) 56 B 2
Fraella E (Hues.) 47 A 5
Fraga E (Hues.) 68 B 3
Fraga E (Our.) 34 D 4
Fragas E (Po.) 14 B 5
Frage, El E (Gr.) 168 A 4
Fragén E (Hues.) 27 B 5
Frago, El E (Zar.) 46 A 3
Fragosa E (Các.) 97 C 2
Fragosela P (Vis.) 75 A 4
Fragoselo E (Po.) 33 D 3
Fragoso P (Br.) 53 D 2
Frágual P (Ave.) 74 B 4
Fráguas P (San.) 111 B 3
Fráguas P (Vis.) 75 B 3
Fráguas P (Vis.) 74 D 5
Fraguas, Las E (So.) 63 B 2
Frãiao P (Br.) 54 B 3
Fraide P (Bra.) 56 D 2
Frailes E (J.) 167 C 3
Frailes-Frontones-Higueras, Los E (Mál.) 179 B 4
Frain E (Na.) 24 D 1
Fraja, lugar E (Cád.) 186 C 1
Frama E (Can.) 20 B 2
França P (Bra.) 37 A 5
Franca, La E (Ast.) 8 C 4
France P (V. C.) 33 D 5
France P (V. R.) 55 D 2
Francelos E (A Co.) 14 A 3
Francelos E (Our.) 34 D 2
Francelos P (Port.) 73 D 1
Francelos P (V. R.) 55 C 4
Francés, El E (Gr.) 169 C 4
Franceses E (S. Cruz T.) 193 B 2
Franciac E (Gi.) 52 A 5
Franco P (Bra.) 56 A 4
Franco, El E (Ast.) 5 A 3
Franco, El E (Ast.) 4 D 3
Francos E (Seg.) 62 B 5
Francos Viejo E (Sa.) 78 D 3
Frandinha P (Év.) 129 B 3
Frandovinez E (Bur.) 41 C 3
Franqueira, A E (Po.) 34 C 3
Franqueses del Vallès, les E (Bar.) 71 B 2
Franza E (A Co.) 2 D 3
Franzilhal P (V. R.) 55 D 5
Frasno, El E (Zar.) 65 B 4
Fratel P (C. B.) 113 A 2
Frax de Abajo E (Alm.) 170 B 4
Frazão P (Port.) 54 B 5
Frazão P (San.) 127 D 1
Frazoeira P (San.) 112 B 1
Frazões P (Lei.) 111 A 3
Freamunde P (Port.) 54 B 4
Freande E (Our.) 35 D 4
Freás E (Our.) 35 A 1
Freás E (Our.) 35 A 2
Freaza E (Po.) 34 B 2
Frechão P (Guar.) 75 D 4
Frechas P (Bra.) 56 B 4
Freches P (Guar.) 75 D 4
Frechilla E (Pa.) 40 A 4
Frechilla de Almazán E (So.) 63 C 4
Fregenal de la Sierra E (Bad.) 146 D 3
Fregeneda, La E (Sa.) 76 C 2
Fregenite, lugar E (Gr.) 182 B 3
Fregim P (Port.) 54 D 5
Freginals E (Ta.) 88 C 5
Frei João P (San.) 112 D 2
Freigil P (Vis.) 74 D 1
Freila E (Gr.) 169 A 3
Freimoninho P (Vis.) 74 B 5
Freineda P (Guar.) 76 C 5
Freires P (Lei.) 111 A 3
Freiria P (Lis.) 126 D 1
Freiria P (Lis.) 126 C 1
Freiria P (San.) 111 D 1
Freiriz P (Br.) 54 A 2
Freitas P (Br.) 54 C 3
Freixeda P (Bra.) 56 B 4
Freixeda P (V. R.) 55 C 2
Freixeda do Torrão P (Guar.) 76 B 3
Freixedas P (Guar.) 76 A 4
Freixedelo P (Bra.) 57 A 2
Freixeiro E (A Co.) 14 A 2
Freixeiro E (Po.) 14 D 5
Freixial P (C. B.) 95 C 3
Freixial P (Lis.) 126 D 2
Freixial de Cima P (Lis.) 110 D 5
Freixial do Campo P (C. B.) 95 C 5
Freixianda P (Lei.) 112 A 1
Freixido E (Our.) 36 B 2
Freixiel P (Bra.) 56 A 5
Freixinho P (Vis.) 75 C 2
Freixiosa P (Bra.) 57 C 4
Freixiosa P (Vis.) 75 B 5
Freixo E (A Co.) 3 C 3
Freixo E (Lu.) 16 A 4
Freixo E (Lu.) 16 C 2
Freixo E (Our.) 35 C 4
Freixo E (Po.) 34 D 3
Freixo E (Po.) 33 D 3
Freixo P (Év.) 129 A 4
Freixo P (Guar.) 76 B 5
Freixo P (Port.) 54 C 5
Freixo P (V. C.) 54 A 2
Freixo P (Vis.) 94 C 1
Freixo da Serra P (Guar.) 75 C 5
Freixo de Baixo P (Port.) 54 D 4
Freixo de Cima P (Port.) 54 D 4
Freixo de Espada à Cinta P (Bra.) 76 D 1
Freixo de Numão P (Guar.) 76 A 1
Freixo Seco de Cima P (Fa.) 160 C 4
Freixoeirinho P (San.) 112 D 2
Freixoeiro P (San.) 112 D 2
Freixofeira P (Lis.) 126 C 1
Frende P (Port.) 75 A 1
Fréscano E (Zar.) 65 B 1
Fresnadillo E (Zam.) 58 A 4
Fresneda de Altarejos E (Cu.) 104 A 5
Fresneda de Cuéllar E (Seg.) 60 C 5
Fresneda de la Sierra E (Cu.) 104 B 2
Fresneda de la Sierra Tirón E (Bur.) 42 C 3
Fresneda, La E (Ast.) 6 C 4
Fresneda, La E (Te.) 87 D 3
Fresneda, La E (To.) 117 D 2
Fresnedelo E (Le.) 17 B 4
Fresnedilla E (Áv.) 100 B 3
Fresnedillas de la Oliva E (Mad.) 101 A 1
Fresnedo E (Ast.) 7 A 4
Fresnedo E (Bur.) 22 A 3
Fresnedo E (Le.) 17 B 5
Fresnedo de Valdellorma E (Le.) 19 B 4
Fresnedoso E (Sa.) 98 C 1
Fresnedoso de Ibor E (Các.) 116 D 2
Fresnellino E (Le.) 38 D 2
Fresneña E (Bur.) 42 C 2
Fresnillo de las Dueñas E (Bur.) 61 D 3
Fresno E (Ast.) 6 C 3
Fresno Alhándiga E (Sa.) 78 C 4
Fresno de Cantespino E (Seg.) 62 A 5
Fresno de Caracena E (So.) 62 D 4
Fresno de la Carballeda E (Zam.) 37 C 5
Fresno de la Fuente E (Seg.) 61 D 5
Fresno de la Polvorosa E (Zam.) 38 C 4
Fresno de la Ribera E (Zam.) 58 D 3
Fresno de la Valduerna E (Le.) 38 A 2
Fresno de la Vega E (Le.) 38 D 2
Fresno de Río Tirón E (Bur.) 42 C 2
Fresno de Rodilla E (Bur.) 42 A 2
Fresno de Sayago E (Zam.) 58 A 5
Fresno de Torote E (Mad.) 102 B 1
Fresno del Camino E (Le.) 38 D 1
Fresno del Río E (Can.) 21 A 3
Fresno del Río E (Pa.) 20 A 5
Fresno el Viejo E (Vall.) 79 C 1
Fresno, El E (Ast.) 6 A 4
Fresno, El E (Áv.) 80 A 5
Fresno, El, lugar E (Gua.) 82 C 4
Fresnos, Los E (Bad.) 130 B 5
Fresulfe P (Bra.) 36 C 5
Friande P (Br.) 54 C 2
Frías E (Bur.) 22 B 4
Frias P (Ave.) 74 A 4
Frías de Albarracín E (Te.) 105 A 2
Friastelas P (V. C.) 54 A 1
Frielas P (Lis.) 126 D 2
Friera E (Le.) 36 D 1
Friera de Valverde E (Zam.) 38 B 5
Frieres E (Ast.) 6 C 5
Friestas P (V. C.) 34 A 4
Frigiliana E (Mál.) 181 C 4
Friões P (V. R.) 55 D 2
Friol E (Lu.) 15 C 2
Friolfe E (Lu.) 15 D 3
Friumes P (Co.) 94 C 2
Frixe E (A Co.) 13 B 1
Froián E (Lu.) 16 A 4
Frómista E (Pa.) 40 C 3
Fronteira P (Por.) 129 B 1
Frontera E (S. Cruz T.) 194 C 4
Frontera, La E (Cu.) 104 A 2
Frontil, El E (Gr.) 181 A 1
Frontón, El E (S. Cruz T.) 195 D 4
Frontones, Los E (S. Cruz T.) 196 A 2
Frossos P (Ave.) 74 A 4
Froufe E (Our.) 35 C 3
Fruíme E (A Co.) 13 D 4
Frula E (Hues.) 66 D 1
Frumales E (Seg.) 61 A 5
Frúniz E (Viz.) 11 B 5
Fuejo E (Ast.) 6 B 4
Fuembellida E (Gua.) 84 C 4
Fuen del Cepo E (Te.) 106 C 4
Fuencalderas E (Zar.) 46 A 2
Fuencalenteja → Fuencaliente de Puerta E (Bur.) 21 B 5
Fuencaliente E (C. R.) 135 A 1
Fuencaliente E (C. R.) 150 D 2
Fuencaliente de la Palma E (S. Cruz T.) 193 B 4
Fuencaliente de Lucio E (Bur.) 21 A 5
Fuencaliente de Medinaceli E (So.) 83 D 1
Fuencaliente de Puerta o Fuencalenteja E (Bur.) 21 B 5
Fuencaliente del Burgo E (So.) 62 C 2
Fuencaliente y Calera E (Alm.) 169 D 4
Fuencemillán E (Gua.) 82 D 3
Fuencubierta, La E (Cór.) 165 C 2
Fuendejalón E (Zar.) 65 B 2
Fuendetodos E (Zar.) 66 A 5
Fuenferrada E (Te.) 86 A 3
Fuengirola E (Mál.) 188 B 1
Fuenlabrada E (Alb.) 138 B 5
Fuenlabrada E (Mad.) 101 C 3
Fuenlabrada de los Montes E (Bad.) 133 D 1
Fuenllana E (C. R.) 136 D 4
Fuenmayor E (La R.) 43 C 2
Fuensaldaña E (Vall.) 60 A 2
Fuensalida E (To.) 100 D 4
Fuensanta E (Alb.) 122 B 5
Fuensanta E (Cád.) 178 C 4
Fuensanta E (Gr.) 181 C 1
Fuensanta de Martos E (J.) 167 C 2
Fuensanta, La E (Alb.) 138 C 4
Fuensanta, La E (Alm.) 170 D 3
Fuensanta, La E (Mál.) 180 B 5
Fuensanta, La E (Mu.) 170 D 2
Fuensanta, La E (Mu.) 154 B 3
Fuensaúco E (So.) 63 D 2
Fuensaviñán, La E (Gua.) 83 C 3
Fuente Abad, La E (Alm.) 170 D 5
Fuente Álamo E (J.) 167 B 4
Fuente Álamo de Murcia E (Mu.) 172 A 2
Fuente Amarga E (Mu.) 172 B 2
Fuente Blanca E (Mu.) 155 D 3
Fuente Caldera, lugar E (Gr.) 168 C 3
Fuente Camacho E (Gr.) 180 D 1
Fuente Dé E (Can.) 20 A 1
Fuente de Cantos E (Bad.) 147 B 2
Fuente de la Corcha E (Huel.) 162 C 3
Fuente de la Higuera, La E (Alm.) 184 B 1
Fuente de Pedro Naharro E (Cu.) 102 D 5
Fuente de Piedra E (Mál.) 180 A 1
Fuente de San Esteban, La E (Sa.) 77 C 4
Fuente de Santa Cruz E (Seg.) 80 B 1
Fuente del Arco E (Bad.) 148 A 3
Fuente del Conde E (Cór.) 180 D 1
Fuente del Fresno E (Mad.) 81 D 5
Fuente del Maestre E (Bad.) 131 A 5
Fuente del Negro, La E (Alm.) 170 A 3
Fuente del Pino E (Mu.) 155 D 1
Fuente del Rey E (Cád.) 186 A 1
Fuente del Rey E (Sev.) 164 A 4
Fuente del Taif E (Alb.) 154 B 1
Fuente del Tío Molina, La E (Alm.) 170 B 5
Fuente el Carnero E (Zam.) 58 C 5
Fuente el Fresno E (C. R.) 135 C 1
Fuente el Olmo de Fuentidueña E (Seg.) 61 B 5
Fuente el Olmo de Íscar E (Seg.) 60 C 5
Fuente el Sauz E (Áv.) 79 D 3
Fuente el Saz de Jarama E (Mad.) 82 A 5
Fuente el Sol E (Vall.) 79 D 1
Fuente Encalada E (Zam.) 38 A 4
Fuente En-Segures/Font d'en Segures, la E (Cas.) 107 C 2
Fuente Grande E (Gr.) 168 A 5
Fuente Grande, La E (Cór.) 167 A 4
Fuente Grande, lugar E (Gr.) 167 C 5
Fuente la Lancha E (Cór.) 149 C 1
Fuente la Reina E (Cas.) 106 D 4
Fuente la Vega E (S. Cruz T.) 195 C 3
Fuente Librilla E (Mu.) 155 C 5
Fuente Mendoza, La, lugar E (Alm.) 183 B 1
Fuente Nueva E (Gr.) 170 A 2
Fuente Obejuna E (Cór.) 148 D 3
Fuente Palmera E (Cór.) 165 C 2
Fuente Roldán, lugar E (Sa.) 78 A 5
Fuente Santa E (Alm.) 183 D 2
Fuente Segura E (J.) 153 B 4
Fuente Tovar E (So.) 63 B 4
Fuente Vaqueros E (Gr.) 167 C 5
Fuente Vera E (Gr.) 169 B 2
Fuente Victoria E (Alm.) 183 B 2
Fuente, La E (Alm.) 171 A 4
Fuente-Álamo E (Alb.) 139 C 4
Fuentealbilla E (Alb.) 123 B 5
Fuentearmegil E (So.) 62 C 2
Fuentebuena E (Sa.) 98 B 2
Fuentebureba E (Bur.) 22 C 5
Fuentecambrón E (So.) 62 B 4
Fuentecantales E (So.) 62 D 2
Fuentecantos E (So.) 63 D 1
Fuente-Carrasca E (Alb.) 154 A 1
Fuentecén E (Bur.) 61 C 3
Fuentegelmes E (So.) 63 B 5
Fuenteguinaldo E (Sa.) 96 D 1
Fuenteheridos E (Huel.) 146 D 5
Fuente-Higuera E (Alb.) 154 A 1
Fuentelahiguera de Albatages E (Gua.) 82 B 4
Fuentelaldea E (So.) 63 B 3
Fuentelapeña E (Zam.) 59 A 5
Fuentelárbol E (So.) 63 B 3
Fuentelcarro E (So.) 63 C 4
Fuentelcésped E (Bur.) 61 D 3
Fuentelencina E (Gua.) 103 A 1
Fuentelespino de Haro E (Cu.) 121 B 2
Fuentelespino de Moya E (Cu.) 105 B 5
Fuentelfresno E (So.) 63 D 1
Fuenteliante E (Sa.) 77 A 3
Fuentelisendo E (Bur.) 61 C 3
Fuentelmonge E (So.) 64 A 4
Fuentelsaz E (Gua.) 84 D 2
Fuentelsaz de Soria E (So.) 63 D 1
Fuentelviejo E (Gua.) 102 D 1
Fuentemilanos E (Seg.) 80 D 3
Fuentemizarra E (Seg.) 62 A 4
Fuentemolinos E (Bur.) 61 C 3
Fuentenebro E (Bur.) 61 C 4
Fuentenovilla E (Gua.) 102 D 2
Fuente-Olmedo E (Vall.) 80 B 1
Fuentepelayo E (Seg.) 81 A 1
Fuentepinilla E (So.) 63 B 3
Fuentepiñel E (Seg.) 61 B 5
Fuenterrabía E (Cád.) 177 B 5
Fuenterrabía → Hondarribia E (Gui.) 12 D 4
Fuenterrabiosa, lugar E (Bur.) 21 D 2
Fuenterrebollo E (Seg.) 61 B 5
Fuenterroble de Salvatierra E (Sa.) 78 C 5
Fuenterrobles E (Val.) 123 C 3
Fuentes E (Alb.) 153 D 2
Fuentes E (Ast.) 5 B 4
Fuentes E (Cu.) 104 C 5
Fuentes E (To.) 117 C 2
Fuentes Calientes E (Te.) 86 A 5
Fuentes Claras E (Te.) 85 C 3
Fuentes de Ágreda E (So.) 64 C 2
Fuentes de Andalucía E (Sev.) 165 A 3
Fuentes de Año E (Áv.) 79 D 2
Fuentes de Ayódar E (Cas.) 107 A 5
Fuentes de Béjar E (Sa.) 98 C 1
Fuentes de Carbajal E (Le.) 39 A 4
Fuentes de Cesna E (Gr.) 166 D 5
Fuentes de Cuéllar E (Seg.) 60 D 4
Fuentes de Ebro E (Zar.) 66 C 4
Fuentes de Jiloca E (Zar.) 85 B 1
Fuentes de la Alcarria E (Gua.) 83 A 4
Fuentes de León E (Bad.) 147 A 4
Fuentes de los Oteros E (Le.) 39 A 2
Fuentes de Magaña E (So.) 64 A 1
Fuentes de Masueco E (Sa.) 77 B 1
Fuentes de Nava E (Pa.) 40 A 4
Fuentes de Oñoro E (Sa.) 76 D 5
Fuentes de Ropel E (Zam.) 38 D 5
Fuentes de Rubielos E (Te.) 106 D 3
Fuentes de Valdepero E (Pa.) 40 C 4
Fuentes Nuevas E (Le.) 17 A 5
Fuentes, Las E (J.) 153 B 2
Fuentes, Las, lugar E (Alb.) 139 D 2
Fuentes, Las/Fonts, les E (Cas.) 108 B 3
Fuentesaúco E (Zam.) 78 D 1
Fuentesaúco de Fuentidueña E (Seg.) 61 A 4
Fuentesbuenas E (Cu.) 103 D 3
Fuentesclaras del Chillarón E (Cu.) 104 A 4
Fuentesecas E (Zam.) 59 A 3
Fuentesoto E (Seg.) 61 B 4
Fuentespalda E (Te.) 87 D 4
Fuentespina E (Bur.) 61 D 3
Fuentespreadas E (Zam.) 58 C 5
Fuentestrún E (So.) 64 B 1
Fuentetecha E (So.) 64 A 2
Fuentetoba E (So.) 63 C 2
Fuente-Tójar E (Cór.) 167 A 3
Fuente-Urbel E (Bur.) 21 C 5
Fuentezuelas, lugar E (Gr.) 182 C 2
Fuentidueña E (Cór.) 166 D 2
Fuentidueña E (Seg.) 61 B 4
Fuentidueña de Tajo E (Mad.) 102 C 4
Fuerte del Rey E (J.) 167 C 1
Fuertescusa E (Cu.) 104 B 1
Fuinhas P (Guar.) 75 D 4
Fujaco P (Vis.) 74 D 3
Fujacos P (Ave.) 74 A 5
Fuliola, la E (Ll.) 69 B 2
Fulleda E (Ll.) 69 B 4
Fumaces E (Our.) 36 A 5
Função P (Ave.) 74 B 3
Funchal P (Ma.) 110 B 2
Funcheira P (Be.) 160 A 1
Fundada P (C. B.) 112 C 1
Fundão P (C. B.) 94 D 5
Fundão P (C. B.) 95 C 3
Fundoais P (Vis.) 74 D 1
Fundões P (Vis.) 75 B 5
Funes E (Na.) 44 D 3
Furacasas P (Port.) 55 A 5
Furadouro P (Ave.) 73 D 2
Furadouro P (Co.) 94 A 3
Furís E (Lu.) 16 B 2
Furnas P (Aç.) 109 C 4
Furnazinhas P (Fa.) 161 B 4
Furtado P (Por.) 112 D 2
Fuseta P (Fa.) 175 A 3
Fustás E (Our.) 34 D 3
Fuste P (Ave.) 74 B 3
Fustiñana E (Na.) 45 B 5

Gabaldón

G

Gabaldón	E	(Cu.)	122	C 3
Gabarderal	E	(Na.)	45	C 1
Gabasa	E	(Hues.)	48	B 5
Gabia Chica	E	(Gr.)	181	D 1
Gabia Grande	E	(Gr.)	181	D 1
Gabiria	E	(Gui.)	24	A 2
Gabrieis	P	(San.)	111	D 2
Gacia	E	(Alm.)	171	A 4
Gádor	E	(Alm.)	183	D 2
Gaeiras	P	(Lei.)	110	D 3
Gaena-Casas Gallegas	E	(Cór.)	166	C 4
Gafanha da Boa Hora	P	(Ave.)	73	C 5
Gafanha da Encarnação	P	(Ave.)	73	C 4
Gafanha da Nazaré	P	(Ave.)	73	D 4
Gafanha d'Aquém	P	(Ave.)	73	C 4
Gafanha do Areão	P	(Ave.)	73	C 5
Gafanha do Carmo	P	(Ave.)	73	C 4
Gafanhão	P	(Vis.)	74	D 2
Gafanhoeira (São Pedro)	P	(Év.)	128	C 3
Gafanhoeiras	P	(Év.)	145	B 1
Gafarillos	E	(Alm.)	184	C 2
Gáfete	P	(Por.)	113	B 4
Gafoi	E	(A Co.)	14	D 2
Gagos	P	(Br.)	54	D 3
Gagos	P	(Guar.)	76	B 5
Gaià	E	(Bar.)	50	C 5
Gaià	E	(Gi.)	52	B 5
Gaia	P	(Port.)	74	D 1
Gaianes	E	(Ali.)	141	A 3
Gaiate	P	(Co.)	94	B 3
Gaibiel	E	(Cas.)	107	A 5
Gaibor	E	(Lu.)	3	C 5
Gaidovar	E	(Cád.)	179	A 4
Gaifar	P	(V. C.)	54	A 2
Gaindola	E	(Na.)	25	C 2
Gaintza	E	(Na.)	24	B 3
Gaintza → Gainza	E	(Gui.)	24	B 2
Gainza/Gaintza	E	(Gui.)	24	B 2
Gaio	P	(Lei.)	111	A 2
Gaio	P	(Set.)	127	A 4
Gaiolo	P	(San.)	111	D 2
Gaioso	E	(Lu.)	15	C 1
Gajanejos	E	(Gua.)	83	A 4
Gajates	E	(Sa.)	79	A 4
Galafura	P	(V. R.)	55	B 5
Galamares	P	(Lis.)	126	B 2
Galapagar	E	(J.)	167	D 1
Galapagar	E	(Mad.)	101	B 1
Galapagares	E	(So.)	62	D 4
Galápagos	E	(Gua.)	82	B 5
Galar	E	(Na.)	25	A 4
Galarde	E	(Bur.)	42	B 3
Galaroza	E	(Huel.)	146	C 5
Galartza	E	(Viz.)	23	C 1
Galatzo	E	(Bal.)	91	B 3
Galbarra	E	(Na.)	24	A 5
Galbarros	E	(Bur.)	42	B 1
Galbárruli	E	(La R.)	22	D 5
Galdakao	E	(Viz.)	23	A 1
Galdames	E	(Viz.)	22	D 1
Galdames Goitia	E	(Viz.)	10	C 5
Gáldar	E	(Las P.)	191	B 1
Galega	P	(San.)	112	D 2
Galegos	E	(A Co.)	14	C 1
Galegos	E	(Lu.)	4	B 5
Galegos	P	(Br.)	54	C 2
Galegos	P	(Por.)	113	D 4
Galegos	P	(Port.)	54	B 5
Galegos (Santa Maria)	P	(Br.)	54	A 2
Galende	E	(Zam.)	37	A 4
Galera	E	(Gr.)	169	D 2
Galera y los Jopos, La	E	(Mu.)	171	A 3
Galera, la	E	(Ta.)	88	C 4
Gález	E	(Our.)	34	D 5
Galga, La	E	(S.Cruz T.)	193	C 2
Galguera, La	E	(Ast.)	8	A 4
Galhardo	P	(Vis.)	94	B 1
Galifa	E	(Mu.)	172	B 2
Galilea	E	(Bal.)	91	B 3
Galilea	E	(La R.)	44	A 2
Galíndez	E	(Seg.)	81	C 2
Galindo Béjar	E	(Sa.)	78	D 4
Galindo y Perahúy	E	(Sa.)	78	B 3
Galinduste	E	(Sa.)	78	D 5
Galisancho	E	(Sa.)	78	D 4
Galisteo	E	(Các.)	97	C 5
Galisteu	P	(Guar.)	75	D 5
Galisteu Cimeiro	P	(C. B.)	112	D 1
Galisteu Fundeiro	P	(C. B.)	112	D 1
Galiza	P	(Lis.)	126	B 3
Galizano	E	(Can.)	9	D 4
Galizes	P	(Co.)	95	A 2
Galizuela	E	(Bad.)	133	A 2
Galoze → Gallués	E	(Na.)	25	D 4
Galpe	P	(Co.)	94	A 2
Galvã	P	(Vis.)	75	B 1
Galve	E	(Te.)	86	B 5
Galve de Sorbe	E	(Gua.)	82	C 1
Galvecito	E	(Cád.)	177	C 5
Galveias	P	(Por.)	112	C 5
Gálvez	E	(To.)	118	D 2
Gálvez, Los	E	(Gr.)	182	C 3
Gálvez, Los	E	(Gr.)	182	B 4
Gallardos, Los	E	(Alm.)	184	D 1
Gallardos, Los	E	(Gr.)	169	C 4
Gallecs	E	(Bar.)	71	A 2
Gallega, La	E	(Bur.)	62	C 1
Gallego	E	(Alb.)	154	C 2
Gallegos	E	(Ast.)	6	C 5
Gallegos	E	(Áv.)	79	D 5
Gallegos	E	(Seg.)	81	C 2
Gallegos de Argañán	E	(Sa.)	76	D 5
Gallegos de Curueño	E	(Le.)	19	A 4
Gallegos de Hornija	E	(Vall.)	59	C 3
Gallegos de Sobrinos	E	(Áv.)	79	C 4
Gallegos de Solmirón	E	(Sa.)	98	D 1
Gallegos del Campo	E	(Zam.)	57	C 1
Gallegos del Pan	E	(Zam.)	58	D 3
Gallegos del Río	E	(Zam.)	57	D 2
Galleguillos	E	(Sa.)	79	A 4
Galleguillos de Campos	E	(Le.)	39	C 3
Gallejones	E	(Bur.)	21	D 4
Galletas, Las	E	(S.Cruz T.)	195	D 5
Gallifa	E	(Bar.)	71	A 2
Gallinero	E	(So.)	43	D 5
Gallinero de Cameros	E	(La R.)	43	C 4
Galliners	E	(Gi.)	52	A 3
Gallipienzo	E	(Na.)	45	B 1
Gallocanta	E	(Zar.)	85	B 2
Gallués/Galoze	E	(Na.)	25	D 4
Gallur	E	(Zar.)	65	C 1
Gama	E	(Can.)	10	A 4
Gamarra Nagusia	E	(Ál.)	23	B 4
Gambelas	P	(Fa.)	174	C 3
Gambia	P	(Set.)	127	B 5
Gamelas	P	(Guar.)	76	B 4
Gamelas	P	(Lei.)	110	D 4
Gamitas, Las, lugar	E	(Bad.)	131	D 3
Gamiz-Fika	E	(Viz.)	11	A 5
Gamonal	E	(To.)	99	C 5
Gamonal de la Sierra	E	(Áv.)	79	C 5
Gamones	E	(Zam.)	57	D 4
Gamonoso	E	(C. R.)	117	D 4
Ganade	E	(Our.)	35	B 4
Gáname	E	(Zam.)	58	A 4
Gançaria	P	(San.)	111	B 3
Ganceiros	E	(Our.)	34	D 5
Ganchosa, La	E	(Sev.)	148	A 5
Gándara	E	(A Co.)	14	C 2
Gándara	E	(Po.)	34	A 3
Gándara	E	(Po.)	33	C 5
Gándara	E	(Po.)	33	D 2
Gândara	P	(Ave.)	74	B 4
Gândara	P	(Ave.)	93	D 1
Gándara (Boimorto)	E	(A Co.)	14	D 2
Gándara (Narón)	E	(A Co.)	2	D 3
Gandarela	P	(Br.)	54	B 4
Gandarela	P	(Br.)	54	D 3
Gandarilla	E	(Can.)	8	C 5
Gandesa	E	(Ta.)	88	B 2
Gandia	E	(Val.)	141	C 2
Gandra	P	(Br.)	53	D 3
Gandra	P	(Port.)	54	B 5
Gandra	P	(V. C.)	34	A 4
Gandra	P	(V. C.)	54	A 1
Gandra Chão	P	(V. C.)	34	A 4
Gandufe	P	(V. C.)	54	A 1
Gandufe	P	(Vis.)	75	A 5
Gandul-Marchenilla	E	(Sev.)	164	B 4
Ganfei	P	(V. C.)	34	A 4
Gangosa, La	E	(Alm.)	183	C 3
Ganzo	E	(Can.)	9	B 5
Gañinas de la Vega	E	(Pa.)	40	A 1
Garaballa	E	(Cu.)	123	C 1
Garabato, El	E	(Cór.)	165	C 2
Garachico	E	(S.Cruz T.)	193	C 2
Garachico	E	(S.Cruz T.)	195	C 2
Garafía	E	(S.Cruz T.)	193	B 2
Garagaltza	E	(Gui.)	23	D 2
Garagartza	E	(Gui.)	23	C 2
Garaioa	E	(Na.)	25	C 3
Garaioltza	E	(Viz.)	11	A 5
Garaño	E	(Le.)	18	C 4
Garapacha, La	E	(Mu.)	155	D 3
Garay	E	(Viz.)	23	C 1
Garbajosa	E	(Gua.)	83	D 2
Garbayuela	E	(Bad.)	133	C 2
Garbet	E	(Gi.)	52	C 1
Garcão	P	(V. C.)	34	B 5
Garcia	E	(Ta.)	88	D 1
Garcia	P	(Lei.)	93	B 5
Garcías, Los	E	(Mu.)	172	A 1
Garcías, Los, lugar	E	(Gr.)	182	B 4
Garciaz	E	(Các.)	116	C 4
Garcibuey	E	(Sa.)	98	A 1
Garcíez	E	(J.)	167	C 1
Garcíez	E	(J.)	168	B 1
Garcíez-Jimena	E	(J.)	152	A 5
Garcihernández	E	(Sa.)	79	A 3
Garcillán	E	(Seg.)	80	D 3
Garcinarro	E	(Cu.)	103	B 3
Garciotum	E	(To.)	100	B 4
Garcirrey	E	(Sa.)	77	D 3
Gardata-Artikas	E	(Viz.)	11	C 5
Garde	E	(Na.)	26	A 4
Gares → Puente la Reina	E	(Na.)	24	D 5
Garfe	P	(Br.)	54	C 3
Garfín	E	(Le.)	19	B 5
Gargáligas	E	(Bad.)	132	C 2
Gargallà	E	(Bar.)	50	B 5
Gargallo	E	(Te.)	86	D 4
Gargallóns	E	(Po.)	14	A 5
Garganchón	E	(Bur.)	42	C 3
Garganta	P	(V. R.)	55	C 5
Garganta de los Hornos	E	(Áv.)	99	B 1
Garganta de los Montes	E	(Mad.)	81	D 3
Garganta del Villar	E	(Áv.)	99	C 1
Garganta la Olla	E	(Các.)	98	B 4
Garganta, La	E	(C. R.)	150	C 1
Garganta, La	E	(Các.)	98	B 2
Garganta, La, lugar	E	(J.)	153	B 3
Gargantáns	E	(Po.)	14	A 5
Gargantiel	E	(C. R.)	134	A 4
Gargantilla	E	(Các.)	98	A 3
Gargantilla	E	(To.)	117	C 3
Gargantilla del Lozoya	E	(Mad.)	81	D 3
Gárgoles de Abajo	E	(Gua.)	83	C 4
Gárgoles de Arriba	E	(Gua.)	83	C 4
Gargüera	E	(Các.)	98	A 4
Garidells, els	E	(Ta.)	69	C 5
Garínoain	E	(Na.)	45	A 1
Garita, La	E	(Las P.)	191	D 2
Garlitos	E	(Bad.)	133	C 3
Garnatilla, La	E	(Gr.)	182	B 4
Garòs	E	(Ll.)	28	D 4
Garraf	E	(Bar.)	70	D 5
Garrafe de Torío	E	(Le.)	19	A 4
Garralda	E	(Na.)	25	C 3
Garrapata, La	E	(Cád.)	178	B 4
Garrapinillos	E	(Zar.)	66	A 2
Garray	E	(So.)	63	D 1
Garres, Los	E	(Mu.)	156	A 5
Garrida	E	(Po.)	33	D 3
Garriga, la	E	(Bar.)	71	B 2
Garrigàs	E	(Gi.)	52	B 3
Garrigoles	E	(Gi.)	52	B 3
Garriguella	E	(Gi.)	52	B 1
Garrobo	P	(Fa.)	175	A 2
Garrobo, El	E	(Sev.)	163	C 2
Garrovilla, La	E	(Bad.)	131	A 2
Garrovillas	E	(Các.)	115	A 2
Garrucha	E	(Alm.)	184	D 4
Garvão	P	(Be.)	160	A 1
Garvín	E	(Các.)	117	A 2
Gasco, El	E	(Các.)	97	C 2
Gascones	E	(Mad.)	81	D 2
Gascueña	E	(Cu.)	103	C 3
Gascueña de Bornova	E	(Gua.)	82	D 1
Gaserans	E	(Gi.)	71	D 1
Gaspalha	P	(C. B.)	94	D 4
Gaspara, La	E	(Mál.)	187	C 2
Gasparillo	E	(Alm.)	170	B 5
Gasparões	P	(Be.)	144	B 4
Gasteiz → Vitoria	E	(Ál.)	23	B 4
Gastor, El	E	(Cád.)	179	A 3
Gata	E	(Các.)	97	A 3
Gata	P	(Guar.)	76	A 5
Gata de Gorgos	E	(Ali.)	142	A 4
Gatão	P	(Port.)	54	D 4
Gataria	P	(Lis.)	126	D 1
Gateira	P	(Guar.)	76	A 3
Gateros	E	(Alm.)	170	C 3
Gatika	E	(Viz.)	11	A 5
Gatões	P	(Co.)	93	C 2
Gatón de Campos	E	(Vall.)	39	D 5
Gatos, Los	E	(Alm.)	170	C 2
Gátova	E	(Val.)	124	D 1
Gaucín	E	(Mál.)	187	B 1
Gaula	P	(Ma.)	110	C 2
Gausac	E	(Ll.)	28	D 4
Gavà	E	(Bar.)	70	D 4
Gavamar	E	(Bar.)	70	D 5
Gavarda	E	(Val.)	140	D 1
Gavàs	E	(Ll.)	29	B 5
Gave	P	(V. C.)	34	C 4
Gavea	P	(V. C.)	33	D 5
Gavet de la Conca	E	(Ll.)	49	A 4
Gavião	P	(C. B.)	113	B 2
Gavião	P	(Por.)	112	D 3
Gavião	P	(Por.)	128	B 1
Gavião	P	(San.)	112	A 4
Gaviãozinho	P	(San.)	112	A 4
Gavieira	P	(V. C.)	34	C 4
Gavilanes	E	(Áv.)	99	D 3
Gavilanes	E	(Le.)	38	B 1
Gavilanes, Los	E	(S.Cruz T.)	196	A 4
Gavín	E	(Hues.)	27	A 5
Gazeo	E	(Ál.)	23	D 4
Gázquez, Los	E	(Alm.)	170	B 3
Gázquez, Los	E	(Alm.)	170	D 3
Gaztelu	E	(Gui.)	24	B 2
Gazteluberri → Castillo-Nuevo	E	(Na.)	25	D 5
Gea de Albarracín	E	(Te.)	105	C 2
Gebelim	P	(Bra.)	56	C 4
Gedrez	E	(Ast.)	17	B 2
Gejo de Diego Gómez	E	(Sa.)	78	A 2
Gejo de los Reyes	E	(Sa.)	77	D 1
Gejuelo del Barro	E	(Sa.)	77	D 2
Geldo	E	(Cas.)	125	A 1
Gelibra, La, lugar	E	(Gr.)	181	D 4
Gelida	E	(Bar.)	70	C 3
Gelsa	E	(Zar.)	66	D 4
Gelves	E	(Sev.)	163	D 4
Gema	E	(Sa.)	77	B 2
Gema	E	(Zam.)	58	C 4
Geme	P	(Br.)	54	B 2
Gémeos	P	(Br.)	54	D 4
Gemeses	P	(Br.)	53	D 3
Gemunde	P	(Port.)	53	D 5
Gemuño	E	(Áv.)	80	A 5
Genalguacil	E	(Mál.)	187	B 1
Génave	E	(J.)	153	B 1
Genestacio de la Vega	E	(Le.)	38	B 3
Genestosa	E	(Le.)	18	B 2
Genestoso	E	(Ast.)	17	C 2
Geneto	E	(S.Cruz T.)	196	B 2
Genevilla/Uxanuri	E	(Na.)	23	D 5
Genicera	E	(Le.)	19	A 3
Genilla	E	(Cór.)	166	D 4
Genísio	P	(Bra.)	57	C 3
Génova	E	(Bal.)	91	C 4
Genovés	E	(Val.)	141	A 2
Ger	E	(Gi.)	50	C 1
Geraldes	P	(Lei.)	110	C 4
Geraldos	P	(Be.)	160	C 1
Geras	E	(Le.)	18	C 3
Geraz do Lima (Santa Leocádia)	P	(V. C.)	53	D 1
Geraz do Lima (Santa Maria)	P	(V. C.)	53	D 1
Geraz do Minho	P	(Br.)	54	C 2
Gerb	E	(Ll.)	68	D 1
Gerena	E	(Sev.)	163	C 3
Gerendiain	E	(Na.)	24	D 3
Gérgal	E	(Alm.)	183	D 1
Geria	E	(Vall.)	59	D 3
Gerindote	E	(To.)	100	D 5
Germán, El	E	(Alm.)	170	C 4
Germil	P	(V. C.)	54	C 1
Germil	P	(Vis.)	75	B 4
Gernika-Lumo	E	(Viz.)	11	B 5
Gerona → Girona	E	(Gi.)	52	A 4
Gerri de la Sal	E	(Ll.)	49	B 2
Gerrikaitz	E	(Viz.)	23	C 1
Gertusa, lugar	E	(Zar.)	67	A 5
Gesalibar	E	(Gui.)	23	C 2
Gésera	E	(Hues.)	47	A 2
Gestaçô	P	(Port.)	55	A 5
Gestalgar	E	(Val.)	124	B 3
Gesteira	P	(Co.)	93	D 3
Gestosa	P	(Bra.)	36	B 5
Gestosa	P	(Vis.)	94	C 1
Gestoso	E	(Le.)	16	C 5
Gestoso	P	(Vis.)	74	C 3
Getafe	E	(Mad.)	101	C 3
Getares, lugar	E	(Cád.)	187	A 5
Getaria	E	(Gui.)	12	A 5
Gete	E	(Bur.)	42	B 5
Gete	E	(Le.)	18	D 3
Getxo	E	(Viz.)	10	D 5
Gévora del Caudillo	E	(Bad.)	130	B 2
Gião	P	(Ave.)	74	A 2
Gião	P	(Fa.)	174	D 3
Gião	P	(Port.)	53	D 4
Gibaja	E	(Can.)	10	B 5
Gibalbín	E	(Cád.)	178	A 3
Gibraleón	E	(Huel.)	162	B 4
Gibralgalia	E	(Mál.)	180	A 4
Gibraltar (Reino Unido)	G	(Gib.)	187	A 4
Giela	P	(V. C.)	34	B 5
Giesteira	P	(Ave.)	74	A 5
Giesteira	P	(San.)	111	C 2
Giesteiras Cimeiras	P	(C. B.)	113	A 1
Giesteiras Fundeiras	P	(C. B.)	113	A 1
Gijano	E	(Bur.)	22	C 1
Gijón	E	(Ast.)	6	D 3
Gijún	E	(Ast.)	6	D 4
Gil García	E	(Áv.)	98	C 2
Gil Márquez	E	(Huel.)	146	B 5
Gila, La	E	(Alb.)	139	C 1
Gilbuena	E	(Áv.)	98	C 2
Gilde	P	(Ave.)	74	B 2
Gilena	E	(Sev.)	165	D 5
Gilet	E	(Val.)	125	B 2
Gilico	E	(Mu.)	155	A 3
Gilma	E	(Alm.)	183	C 1
Gilmonde	P	(Br.)	53	D 3
Gillué	E	(Hues.)	47	B 2
Gimenells	E	(Ll.)	68	B 2
Gimialcón	E	(Áv.)	79	C 3
Gimileo	E	(La R.)	43	A 1
Gimonde	P	(Bra.)	57	A 1
Ginasté	E	(Hues.)	48	C 1
Ginebrosa, La	E	(Te.)	87	C 3
Gines	E	(Sev.)	163	D 4
Ginestar	E	(Ta.)	88	C 2
Gineta, La	E	(Alb.)	138	C 1
Gineta, La	E	(Mu.)	156	A 4
Ginete, El	E	(Alb.)	154	C 1
Ginete, El	E	(Alb.)	154	B 1
Ginetes	P	(Aç.)	109	A 4
Giniginamar	E	(Las P.)	190	A 4
Ginzo de Limia → Xinzo de Limia	E	(Our.)	35	C 4
Giões	P	(Fa.)	161	A 3
Girabolhos	P	(Guar.)	75	B 5
Girona/Gerona	E	(Gi.)	52	A 4
Gironda, La	E	(Sev.)	178	C 1
Gironella	E	(Bar.)	50	C 4
Gisclareny	E	(Bar.)	50	B 3
Gistaín	E	(Hues.)	28	A 5
Gitanos, Los	E	(Gr.)	167	B 5
Gleva, La	E	(Bar.)	51	A 4
Glória	P	(Év.)	129	B 3
Glória	P	(San.)	127	C 1
Goá	E	(Lu.)	3	D 5
Goães	P	(Br.)	54	A 1
Goães	P	(Br.)	54	C 2
Gobernador	E	(Gr.)	168	C 4
Goberno	E	(Lu.)	4	A 5
Gobiendes	E	(Ast.)	7	B 4
Goda	P	(Ave.)	74	A 1
Godall	E	(Ta.)	88	C 5
Godán	E	(Ast.)	5	D 4
Godella	E	(Val.)	125	A 3
Godelleta	E	(Val.)	124	C 4
Godigana	P	(Lis.)	126	B 2
Godim	P	(V. R.)	55	B 5
Godinhaços	P	(Br.)	54	B 1
Godinhela	P	(Co.)	94	B 3
Godojos	E	(Zar.)	64	C 5
Godóns	E	(Po.)	34	C 2
Godos	E	(Ast.)	6	B 4
Godos	E	(Po.)	14	A 5
Godos	E	(Te.)	85	D 3
Goente	E	(A Co.)	3	B 3
Goi	E	(Lu.)	16	A 2
Goialdea	E	(Gui.)	24	A 3
Goián	E	(Lu.)	35	C 1
Goián	E	(Po.)	33	D 4
Goiás	E	(Po.)	14	D 4
Goiballea	E	(Gui.)	24	B 1
Goiburu o San Esteban	E	(Gui.)	24	B 1
Goierri	E	(Viz.)	10	D 4
Goierri	E	(Viz.)	11	A 5
Goikolexea	E	(Viz.)	11	B 5
Goim	P	(Ave.)	74	A 2
Góios	P	(Br.)	53	D 2
Góios	P	(Br.)	54	A 3
Goiriz	E	(Lu.)	3	D 4
Gois	P	(Be.)	160	D 2
Góis	P	(Co.)	94	C 3
Goitaa	E	(Viz.)	23	C 1
Goiuri	E	(Ál.)	23	A 3
Goizueta	E	(Na.)	24	C 1
Goja	P	(Vis.)	74	D 3

Guísamo

Gójar E (Gr.) 182 A 1
Golães P (Br.) 54 C 3
Golán E (A Co.) 15 A 2
Golbardo E (Can.) 9 A 5
Golco E (Gr.) 182 D 2
Golegã P (San.) 111 D 3
Golernio E (Bur.) 23 B 4
Goleta, A E (Po.) 14 B 5
Goleta, La E (Ast.) 7 B 4
Goleta, La E (Las P.) 191 D 3
Golfar P (Guar.) 75 D 3
Golfo, El (Frontera) E (S.Cruz T.) 194 C 4
Golmar E (A Co.) 3 A 1
Golmar E (A Co.) 2 B 5
Golmayo E (So.) 63 C 2
Golmés E (Ll.) 69 A 2
Golosalvo E (Alb.) 123 A 5
Golpejas E (Sa.) 78 B 2
Golpejera E (Sa.) 78 B 3
Golpilhal P (Co.) 94 B 2
Golpilhares P (Co.) 94 C 3
Gollizo, El E (Alb.) 153 D 1
Gómara E (So.) 64 A 3
Gomareites E (Our.) 35 C 3
Gomariz E (Our.) 35 C 2
Gombrèn E (Gi.) 50 D 2
Gomeán E (Lu.) 16 A 3
Gomecello E (Sa.) 78 D 2
Gomes Aires P (Be.) 160 B 2
Gomesende E (Our.) 34 D 3
Gometxa E (Ál.) 23 B 4
Gómez Velasco E (Sa.) 79 A 4
Gomeznarro E (Vall.) 79 D 1
Gomezserracín E (Seg.) 60 D 5
Gomide P (Br.) 54 B 1
Gonça P (Br.) 54 C 3
Gonçalo P (Guar.) 95 D 1
Gonçalo Bocas P (Guar.) 76 A 5
Gonçalves P (Fa.) 175 A 3
Gonçalvinho P (Lis.) 126 B 1
Goncinha P (Fa.) 174 C 3
Gondalães P (Port.) 54 B 5
Gondar E (Po.) 33 D 1
Gondar E (Po.) 14 A 4
Gondar P (Port.) 54 D 5
Gondar P (V. C.) 33 D 5
Gondarém P (Br.) 54 D 3
Gondarém P (V. C.) 33 D 5
Gondemaria P (San.) 111 D 1
Gondesende P (Bra.) 56 D 1
Gondiães P (Br.) 55 B 2
Gondim P (Port.) 54 A 4
Gondim P (V. C.) 34 A 4
Gondomar E (Po.) 33 D 3
Gondomar P (Br.) 54 B 1
Gondomar P (Br.) 54 C 3
Gondomar P (Port.) 54 A 5
Gondomar P (Vis.) 75 B 2
Gondomil P (V. C.) 34 A 4
Gondoriz P (Br.) 54 C 1
Gondoriz P (V. C.) 34 B 5
Gondramaz P (Co.) 94 B 3
Gondrame E (Lu.) 15 D 3
Gondrás E (Lu.) 4 A 2
Gondulfes E (Our.) 36 A 5
Gontalde E (A Co.) 1 D 5
Gontán E (Our.) 35 A 3
Gontar E (Alb.) 153 D 3
Gonte E (A Co.) 13 D 2
Gontim P (Br.) 54 D 3
Gonzar E (A Co.) 14 C 2
Góñar E (Alm.) 170 D 3
Goñi E (Na.) 24 C 4
Gopegi E (Ál.) 23 B 3
Gor E (Gr.) 169 A 4
Gorafe E (Gr.) 168 D 4
Gordaliza
de la Loma E (Vall.) 39 C 4
Gordaliza del Pino E (Le.) 39 C 2
Gordexola E (Viz.) 22 D 1
Gordo, El E (Các.) 117 A 1
Gordoncillo E (Le.) 39 A 4
Gordos P (Co.) 93 D 2
Gordún E (Zar.) 45 D 1
Gorga E (Ali.) 141 B 4
Gorgollitas, Las E (J.) 153 C 3
Gorgoracha, La E (Gr.) 182 A 4
Gorgua E (Our.) 34 D 3
Gorgullos E (A Co.) 14 B 1
Gorjão P (San.) 112 B 5
Gorjões P (Fa.) 174 C 2
Gorliz E (Viz.) 11 A 4
Gormaig E (Ali.) 141 A 4
Gormaz E (So.) 62 D 4
Gornal, la E (Bar.) 70 B 5
Gornazo E (Can.) 9 B 4
Goro, El E (Las P.) 191 D 2
Gorordo E (Viz.) 11 A 5
Gorozika E (Viz.) 23 B 1
Gorrebusto E (Ál.) 43 D 1
Gorriti E (Na.) 24 C 2
Gorriztaran E (Na.) 24 C 2
Gorxá E (A Co.) 15 A 1
Gorza → Güesa E (Na.) 25 D 4
Gosende P (Port.) 74 D 1
Gosende P (Vis.) 75 A 2
Gósol E (Ll.) 50 B 3
Gostei P (Bra.) 56 D 1
Gotarrendura E (Áv.) 80 A 4
Gotarta E (Ll.) 48 D 2
Gotor E (Zar.) 65 A 3
Goujoim P (Vis.) 75 C 1
Gouvães da Serra P (V. R.) 55 B 3
Gouvães do Douro P (V. R.) 55 C 5
Gouveia P (Bra.) 56 C 5
Gouveia P (Guar.) 95 C 1
Gouveia P (Lis.) 126 B 2
Gouveia P (Port.) 54 D 5
Gouveias P (Guar.) 76 A 4
Gouviães P (Vis.) 75 B 1
Gouvinhas P (V. R.) 55 C 5
Gouxa E (Po.) 15 A 5
Gouxaria P (San.) 111 C 3
Gouxaria P (San.) 111 C 5
Gove P (Port.) 74 D 1
Goyanes E (A Co.) 13 C 4
Gozón de Ucieza E (Pa.) 40 B 2
Graba E (Po.) 14 C 4
Graça P (Lei.) 94 B 5
Gracieira P (Lei.) 93 D 5
Gracieira P (Lei.) 110 D 4
Grada P (Ave.) 94 A 2
Grade P (V. C.) 34 B 5
Gradefes E (Le.) 19 B 5
Gradil P (Lis.) 126 C 1
Gradiz P (Guar.) 75 C 3
Grado E (Ast.) 6 A 4
Grado del Pico E (Seg.) 62 C 5
Grado, El E (Hues.) 48 A 4
Grageras, Las E (J.) 167 B 3
Graíces E (Our.) 35 B 1
Grainho P (Fa.) 161 A 4
Grainho P (San.) 111 C 4
Graja de Campalbo E (Cu.) 123 D 1
Graja de Iniesta E (Cu.) 123 A 3
Graja, La E (Cór.) 165 B 2
Grajal de Campos E (Le.) 39 D 3
Grajal de Ribera E (Le.) 38 C 4
Grajalejo
de las Matas E (Le.) 39 B 2
Grajera E (Seg.) 61 D 5
Grajuela, La E (Alb.) 138 C 1
Grajuela, La E (Mu.) 172 C 1
Gralhas P (V. R.) 35 B 5
Gralheira P (Fa.) 174 C 2
Gralheira P (Vis.) 74 C 3
Gralheira P (Vis.) 74 D 2
Gralhós P (Bra.) 57 A 3
Gralhos P (Fa.) 159 C 4
Gramaços P (Co.) 95 A 2
Gramatinha P (Lei.) 94 A 5
Gramedo E (Zam.) 37 C 4
Graminhal P (Vis.) 75 B 2
Gran Chaparral, El E (To.) 99 D 5
Gran Tarajal E (Las P.) 190 A 4
Granada E (Gr.) 182 A 1
Granada
de Río Tinto, La E (Huel.) 163 A 1
Granada, la E (Bar.) 70 B 4
Granadella, la E (Ll.) 68 D 4
Granadilla E (Cór.) 166 C 4
Granadilla de Abona E (S.Cruz T.) 195 D 4
Granado, El E (Huel.) 161 C 3
Granados, Los E (S.Cruz T.) 194 B 2
Granátula
de Calatrava E (C. R.) 135 C 4
Granda E (Ast.) 6 C 4
Granda, La E (Ast.) 6 C 3
Grandaços P (Be.) 160 B 1
Grandais P (Bra.) 56 D 1
Grandal E (A Co.) 3 A 4
Grandas de Salime E (Ast.) 4 D 5
Grandes E (Áv.) 79 D 4
Grandes E (Sa.) 77 D 2
Grandival E (Bur.) 23 B 5
Grândola P (Set.) 143 C 2
Grandoso E (Le.) 19 B 4
Granel, El E (S.Cruz T.) 193 C 2
Granera E (Bar.) 70 D 1
Granho P (San.) 127 C 1
Granja P (Ave.) 74 B 3
Granja P (Bra.) 57 B 3
Granja P (Bra.) 57 B 4
Granja P (Co.) 94 B 3
Granja P (Év.) 145 D 2
Granja P (Guar.) 76 A 4
Granja P (Lei.) 93 B 5
Granja P (Port.) 73 D 1
Granja P (V. R.) 55 D 5
Granja P (V. R.) 55 C 2
Granja P (Vis.) 75 A 2
Granja P (Vis.) 75 D 2
Granja de Ançã P (Co.) 94 A 2
Granja
de la Costera, la E (Val.) 140 D 2
Granja de Moreruela E (Zam.) 58 C 1
Granja de Rocamora E (Ali.) 156 B 3
Granja de
San Vicente, La E (Le.) 17 D 5
Granja de Santa Inés E (Zar.) 65 D 1
Granja
de Torrehermosa E (Bad.) 148 C 2
Granja d'Escarp, la E (Ll.) 68 B 4
Granja do Tedo P (Vis.) 75 C 1
Granja do Ulmeiro P (Co.) 93 D 3
Granja Muedra E (Vall.) 60 B 2
Granja Nova P (V. R.) 55 B 3
Granja Nova P (Vis.) 75 B 2
Granja San Pedro E (Zar.) 64 B 5
Granja, La E (Các.) 98 A 3
Granja, La E (Mu.) 171 A 2
Granja, La E (Sa.) 79 A 3
Granja, La →
San Ildefonso E (Seg.) 81 B 3
Granja, La/Cruce, El E (Mad.) 102 A 1
Granjal P (Vis.) 94 C 1
Granjal P (Vis.) 75 C 3
Granjilla, La E (Mad.) 101 D 1
Granjinha P (Vis.) 75 C 1
Granjuela, La E (Cór.) 149 A 2
Granollers E (Bar.) 71 B 2
Granollers de la Plana E (Bar.) 51 B 4
Granollers
de Rocacorba E (Gi.) 51 D 4
Granota, La E (Gi.) 52 A 5
Granucillo E (Zam.) 38 B 4
Granxa E (Po.) 33 D 3
Granxa, A E (Our.) 35 D 5
Granyanella E (Ll.) 69 C 2
Granyena
de les Garrigues E (Ll.) 68 C 4
Granyena de Segarra E (Ll.) 69 C 2
Graña E (A Co.) 13 C 5
Graña E (Lu.) 4 A 4
Graña de Umia E (Po.) 14 C 4
Graña, A E (Our.) 35 B 3
Graña, A E (Po.) 13 D 5
Graña, A E (Po.) 34 C 2
Grañas E (A Co.) 3 C 2
Grañén E (Hues.) 47 A 5
Grañena E (J.) 167 D 1
Grañeras, Las E (Le.) 39 B 2
Grañón E (La R.) 42 D 2
Grao, El/Grau, el E (Cas.) 125 C 1
Grao/Grau
de Castelló, el E (Cas.) 107 D 5
Grao/Grau, el E (Val.) 141 C 2
Gratallops E (Ta.) 88 D 1
Grau de Castelló,
el → Grao E (Cas.) 107 D 5
Grau, el → Grao E (Val.) 141 C 2
Grau, el → Grao, El E (Cas.) 125 C 1
Grau, Es E (Bal.) 90 D 2
Graugés E (Bar.) 50 C 4
Graus E (Hues.) 48 A 3
Grávalos E (La R.) 44 C 4
Gravanço P (Ave.) 74 A 5
Gravinhas de Baixo P (Co.) 95 A 1
Gravinhas de Cima P (Co.) 95 A 1
Graya E (Alb.) 154 A 2
Grazalema E (Cád.) 179 A 4
Gredilla de Sedano E (Bur.) 21 D 5
Gredilla la Polera E (Bur.) 41 D 1
Gregos P (Bra.) 57 B 4
Gresande E (Po.) 14 D 4
Griego, El E (Alb.) 138 B 5
Griegos E (Te.) 105 A 2
Grifa E (Po.) 34 C 1
Grijalba E (Bur.) 41 A 2
Grijalba de Vidriales E (Zam.) 38 B 4
Grijera, lugar E (Pa.) 20 D 4
Grijó P (Port.) 74 A 1
Grijó de Parada P (Bra.) 57 A 2
Grijó de Vale Benfeito P (Bra.) 56 C 3
Grijota E (Pa.) 40 B 5
Grilo E (Ast.) 4 D 3
Grilo P (Port.) 74 D 1
Grimaldo E (Các.) 115 B 1
Grimancelos P (Br.) 54 A 3
Griñón E (Mad.) 101 C 3
Grions E (Gi.) 71 D 1
Grisaleña E (Bur.) 42 C 1
Grisel E (Zar.) 64 D 1
Grisén E (Zar.) 65 D 2
Grisuela E (Zam.) 57 C 2
Grisuela del Páramo E (Le.) 38 C 2
Grixalva E (A Co.) 15 A 1
Grixó E (Our.) 34 D 3
Grixoa E (A Co.) 13 D 1
Grixoa E (Our.) 34 D 1
Grocinas P (Co.) 94 A 4
Grolos E (Lu.) 15 D 3
Groo, El E (Sa.) 77 D 1
Grou E (Our.) 34 D 5
Grou P (Lei.) 93 B 4
Grove, O E (Po.) 13 D 5
Grovelas P (V. C.) 54 B 1
Grulleros E (Le.) 38 D 1
Grullos E (Ast.) 6 A 4
Guadabraz, lugar E (J.) 153 B 3
Guadahortuna E (Gr.) 168 B 3
Guadajira E (Bad.) 130 D 3
Guadajoz E (Sev.) 164 C 3
Guadalajara E (Gua.) 82 C 5
Guadalaviar E (Te.) 104 D 2
Guadalcacín E (Cád.) 177 D 4
Guadalcanal E (Sev.) 148 A 4
Guadalcázar E (Cór.) 165 D 1
Guadalema de
los Quinteros E (Sev.) 178 B 1
Guadalén E (J.) 152 A 4
Guadalest E (Ali.) 141 C 4
Guadalimar E (J.) 151 D 4
Guadalix de la Sierra E (Mad.) 81 D 4
Guadalmedina, lugar E (Mál.) 180 C 4
Guadalmez E (C. R.) 133 C 4
Guadalmina E (Mál.) 187 D 2
Guadalperales, Los E (Bad.) 132 C 1
Guadalpín-Río Verde E (Mál.) 188 A 1
Guadalupe E (Các.) 117 A 4
Guadalupe E (Lu.) 3 C 4
Guadalupe P (Aç.) 109 A 1
Guadalupe de
Maciascoque E (Mu.) 155 D 5
Guadamanil, lugar E (Cád.) 179 A 2
Guadamur E (To.) 119 A 1
Guadapero E (Sa.) 77 C 5
Guadarrama E (Mad.) 81 A 5
Guadasequies/
Guadasséquies E (Val.) 141 A 3
Guadasséquies →
Guadasequies E (Val.) 141 A 3
Guadassuar E (Val.) 141 A 1
Guadiana
del Caudillo E (Bad.) 130 D 2
Guadiaro E (Cád.) 187 B 3
Guadilla de Villamar E (Bur.) 41 A 1
Guadix E (Gr.) 168 D 5
Guadramil P (Bra.) 37 B 5
Guadramiro E (Sa.) 77 B 2
Guainos Altos E (Alm.) 182 D 4
Guainos Bajos E (Alm.) 182 D 4
Guájar Alto E (Gr.) 181 D 3
Guájar Faragüit E (Gr.) 182 A 3
Guájar Fondón E (Gr.) 182 A 3
Gualba E (Bar.) 71 C 1
Gualchos E (Gr.) 182 B 4
Gualda E (Gua.) 83 B 5
Gualda E (Ll.) 68 C 2
Gualdim P (Co.) 94 D 2
Gualta E (Gi.) 52 C 4
Guamasa E (S.Cruz T.) 196 B 2
Guancha, La E (S.Cruz T.) 195 D 2
Guapa, La E (Gr.) 182 C 4
Guarazoca E (S.Cruz T.) 194 C 4
Guarda P (Guar.) 76 A 5
Guarda, A/Guardia, La E (Po.) 33 C 5
Guarda, La E (Bad.) 132 B 4
Guardamar E (Val.) 141 C 2
Guardamar del Segura E (Ali.) 156 D 4
Guardão P (Vis.) 74 C 5
Guàrdia d'Ares, La E (Ll.) 49 C 2
Guardia de Jaén, La E (J.) 167 D 2
Guàrdia de Tremp E (Ll.) 49 A 4
Guàrdia, La E (Ll.) 69 B 2
Guardia, La E (To.) 120 A 1
Guardia, La →
Guarda, A E (Po.) 33 C 5
Guardias Viejas E (Alm.) 183 B 4
Guardiola de Berguedà E (Bar.) 50 C 3
Guardiola de Font-rubí E (Bar.) 70 B 4
Guardo E (Pa.) 20 A 4
Guareña E (Áv.) 79 D 5
Guareña E (Bad.) 131 D 3
Guargacho →
Monte, El E (S.Cruz T.) 195 D 4
Guarnizo E (Can.) 9 C 4
Guaro E (Mál.) 179 D 5
Guarrate E (Zam.) 59 A 5
Guarromán E (J.) 151 D 3
Guasa E (Hues.) 46 D 1
Guaso E (Hues.) 47 D 2
Guatiza E (Las P.) 192 D 4
Guayonge E (S.Cruz T.) 196 A 2
Guaza E (S.Cruz T.) 195 C 5
Guaza de Campos E (Pa.) 39 D 4
Guazamara E (Alm.) 171 A 4
Gucherre P (San.) 111 B 4
Gúdar E (Te.) 106 C 1
Gudillos E (Seg.) 81 A 5
Gudino E (Sa.) 78 A 2
Gudiña, A E (Our.) 36 B 4
Guedelhas P (Be.) 160 C 3
Guedieiros P (Vis.) 75 C 2
Güéjar Sierra E (Gr.) 182 B 1
Güel E (Hues.) 48 B 3
Güemes E (Can.) 9 D 4
Güeñes E (Viz.) 22 D 1
Gueral P (Br.) 53 D 3
Guerras, Las, lugar E (Gr.) 181 C 4
Guerreiros P (Lis.) 126 C 2
Guerreiros do Rio P (Fa.) 161 C 4
Güesa/Gorza E (Na.) 25 D 4
Guesálaz E (Na.) 24 C 4
Guetim P (Port.) 73 D 1
Güevéjar E (Gr.) 168 A 5
Guía E (S.Cruz T.) 196 A 2
Guia P (Fa.) 174 A 2
Guia P (Lei.) 93 C 4
Guía de Isora E (S.Cruz T.) 195 C 4
Guía, La E (Mu.) 172 B 2
Guiães P (V. R.) 55 B 5
Guiamets, els E (Ta.) 88 D 1
Guidões P (Port.) 53 D 4
Guiende E (A Co.) 13 D 4
Guijar, El E (Seg.) 81 B 1
Guijarrosa, La E (Cór.) 165 D 2
Guijillo, El E (Huel.) 162 D 3
Guijo de Ávila E (Sa.) 98 C 1
Guijo de Coria E (Các.) 97 B 4
Guijo de Galisteo E (Các.) 97 B 4
Guijo de Granadilla E (Các.) 97 D 3
Guijo
de Santa Bárbara E (Các.) 98 C 3
Guijo, El E (Cád.) 178 A 4
Guijo, El E (Cór.) 149 D 1
Guijo, El E (Huel.) 163 A 3
Guijo, El E (Mad.) 81 B 5
Guijosa E (Gua.) 83 C 2
Guijosa E (So.) 62 C 2
Guijuelo E (Sa.) 98 C 1
Guijuelos, Los E (Áv.) 98 D 2
Guilfrei E (Lu.) 16 B 3
Guilhabreu P (Port.) 53 D 4
Guilhadeses P (V. C.) 34 B 5
Guilheiro P (Guar.) 75 D 3
Guilhofrei P (Br.) 54 D 2
Guilhovai P (Ave.) 73 D 2
Guilhufe P (Port.) 54 B 5
Guils de Cerdaña E (Gi.) 50 C 1
Guillamil E (Our.) 35 B 3
Guillar E (Lu.) 15 D 1
Guillar E (Po.) 15 A 4
Guillarei E (Po.) 34 A 4
Guillena E (Sev.) 163 D 3
Güímar E (S.Cruz T.) 196 B 3
Guimara E (Le.) 17 A 3
Guimarães P (Br.) 54 C 3
Guimarães P (Vis.) 75 A 4
Guimarães de Tavares P (Vis.) 75 B 5
Guimarán E (Ast.) 6 C 3
Guimarei E (Lu.) 15 C 2
Guimarei E (Our.) 35 D 5
Guimarei P (Port.) 54 A 4
Güime E (Las P.) 192 C 4
Guimerà E (Ll.) 69 C 3
Guimil P (V. C.) 34 B 4
Guincho, El E (S.Cruz T.) 195 D 5
Guindos, Los, lugar E (J.) 151 D 2
Guingueta d'Àneu, la E (Ll.) 29 B 5
Guingueta, La E (Gi.) 50 C 1
Guinicio E (Bur.) 22 D 5
Guiraos, Los E (Alm.) 171 A 4
Guirela P (Ave.) 74 B 1
Guísamo E (A Co.) 2 D 4

L

Matreros, Los

Manjabálago	E	(Áv.)	79	C5
Manjarrés	E	(La R.)	43	B2
Manjirón	E	(Mad.)	81	D3
Manjoeira	P	(Lis.)	126	D2
Manjoya	E	(Ast.)	6	C4
Manlleu	E	(Bar.)	51	B4
Manosalva	E	(Cór.)	166	D2
Manquillos	E	(Pa.)	40	B4
Manresa	E	(Bar.)	70	C1
Mansilla de Burgos	E	(Bur.)	41	C2
Mansilla de la Sierra	E	(La R.)	43	A4
Mansilla de las Mulas	E	(Le.)	39	A1
Mansilla del Páramo	E	(Le.)	38	C2
Mansilla Mayor	E	(Le.)	39	A1
Mansores	P	(Ave.)	74	B2
Manta Rota	P	(Fa.)	175	B2
Mántaras	E	(A Co.)	3	A4
Manteigas	P	(Guar.)	95	C1
Mantiel	E	(Gua.)	83	B5
Mantinos	E	(Pa.)	20	A4
Manuel	E	(Val.)	141	A2
Manuel Galo	P	(Be.)	160	D2
Manyanet	E	(Ll.)	49	A1
Manzalvos	E	(Our.)	36	C5
Manzanal de Arriba	E	(Zam.)	37	C5
Manzanal de los Infantes	E	(Zam.)	37	C4
Manzanal del Barco	E	(Zam.)	58	B3
Manzanal del Puerto	E	(Le.)	17	D5
Manzanares	E	(C. R.)	136	B2
Manzanares de Rioja	E	(La R.)	43	A2
Manzanares el Real	E	(Mad.)	81	C4
Manzaneda	E	(Ast.)	6	C5
Manzaneda	E	(Le.)	37	C3
Manzaneda	E	(Our.)	36	B2
Manzaneda de Torío	E	(Le.)	19	A4
Manzanedillo	E	(Bur.)	21	D3
Manzanedo	E	(Bur.)	21	D3
Manzanedo de Valdueza	E	(Le.)	37	B1
Manzaneque	E	(To.)	119	C3
Manzanera	E	(Te.)	106	B4
Manzaneruela	E	(Cu.)	105	C5
Manzanete	E	(Cád.)	186	B4
Manzanil	E	(Gr.)	181	A1
Manzanilla	E	(Huel.)	163	B4
Manzanillo	E	(Vall.)	61	A3
Manzanillo, lugar	E	(Gr.)	168	A3
Manzano, El	E	(Huel.)	146	C5
Manzano, El	E	(Sa.)	77	C1
Mañaria	E	(Viz.)	23	B2
Mañeru	E	(Na.)	24	C5
Mañicas, Las, lugar	E	(Alm.)	184	B2
Mañón	E	(A Co.)	3	C2
Mao	E	(Lu.)	16	A4
Maó/Mahón	E	(Bal.)	90	D2
Maoño	E	(Can.)	9	C4
Maqueda	E	(To.)	100	C4
Mar	E	(Ast.)	7	A3
Mar	P	(Br.)	53	D2
Mar e Guerra	P	(Fa.)	174	C3
Mara	E	(Zar.)	65	B5
Maracena	E	(Gr.)	181	D1
Maragota	P	(Fa.)	175	A3
Maranchón	E	(Gua.)	84	A2
Maranhão	P	(Por.)	128	C1
Marantes	E	(A Co.)	14	B2
Maranyà	E	(Gi.)	52	B3
Maraña	E	(Le.)	19	C2
Marañón	E	(Na.)	23	D5
Marañón, lugar	E	(C. R.)	120	C5
Marañosa, La	E	(Mad.)	101	D3
Marateca	P	(Set.)	127	C4
Maravillas, Las	E	(Bal.)	91	D4
Marazoleja	E	(Seg.)	80	D3
Marazovel	E	(So.)	63	B5
Marazuela	E	(Seg.)	80	C3
Marbella	E	(Mál.)	188	A2
Marbella Este	E	(Mál.)	188	A2
Marçà	E	(Ta.)	89	A1
Marcaláin/Markalain	E	(Na.)	24	D3
Marcelinos	E	(Alm.)	170	C4
Marcelle	E	(A Co.)	14	A2
Marcelle	E	(Lu.)	35	D1
Marcén	E	(Hues.)	47	A5
Marcenado	E	(Ast.)	6	D4
Marcilla	E	(Na.)	44	D3
Marcilla de Campos	E	(Pa.)	40	C3
Marco de Canaveses	P	(Port.)	54	C5
Marco, El	E	(Bad.)	114	A5
Marcón	E	(Po.)	34	A1
Marcos, Los	E	(Val.)	123	C4
Marchagaz	E	(Các.)	97	C3
Marchal	E	(Gr.)	168	C5
Marchal de Araoz, El, lugar	E	(Alm.)	183	D3
Marchal del Abogado	E	(Alm.)	169	D5
Marchal, El	E	(Alm.)	170	A4
Marchal, El	E	(Alm.)	170	B5
Marchal, El	E	(Alm.)	170	C5
Marchalejo, lugar	E	(Gr.)	168	C5
Marchamalo	E	(Gua.)	82	C5
Marchamona, lugar	E	(Mál.)	181	A2
Marchante	E	(Alm.)	184	A2
Marchena	E	(Gr.)	182	A2
Marchena	E	(J.)	153	D3
Marchena	E	(Sev.)	164	D4
Mardos, Los	E	(Alb.)	139	B5
Mareco	P	(Vis.)	75	C4
Marecos	P	(Port.)	54	B5
Marei	E	(Lu.)	16	A3
Marentes	E	(Ast.)	16	D2
Mareny Blau	E	(Val.)	125	B5
Mareny de Barraquetes	E	(Val.)	125	B5
Mareo de Arriba	E	(Ast.)	6	D3
Marés	P	(Lis.)	111	A5
Margalef	E	(Ta.)	68	D5
Marganell	E	(Bar.)	70	C2
Margaride	E	(Po.)	14	C4
Margem	P	(Por.)	112	D4
Margen, El	E	(Alm.)	170	B3
Margen, El	E	(Gr.)	169	D2
Margolles	E	(Ast.)	7	C4
Margudgued	E	(Hues.)	47	D2
Maria	E	(Alm.)	170	B2
María Aparicio	E	(Cór.)	166	C1
María de Huerva	E	(Zar.)	66	A3
María de la Salut	E	(Bal.)	92	B3
Maria Gomes	P	(Co.)	94	D4
María Jiménez	E	(S. Cruz T.)	196	C2
Maria Vinagre	P	(Fa.)	159	B3
Marialba de la Ribera	E	(Le.)	38	D1
Marialva	P	(Guar.)	76	A3
Mariana	E	(Cu.)	104	B4
Marianaia	P	(San.)	112	A2
Marianas	P	(Co.)	93	C2
Marianos	P	(San.)	111	D5
Maribáñez	E	(Sev.)	178	A1
Marigenta	E	(Huel.)	163	A2
Marigutiérrez, lugar	E	(Alb.)	138	A2
Marimínguez	E	(Alb.)	139	B1
Marin	E	(Gui.)	23	C3
Marín	E	(Po.)	34	A1
Marina Manrera	E	(Bal.)	92	B1
Marina, La	E	(Ali.)	156	D3
Marinaleda	E	(Sev.)	165	C4
Marinas	E	(Ast.)	6	B4
Marinas, Las	E	(Alm.)	183	C4
Marines	E	(Val.)	124	D2
Marines, les	E	(Ali.)	142	A3
Marines, Los	E	(Huel.)	146	D5
Marines, Los	E	(Mál.)	180	D3
Marinha	P	(Ave.)	73	D3
Marinha	P	(Lei.)	94	B5
Marinha	P	(Lei.)	111	B2
Marinha da Guia	P	(Lei.)	93	C4
Marinha das Ondas	P	(Co.)	93	B4
Marinha Grande	P	(Lei.)	111	B1
Marinhais	P	(San.)	127	C1
Marinhão	P	(Br.)	54	D3
Marinhas	P	(Br.)	53	D2
Mariña, A	E	(A Co.)	2	D3
Maripérez, lugar	E	(Alb.)	138	A2
Marismillas	E	(Sev.)	177	D2
Maritenda	P	(Fa.)	174	B2
Mariz	E	(Lu.)	15	B5
Mariz	E	(Lu.)	15	B1
Mariz	P	(Br.)	53	D3
Marjaliza	E	(To.)	119	B3
Markalain → Marcaláin	E	(Na.)	24	D3
Markina-Xemein	E	(Viz.)	11	C5
Marlín	E	(Áv.)	79	D4
Marlofa	E	(Zar.)	65	D2
Marmelal	P	(C. B.)	113	A2
Marmelar	P	(Be.)	145	A3
Marmeleira	P	(San.)	111	B4
Marmeleira	P	(Vis.)	94	B1
Marmeleiro	P	(C. B.)	112	C1
Marmeleiro	P	(Fa.)	161	C3
Marmeleiro	P	(Guar.)	96	B1
Marmeleiro	P	(San.)	112	A2
Marmelete	P	(Fa.)	159	B4
Marmelos	P	(Bra.)	56	B4
Marmelos	P	(Év.)	129	C5
Marmellar de Abajo	E	(Bur.)	41	C2
Marmellar de Arriba	E	(Bur.)	41	C2
Mármol, El	E	(J.)	152	A4
Marmolejo	E	(J.)	150	D4
Marne	E	(Le.)	39	A1
Maro	E	(Mál.)	181	C4
Maroñas	E	(A Co.)	13	C2
Maroteras	E	(J.)	151	A4
Marpequeña	E	(Las P.)	191	D2
Marques	P	(Lei.)	112	A1
Marquès, el	E	(Gi.)	71	D1
Marqués, El, lugar	E	(Alm.)	170	C2
Marquesado, El	E	(Cád.)	185	D2
Márquiz de Alba	E	(Zam.)	58	A2
Marracos	E	(Zar.)	46	B4
Marrancos	P	(Br.)	54	A2
Marratxí	E	(Bal.)	91	D3
Marrazes	P	(Lei.)	111	B1
Marrón	E	(Can.)	10	B5
Marroquina, La	E	(Cád.)	185	D1
Marroquín-Encina Hermosa	E	(J.)	167	B3
Marrozos	E	(A Co.)	14	B3
Marruas	P	(San.)	111	D3
Marrube	E	(Lu.)	15	C5
Marrubio	E	(Le.)	37	B2
Marrubio	E	(Our.)	35	D2
Marrupe	E	(To.)	100	A4
Martagina, lugar	E	(Mál.)	187	B3
Marteleira	P	(Lis.)	110	C4
Martiago	E	(Sa.)	97	B1
Martialay	E	(So.)	63	D2
Martiherrero	E	(Áv.)	80	A5
Martilandrán	E	(Các.)	97	C2
Martillán	E	(Sa.)	77	A4
Martillué	E	(Hues.)	46	D1
Martim	P	(Br.)	54	A3
Martim	P	(V. R.)	55	D4
Martim Afonso	P	(Lis.)	126	D1
Martim Longo	P	(Fa.)	161	A3
Martimporra (Bimenes)	E	(Ast.)	6	D5
Martín	E	(Gr.)	169	B1
Martín	E	(Lu.)	15	D5
Martín	E	(Lu.)	16	B1
Martín de la Jara	E	(Sev.)	179	C1
Martín de Yeltes	E	(Sa.)	77	C4
Martín del Río	E	(Te.)	86	B4
Martín González	E	(Cór.)	166	C5
Martín Malo	E	(J.)	151	D3
Martín Miguel	E	(Seg.)	80	D3
Martín Muñoz de la Dehesa	E	(Seg.)	80	A2
Martín Muñoz de las Posadas	E	(Seg.)	80	B2
Martinamor	E	(Sa.)	78	D4
Martinchel	P	(San.)	112	B2
Martindegi	E	(Gui.)	12	C5
Martinet	E	(Ll.)	50	B2
Martinete, El	E	(Alm.)	170	D5
Martinete, El	E	(Cór.)	166	C4
Martínez	E	(Áv.)	79	A5
Martínez del Puerto, Los	E	(Mu.)	156	B5
Martínez, Los	E	(Ali.)	156	C4
Martingança	P	(Lei.)	111	A1
Martinhanes	P	(Be.)	160	D2
Martins Joanes	P	(Lis.)	110	D5
Martiñán	E	(Our.)	35	A4
Martioda	E	(Ál.)	23	B4
Martorell	E	(Bar.)	70	D3
Martorelles	E	(Bar.)	71	A3
Martos	E	(J.)	167	B2
Maruanas	E	(Cór.)	150	B5
Marugán	E	(Seg.)	80	C3
Maruri	E	(Viz.)	11	A4
Marvão	P	(Co.)	93	D1
Marvão	P	(Por.)	113	D4
Marvila	P	(Lei.)	94	B5
Marvila	P	(San.)	112	A4
Marxuquera Alta	E	(Val.)	141	C2
Marxuquera Baixa	E	(Val.)	141	B2
Marzà	E	(Gi.)	52	B2
Marzagán	E	(Las P.)	191	D2
Marzagão	P	(Bra.)	56	A5
Marzales	E	(Vall.)	59	C3
Marzán	E	(Le.)	18	A4
Marzán	E	(Lu.)	4	B2
Marzaniella	E	(Ast.)	6	B3
Marzoa	E	(A Co.)	14	C2
Mas Bo	E	(Bar.)	71	A2
Mas Carpa	E	(Ta.)	89	C1
Mas de Barberans	E	(Ta.)	88	B4
Mas de Calaf	E	(Cas.)	107	D3
Mas de la Correntilla	E	(Cas.)	107	C4
Mas de las Matas	E	(Te.)	87	B3
Mas del Jutge, el → Masía del Juez	E	(Val.)	124	D4
Mas del Lleó	E	(Ll.)	68	B2
Mas del Olmo	E	(Val.)	105	D4
Mas dels Frares	E	(Cas.)	107	D4
Mas d'en Bosc, El	E	(Ta.)	89	B1
Mas d'en Queixa	E	(Cas.)	107	D3
Mas d'en Ramona	E	(Cas.)	107	D2
Mas d'en Rieres	E	(Cas.)	108	A2
Mas d'en Serra	E	(Bar.)	70	C5
Mas d'en Toni → Masía de Toni	E	(Cas.)	107	B2
Mas Flacià, el	E	(Gi.)	72	A1
Mas Mates	E	(Gi.)	52	C2
Mas Planoi, el	E	(Bar.)	70	C2
Mas Rovira	E	(Bar.)	70	D4
Masa	E	(Bur.)	21	D5
Masada del Masagarejo, lugar	E	(Cu.)	105	B4
Masalavés/Massalavés	E	(Val.)	141	A1
Masarac	E	(Gi.)	52	B1
Masarrochos/Massarojos	E	(Val.)	125	A3
Masca	E	(S. Cruz T.)	195	B3
Mascaraque	E	(To.)	119	C2
Mascarell	E	(Cas.)	125	C1
Mascarenhas	P	(Bra.)	56	B3
Mascotelos	P	(Br.)	54	B3
Masdache	E	(Las P.)	192	C4
Masdenverge	E	(Ta.)	88	C4
Masegosa	E	(Cu.)	104	C1
Masegoso	E	(Alb.)	138	A4
Masegoso	E	(Te.)	105	B3
Masegoso de Tajuña	E	(Gua.)	83	B4
Masella	E	(Gi.)	50	C2
Maset, el	E	(Bar.)	70	C3
Masía de Brusca, La/Masia d'en Brusca	E	(Cas.)	107	D2
Masia de Dolç, lugar	E	(Cas.)	107	B1
Masía de Toni/Mas d'en Toni	E	(Cas.)	107	B2
Masía del Juez/Mas del Jutge, el	E	(Val.)	124	D4
Masia d'en Brusca → Masía de Brusca, La	E	(Cas.)	107	D2
Maside	E	(Lu.)	16	A4
Maside	E	(Our.)	35	A1
Masies de Dalt	E	(Gi.)	52	B2
Masies de Roda, les	E	(Bar.)	51	B4
Masies de Voltregà, les	E	(Bar.)	51	A4
Masllorenç	E	(Ta.)	69	D5
Masma	E	(Lu.)	4	B3
Masmullar	E	(Mál.)	180	D3
Masnou, el	E	(Bar.)	71	B3
Masó, la	E	(Ta.)	69	C5
Masos de Pals, els	E	(Gi.)	52	C4
Masos de Vespella, els	E	(Ta.)	69	D5
Maspalomas	E	(Las P.)	191	C4
Maspujols	E	(Ta.)	89	B1
Masquefa	E	(Bar.)	70	C3
Masriudoms	E	(Ta.)	89	A2
Masroig, el	E	(Ta.)	88	D1
Massalavés → Masalavés	E	(Val.)	141	A1
Massalcoreig	E	(Ll.)	68	B4
Massalfassar	E	(Val.)	125	B3
Massamá	P	(Lis.)	126	C3
Massamagrell	E	(Val.)	125	B3
Massana, la	A		29	D5
Massanassa	E	(Val.)	125	A4
Massanes	E	(Gi.)	71	D1
Massarojos → Masarrochos	E	(Val.)	125	A3
Massoteres	E	(Ll.)	69	D1
Masueco	E	(Sa.)	77	A1
Masvidal	E	(Gi.)	51	B5
Mata	E	(Bur.)	41	D1
Mata	E	(Gi.)	52	A3
Mata	P	(C. B.)	95	D5
Mata	P	(Co.)	94	A3
Mata	P	(Guar.)	75	D4
Mata	P	(Lei.)	93	C5
Mata	P	(Lis.)	126	D1
Mata	P	(Lis.)	126	D1
Mata	P	(San.)	93	D5
Mata	P	(San.)	111	D2
Mata Bejid	E	(J.)	168	A2
Mata da Rainha	P	(C. B.)	95	D4
Mata de Alcántara	E	(Các.)	114	C2
Mata de Armuña, La	E	(Sa.)	78	C2
Mata de Bérbula, La	E	(Le.)	19	A4
Mata de Cuéllar	E	(Seg.)	60	C4
Mata de Curueño, La	E	(Le.)	19	A4
Mata de la Riba, La	E	(Le.)	19	B4
Mata de Ledesma, La	E	(Sa.)	78	A2
Mata de Lobos	P	(Guar.)	76	C3
Mata de los Olmos, La	E	(Te.)	86	D3
Mata de Monteagudo, La	E	(Le.)	19	C4
Mata de Morella, la	E	(Cas.)	87	B5
Mata de Pinyana, la	E	(Ll.)	68	C2
Mata de Quintanar	E	(Seg.)	81	A2
Mata del Páramo, La	E	(Le.)	38	C2
Mata do Duque	P	(San.)	127	C2
Mata do Rei	P	(San.)	111	B3
Mata Mourisca	P	(Lei.)	93	C4
Mata, La	E	(Ali.)	156	D4
Mata, La	E	(Ast.)	6	A4
Mata, La	E	(Cád.)	177	B5
Mata, La	E	(Seg.)	81	C2
Mata, La	E	(To.)	100	C5
Matabuena	E	(Seg.)	81	C2
Matacães	P	(Lis.)	110	C5
Matachana	E	(Le.)	17	C5
Matadeón de los Oteros	E	(Le.)	39	A2
Matadepera	E	(Bar.)	70	D2
Mataduços	P	(Ave.)	73	D4
Mataelpino	E	(Mad.)	81	B4
Matagorda	E	(Alm.)	183	B4
Matalascañas → Torre de la Higuera	E	(Huel.)	177	A2
Matalavilla	E	(Le.)	17	C3
Matalebreras	E	(So.)	64	B1
Matalobos del Páramo	E	(Le.)	38	C2
Mataluenga	E	(Le.)	18	C5
Matallana de Torío	E	(Le.)	19	A3
Matallana de Valmadrigal	E	(Le.)	39	B2
Matamá	E	(Our.)	35	D4
Matamá	E	(Po.)	33	D3
Matamala	E	(Sa.)	78	D3
Matamala	E	(Seg.)	81	C2
Matamala de Almazán	E	(So.)	63	C4
Matamorisca	E	(Pa.)	20	D4
Matamorosa	E	(Can.)	21	A3
Matança	P	(Guar.)	75	C4
Matancinha	P	(Vis.)	75	A1
Matanegra, lugar	E	(Bad.)	147	C2
Matanza de Acentejo, La	E	(S. Cruz T.)	196	A2
Matanza de los Oteros	E	(Le.)	39	A3
Matanza de Soria	E	(So.)	62	C3
Matanza, La	E	(Mu.)	156	A4
Matanza, La, lugar	E	(Alb.)	154	D1
Matanza, La, lugar	E	(Alm.)	184	B2
Mataotero	E	(Le.)	17	C3
Mataporquera	E	(Can.)	21	A4
Matapozuelos	E	(Vall.)	60	A4
Mataró	E	(Bar.)	71	C3
Matarredonda	E	(Sev.)	165	D4
Matarrosa del Sil	E	(Le.)	17	B4
Matarrubia	E	(Gua.)	82	B3
Matarrubia	E	(Mad.)	81	A5
Matas	P	(Co.)	93	C4
Matas	P	(Lis.)	110	C4
Matas, Las	E	(Mad.)	101	B1
Matas, Las	E	(Sev.)	164	D5
Matasejún	E	(So.)	44	A5
Matea, La	E	(J.)	153	C4
Matela	P	(Bra.)	57	A3
Matela	P	(Vis.)	75	C4
Matellanes	E	(Zam.)	57	C2
Mateos, Los	E	(Mu.)	172	B2
Matet	E	(Cas.)	107	A5
Mateus	P	(V. R.)	55	B5
Matidero, lugar	E	(Hues.)	47	C2
Matienzo	E	(Can.)	10	A5
Matienzo	E	(Viz.)	22	B1
Matilla de Arzón	E	(Zam.)	38	D4
Matilla de los Caños	E	(Vall.)	59	D3
Matilla de los Caños del Río	E	(Sa.)	78	A3
Matilla la Seca	E	(Zam.)	58	D3
Matilla, La	E	(Las P.)	190	B2
Matilla, La	E	(Seg.)	81	C1
Matillas	E	(Gua.)	83	A3
Matío	E	(A Co.)	1	C5
Mato	P	(V. C.)	54	A2
Mato de Miranda	P	(San.)	111	D4
Mato Santo Espírito	P	(Fa.)	175	A2
Mato Serrão	P	(Fa.)	173	D2
Matoeira	P	(Lei.)	110	D3
Matorral, El	E	(Las P.)	190	B3
Matorral, El	E	(Las P.)	191	D3
Matos	P	(Co.)	93	B3
Matos	P	(Lei.)	93	B5
Matos	P	(Port.)	53	D5
Matos	P	(San.)	112	A1
Matos	P	(San.)	112	A3
Matos	P	(Vis.)	74	C1
Matos da Ranha	P	(Lei.)	93	C5
Matosinhos	P	(Port.)	53	D5
Matosinhos	P	(V. R.)	55	D2
Matosos	P	(Lei.)	93	D4
Matreros, Los	E	(Alm.)	170	D5

Matueca de Torío

Matueca de Torío	E	(Le.)	19	A 4
Matute	E	(La R.)	43	A 3
Matute de Almazán	E	(So.)	63	C 4
Maureles	P	(Port.)	54	C 5
Maus	E	(Our.)	35	C 3
Maxiais	P	(C. B.)	113	C 1
Maxial	P	(C. B.)	95	A 4
Maxial	P	(Lis.)	110	D 5
Maxial	P	(San.)	112	B 2
Maxial de Além	P	(San.)	112	B 2
Maxieira	P	(San.)	111	C 2
Maya, La	E	(Sa.)	78	C 5
Mayalde	E	(Zam.)	58	B 5
Mayordomo, El	E	(Alm.)	184	C 1
Mayorga	E	(Vall.)	39	B 4
Maza	E	(Ast.)	7	A 5
Mazagatos	E	(Seg.)	62	B 4
Mazagón	E	(Huel.)	176	C 3
Mazaleón	E	(Te.)	87	D 2
Mazalinos	E	(Áv.)	98	C 2
Mazalvete	E	(So.)	64	A 2
Mazaneda	E	(Ast.)	6	C 2
Mazarambroz	E	(To.)	119	B 2
Mazarefes	P	(V. C.)	53	D 1
Mazarete	E	(Gua.)	84	B 2
Mazaricos	E	(A Co.)	13	C 2
Mazariegos	E	(Pa.)	40	A 5
Mazarrón	E	(Mu.)	171	D 3
Mazarulleque	E	(Alm.)	184	B 3
Mazarulleque	E	(Cu.)	103	B 4
Mazas, Las	E	(Ast.)	6	B 5
Mazaterón	E	(So.)	64	B 4
Mazedo	P	(V. C.)	34	B 4
Mazes	P	(Vis.)	75	A 2
Mazmela	E	(Gui.)	23	C 3
Mazouco	P	(Bra.)	76	D 1
Mazueco	E	(Bur.)	42	A 4
Mazuecos	E	(Gua.)	102	D 3
Mazuecos de Valdeginate	E	(Pa.)	40	A 4
Mazuela	E	(Bur.)	41	B 4
Mazuelo de Muñó	E	(Bur.)	41	C 3
Mazuza	E	(Mu.)	154	B 3
Meã	P	(Vis.)	75	B 4
Meã	P	(Vis.)	74	D 2
Meabia	E	(Po.)	14	C 4
Meadela	P	(V. C.)	53	C 1
Mealha	P	(Fa.)	160	D 4
Mealhada	P	(Ave.)	94	A 1
Meanes	E	(Cas.)	107	C 3
Meangos	E	(A Co.)	2	D 5
Meáns	E	(A Co.)	13	C 1
Meaño	E	(Po.)	33	D 1
Meãs	P	(Co.)	95	A 3
Meãs do Campo	P	(Co.)	93	D 2
Meca	P	(Lis.)	111	A 5
Mecerreyes	E	(Bur.)	42	A 4
Mecina Alfahar	E	(Gr.)	182	D 2
Mecina Bombarón	E	(Gr.)	182	D 2
Mecina Fondales	E	(Gr.)	182	C 3
Mecina Tedel	E	(Gr.)	182	D 3
Meco	E	(Mad.)	102	B 1
Meco	P	(Co.)	93	D 2
Meda	E	(Lu.)	16	A 2
Meda	E	(Lu.)	35	D 1
Meda	P	(Guar.)	76	A 2
Meda de Mouros	P	(Co.)	94	D 2
Médano, El	E	(S. Cruz T.)	196	A 5
Medas	P	(Port.)	74	B 1
Medeiros	E	(Our.)	35	D 5
Medeiros	P	(V. R.)	55	B 1
Medelim	P	(C. B.)	96	A 4
Medelo	P	(Br.)	54	C 3
Medellín	E	(Bad.)	132	A 2
Meder	E	(Po.)	34	B 3
Mederos	E	(Las P.)	191	A 2
Mediana de Aragón	E	(Zar.)	66	C 4
Mediana de Voltoya	E	(Áv.)	80	B 5
Medianías, Las	E	(Las P.)	191	D 2
Medida, La	E	(S. Cruz T.)	196	B 3
Medín	E	(A Co.)	14	D 2
Medina Azahara	E	(Cór.)	149	D 5
Medina de las Torres	E	(Bad.)	147	B 2
Medina de Pomar	E	(Bur.)	22	A 3
Medina de Rioseco	E	(Vall.)	59	C 1
Medina del Campo	E	(Vall.)	59	D 5
Medinaceli	E	(So.)	83	D 1
Medina-Sidonia	E	(Cád.)	186	B 2
Medinilla	E	(Áv.)	98	C 1
Medinilla de la Dehesa	E	(Bur.)	41	C 3
Medinyà	E	(Gi.)	52	A 4
Mediona	E	(Bar.)	70	B 3
Medranda	E	(Gua.)	83	A 3
Medrano	E	(La R.)	43	C 2
Medroa	P	(San.)	112	B 2
Medrões	P	(V. R.)	55	A 5
Médulas, Las	E	(Le.)	37	A 1
Megeces	E	(Vall.)	60	B 4
Megide	P	(Port.)	73	D 1
Megina	E	(Gua.)	84	D 5
Mei	P	(V. C.)	34	B 5
Meia Praia	P	(Fa.)	173	B 2
Meia Via	P	(San.)	111	D 3
Meia Viana	P	(Fa.)	159	C 4
Meijinhos	P	(Vis.)	75	A 1
Meilán	E	(Lu.)	15	D 2
Meilán	E	(Lu.)	4	B 4
Meimão	P	(C. B.)	96	B 2
Meimoa	P	(C. B.)	96	A 3
Meinedo	P	(Port.)	54	C 5
Meios	P	(Guar.)	95	D 1
Meira	E	(Lu.)	4	B 5
Meira	E	(Po.)	33	D 2
Meira	E	(Po.)	14	A 4
Meirama	E	(A Co.)	2	C 5
Meiraos	E	(Lu.)	16	B 5
Meirás	E	(A Co.)	2	D 2
Meirás	E	(A Co.)	2	D 4
Meire	E	(A Co.)	15	A 3
Meirinhas	P	(Lei.)	93	C 5
Meirinhos	P	(Bra.)	56	D 5
Meirol	E	(Po.)	34	B 3
Meis	E	(Po.)	14	A 5
Meis	E	(Po.)	13	D 5
Meixedo	P	(Bra.)	56	D 1
Meixedo	P	(V. C.)	53	D 1
Meixedo	P	(V. R.)	55	B 1
Meixedo	P	(Vis.)	75	B 1
Meixide	P	(V. R.)	55	C 1
Meixo	E	(Our.)	35	A 2
Meixomil	P	(Port.)	54	B 4
Méizara	E	(Le.)	38	C 2
Mejorada	E	(To.)	99	D 5
Mejorada del Campo	E	(Mad.)	102	A 2
Mejorito, El	E	(Sa.)	77	C 5
Mela, La	E	(Alm.)	184	C 1
Melcões	P	(Vis.)	75	A 1
Meleças	P	(Lis.)	126	C 2
Melegís	E	(Gr.)	182	A 3
Melendreros	E	(Ast.)	7	A 5
Meles	P	(Bra.)	56	C 2
Melezna	E	(Le.)	16	D 5
Melgaço	P	(V. C.)	34	C 3
Melgar de Abajo	E	(Vall.)	39	C 3
Melgar de Arriba	E	(Vall.)	39	C 3
Melgar de Fernamental	E	(Bur.)	40	D 2
Melgar de Tera	E	(Zam.)	38	A 5
Melgar de Yuso	E	(Pa.)	40	D 3
Melgosa	E	(Bur.)	42	A 1
Melgosa, La	E	(Cu.)	104	B 5
Melhe	P	(V. R.)	55	B 3
Meliana	E	(Val.)	125	B 3
Melias	E	(Our.)	35	B 1
Melicena	E	(Gr.)	182	C 4
Mélida	E	(Na.)	45	A 2
Mélida	E	(Vall.)	61	A 3
Melide	E	(A Co.)	15	A 2
Melides	P	(Set.)	143	B 3
Meligioso	P	(Vis.)	94	B 1
Melilla	E	(Mel.)	188	D 5
Melo	P	(Guar.)	75	C 5
Melón	E	(Our.)	34	C 2
Meloxo	E	(Po.)	13	C 5
Melque de Cercos	E	(Seg.)	80	C 2
Melres	P	(Port.)	74	B 1
Melriça	P	(Co.)	93	D 4
Melroeira	P	(Lis.)	126	C 1
Mellanes	E	(Zam.)	57	D 2
Mellizas, Las/Llanos, Los	E	(Mál.)	180	A 3
Membibre de la Hoz	E	(Seg.)	61	A 4
Membribe de la Sierra	E	(Sa.)	78	B 5
Membrilla	E	(C. R.)	136	B 2
Membrillar	E	(Pa.)	40	B 1
Membrillera	E	(Gua.)	82	D 3
Membrillo Alto	E	(Huel.)	162	D 2
Membrillo, El	E	(To.)	117	D 1
Membrío	E	(Các.)	114	B 3
Mem-Moniz	P	(Fa.)	174	A 2
Memoria	P	(Lei.)	93	D 5
Memória	P	(Lei.)	93	C 5
Menàrguens	E	(Ll.)	68	D 2
Menas, Las	E	(Alm.)	169	D 5
Menas, Los	E	(Alm.)	170	C 4
Menasalbas	E	(To.)	118	D 3
Menaza	E	(Pa.)	21	A 4
Mendalvo	P	(Lei.)	111	A 2
Mendaro	E	(Gui.)	23	D 1
Mendata	E	(Viz.)	11	B 5
Mendatza → Mendaza	E	(Na.)	24	A 5
Mendavia	E	(Na.)	44	A 2
Mendaza/Mendatza	E	(Na.)	24	A 5
Mendeika	E	(Viz.)	22	D 2
Mendes	P	(Lei.)	93	C 5
Mendexa	E	(Viz.)	11	C 5
Mendi → Ormaola	E	(Gui.)	23	D 1
Mendieta	E	(Mu.)	171	B 2
Mendieta	E	(Viz.)	11	B 5
Mendiga	P	(Lei.)	111	B 2
Mendigorría	E	(Na.)	24	D 5
Mendiola	E	(Ál.)	23	B 4
Mendiola	E	(Viz.)	23	C 2
Mendiondo	E	(Viz.)	11	A 5
Mendo Gordo	P	(Guar.)	75	D 3
Mendoza	E	(Ál.)	23	B 4
Menduíña	E	(Po.)	33	D 2
Meneses de Campos	E	(Pa.)	39	D 5
Mengabril	E	(Bad.)	132	A 2
Mengamuñoz	E	(Áv.)	99	C 1
Mengíbar	E	(J.)	151	C 5
Menoita	P	(Guar.)	76	A 5
Menores, Los	E	(S. Cruz T.)	195	C 4
Mens	E	(A Co.)	1	D 4
Mentera-Barruelo	E	(Can.)	10	A 5
Mentrestido	P	(V. C.)	33	D 5
Méntrida	E	(To.)	101	A 3
Menuza, lugar	E	(Zar.)	67	A 5
Meñaka	E	(Viz.)	11	A 5
Meñakabarrena	E	(Viz.)	11	A 5
Meotz → Meoz	E	(Na.)	25	C 4
Meoz/Meotz	E	(Na.)	25	C 4
Mequinenza	E	(Zar.)	68	A 4
Mera de Boixo	E	(A Co.)	3	B 2
Mera de Riba	E	(A Co.)	3	B 2
Meranges	E	(Gi.)	50	B 1
Merás	E	(Ast.)	5	C 3
Merca, A	E	(Our.)	35	A 3
Mercadal, Es	E	(Bal.)	90	C 2
Mercadillo	E	(Áv.)	79	A 5
Mercador	P	(Fa.)	161	A 4
Merceana	P	(Lis.)	110	D 5
Mercês	P	(Lis.)	126	B 3
Mercurín	E	(A Co.)	14	C 1
Merea	E	(Ll.)	49	B 4
Meredo	E	(Ast.)	4	D 4
Merelim (São Paio)	P	(Br.)	54	B 2
Mereludi	E	(Viz.)	11	C 5
Merelle	E	(A Co.)	14	C 1
Mérida	E	(Bad.)	131	B 3
Meridãos	P	(Vis.)	74	D 2
Merille	E	(Lu.)	3	D 2
Merlães	P	(Ave.)	74	B 3
Merlán	E	(Lu.)	15	B 2
Merlán	E	(Lu.)	15	C 5
Merli	E	(Hues.)	48	B 2
Meroños, Los	E	(Mu.)	172	C 1
Mértola	P	(Be.)	161	A 2
Merufe	P	(V. C.)	34	B 4
Meruge	P	(Co.)	95	A 1
Merza	E	(Po.)	14	C 3
Mesa Roldán, La	E	(Alm.)	184	D 2
Mesa, La	E	(Ast.)	5	A 5
Mesa, La	E	(J.)	151	D 3
Mesão Frio	P	(V. R.)	75	A 1
Mesas de Asta	E	(Cád.)	177	C 3
Mesas de Ibor	E	(Các.)	116	D 2
Mesas del Guadalora	E	(Cór.)	165	A 1
Mesas, Las	E	(Cu.)	121	B 4
Mesas, Las	E	(Las P.)	191	D 1
Mesegal	E	(Các.)	97	C 2
Mesegar de Corneja	E	(Áv.)	99	A 1
Mesegar de Tajo	E	(To.)	100	B 5
Mesego	E	(Po.)	14	B 4
Mesía	E	(A Co.)	14	D 1
Mesiego	E	(Our.)	34	D 1
Mesillo	E	(Mu.)	171	B 2
Mesón do Vento	E	(A Co.)	2	C 5
Mesones	E	(Alb.)	154	A 1
Mesones	E	(Gua.)	82	B 4
Mesones de Isuela	E	(Zar.)	65	A 3
Mesonfrío	E	(Lu.)	15	C 4
Mespelerreka → Regatol, El	E	(Viz.)	10	D 5
Mesquida, Sa	E	(Bal.)	90	D 2
Mesquinhata	P	(Port.)	74	D 1
Mesquita	P	(Be.)	161	B 2
Mesquita	P	(Fa.)	174	A 2
Mesquitela	P	(Guar.)	75	C 5
Mesquitela	P	(Guar.)	76	C 5
Mesquitela	P	(Vis.)	75	B 5
Messegães	P	(V. C.)	34	B 4
Messejana	P	(Be.)	144	A 5
Messines de Baixo	P	(Fa.)	160	A 4
Mesta, La	E	(Alb.)	137	D 5
Mestanza	E	(C. R.)	135	A 5
Mestas	E	(Ast.)	7	D 4
Mestas	E	(Ast.)	7	B 5
Mestas de Con	E	(Ast.)	7	D 5
Mestas, Las	E	(Các.)	97	D 1
Mestras	P	(Lei.)	111	A 3
Metauten	E	(Na.)	24	B 5
Mexilhoeira da Carregação	P	(Fa.)	173	C 2
Mexilhoeira Grande	P	(Fa.)	173	C 2
Mezalocha	E	(Zar.)	65	D 4
Mezio	P	(Vis.)	75	A 2
Mezonzo	E	(A Co.)	14	D 1
Mezquetillas	E	(So.)	83	C 1
Mezquita de Jarque	E	(Te.)	86	B 4
Mezquita de Loscos	E	(Te.)	86	A 2
Mezquita, A	E	(Our.)	36	C 4
Mezquitilla, La	E	(Sev.)	179	B 2
Miajadas	E	(Các.)	132	A 1
Miamán	E	(Our.)	35	C 3
Miami Platja	E	(Ta.)	89	A 2
Mian	E	(Ast.)	7	C 5
Miànegues	E	(Gi.)	51	D 3
Mianos	E	(Zar.)	46	A 1
Micereces de Tera	E	(Zam.)	38	B 5
Micieces de Ojeda	E	(Pa.)	20	C 5
Mido	P	(Guar.)	76	C 5
Midões	P	(Br.)	54	A 3
Midões	P	(Co.)	94	D 1
Midões	P	(V. R.)	56	A 3
Miedes de Aragón	E	(Zar.)	65	B 5
Miedes de Atienza	E	(Gua.)	82	D 1
Miedo, El, lugar	E	(Mu.)	140	A 4
Mieldes	E	(Ast.)	5	C 5
Miengo	E	(Can.)	9	B 4
Miera	E	(Can.)	9	D 5
Mieres	E	(Ast.)	6	C 5
Mieres	E	(Ast.)	6	C 4
Mieres	E	(Gi.)	51	D 3
Mierla, La	E	(Gua.)	82	C 3
Mieza	E	(Sa.)	77	A 1
Migjorn Gran, Es	E	(Bal.)	90	B 2
Miguel Esteban	E	(To.)	120	D 3
Miguel Ibáñez	E	(Seg.)	80	D 2
Miguelánez	E	(Seg.)	80	D 2
Migueltura	E	(C. R.)	135	B 3
Mijala	E	(Bur.)	22	D 3
Mijangos	E	(Bur.)	22	B 4
Mijares	E	(Áv.)	99	D 3
Mijarojos	E	(Can.)	9	B 5
Mijas	E	(Mál.)	180	B 5
Milà, el	E	(Ta.)	69	C 5
Milagres	P	(Lei.)	93	C 5
Milagro	E	(Na.)	44	D 3
Milagros	E	(Bur.)	61	D 3
Milano, El	E	(Sa.)	77	A 1
Milanos	E	(Gr.)	167	B 5
Milanos	E	(Gr.)	167	A 5
Mileu	P	(Vis.)	75	C 2
Milhais	P	(Bra.)	56	A 4
Milhão	P	(Bra.)	57	A 1
Milharado	P	(Lis.)	126	C 1
Milhazes	P	(Br.)	53	D 3
Milheiro	P	(Guar.)	76	B 3
Milheirós	P	(C. B.)	94	C 5
Milheirós	P	(San.)	112	A 1
Milheirós de Poiares	P	(Ave.)	74	A 2
Milhundos	P	(Port.)	54	C 5
Milmanda	E	(Our.)	35	A 3
Milmarcos	E	(Gua.)	84	C 2
Milreu	P	(C. B.)	112	C 2
Milla de Tera	E	(Zam.)	37	D 5
Milla del Páramo, La	E	(Le.)	38	C 1
Milla del Río, La	E	(Le.)	38	B 1
Milladoiro	E	(A Co.)	14	B 3
Millana	E	(Gua.)	103	C 1
Millana, La	E	(Mál.)	179	D 4
Millanes	E	(Các.)	116	C 1
Millarada	E	(Po.)	34	A 2
Millarada, A	E	(Po.)	14	C 5
Millares	E	(Val.)	124	C 5
Millarouso	E	(Our.)	36	C 2
Millena	E	(Ali.)	141	B 4
Miller	E	(J.)	153	D 3
Milles de la Polvorosa	E	(Zam.)	38	C 5
Mimbral, El	E	(Cád.)	178	B 5
Mimetiz (Zalla)	E	(Viz.)	22	C 1
Mimosa	P	(Set.)	143	D 4
Mina Antolín, lugar	E	(Cór.)	149	A 2
Mina Caridad, lugar	E	(Sev.)	163	C 3
Mina da Juliana	P	(Be.)	144	B 5
Mina de Aparis	P	(Be.)	146	A 3
Mina de São Domingos	P	(Be.)	161	B 1
Mina do Bugalho	P	(Év.)	129	D 4
Mina, La	E	(Cór.)	166	A 4
Mina, lugar	E	(Huel.)	162	D 1
Minas da Panasqueira	P	(C. B.)	95	A 3
Minas de Cala	E	(Huel.)	147	B 5
Minas de Louzal	P	(Set.)	143	D 3
Minas de Riotinto	E	(Huel.)	163	A 2
Minas de Santa Quiteria	E	(To.)	117	C 4
Minas de São João	P	(V. R.)	55	A 3
Minas del Castillo de las Guardas	E	(Sev.)	163	B 2
Minas del Horcajo	E	(C. R.)	150	C 1
Minas del Marquesado	E	(Gr.)	182	D 1
Minas Diógenes, lugar	E	(C. R.)	151	A 1
Minas, Las	E	(Alb.)	155	A 2
Minateda-Horca	E	(Alb.)	155	A 1
Minaya	E	(Alb.)	122	A 5
Minde	P	(San.)	111	C 2
Mindelo	P	(Port.)	53	D 4
Minglanilla	E	(Cu.)	123	A 3
Mingogil	E	(Alb.)	155	A 1
Mingorría	E	(Áv.)	80	B 4
Minhocal	P	(Guar.)	75	D 4
Minhotães	P	(Br.)	54	A 3
Miñagón	E	(Ast.)	5	A 4
Miñambres de la Valduerna	E	(Le.)	38	B 3
Miñana	E	(So.)	64	B 4
Miñanes	E	(Pa.)	40	B 2
Miñao Goien	E	(Ál.)	23	B 3
Miñarzo	E	(A Co.)	13	B 3
Miño	E	(A Co.)	2	D 4
Miño de Medinaceli	E	(So.)	83	C 1
Miño de San Esteban	E	(So.)	62	B 4
Miñón	E	(Bur.)	22	A 3
Miñón	E	(Bur.)	41	C 2
Miñosa, La	E	(Gua.)	83	A 1
Miñosa, La	E	(So.)	63	C 4
Miñotos	E	(Lu.)	3	D 2
Miñu	E	(Ast.)	5	B 4
Mioma	P	(Vis.)	75	B 4
Miomães	P	(Vis.)	74	D 1
Mioño	E	(Can.)	10	C 5
Miou	E	(Ast.)	4	C 3
Mira	E	(A Co.)	14	A 1
Mira	E	(Cu.)	123	B 2
Mira	P	(Co.)	93	C 1
Mira de Aire	P	(Lei.)	111	C 2
Mirabel	E	(Các.)	115	C 1
Mirabel	E	(Các.)	98	B 5
Mirabueno	E	(Gua.)	83	B 3
Miradeses	P	(Bra.)	56	A 3
Mirador del Montseny, El	E	(Bar.)	71	B 1
Mirador, El	E	(Bar.)	70	D 4
Mirador, El	E	(Mu.)	172	C 1
Miraelrío	E	(J.)	152	A 4
Miraflor	E	(Ali.)	141	D 3
Miraflor	E	(Las P.)	191	C 1
Miraflores	E	(Cád.)	177	B 4
Miraflores	E	(Mad.)	101	C 3
Miraflores de la Sierra	E	(Mad.)	81	C 4
Mirafuentes	E	(Na.)	24	A 5
Miragaia	P	(Lis.)	110	C 4
Miralcamp	E	(Ll.)	69	A 3
Miralrío	E	(Gua.)	83	A 3
Miralsot	E	(Hues.)	68	A 3
Miramar	E	(Val.)	141	C 2
Mirambel	E	(Te.)	87	A 5
Mirambell	E	(Bar.)	70	A 1
Miranda	E	(Ast.)	6	B 3
Miranda	E	(Lu.)	16	A 2
Miranda	E	(Mu.)	172	B 2
Miranda	E	(S. Cruz T.)	193	C 3
Miranda	P	(V. C.)	34	A 5
Miranda de Arga	E	(Na.)	44	D 1
Miranda de Azán	E	(Sa.)	78	C 3
Miranda de Duero	E	(So.)	63	D 3
Miranda de Ebro	E	(Bur.)	23	A 5
Miranda del Castañar	E	(Sa.)	98	A 1
Miranda del Rey, lugar	E	(J.)	151	D 2
Miranda do Corvo	P	(Co.)	94	B 3
Miranda do Douro	P	(Bra.)	57	C 3
Miranda, La	E	(Ast.)	6	C 3
Mirandela	P	(Bra.)	56	B 3
Mirandilla	E	(Bad.)	131	C 2
Mirantes, lugar	E	(Le.)	18	C 3
Mira-sol	E	(Bar.)	70	D 3
Miraval	E	(Mad.)	82	A 5
Miravalles	E	(Ast.)	7	A 3
Miraveche	E	(Bur.)	22	C 5
Miravet	E	(Ta.)	88	C 2
Miravete de la Sierra	E	(Te.)	86	C 5
Miro	P	(Co.)	94	B 2
Mirón	E	(Po.)	34	A 1
Mirón, El	E	(Áv.)	99	A 1

Monterrei

Mironcillo E (Áv.) 99 D 1
Mirones E (Can.) 9 D 5
Mirones, Los E (C. R.) 135 D 5
Mirueña de los Infanzones E (Áv.) 79 C 4
Mislata E (Val.) 125 A 4
Miudes E (Ast.) 5 A 3
Miuzela P (Guar.) 96 B 1
Mixós E (Our.) 35 D 5
Miyares E (Ast.) 7 B 4
Mizala E (Alm.) 184 C 2
Mizarela P (Guar.) 75 D 5
Mizquitillas, lugar E (Alb.) 139 A 4
Mó Grande P (Lei.) 94 C 5
Moal E (Ast.) 17 B 2
Moalde E (Po.) 14 C 4
Moanes E (Ast.) 5 B 3
Moaña E (Po.) 33 D 2
Moar E (A Co.) 14 C 2
Moarves de Ojeda E (Pa.) 20 C 5
Moçamedes P (Vis.) 74 D 4
Mocanal E (S. Cruz T.) 194 C 4
Moçarria P (San.) 111 B 4
Mocejón E (To.) 101 B 5
Mocifas da Nazaré P (Co.) 93 D 4
Mociños E (Our.) 34 D 3
Moclín E (Gr.) 167 C 5
Moclinejo E (Mál.) 180 D 4
Mochales E (Gua.) 84 C 2
Mochicle, lugar E (Cád.) 177 C 5
Mochos, Los E (Cór.) 165 D 1
Mochuelos, Los E (J.) 152 D 2
Modelos P (Port.) 54 B 5
Modino E (Le.) 19 C 4
Modivas P (Port.) 53 D 4
Modúbar de la Cuesta E (Bur.) 41 D 3
Modúbar de la Emparedada E (Bur.) 41 D 3
Modúbar de San Cebrián E (Bur.) 42 A 3
Moeche E (A Co.) 3 A 2
Moeche E (A Co.) 3 B 2
Mões P (Vis.) 75 A 3
Mofreita P (Bra.) 36 D 5
Mogadouro P (Bra.) 57 A 5
Mogán E (Las P.) 191 B 3
Mogão Cimeiro P (San.) 112 C 2
Mogarraz E (Sa.) 98 A 1
Mogatar E (Zam.) 58 B 5
Mogente/Moixent E (Val.) 140 C 3
Mogino, lugar E (J.) 152 C 3
Mogo de Malta P (Bra.) 56 A 5
Mogofores P (Ave.) 94 A 1
Mogón E (J.) 152 D 4
Mogor E (A Co.) 3 C 1
Mogor E (Po.) 33 D 1
Mogro E (Can.) 9 B 4
Mogueirães P (Vis.) 74 C 4
Moguer E (Huel.) 176 C 2
Moharras, lugar E (Alb.) 137 D 1
Moheda, La E (Các.) 97 A 4
Moheda-Portales E (Mál.) 180 C 3
Mohedas de Granadilla E (Các.) 97 D 3
Mohedas de la Jara E (To.) 117 B 3
Mohedas, Las E (Alb.) 138 A 5
Mohernando E (Gua.) 82 C 4
Mohorte E (Cu.) 104 B 5
Moi E (Po.) 15 A 5
Moià E (Bar.) 70 D 1
Moia E (Lu.) 16 D 3
Moialde E (Our.) 36 A 5
Moimenta E (A Co.) 13 D 4
Moimenta P (Bra.) 36 C 5
Moimenta P (Vis.) 74 C 1
Moimenta da Beira P (Vis.) 75 C 2
Moimenta da Serra P (Guar.) 95 B 1
Moimenta de Maceira Dão P (Vis.) 75 A 5
Moimentinha P (Guar.) 76 A 4
Moinhos P (Co.) 94 B 3
Moinhos P (Co.) 94 B 2
Moinhos de Carvide P (Lei.) 93 B 5
Moinhos de Vento P (Be.) 160 B 2
Moita P (Ave.) 74 B 4
Moita P (Ave.) 94 A 1
Moita P (Guar.) 96 A 2
Moita P (Lei.) 94 B 4
Moita P (Lei.) 111 A 1
Moita P (Lei.) 111 A 3
Moita P (San.) 111 C 1
Moita P (Set.) 127 A 4
Moita P (Vis.) 75 A 3
Moita da Roda P (Lei.) 93 B 5
Moita da Serra P (Co.) 94 C 2
Moita do Açôr P (Lei.) 111 B 2
Moita do Boi P (Lei.) 93 C 4
Moita do Martinho P (Lei.) 111 C 2
Moita do Norte P (San.) 112 A 3
Moitalina P (Lei.) 111 B 2
Moitas P (C. B.) 113 A 1
Moitas Venda P (San.) 111 C 3
Moixent → Mogente E (Val.) 140 C 3
Moja E (Bar.) 70 B 4
Mojácar E (Alm.) 184 D 1
Mojácar Playa E (Alm.) 184 D 4
Mojados E (Vall.) 60 B 4
Mojares E (Gua.) 83 C 2
Mojón, El E (Mu.) 156 B 4
Mojonar, El E (Alm.) 170 B 2
Mojonera, La E (Alm.) 183 C 4
Molacillos E (Zam.) 58 C 3
Moladão P (Co.) 94 C 2
Molar, El E (J.) 152 C 5
Molar, El E (Mad.) 82 A 4
Molar, el E (Ta.) 88 D 1
Molares E (Huel.) 146 C 5
Molares P (Br.) 54 D 4
Molares, Los E (Sev.) 178 B 1
Molata, La E (Mu.) 171 D 1
Moldes E (Le.) 16 C 5
Moldes P (Ave.) 74 C 2
Moldones E (Zam.) 57 B 1
Moledo P (Lis.) 110 C 4
Moledo P (V. C.) 33 C 5
Moledo P (Vis.) 75 A 3
Molelos P (Vis.) 74 C 5
Molezuelas de la Carballeda E (Zam.) 37 D 4
Molianos P (Lei.) 111 B 2
Molina → Cañada del Salobral, lugar E (Alb.) 138 C 4
Molina de Aragón E (Gua.) 84 C 4
Molina de Segura E (Mu.) 155 D 4
Molina de Ubierna, La E (Bur.) 41 D 1
Molina del Portillo del Busto, La E (Bur.) 22 C 5
Molina, La E (Gi.) 50 C 2
Molinaferrera E (Le.) 37 C 2
Molinar, El E (Alb.) 138 B 5
Molinàs E (Gi.) 52 B 1
Molinas, Los E (Alm.) 170 C 5
Molinaseca E (Le.) 37 B 1
Molinell, El E (Cas.) 107 C 2
Molineras, Las E (Gr.) 169 C 4
Molinicos E (Alb.) 154 A 1
Molinilla E (Ál.) 22 D 4
Molinillo E (Sa.) 98 A 1
Molinillo, El E (C. R.) 118 D 4
Molinillo, El E (Gr.) 168 B 5
Molinillo, El E (Mu.) 171 B 2
Molinillo, lugar E (Mad.) 101 A 2
Molinito, El E (S. Cruz T.) 194 C 2
Molino de la Hoz-Nuevo Club de Golf E (Mad.) 101 B 1
Molino de Viento, El E (Las P.) 191 B 3
Molinos E (Te.) 87 A 4
Molinos de Duero E (So.) 63 B 1
Molinos de Papel E (Cu.) 104 B 4
Molinos de Razón E (So.) 43 C 5
Molinos Marfagones E (Mu.) 172 B 2
Molinos, Los E (Gr.) 167 B 5
Molinos, Los E (Las P.) 191 B 2
Molinos, Los E (Mad.) 81 A 5
Molinos, Los, lugar E (Bad.) 147 D 3
Molinos-Sijuela, Los E (Mál.) 179 B 4
Molins E (Ali.) 156 B 4
Molins de Rei E (Bar.) 70 D 4
Molpeceres E (Vall.) 61 A 3
Molsosa, la E (Ll.) 70 A 1
Molta dos Ferreiros P (Lis.) 110 C 4
Molvízar E (Gr.) 182 A 4
Molledo E (Can.) 21 B 2
Molledo, El E (S. Cruz T.) 195 C 3
Mollerussa E (Ll.) 69 A 2
Mollet de Peralada E (Gi.) 52 B 1
Mollet del Vallès E (Bar.) 71 A 3
Mollina E (Mál.) 180 A 1
Molló E (Gi.) 51 B 2
Momán E (Lu.) 3 B 4
Momán E (Lu.) 4 A 5
Mombeja P (Be.) 144 C 4
Mombeltrán E (Áv.) 99 C 3
Momblona E (So.) 63 D 4
Mombuey E (Zam.) 37 C 5
Momediano E (Bur.) 22 B 3
Monachil E (Gr.) 182 A 1
Monasterio E (Gua.) 82 D 3
Monasterio E (So.) 63 B 3
Monasterio de la Sierra E (Bur.) 42 C 5
Monasterio de Rodilla E (Bur.) 42 A 2
Monasterio de Vega E (Vall.) 39 C 3
Monasterioguren E (Ál.) 23 B 4
Monasterios, Los E (Val.) 125 B 2
Moncabril E (Zam.) 37 A 4
Moncada/Montcada de l'Horta E (Val.) 125 A 3
Moncalvillo E (Bur.) 42 C 5
Moncalvillo del Huete E (Cu.) 103 B 3
Monção P (V. C.) 34 B 4
Moncarapacho P (Fa.) 174 D 3
Moncayo, lugar E (Gr.) 153 C 5
Monclova, La E (Sev.) 165 A 3
Moncofa E (Cas.) 125 C 1
Monchique P (Fa.) 159 C 4
Monda E (Mál.) 179 D 5
Mondariz E (Po.) 34 B 2
Mondariz-Balneario E (Po.) 34 B 2
Mondéjar E (Gua.) 102 D 3
Mondim da Beira P (Vis.) 75 B 2
Mondim de Basto P (V. R.) 55 A 4
Mondim de Cima P (Vis.) 75 B 2
Mondoñedo E (Lu.) 4 A 3
Mondoñedo E (Lu.) 4 B 2
Mondragón → Arrasate E (Gui.) 23 C 2
Mondreganes E (Le.) 19 D 5
Mondrões P (V. R.) 55 B 5
Mondrón E (Mál.) 180 D 3
Mondújar E (Gr.) 182 A 2
Monegrillo E (Zar.) 67 A 3
Moneixas E (Po.) 14 D 4
Monells E (Gi.) 52 B 4
Moneo E (Bur.) 22 A 3
Mones E (Ast.) 7 B 4
Monesma E (Hues.) 47 D 5
Monesma de Benabarre E (Hues.) 48 C 3
Monesterio E (Bad.) 147 B 4
Moneva E (Zar.) 86 B 1
Monfarracinos E (Zam.) 58 C 3
Monfebres P (V. R.) 55 D 4
Monfero E (A Co.) 3 A 4
Monfirre P (Lis.) 126 C 2
Monflorite E (Hues.) 47 A 4
Monforte P (Co.) 94 A 3
Monforte P (Por.) 129 C 1
Monforte da Beira P (C. B.) 113 D 1
Monforte de la Sierra E (Sa.) 97 D 1
Monforte de Lemos E (Lu.) 35 D 1
Monforte de Moyuela E (Te.) 86 A 2
Monforte del Cid E (Ali.) 156 C 2
Monfortinho P (C. B.) 96 C 4
Monga E (Ast.) 7 A 4
Mongay, lugar E (Hues.) 48 C 4
Monistrol d'Anoia E (Bar.) 70 C 3
Monistrol de Calders E (Bar.) 70 D 1
Monistrol de Montserrat E (Bar.) 70 C 2
Monjas, Las E (Sev.) 164 D 5
Monjas, Las E (Val.) 123 C 4
Monjos, Los E (Alm.) 183 B 1
Monleón E (Sa.) 78 B 5
Monleras E (Sa.) 77 D 1
Monnars E (Ta.) 89 D 1
Monóvar/Monòver E (Ali.) 156 C 1
Monòver → Monóvar E (Ali.) 156 C 1
Monreal de Ariza E (Zar.) 64 B 5
Monreal del Campo E (Te.) 85 C 4
Monreal del Llano E (Cu.) 121 B 3
Monreal/Elo E (Na.) 25 B 5
Monroy E (Các.) 115 C 2
Monroyo E (Te.) 87 C 4
Monsagro E (Sa.) 97 C 1
Monsalupe E (Áv.) 80 A 4
Monsanto P (C. B.) 96 B 4
Monsanto P (San.) 111 C 3
Monsaraz P (Év.) 145 C 1
Monsarros P (Ave.) 94 A 1
Monseiro E (Lu.) 16 A 4
Monserrat/Montserrat Alcalà E (Val.) 124 D 4
Monsul P (Br.) 54 C 2
Mont de Roda E (Hues.) 48 B 3
Monta, La E (Sev.) 164 B 3
Montaberner/Montaverner E (Val.) 141 A 3
Montagut E (Gi.) 51 C 2
Montagut E (Ll.) 68 C 3
Montalbà E (Cas.) 107 D 3
Montalbán E (Te.) 86 B 4
Montalbán de Córdoba E (Cór.) 166 A 3
Montalbanejo E (Cu.) 121 D 2
Montalbanes, Los E (Gr.) 168 A 4
Montalbo E (Cu.) 121 B 1
Montalegre P (V. R.) 55 B 1
Montalvão P (Por.) 113 C 2
Montalviche E (Alm.) 170 C 2
Montalvo P (San.) 112 B 3
Montalvo Primero E (Sa.) 78 C 3
Montalvos E (Alb.) 138 C 1
Montamarta E (Zam.) 58 B 2
Montán E (Cas.) 106 D 4
Montan de Tost E (Ll.) 49 D 3
Montánchez E (Các.) 115 D 5
Montanejos E (Cas.) 106 D 4
Montanissell E (Ll.) 49 C 3
Montanúy E (Hues.) 48 C 1
Montaña Alta E (Las P.) 191 C 1
Montaña Blanca E (Las P.) 192 C 4
Montaña la Data E (Las P.) 191 C 4
Montaña los Vélez E (Las P.) 191 D 3
Montaña San Gregorio E (Las P.) 191 D 1
Montaña Tenisca E (S. Cruz T.) 193 B 3
Montaña, La E (Ast.) 5 B 3
Montaña, La E (S. Cruz T.) 193 C 3
Montañana E (Bur.) 22 D 5
Montañana E (Hues.) 48 C 3
Montañana E (Zar.) 66 B 2
Montaña-Zamora E (S. Cruz T.) 195 D 3
Montañeta, La E (Las P.) 191 D 2
Montañeta, La E (S. Cruz T.) 195 C 3
Montañetas, Las E (S. Cruz T.) 195 D 3
Montaos E (A Co.) 14 C 1
Montarecos P (Por.) 113 D 5
Montargil P (Por.) 128 B 1
Montaria P (V. C.) 53 D 1
Montarrón E (Gua.) 82 C 3
Montaverner → Montaberner E (Val.) 141 A 3
Montaves E (So.) 44 A 5
Montbarbat E (Gi.) 72 A 1
Montblanc E (Ta.) 69 C 4
Montbrió del Camp E (Ta.) 89 B 1
Montcada de l'Horta → Moncada E (Val.) 125 A 3
Montcada i Reixac E (Bar.) 71 A 3
Montcal E (Gi.) 52 A 4
Montclar E (Bar.) 50 B 4
Montclar E (Ll.) 69 B 1
Monte E (A Co.) 3 A 2
Monte E (A Co.) 15 A 2
Monte E (Can.) 9 D 5
Monte E (Can.) 9 C 4
Monte E (Lu.) 35 D 1
Monte E (Lu.) 4 A 2
Monte E (Po.) 13 D 5
Monte E (Po.) 34 A 3
Monte P (Ave.) 73 D 3
Monte P (Br.) 54 C 3
Monte P (Br.) 54 C 1
Monte P (Ma.) 110 B 2
Monte P (Set.) 127 C 5
Monte Agudo P (Fa.) 175 A 2
Monte Alcedo E (Val.) 124 D 3
Monte Alto E (Cór.) 165 D 2
Monte Blanco E (Cas.) 107 B 5
Monte Bom P (Lis.) 126 B 1
Monte Brito P (Fa.) 174 B 2
Monte Carvalho P (Por.) 113 C 4
Monte Claro P (Por.) 113 A 3
Monte Córdova P (Port.) 54 B 4
Monte da Agolada de Cima P (San.) 127 D 1
Monte da Apariça P (Be.) 144 D 3
Monte da Batalha P (Set.) 143 C 1
Monte da Caiada P (Be.) 160 D 2
Monte da Corda P (Fa.) 159 B 4
Monte da Corte Negra P (Be.) 144 C 4
Monte da Charneca P (Fa.) 174 A 2
Monte da Estrada P (Be.) 159 C 1
Monte da Pedra P (Por.) 113 A 4
Monte da Velha P (Guar.) 76 C 5
Monte da Velha P (Por.) 113 B 5
Monte das Flores P (Év.) 128 C 5
Monte das Mestras P (Be.) 160 C 3
Monte das Obras P (Set.) 143 D 1
Monte das Viúvas P (Be.) 160 C 3
Monte de Batres E (Mad.) 101 B 3
Monte de Breña E (S. Cruz T.) 193 C 3
Monte de Lobos P (Vis.) 94 B 1
Monte de Luna E (S. Cruz T.) 193 C 4
Monte de Matallana E (Vall.) 59 D 1
Monte de Negas P (Be.) 160 D 3
Monte de Palma P (Set.) 127 C 5
Monte de Pueblo E (S. Cruz T.) 193 C 3
Monte de San Lorenzo E (Vall.) 59 C 2
Monte do Fialho P (Be.) 160 D 3
Monte do Guerreiro P (Be.) 160 D 1
Monte do Nicolau P (Év.) 127 C 4
Monte do Torrao P (Por.) 112 D 4
Monte do Trigo P (Év.) 145 A 1
Monte dos Alhos P (Set.) 143 D 5
Monte dos Mestres P (Be.) 160 C 2
Monte dos Pereiros P (Por.) 112 D 4
Monte Fidalgo P (C. B.) 113 C 2
Monte Francisco P (Fa.) 175 C 2
Monte Frio P (Co.) 94 D 2
Monte Galego P (San.) 112 C 3
Monte Gato P (Be.) 160 D 2
Monte Gordo P (Fa.) 175 C 2
Monte Judeu P (Fa.) 173 B 2
Monte Julia E (Hues.) 68 A 2
Monte la Reina E (Zam.) 58 D 3
Monte Lentiscal E (Las P.) 191 D 2
Monte Lope-Álvarez E (J.) 167 A 2
Monte Margarida P (Guar.) 96 B 1
Monte Negro P (Fa.) 174 C 3
Monte Novo P (Fa.) 159 A 4
Monte Novo P (Guar.) 96 A 1
Monte Novo P (Set.) 127 C 5
Monte Novo do Sul P (Set.) 143 B 1
Monte Orenes, lugar E (Cu.) 121 D 5
Monte Perobolso P (Guar.) 76 C 5
Monte Real P (Lei.) 93 B 5
Monte Redondo P (Lei.) 93 B 5
Monte Redondo P (Lis.) 110 C 5
Monte Redondo P (V. C.) 34 B 5
Monte Robledal E (Mad.) 102 C 3
Monte Vasco P (Guar.) 96 A 1
Monte Vedat/Vedat de Torrent, el E (Val.) 125 A 4
Monte Velho P (Por.) 112 D 4
Monte, El o Guargacho E (S. Cruz T.) 195 D 4
Monte, El, lugar E (Alb.) 138 C 2
Monteagudo E (A Co.) 2 B 4
Monteagudo E (Mu.) 156 A 4
Monteagudo E (Na.) 44 D 5
Monteagudo de las Salinas E (Cu.) 122 C 1
Monteagudo de las Vicarías E (So.) 64 B 5
Monteagudo del Castillo E (Te.) 106 B 1
Montealegre E (Le.) 17 D 5
Montealegre de Campos E (Vall.) 59 D 1
Montealegre del Castillo E (Alb.) 139 C 4
Monteana E (Ast.) 6 C 3
Montearagón E (To.) 100 B 5
Montecelo E (Po.) 33 D 1
Montecillo E (Can.) 21 B 4
Monteclaro-La Cabaña E (Mad.) 101 C 2
Montecorto E (Mál.) 179 A 3
Montecote E (Cád.) 186 A 3
Montecubeiro E (Lu.) 16 A 1
Montederramo E (Our.) 35 D 2
Montedor P (V. C.) 53 C 1
Montefrío E (Gr.) 167 B 5
Montefurado E (Lu.) 36 B 2
Monte-Gil E (Sev.) 178 D 1
Montegil P (Lis.) 110 D 5
Montehermoso E (Các.) 97 C 4
Monteira P (Co.) 94 C 3
Monteiras P (Vis.) 75 A 2
Monteiros P (Guar.) 76 B 5
Montejaque E (Mál.) 179 A 4
Montejícar E (Gr.) 168 A 3
Montejo E (Sa.) 78 C 5
Montejo de Arévalo E (Seg.) 80 B 1
Montejo de Bricia E (Bur.) 21 C 3
Montejo de Cebas E (Bur.) 22 C 4
Montejo de la Sierra E (Mad.) 82 A 2
Montejo de la Vega de la Serrezuela E (Seg.) 61 D 3
Montejo de Tiermes E (So.) 62 C 5
Montejos del Camino E (Le.) 38 C 1
Montelavar P (Lis.) 126 B 2
Montelo P (San.) 111 C 2
Montelongo E (Our.) 35 A 4
Monteluz E (Gr.) 167 D 5
Montellà E (Ll.) 50 B 2
Montellano E (Sev.) 178 C 2
Montemaior E (A Co.) 2 B 5
Montemayor E (Cór.) 166 A 2
Montemayor de Pililla E (Vall.) 60 C 4
Montemayor del Río E (Sa.) 98 B 2
Montemolín E (Bad.) 147 C 3
Montemor-o-Novo P (Év.) 128 B 4
Montemor-o-Velho P (Co.) 93 C 3
Montemuro P (Lis.) 126 C 2
Montenegrelo P (V. R.) 55 C 3
Montenegro E (Gr.) 182 D 2
Montenegro de Ágreda E (So.) 64 B 1
Montenegro de Cameros E (So.) 43 B 4
Monte-Palacio E (Sev.) 164 D 5
Monterde E (Zar.) 84 D 1
Monterde de Albarracín E (Te.) 105 B 1
Monterrei E (Our.) 35 D 5

Nogueirón

Murches P (Lis.) 126 B3
Murero E (Zar.) 85 B1
Mures E (J.) 167 C4
Murganheira P (Co.) 94 C2
Murgeira P (Lis.) 126 C1
Murgia → Murguía E (Ál.) 23 A3
Murguía/Murgia E (Ál.) 23 A3
Murias E (Ast.) 6 A4
Murias E (Ast.) 18 D1
Murias E (Zam.) 37 A4
Múrias P (Bra.) 56 B3
Murias de Paredes E (Le.) 17 D3
Murias de Pedredo E (Le.) 37 D2
Murias de Ponjos E (Le.) 18 A4
Murias de Rechivaldo E (Le.) 38 A1
Murias, Las E (Le.) 18 A3
Muriedas E (Can.) 9 C4
Muriel E (Gua.) 82 C3
Muriel de la Fuente E (So.) 63 A2
Muriel de Zapardiel E (Vall.) 79 D1
Muriel Viejo E (So.) 63 A2
Murieta E (Na.) 24 B5
Murillo de Gállego E (Zar.) 46 B2
Murillo de Río Leza E (La R.) 43 D2
Murillo el Cuende E (Na.) 45 A2
Murillo el Fruto E (Na.) 45 B2
Murita E (Bur.) 22 D3
Murla E (Ali.) 141 D4
Muro E (Bal.) 92 B2
Muro P (Port.) 54 A4
Muro de Ágreda E (So.) 64 C1
Muro de Aguas E (La R.) 44 B4
Muro de Alcoy/
Muro del Comtat E (Ali.) 141 A4
Muro del Comtat →
Muro de Alcoy E (Ali.) 141 A4
Muro en Cameros E (La R.) 43 C3
Muros E (A Co.) 13 B3
Muros de Nalón E (Ast.) 6 A3
Murta P (San.) 111 D4
Murta P (Set.) 143 B1
Murtal P (Lei.) 94 A5
Murtal P (Lis.) 126 B3
Murtal P (San.) 111 C1
Murtas E (Gr.) 182 D3
Murtas, Las E (Mu.) 154 D3
Murtede P (Co.) 94 A1
Murteira P (Ave.) 74 A2
Murteira P (C. B.) 112 D1
Murteira P (Lis.) 126 C2
Murteira P (Lis.) 110 D4
Murteira P (San.) 111 B3
Murteirinha P (C. B.) 113 A1
Murtinheira P (Co.) 93 B2
Murtosa P (Ave.) 73 D3
Murua E (Ál.) 23 B3
Murual P (San.) 111 B3
Murueta E (Viz.) 11 B5
Muruzábal E (Na.) 24 D5
Museros E (Val.) 125 B3
Musitu E (Ál.) 23 D4
Mustio, El E (Huel.) 146 A5
Mutiloa E (Gui.) 24 A2
Mutriku E (Gui.) 11 D5
Mutxamel E (Ali.) 157 C1
Muxa E (Lu.) 15 D2
Muxagata P (Guar.) 75 D4
Muxagata P (Guar.) 76 B2
Muxía E (A Co.) 1 B5
Muxika E (Viz.) 11 B5
Muxueira, A E (Lu.) 4 B4
Muyo, El E (Seg.) 62 B5

N

Nabainhos P (Guar.) 75 C5
Nabais P (Guar.) 75 C5
Nabais P (San.) 111 C4
Nabaridas →
Navaridas E (Ál.) 43 C1
Nabarniz E (Viz.) 11 C5
Nabaskoze →
Navascués E (Na.) 25 D5
Nabaz E (Na.) 12 D5
Nabo P (Bra.) 56 B5
Nacimiento E (Alm.) 183 C1
Nacimiento, El E (Cór.) 166 C4
Nachá E (Hues.) 48 B5
Nadadouro P (Lei.) 110 D3
Nadrupe P (Lis.) 110 C4
Nafarros P (Lis.) 126 B2
Nafría de Ucero E (So.) 62 D2
Nafría la Llana E (So.) 63 B3
Nagore (Artze) E (Na.) 25 B4
Nagosa P (Vis.) 75 C2
Nagozelo do Douro P (Vis.) 55 D5
Naharros E (Cu.) 103 C4
Naharros E (Gua.) 83 A1
Nájara E (Cád.) 186 B3
Nájera E (La R.) 43 B2
Nalda E (La R.) 43 C3
Nalec E (Ll.) 69 B3
Nambroca E (To.) 119 B1
Namorados P (Be.) 161 A2
Namorados P (Be.) 160 C1
Nanclares de la Oca/
Langraiz Oka E (Ál.) 23 A4
Nandufe P (Vis.) 74 D5
Nantes E (Po.) 33 D1
Nantes P (V. R.) 55 D1
Nantón E (A Co.) 14 A2
Nantón E (A Co.) 1 D5
Nàquera E (Val.) 125 A2
Narahío E (A Co.) 3 A3
Naranjeros, Los E (S. Cruz T.) 196 B2
Naraval E (Ast.) 5 B4
Narayola E (Le.) 17 A5
Narbarte E (Na.) 25 A2
Narboneta E (Cu.) 123 B2
Naredo de Fenar E (Le.) 19 A4
Narejos, Los E (Mu.) 172 C1
Narganes E (Ast.) 8 C5
Narila E (Gr.) 182 C2
Nariz P (Ave.) 73 D5
Narla E (Lu.) 15 C1
Narón E (A Co.) 2 D3
Narrillos
de San Leonardo E (Áv.) 80 A5
Narrillos del Álamo E (Áv.) 78 D5
Narrillos del Rebollar E (Áv.) 79 D5
Narros E (So.) 64 A1
Narros de Cuéllar E (Seg.) 60 C5
Narros de Matalayegua E (Sa.) 78 A4
Narros de Saldueña E (Áv.) 79 D3
Narros del Castillo E (Áv.) 79 C3
Narros del Puerto E (Áv.) 99 C1
Narros, Los E (Áv.) 98 C2
Narzana E (Ast.) 6 D4
Nates E (Can.) 10 A4
Natxitua E (Viz.) 11 C4
Nava E (Ast.) 7 A4
Nava E (Cór.) 150 C4
Nava Campaña E (Alb.) 155 A1
Nava de Abajo E (Alb.) 138 D5
Nava de Arévalo E (Áv.) 80 A3
Nava de Arriba E (Alb.) 138 C5
Nava de Béjar E (Sa.) 98 C1
Nava de Francia E (Sa.) 97 D1
Nava de Jadraque, La E (Gua.) 82 C2
Nava de la Asunción E (Seg.) 80 C1
Nava de los Caballeros E (Le.) 19 B5
Nava de Mena E (Bur.) 22 C2
Nava de Ricomalillo, La E (To.) 117 C2
Nava de Roa E (Bur.) 61 B3
Nava de San Pedro E (J.) 169 A1
Nava de Santiago, La E (Bad.) 131 A1
Nava de Santullán E (Pa.) 20 D4
Nava de Sotrobal E (Sa.) 79 B3
Nava del Barco E (Áv.) 98 D2
Nava del Rey E (Vall.) 59 C5
Nava y Lapa, La E (Cád.) 178 D3
Nava, La E (Ast.) 6 D5
Nava, La E (Bad.) 132 D4
Nava, La E (Huel.) 146 C4
Nava, La E (J.) 167 A1
Nava, La, lugar E (Sev.) 148 C4
Navabellida E (So.) 44 A5
Navabuena E (Vall.) 59 D2
Navacarros E (Sa.) 98 C2
Navacepeda de Tormes E (Áv.) 99 B2
Navacepedilla
de Corneja E (Áv.) 99 B1
Navacerrada E (C. R.) 134 C4
Navacerrada E (Mad.) 81 B4
Navaconcejo E (Các.) 98 B3
Navadijos E (Áv.) 99 C2
Navaescurial E (Áv.) 99 B1
Navafría E (Le.) 19 A5
Navafría E (Seg.) 81 C2
Navagallega E (Sa.) 78 B4
Navahermosa E (Huel.) 162 C3
Navahermosa E (Huel.) 146 D5
Navahermosa E (Mál.) 179 D1
Navahermosa E (To.) 118 C3
Navahombela E (Sa.) 78 D5
Navahonda E (Sa.) 78 C3
Navahondilla E (Áv.) 100 C2
Navais P (Port.) 53 D3
Navajas E (Cas.) 124 D1
Navajeda E (Can.) 9 D5
Navajún E (La R.) 44 B5
Naval E (Hues.) 47 D3
Navalacruz E (Áv.) 99 D2
Navalafuente E (Mad.) 81 D4
Navalagamella E (Mad.) 101 A1
Navalagrulla E (Sev.) 165 C2
Navalajarra E (C. R.) 118 C5
Navalcaballo E (So.) 63 C2
Navalcán E (To.) 99 C4
Navalcarnero E (Mad.) 101 B3
Navalcuervo E (Cór.) 149 A3
Navalengua E (Alb.) 138 B4
Navaleno E (So.) 62 D1
Navales E (Sa.) 78 D4
Navalespino E (Mad.) 80 D5
Navalguijo E (Áv.) 98 D3
Navalho P (Bra.) 56 A4
Navalilla E (Seg.) 61 B5
Navalmahillo E (Áv.) 99 A2
Navalmanzano E (Seg.) 80 D1
Navalmedio de Morales E (C. R.) 134 B3
Navalmoral E (Áv.) 100 A1
Navalmoral de Béjar E (Sa.) 98 B2
Navalmoral de la Mata E (Các.) 98 D5
Navalmoralejo E (To.) 117 B2
Navalmorales, Los E (To.) 118 B2
Navalón E (Cu.) 104 A4
Navalón E (Val.) 140 B3
Navalonguilla E (Áv.) 98 D3
Navalosa E (Áv.) 99 D2
Navalperal de Pinares E (Áv.) 80 C5
Navalperal de Tormes E (Áv.) 99 A2
Navalpino E (C. R.) 134 B1
Navalpotro E (Gua.) 83 C3
Navalrincón E (C. R.) 134 C1
Navalsauz E (Áv.) 99 C2
Navaltoril E (To.) 117 D3
Navalucillos, Los E (To.) 118 B2
Navaluenga E (Áv.) 100 A2
Navalvillar de Ibor E (Các.) 116 D3
Navalvillar de Pela E (Bad.) 132 D1
Navallera E (Mad.) 81 C5
Navamediana E (Áv.) 99 A2
Navamojada E (Áv.) 98 D2
Navamorales E (Sa.) 98 D1
Navamorcuende E (To.) 100 A4
Navamorisca E (Áv.) 98 D2
Navamuñana E (Áv.) 99 A2
Navamures E (Áv.) 98 D2
Navandrinal E (Áv.) 99 D1
Navapalos, lugar E (So.) 62 D4
Navaquesera E (Áv.) 99 D2
Navarcles E (Bar.) 70 C1
Navardún E (Zar.) 45 D1
Navares E (Mu.) 154 C4
Navares de Ayuso E (Seg.) 61 D5
Navares de Enmedio E (Seg.) 61 D5
Navares de las Cuevas E (Seg.) 61 C4
Navares y Tejares E (Mál.) 179 B4
Navaridas/Nabaridas E (Ál.) 43 C1
Navarredonda E (Mad.) 101 B1
Navarredonda E (Mad.) 81 D3
Navarredonda E (Sev.) 179 C2
Navarredonda
de Gredos E (Áv.) 99 B2
Navarredonda
de la Rinconada E (Sa.) 78 A5
Navarredonda
de Salvatierra E (Sa.) 78 C5
Navarredondilla E (Áv.) 100 A1
Navarrés E (Val.) 140 C1
Navarrete E (La R.) 43 C2
Navarrete del Río E (Te.) 85 C3
Navarrevisca E (Áv.) 99 D2
Navarro E (Ast.) 6 B3
Navarros, Los E (Alm.) 183 C1
Navàs E (Bar.) 50 C5
Navás E (Po.) 33 D3
Navas de Bureba E (Bur.) 22 B5
Navas de Estena E (C. R.) 118 B4
Navas de Jadraque, Las E (Gua.) 82 D2
Navas de Jorquera E (Alb.) 123 A5
Navas de
la Concepción, Las E (Sev.) 148 D5
Navas de Oro E (Seg.) 80 C1
Navas de Riofrío E (Seg.) 81 A3
Navas de San Antonio E (Seg.) 80 D4
Navas de San Juan E (J.) 152 B3
Navas de Selpillar E (Cór.) 166 B4
Navas de Tolosa E (J.) 151 D3
Navas del Madroño E (Các.) 114 D2
Navas del Marqués, Las E (Áv.) 80 D5
Navas del Pinar E (Bur.) 62 C1
Navas del Rey E (Mad.) 100 D2
Navas, Las E (Cór.) 167 A4
Navascués/Nabaskoze E (Na.) 25 D5
Navasequilla E (Áv.) 99 A2
Navasequilla E (Cór.) 166 D4
Navasfrías E (Sa.) 96 D2
Navata E (Gi.) 52 A2
Navatalgordo E (Áv.) 99 D2
Navatejares E (Áv.) 98 D2
Navatejera E (Le.) 18 D5
Navatrasierra E (Các.) 117 B3
Navayuncosa E (Mad.) 101 A3
Navazuela, La E (Alb.) 138 B5
Nave P (Fa.) 159 C4
Nave P (Guar.) 96 C1
Nave de Haver P (Guar.) 96 D1
Nave do Barão P (Fa.) 174 B2
Nave Fria P (Por.) 113 D5
Nave Redonda P (Be.) 159 D3
Nave Redonda P (Guar.) 76 C3
Navelgas E (Ast.) 5 B4
Naveros de Pisuerga E (Pa.) 40 D1
Naveros, Los E (Cád.) 186 A3
Navès E (Ll.) 50 A4
Naves P (Guar.) 76 C5
Navezuelas E (Các.) 116 D3
Navia E (Ast.) 5 A3
Navia E (Po.) 33 D2
Navia de Suarna E (Lu.) 16 C2
Navianos de Alba E (Zam.) 58 B2
Navianos de la Vega E (Le.) 38 B3
Navianos de Valverde E (Zam.) 38 B5
Naviego E (Ast.) 17 B2
Navillas, Las E (To.) 118 C3
Navió P (V. C.) 54 A1
Nazar E (Na.) 24 A5
Nazaré P (Lei.) 111 A2
Nazaret E (Las P.) 192 C4
Nebra E (A Co.) 13 C4
Nebreda E (Bur.) 41 D5
Nechite E (Gr.) 182 D2
Neda E (A Co.) 2 D3
Negales E (Ast.) 6 D4
Negradas E (Lu.) 3 D1
Negrais P (Lis.) 126 C2
Negrales, Los E (Mad.) 81 B5
Negras, Las E (Alm.) 184 C3
Negreda P (Bra.) 56 C2
Negredo E (Gua.) 83 A2
Negreira E (A Co.) 14 A2
Negreiros E (Po.) 14 C4
Negrelos (São Mamede) P (Port.) 54 B4
Negrilla de Palencia E (Sa.) 78 D2
Negrillos E (Sa.) 78 A4
Negrões P (V. R.) 55 B1
Negros E (Po.) 34 A2
Negrote P (Co.) 93 C3
Negueira de Muñiz E (Lu.) 16 D1
Neguillas E (So.) 63 D4
Neila E (Bur.) 42 D5
Neila de San Miguel E (Áv.) 98 C2
Neiro E (Lu.) 16 C1
Neiva P (V. C.) 53 D2
Nelas P (Vis.) 75 A5
Nelas P (Vis.) 75 A4
Nembra E (Ast.) 18 D1
Nembro E (Ast.) 6 C2
Nemenzo E (A Co.) 14 B2
Nemeño E (A Co.) 1 D4
Nepas E (So.) 63 D4
Nerga E (Po.) 33 D2
Nerín E (Hues.) 47 C1
Nerja E (Mál.) 181 C4
Nerpio E (Alb.) 154 A4
Nerva E (Huel.) 163 A2
Nespereira P (C. B.) 94 C5
Nespereira E (Po.) 34 A2
Nespereira P (Br.) 54 B3
Nespereira P (Guar.) 75 C5
Nespereira P (Port.) 54 B5
Nespereira P (Vis.) 74 C2
Nespereira P (Vis.) 75 A4
Nespereira P (Vis.) 74 C4
Nesperido P (Vis.) 75 A4
Nestar E (Pa.) 21 A4
Nestares E (Can.) 21 A3
Nestares E (La R.) 43 C3
Nete E (Lu.) 3 C5
Nétoma E (A Co.) 2 A4
Netos P (Lei.) 93 D4
Neves, As E (A Co.) 3 A3
Neves, As E (A Co.) 3 C2
Neves, As E (Po.) 34 B3
Nevogilde P (Br.) 54 B2
Nevogilde P (Port.) 54 B5
Nidáguila E (Bur.) 21 C5
Niebla E (Huel.) 162 D4
Nieles E (Gr.) 182 C3
Niembro E (Ast.) 8 A4
Nietos Viejos, Los E (Mu.) 172 D2
Nietos, Los E (Alm.) 184 B3
Nietos, Los E (Mu.) 172 D2
Nieva E (Ast.) 6 B3
Nieva E (Our.) 34 C2
Nieva E (Seg.) 80 C2
Nieva de Cameros E (La R.) 43 B3
Nieves, Las E (Cád.) 177 C5
Nieves, Las E (S. Cruz T.) 193 C3
Nieves, Las E (To.) 119 B1
Nigoi E (Po.) 14 B4
Nigrán E (Po.) 33 D3
Nigueiroá E (Our.) 35 A4
Nigueiroá E (Our.) 35 B3
Nigüelas E (Gr.) 182 A2
Nigüella E (Zar.) 65 B3
Niharra E (Áv.) 79 D5
Níjar E (Alm.) 184 B2
Nine P (Br.) 54 A3
Ninho do Açor P (C. B.) 95 C4
Niño, El E (Mu.) 155 B4
Niñodaguia E (Our.) 35 C5
Niñodaguia E (Our.) 35 C2
Niñóns E (A Co.) 1 D4
Nisa P (Por.) 113 B3
Nistal E (Le.) 38 A2
Nívar E (Gr.) 168 A5
Niveiro E (A Co.) 14 A1
Noain (Elorz) E (Na.) 25 A4
Noal E (A Co.) 13 C4
Noalejo E (J.) 167 D3
Noales E (Hues.) 48 C1
Noalla E (Our.) 35 B2
Noalla E (Po.) 33 D1
Noblejas E (To.) 102 A5
Nobrijo P (Ave.) 74 A3
Noceco E (Bur.) 22 A2
Noceda E (Ast.) 6 A5
Noceda E (Le.) 17 C4
Noceda E (Lu.) 16 D4
Noceda E (Lu.) 16 B5
Noceda E (Lu.) 16 C4
Noceda E (Po.) 14 D4
Noceda de Rengos E (Ast.) 17 B2
Nocedo E (Bur.) 21 D5
Nocedo de Curueño E (Le.) 19 A3
Nocedo do Val E (Our.) 35 D4
Nocelo da Pena E (Our.) 35 C4
Nocina E (Can.) 10 B4
Nocito E (Hues.) 47 A2
Noche E (Lu.) 3 C5
Nódalo E (So.) 63 B2
Nodar E (Lu.) 15 B1
Nodeirinho P (Lei.) 94 B5
Noez E (To.) 119 A2
Nofuentes E (Bur.) 22 B4
Nogais, As E (Lu.) 16 C4
Nogal E (Áv.) 99 A2
Nogal de las Huertas E (Pa.) 40 B2
Nogales E (Bad.) 130 C5
Nogales de Pisuerga E (Pa.) 20 D5
Nogales, Los E (Mál.) 180 B3
Nogalte E (Alm.) 170 D3
Nogarejas E (Le.) 38 A3
Nograles E (So.) 62 D5
Nograro E (Ál.) 22 D4
Nogueira E (A Co.) 15 A2
Nogueira E (Po.) 14 A5
Nogueira E (Po.) 34 A3
Nogueira P (Bra.) 56 D1
Nogueira P (Co.) 94 D3
Nogueira P (Port.) 54 A5
Nogueira P (V. C.) 33 D4
Nogueira P (V. C.) 53 D1
Nogueira P (V. R.) 55 B5
Nogueira P (V. R.) 55 C1
Nogueira P (Vis.) 74 C4
Nogueira P (Vis.) 75 A3
Nogueira
da Montanha P (V. R.) 55 D2
Nogueira
da Regedoura P (Ave.) 73 D1
Nogueira de Miño E (Lu.) 15 C5
Nogueira do Cravo P (Ave.) 74 A2
Nogueira do Cravo P (Co.) 95 A2
Nogueira, A E (Po.) 34 A2
Nogueiras P (Co.) 93 D1
Nogueirido E (A Co.) 3 B2
Nogueirido E (Po.) 13 D4
Nogueiro E (Our.) 35 A3
Nogueirón E (Ast.) 16 D1

Palmer, El

Orejudos E (Sa.) 78 C3
Orellán E (A Co.) 13 C4
Orellán E (Le.) 37 A1
Orellana de la Sierra E (Bad.) 132 D2
Orellana la Vieja E (Bad.) 132 D2
Orendain E (Gui.) 24 B2
Orense → Ourense E (Our.) 35 B2
Oreña E (Can.) 9 A4
Orera E (Zar.) 65 B5
Orés E (Zar.) 46 A3
Orexa/Oreja E (Gui.) 24 B2
Orgal P (Guar.) 76 B2
Organyà E (Ll.) 49 C3
Orgaz E (To.) 119 C2
Orgens P (Vis.) 75 A4
Órgiva E (Gr.) 182 B3
Oria E (Alm.) 170 A3
Oria E (Gui.) 24 B1
Oricáin/Orikain E (Na.) 25 A4
Orient E (Bal.) 91 D2
Orihuela E (Ali.) 156 B4
Orihuela del Tremedal E (Te.) 105 A1
Orihuelo E (Mu.) 154 B3
Orikain → Oricáin E (Na.) 25 A4
Orilla y Piñero E (Mu.) 171 B3
Orillares E (So.) 62 C2
Orille E (Our.) 35 A4
Orillena E (Hues.) 67 A1
Orio E (Gui.) 12 B5
Oriola E (Ta.) 88 C5
Oriola P (Év.) 144 D2
Orís E (Bar.) 51 A4
Orísoain E (Na.) 45 A1
Oristà E (Bar.) 50 D5
Orito E (Ali.) 156 D2
Oriz (Santa Marinha) P (Br.) 54 B1
Oriz (São Miguel) P (Br.) 54 B1
Orjais P (C. B.) 95 D2
Orjais P (V. R.) 56 A1
Ormaiztegi E (Gui.) 24 A2
Ormaola/Mendi E (Gui.) 23 D1
Ormeche P (V. R.) 55 A1
Oro, El E (Val.) 124 B5
Oromiño E (Viz.) 23 B1
Orón E (Bur.) 22 D5
Oronhe P (Ave.) 74 A5
Oronoz E (Na.) 25 A2
Orontze → Oronz E (Na.) 25 D4
Oronz/Orontze E (Na.) 25 D4
Oropesa E (To.) 99 B5
Oropesa del Mar/ Orpesa E (Cas.) 108 A4
Orosa E (A Co.) 3 A5
Orosa E (Lu.) 15 B3
Oroso E (Our.) 34 C1
Orotava E (S.Cruz T.) 193 C2
Orotava, La E (S.Cruz T.) 196 A2
Oroz-Betelu E (Na.) 25 C3
Orozko E (Viz.) 23 A2
Orpesa → Oropesa del Mar E (Cas.) 108 A4
Orpí E (Bar.) 70 A3
Orraca E (Our.) 35 B3
Orreaga/Roncesvalles E (Na.) 25 C3
Orriols E (Gi.) 52 A3
Orrios E (Te.) 86 A5
Òrrius E (Bar.) 71 B2
Orro E (A Co.) 2 C4
Ortells E (Cas.) 87 B5
Ortiga P (San.) 112 C3
Ortigal, El E (S.Cruz T.) 196 B2
Ortigosa P (Lei.) 93 B5
Ortigosa de Cameros E (La R.) 43 B4
Ortigosa de Pestaño E (Seg.) 80 C2
Ortigosa de Tormes E (Áv.) 99 A2
Ortigosa del Monte E (Seg.) 81 A4
Ortigueira E (A Co.) 3 B1
Ortigueira P (Guar.) 75 B5
Ortiguera E (Ast.) 5 A3
Ortiguero E (Ast.) 7 D5
Ortilla E (Hues.) 46 C4
Ortoño E (A Co.) 14 A3
Ortuella E (Viz.) 10 D5
Oruña E (Can.) 9 B4
Orusco de Tajuña E (Mad.) 102 C3
Orvalho P (C. B.) 95 A4
Orvalhos P (Év.) 129 C5
Orxa, l' → Lorcha E (Ali.) 141 B3
Orxeta E (Ali.) 141 B5
Orzola E (Las P.) 192 D2
Orzónaga E (Le.) 18 D4
Os de Balaguer E (Ll.) 68 D1
Os de Civís E (Ll.) 49 D1
Osa de la Vega E (Cu.) 121 B2
Osán E (Hues.) 47 A1
Oscos E (Ast.) 4 D5
Oseira E (Our.) 15 A5
Oseiro E (A Co.) 2 B4
Oseja E (Zar.) 64 D3
Oseja de Sajambre E (Le.) 19 D2
Osera de Ebro E (Zar.) 66 D3
Osia E (Hues.) 46 C2
Osintxu E (Gui.) 23 D2
Osma E (So.) 62 D3
Osma E (Viz.) 23 C1
Oso, El E (Áv.) 80 A4
Osona E (So.) 63 B3
Osonilla E (So.) 63 B3
Osoño E (Our.) 36 A5
Osor E (Gi.) 51 C5
Osornillo E (Pa.) 40 D2
Osorno la Mayor E (Pa.) 40 D2
Ossa de Montiel E (Alb.) 137 B3
Osseira P (Lei.) 111 A3
Ossela P (Ave.) 74 A3
Ossera E (Ll.) 49 D3
Osso de Cinca E (Hues.) 67 D2
Ossó de Sió E (Ll.) 69 C1
Osuna E (Sev.) 165 B5
Osunillas- Peña Blanquilla E (Mál.) 188 C1
Ota P (Lis.) 111 A5
Otañes E (Can.) 10 C5
Oteiza E (Na.) 24 C5
Oteo E (Bur.) 22 B3
Oter E (Gua.) 83 D4
Otero E (Ast.) 6 D4
Otero E (Le.) 17 A5
Otero E (To.) 100 B5
Otero de Bodas E (Zam.) 37 D5
Otero de Curueño E (Le.) 19 A4
Otero de Escarpizo E (Le.) 38 A1
Otero de Guardo E (Pa.) 20 A3
Otero de Herreros E (Seg.) 81 A4
Otero de las Dueñas E (Le.) 18 C4
Otero de Naraguantes E (Le.) 17 B4
Otero de Sanabria E (Zam.) 37 B4
Otero de Sariegos E (Zam.) 58 D1
Otero de Valdetuéjar, El E (Le.) 19 D4
Oteros de Boedo E (Pa.) 20 C5
Oteruelo de la Valdoncina E (Le.) 38 D1
Oteruelo de la Vega E (Le.) 38 B2
Otilla E (Gua.) 84 D4
Otiñar o Santa Cristina E (J.) 167 D2
Otívar E (Gr.) 181 D3
Oto E (Hues.) 27 B5
Oto Goien E (Ál.) 23 A3
Otones de Benjumea E (Seg.) 81 B1
Otos E (Mu.) 154 C3
Otos E (Val.) 141 A3
Otsagi → Ochagavía E (Na.) 25 D3
Otur E (Ast.) 5 B3
Otura E (Gr.) 181 D1
Otxandio E (Viz.) 23 B2
Otxaran E (Viz.) 22 C1
Oubiña E (Po.) 13 D5
Ouca P (Ave.) 73 D5
Oucavelos P (Ave.) 74 A4
Oucidres P (V. R.) 56 A1
Ouguela P (Por.) 130 B1
Oulego E (Our.) 36 D1
Oura P (Fa.) 174 A3
Oura P (V. R.) 55 C2
Oural E (Lu.) 16 A4
Ourém P (San.) 111 D1
Ourense/Orense E (Our.) 35 B2
Ourentã P (Co.) 93 D1
Ourilhe P (Br.) 54 D4
Ourique P (Be.) 160 B1
Ourol E (Lu.) 3 D2
Ourondo P (C. B.) 95 B3
Ourozinho P (Vis.) 75 D2
Ousá E (Lu.) 15 C1
Ousende E (Lu.) 15 D5
Ousilhão P (Bra.) 56 C1
Outeiro E (A Co.) 14 B3
Outeiro E (A Co.) 2 D2
Outeiro E (Lu.) 36 B1
Outeiro E (Our.) 35 B4
Outeiro E (Po.) 33 D3
Outeiro E (Po.) 14 C4
Outeiro P (Ave.) 74 A3
Outeiro P (Br.) 54 D3
Outeiro P (Br.) 53 D2
Outeiro P (Bra.) 57 A2
Outeiro P (Co.) 93 C3
Outeiro P (Év.) 145 C1
Outeiro P (Lei.) 111 C1
Outeiro P (Lei.) 93 C4
Outeiro P (Lis.) 111 B5
Outeiro P (V. C.) 53 D1
Outeiro P (V. R.) 55 A1
Outeiro P (Vis.) 74 D3
Outeiro Cimeiro P (Por.) 112 D3
Outeiro da Cabeça P (Lis.) 110 D5
Outeiro da Cortiçada P (San.) 111 B4
Outeiro das Matas P (San.) 111 D2
Outeiro de Espinho P (Vis.) 75 A5
Outeiro de Rei E (Lu.) 15 D1
Outeiro dos Gatos P (Guar.) 76 A2
Outeiro Fundeiro P (Por.) 112 D3
Outeiro Grande P (San.) 111 D2
Outeiro Seco P (V. R.) 55 D1
Outes E (A Co.) 13 C3
Outil P (Co.) 93 D2
Outiz P (Br.) 54 A3
Outorela P (Lis.) 126 C3
Ouviaño E (Lu.) 16 D1
Ouzande E (Po.) 14 B4
Ouzenda P (Lei.) 94 C4
Ovadas P (Vis.) 74 D1
Ovar P (Ave.) 73 D2
Ove E (Lu.) 4 C3
Oveiro P (Vis.) 94 C2
Oveix E (Ll.) 49 A2
Ovejuela E (Các.) 97 B2
Ovelhas P (San.) 127 D1
Ovelheiras P (San.) 112 A1
Overuela, La E (Vall.) 60 A2
Oviedo E (Ast.) 6 C4
Oville E (Le.) 19 B3
Oviñana E (Ast.) 5 D3
Óvoa P (Vis.) 94 C1
Oyanco E (Ast.) 18 C1
Oyón/Oion E (Ál.) 43 D1
Oza E (A Co.) 2 A4
Oza E (A Co.) 14 B3
Oza dos Ríos E (A Co.) 2 D5
Ozaeta/Ozeta E (Ál.) 23 C3
Ozendo P (Guar.) 96 B2
Ozeta → Ozaeta E (Ál.) 23 C3
Ozón E (A Co.) 13 B1

P

Paca, La E (Mu.) 170 D1
Pacil P (Fa.) 159 B4
Pacio E (Lu.) 15 B2
Pacios E (Lu.) 16 A3
Pacios E (Lu.) 15 D4
Pacios E (Lu.) 16 A4
Pacios E (Lu.) 3 C5
Pacios E (Lu.) 4 A5
Pacios E (Lu.) 16 C1
Pacios da Veiga E (Lu.) 16 A5
Pacios de Mondelo E (Lu.) 36 B1
Paço P (Ave.) 74 B4
Paço P (Bra.) 56 C1
Paço P (Lei.) 93 B4
Paço P (Lei.) 93 C4
Paço P (Lis.) 126 D1
Paço P (San.) 111 D2
Paço P (V. C.) 34 B5
Paço P (V. C.) 53 C1
Paço de Arcos P (Lis.) 126 C3
Paço de Sousa P (Port.) 54 B5
Paço dos Negros P (San.) 111 D5
Paço Vedro de Magalhães P (V. C.) 54 B1
Paços P (V. C.) 34 A4
Paços P (V. C.) 34 C3
Paços da Serra P (Guar.) 95 B1
Paços de Brandão P (Ave.) 74 A2
Paços de Ferreira P (Port.) 54 B4
Paços de Gaiolo P (Port.) 74 D1
Paços de Vilharigues P (Vis.) 74 C4
Pacs del Penedès E (Bar.) 70 B4
Paderne E (A Co.) 2 D4
Paderne P (Fa.) 174 B2
Paderne P (V. C.) 34 C4
Paderne de Allariz E (Our.) 35 B2
Padierno E (Sa.) 78 A3
Padiernos E (Áv.) 79 D5
Padilla de Abajo E (Bur.) 41 A2
Padilla de Arriba E (Bur.) 41 A2
Padilla de Duero E (Vall.) 61 A3
Padilla de Hita E (Gua.) 82 D3
Padilla del Ducado E (Gua.) 83 D3
Padim da Graça P (Br.) 54 A2
Padornelo E (Lu.) 16 C4
Padornelo E (Zam.) 36 D4
Padornelo P (V. C.) 34 A5
Padornelos P (V. R.) 35 B5
Padrão P (C. B.) 113 A2
Padreiro E (A Co.) 13 D1
Padreiro (Santa Cristina) P (V. C.) 34 B5
Padrela e Tazém P (V. R.) 55 D3
Padrenda E (Our.) 34 D3
Padrenda E (Po.) 13 D5
Padriñán E (Po.) 33 D1
Padrões P (V. R.) 55 A2
Padrón E (A Co.) 14 A4
Padrón, El E (Mál.) 187 C2
Padrón, O E (Lu.) 16 C1
Padronelo P (Port.) 54 D5
Padrones de Bureba E (Bur.) 22 A5
Padróns E (Po.) 34 A2
Padroso E (Our.) 35 C4
Padroso P (V. C.) 34 B5
Padroso P (V. R.) 35 B5
Padul E (Gr.) 181 D2
Padules E (Alm.) 183 B2
Pafarrão P (San.) 111 D2
Pagán, Lo E (Mu.) 172 D1
Pago Aguilar E (Alm.) 184 A1
Pago de Escuchagranos E (Alm.) 183 B1
Pago del Humo, lugar E (Cád.) 185 D2
Pago y Benisalte E (Gr.) 182 B3
Paiã P (Lei.) 111 C3
Paiã P (Lis.) 126 C3
Paiágua P (C. B.) 95 B4
Paialvo P (San.) 112 A2
Paião P (Co.) 93 C3
Painceiros E (Po.) 14 B5
Painho P (C. B.) 94 C5
Painho P (Lis.) 111 A4
Painzela P (Br.) 54 D3
Paio Mendes P (San.) 112 B1
Paiol P (Lis.) 110 D5
Paiol P (Set.) 143 B4
Paiosaco E (A Co.) 2 B4
Paipenela P (Guar.) 76 A3
Paiporta E (Val.) 125 A4
Paixón E (Our.) 34 D2
Pajanosas, Las E (Sev.) 163 D2
Pajar, El E (Las P.) 191 B4
Pájara E (Las P.) 189 D3
Pájara E (S.Cruz T.) 196 B3
Pajarejos E (Áv.) 99 B1
Pajarejos E (Seg.) 61 D5
Pajares E (Bur.) 22 C4
Pajares E (Cu.) 104 A3
Pajares E (Gua.) 83 A4
Pajares de Adaja E (Áv.) 80 B3
Pajares de Fresno E (Seg.) 62 A5
Pajares de la Laguna E (Sa.) 78 D2
Pajares de la Lampreana E (Zam.) 58 C2
Pajares de los Oteros E (Le.) 39 A2
Pajares de Pedraza E (Seg.) 81 C1
Pajares, Los E (Sev.) 164 B2
Pajarón E (Cu.) 104 D5
Pajaroncillo E (Cu.) 104 D5
Pala P (Guar.) 76 B4
Pala P (Vis.) 94 B1
Palà de Torroella, El E (Bar.) 50 B5
Palacés, El E (Alm.) 170 C4
Palacinos E (Sa.) 78 B1
Palacio E (Ast.) 7 A4
Palacio E (Áv.) 99 D1
Palacio de San Pedro E (So.) 44 A5
Palacio de Torío E (Le.) 19 A5
Palacio de Valdellorma E (Le.) 19 B4
Palacio Quemado E (Bad.) 131 B4
Palaciós E (Ast.) 18 C1
Palácios P (Bra.) 57 A1
Palacios de Becedas E (Áv.) 98 C2
Palacios de Benaver E (Bur.) 41 C2
Palacios de Campos E (Vall.) 59 D1
Palacios de Corneja E (Áv.) 99 A1
Palacios de Fontecha E (Le.) 38 D2
Palacios de Goda E (Áv.) 80 A2
Palacios de Jamuz E (Le.) 38 A3
Palacios de la Sierra E (Bur.) 42 C5
Palacios de la Valduerna E (Le.) 38 B2
Palacios de Riopisuerga E (Bur.) 40 D3
Palacios de Salvatierra E (Sa.) 78 C5
Palacios de Sanabria E (Zam.) 37 B4
Palacios del Alcor E (Pa.) 40 D4
Palacios del Arzobispo E (Sa.) 78 B1
Palacios del Pan E (Zam.) 58 B3
Palacios del Sil E (Le.) 17 C3
Palacios Rubios E (Áv.) 80 A2
Palacios y Villafranca, Los E (Sev.) 178 A1
Palacios, Los E (Ali.) 156 C4
Palaciosmil E (Le.) 18 A5
Palaciosrubios E (Sa.) 79 B2
Palaçoulo P (Bra.) 57 B4
Paladín E (Le.) 18 B4
Palafolls E (Bar.) 72 A1
Palafrugell E (Gi.) 52 C4
Palamós E (Gi.) 52 C5
Palancar E (Gr.) 167 A5
Palancar, El E (Mad.) 101 B2
Palancares E (Gua.) 82 C2
Palanques E (Cas.) 87 B4
Palanquinos E (Le.) 39 A2
Palão P (Lei.) 93 C5
Palas de Rei E (Lu.) 15 B3
Palas, Las E (Mu.) 172 A2
Palau d'Anglesola, el E (Ll.) 69 A2
Palau de Noguera E (Ll.) 49 A4
Palau-Solità i de Plegamans E (Bar.) 71 A2
Palau de Santa Eulàlia E (Gi.) 52 B3
Palau-sacosta E (Gi.) 52 A4
Palau-sator E (Gi.) 52 C4
Palau-saverdera E (Gi.) 52 C2
Palau-surroca E (Gi.) 52 A2
Palavea E (A Co.) 2 C4
Palazuelo E (Bad.) 132 B1
Palazuelo de Boñar E (Le.) 19 B4
Palazuelo de Eslonza E (Le.) 39 A1
Palazuelo de las Cuevas E (Zam.) 57 D1
Palazuelo de Órbigo E (Le.) 38 B1
Palazuelo de Sayago E (Zam.) 57 C4
Palazuelo de Torío E (Le.) 18 D5
Palazuelo de Vedija E (Vall.) 39 C5
Palazuelo-Empalme E (Các.) 97 D5
Palazuelos de Cuesta Urría E (Bur.) 22 B4
Palazuelos de Eresma E (Seg.) 81 A3
Palazuelos de la Sierra E (Bur.) 42 A4
Palazuelos de Muñó E (Bur.) 41 B4
Palazuelos de Villadiego E (Bur.) 41 B1
Paldieiros P (Co.) 94 D2
Paleão P (Co.) 93 D4
Palencia E (Pa.) 40 C5
Palencia de Negrilla E (Sa.) 78 D2
Palenciana E (Cór.) 166 B5
Palenzuela E (Pa.) 41 A4
Paleo E (A Co.) 2 C5
Palhaça P (Ave.) 73 D5
Palhais P (C. B.) 112 B1
Palhais P (Guar.) 75 D3
Palhais P (Lis.) 110 D5
Palhais P (Set.) 126 D4
Palheirinhos P (Fa.) 175 A2
Palheiros P (Lei.) 94 A5
Palheiros P (V. R.) 55 D4
Palheiros de Baixo P (Vis.) 94 B1
Palhota P (C. B.) 113 A2
Palhota P (Set.) 127 A4
Palma de Gandia E (Val.) 141 C3
Palma de Mallorca E (Bal.) 91 C4
Palma d'Ebre, la E (Ta.) 68 D5
Palma del Condado, La E (Huel.) 163 A4
Palma del Río E (Cór.) 165 A2
Palma Nova E (Bal.) 91 B4
Palma, La E (Gr.) 180 D1
Palma, La E (Mu.) 172 B2
Pálmaces de Jadraque E (Gua.) 83 A2
Palmanyola E (Bal.) 91 C3
Palmar de la Victoria E (Cád.) 177 C5
Palmar de Troya, El E (Sev.) 178 B1
Palmar, El E (Cád.) 186 A3
Palmar, El E (Las P.) 191 C1
Palmar, El E (S.Cruz T.) 195 B3
Palmar, El E (S.Cruz T.) 193 B1
Palmar, El E (Val.) 125 B5
Palmar, El o Lugar de Don Juan E (Mu.) 156 A5
Palmas E (Po.) 34 A2
Palmás E (Po.) 14 D4
Palmas de Gran Canaria, Las E (Las P.) 191 D1
Palmaz P (Ave.) 74 A3
Palme P (Br.) 53 D2
Palmeira E (A Co.) 13 C5
Palmeira P (Br.) 54 B2
Palmeira P (Fa.) 161 B3
Palmeira P (Port.) 54 A4
Palmeira de Faro P (Br.) 53 D2
Palmeiros P (Fa.) 174 C2
Palmela P (Set.) 127 A4
Palmela Gare P (Set.) 127 A4
Palmer, El E (Alm.) 183 D3

Petelos

Pedregal E (Le.) 18 C5
Pedregal, El E (Ast.) 5 C4
Pedregal, El E (Gua.) 85 A4
Pedreguer E (Ali.) 141 D4
Pedreira E (A Co.) 2 D2
Pedreira P (Aç.) 109 D4
Pedreira P (Ave.) 73 D5
Pedreira P (Co.) 94 B3
Pedreira P (Co.) 93 D1
Pedreira P (Port.) 54 C4
Pedreira P (Port.) 53 D3
Pedreira P (San.) 112 A2
Pedreiras P (Lei.) 111 B2
Pedreiras P (Set.) 126 D5
Pedreles P (Vis.) 75 A5
Pedreña E (Can.) 9 D4
Pedrera E (Sev.) 165 D5
Pedrera, La E (Ast.) 6 C4
Pedrera, La E (Ast.) 6 C3
Pedreres, les E (Ta.) 70 A5
Pedrezuela E (Mad.) 81 D4
Pedrezuela
de San Bricio E (Sa.) 79 A2
Pedricosa P (Ave.) 73 D5
Pedrinyà E (Gi.) 52 B4
Pedriza, La E (J.) 167 B4
Pedro E (So.) 62 C5
Pedro Abad E (Cór.) 150 B5
Pedro Álvarez E (S.Cruz T.) 196 B1
Pedro Andrés E (Alb.) 153 D4
Pedro Bernardo E (Áv.) 99 D3
Pedro Díaz E (Cór.) 165 B2
Pedro Izquierdo E (Cu.) 105 C5
Pedro Llen E (Sa.) 78 B4
Pedro Martín E (Sa.) 78 D4
Pedro Martín E (Sa.) 78 A4
Pedro Martínez E (Gr.) 168 C3
Pedro Muñoz E (C. R.) 121 A4
Pedro Ruiz E (Gr.) 167 D5
Pedro Valiente E (Cád.) 186 D5
Pedroche E (Cór.) 149 D1
Pedrógão P (Be.) 145 A3
Pedrogão P (Co.) 93 C3
Pedrogão P (Lei.) 93 B4
Pedrógão P (San.) 111 D2
Pedrógão de São Pedro P (C. B.) 96 A4
Pedrógão Grande P (Lei.) 94 C5
Pedrógão Pequeno P (C. B.) 94 C5
Pedrola E (Zar.) 65 D2
Pedrones, Los E (Val.) 124 A5
Pedroñeras, Las E (Cu.) 121 B4
Pedro-Rodríguez E (Áv.) 80 A3
Pedrosa E (Ast.) 7 A4
Pedrosa E (Bur.) 21 D3
Pedrosa E (Le.) 19 A3
Pedrosa E (Our.) 35 C5
Pedrosa P (Vis.) 75 B4
Pedrosa de Duero E (Bur.) 61 B2
Pedrosa de la Vega E (Pa.) 40 A1
Pedrosa de Muñó E (Bur.) 41 C3
Pedrosa de Río Urbel E (Bur.) 41 C2
Pedrosa de Tobalina E (Bur.) 22 B4
Pedrosa de Valdelucio E (Bur.) 21 B5
Pedrosa del Páramo E (Bur.) 41 B2
Pedrosa del Príncipe E (Bur.) 41 A3
Pedrosa del Rey E (Vall.) 59 B3
Pedrosas, Las E (Zar.) 46 B5
Pedrosillo de Alba E (Sa.) 79 A4
Pedrosillo de los Aires E (Sa.) 78 C4
Pedrosillo el Ralo E (Sa.) 78 D2
Pedrosillo, El E (Sev.) 163 B2
Pedrosillo, El, lugar E (Bad.) 148 A2
Pedroso E (A Co.) 3 A2
Pedroso E (Can.) 21 C1
Pedroso E (La R.) 43 B3
Pedroso P (Port.) 74 A1
Pedroso de Acim E (Các.) 115 B1
Pedroso
de la Armuña, El E (Sa.) 79 A2
Pedroso, El E (Cád.) 186 A1
Pedroso, El E (Sev.) 164 B1
Pedrousa-Tremoa E (A Co.) 2 A4
Pedrouzo (Pino, O) E (A Co.) 14 C2
Pedrouzos E (A Co.) 15 A2
Pedrouzos (Brión) E (A Co.) 14 A3
Pedrún de Torío E (Le.) 19 A4
Pega P (Guar.) 96 B1
Pegalajar E (J.) 167 D2
Pegarinhos P (V. R.) 55 D4
Pegas E (Our.) 35 B3
Pego E (Ali.) 141 C3
Pego P (San.) 112 C3
Pego do Altar P (Set.) 143 D1
Pego, El E (Zam.) 59 A5
Pegões P (Set.) 127 C4
Pegos P (Co.) 94 B3
Peguera E (Bal.) 91 B4
Peguera del Madroño E (J.) 153 D3
Peguerinos E (Áv.) 80 D5
Peibás E (Lu.) 15 B4
Peiro de Arriba E (A Co.) 2 C4
Peitieiros E (Po.) 33 D3
Pekotxeta E (Na.) 25 C2
Pelabravo E (Sa.) 78 D3
Pelahustán E (To.) 100 B4
Pelai E (Ta.) 89 B1
Pelariga P (Lei.) 93 D4
Pelarrodríguez E (Sa.) 77 D3
Pelayo, El E (Cád.) 186 D5
Pelayos E (Sa.) 78 D5
Pelayos de la Presa E (Mad.) 100 D2
Pelayos del Arroyo E (Seg.) 81 B2
Peleagonzalo E (Zam.) 58 D4
Peleas de Abajo E (Zam.) 58 C4
Peleas de Arriba E (Zam.) 58 C5
Pelechaneta, La/
Pelejaneta E (Cas.) 107 C3
Pelegrina E (Gua.) 83 C2
Pelejaneta →
Pelechaneta, La E (Cas.) 107 C3
Pelicanos P (Co.) 93 C2
Peligros E (Gr.) 167 D5
Pelile y el Jurado E (Mu.) 171 A3
Pelilla E (Sa.) 78 A1
Pelmá P (Lei.) 112 A1
Peloche E (Bad.) 133 B1
Pelliceira E (Ast.) 16 D3
Pena E (Lu.) 16 A2
Pena E (Lu.) 15 C1
Pena E (Lu.) 4 B5
Pena E (Lu.) 15 D2
Pena E (Our.) 34 D2
Pena P (Co.) 94 C3
Pena P (Co.) 93 D2
Pena P (Fa.) 174 B2
Pena P (V. R.) 55 B5
Pena Branca P (Bra.) 57 C3
Pena Lobo P (Guar.) 96 A1
Pena Seca P (Lis.) 110 C4
Pena Verde P (Guar.) 75 C4
Pena, A E (A Co.) 13 D2
Pena, A E (Our.) 35 C4
Penabeice P (V. R.) 55 D3
Penacova P (Co.) 94 B2
Penafiel P (Port.) 54 C5
Penafirme P (Lis.) 110 D5
Penafirme da Mata P (Lis.) 110 D5
Penagos E (Can.) 9 C5
Penàguila E (Ali.) 141 B4
Penajóia P (Vis.) 75 A1
Penalonga P (V. R.) 55 B2
Penalva P (Set.) 126 D4
Penalva de Alva P (Co.) 95 A2
Penalva do Castelo P (Vis.) 75 B4
Penamacor P (C. B.) 96 A3
Penamaior E (Lu.) 16 B3
Penamaior P (Port.) 54 B4
Penarrubia E (Lu.) 16 B3
Penas E (Lu.) 15 B3
Penas Roias P (Bra.) 57 A4
Penascais P (Br.) 54 B1
Penavaqueira E (Our.) 34 D2
Penches E (Bur.) 22 B5
Pendilhe P (Vis.) 75 A2
Pendilla de Arbas E (Le.) 18 C2
Pendones E (Ast.) 19 B1
Pendueles E (Ast.) 8 B4
Pendurada P (Co.) 94 B1
Peneda da Sé P (Guar.) 96 B1
Penedes E (Gi.) 52 B5
Penedo P (C. B.) 112 C1
Penedo P (Vis.) 74 D5
Penedo Gordo P (Be.) 144 C4
Penedono P (Vis.) 75 D2
Penedos P (Be.) 160 D3
Penedos P (Lei.) 93 C4
Penedos P (Lis.) 110 D5
Penela E (Our.) 35 A3
Penela P (Co.) 94 A4
Penela da Beira P (Vis.) 75 D2
Penelas E (Lu.) 15 D1
Penelles E (Ll.) 69 A1
Penha de Águia P (Guar.) 76 B3
Penha Garcia P (C. B.) 96 B4
Penha Longa P (Port.) 74 C1
Penhaforte P (Guar.) 76 B5
Penhas Juntas P (Bra.) 56 C1
Penhascoso P (San.) 112 C2
Peniche P (Lei.) 110 B3
Penilhos P (Be.) 160 D2
Penilla E (Can.) 9 B5
Penilla, La E (Can.) 9 C5
Penina P (Fa.) 160 B4
Peníscola → Peñíscola E (Cas.) 108 B2
Penode de Baixo P (Vis.) 75 A1
Penoselo E (Le.) 17 A4
Penosiños E (Our.) 34 D3
Penouta E (Our.) 36 C3
Pensalvos P (V. R.) 55 C3
Penso P (Bra.) 36 B5
Penso P (V. C.) 34 C4
Penso P (Vis.) 75 C2
Penteado P (Set.) 127 A4
Pentes E (Our.) 36 B4
Penude P (Vis.) 75 A1
Peña de Arias
Montano, La E (Huel.) 146 D5
Peña de Cabra E (Sa.) 78 A4
Peña Estación, La E (Hues.) 46 B2
Peña, La E (Ast.) 6 C5
Peña, La E (Cád.) 186 C5
Peña, La E (Sa.) 77 B1
Peña, La E (Viz.) 23 A1
Peñacaballera E (Sa.) 98 B2
Peñacastillo E (Can.) 9 C4
Peñacerrada E (Mál.) 179 A3
Peñacerrada/Urizaharra E (Ál.) 23 B5
Peñacoba E (Bur.) 62 B1
Peñafiel E (Vall.) 61 A3
Peñaflor E (Ast.) 6 A4
Peñaflor E (Sev.) 165 A2
Peñaflor E (Zar.) 66 B2
Peñaflor de Hornija E (Vall.) 59 D2
Peñahorada E (Bur.) 41 D1
Peñalba E (Hues.) 67 C4
Peñalba de Ávila E (Áv.) 80 A4
Peñalba de Castro E (Bur.) 62 B2
Peñalba de Cilleros E (Le.) 18 A3
Peñalba
de San Esteban E (So.) 62 C3
Peñalba de Santiago E (Le.) 37 B2
Peñalén E (Gua.) 84 B5
Peñalosa E (Cór.) 165 C2
Peñalsordo E (Bad.) 133 B3
Peñalva E (Cas.) 125 A1
Peñalver E (Gua.) 103 A1
Peñaparda E (Sa.) 96 D2
Peñaranda
de Bracamonte E (Sa.) 79 B3
Peñaranda de Duero E (Bur.) 62 A2
Peñarandilla E (Sa.) 79 A3
Peñarrodada, La E (Alm.) 183 A3
Peñarroya de Tastavins E (Te.) 87 D4
Peñarroya-Pueblonuevo E (Cór.) 149 A2
Peñarroyas E (Te.) 86 C3
Peñarrubia E (Alb.) 154 B2
Peñarrubia E (Alb.) 138 A4
Peñas de San Pedro E (Alb.) 138 C4
Peñas Negras E (Alm.) 184 C2
Peñascales, Los E (Mad.) 101 B1
Peñascos, Los E (Mu.) 172 D1
Peñascosa E (Alb.) 137 D5
Peñasolana E (Sa.) 78 C3
Peñasrubias de Pirón E (Seg.) 81 A2
Peñaullán E (Ast.) 6 A3
Peñausende E (Zam.) 58 B5
Peñerudes E (Ast.) 6 B5
Peñíscola/Peníscola E (Cas.) 108 B2
Peñolite E (J.) 153 B2
Peñón, El E (Gr.) 182 B1
Peñón, El E (Gr.) 168 C3
Peñón-Zapata-Molina E (Mál.) 180 B4
Peñuela, La E (Huel.) 162 D4
Peñuelas E (Gr.) 181 C1
Peón E (Ast.) 7 A3
Peones E (Bur.) 21 A5
Pêpe P (V. R.) 55 A4
Pepim P (Vis.) 74 D3
Pepino E (To.) 100 A5
Peque E (Zam.) 37 D4
Pêra P (Fa.) 174 A2
Pera P (Lei.) 94 C4
Pera do Moço P (Guar.) 76 A5
Pêra Velha P (Vis.) 75 C2
Pera, la E (Gi.) 52 B4
Perabeles de Abajo E (Ast.) 6 D5
Peraboa P (C. B.) 95 D2
Peracalç E (Ll.) 49 A2
Peracamps E (Ll.) 49 D5
Peracense E (Te.) 85 B5
Perafita E (Bar.) 50 D4
Perafita P (Port.) 53 D5
Perafort E (Ta.) 89 C1
Perais P (C. B.) 113 B2
Peral E (Mál.) 180 B4
Peral P (C. B.) 113 A1
Peral P (Fa.) 174 D2
Peral P (Lis.) 110 D4
Peral de Arlanza E (Bur.) 41 A4
Peral, El E (Cu.) 122 C4
Peral, La E (Ast.) 6 B3
Perala, La E (Các.) 115 B2
Peraleda de la Mata E (Các.) 116 D1
Peraleda
de San Román E (Các.) 117 A2
Peraleda del Zaucejo E (Bad.) 148 C1
Peraleja, La E (Cu.) 103 C3
Peralejo
de los Escuderos E (So.) 62 D5
Peralejo, El E (Sev.) 163 B1
Peralejos E (Te.) 106 A1
Peralejos de Abajo E (Sa.) 77 C2
Peralejos de Arriba E (Sa.) 77 C2
Peralejos
de las Truchas E (Gua.) 84 C5
Peralejos, Los E (J.) 152 D5
Perales E (Pa.) 40 B4
Perales de Milla E (Mad.) 101 A2
Perales de Tajuña E (Mad.) 102 B3
Perales del Alfambra E (Te.) 86 A5
Perales del Puerto E (Các.) 96 D3
Perales del Río E (Mad.) 101 D3
Perales, Los E (Alm.) 184 C1
Peralosas, Las E (C. R.) 135 A1
Peralta E (Na.) 44 D3
Peralta de Alcofea E (Hues.) 47 C5
Peralta de la Sal E (Hues.) 48 B5
Peraltilla E (Hues.) 47 C4
Peralveche E (Gua.) 83 D5
Peralvillo E (C. R.) 135 B2
Peramato E (Sa.) 77 D3
Peramola E (Ll.) 49 C4
Peranzanes E (Le.) 17 B3
Perapertú E (Pa.) 20 D3
Perarrúa E (Hues.) 48 A3
Peratallada E (Gi.) 52 C4
Perazancas E (Pa.) 20 C4
Perbes E (A Co.) 2 D4
Percelada P (Co.) 94 D2
Perdecanai E (Po.) 14 A5
Perdigão P (C. B.) 113 A1
Perdigón, El E (Zam.) 58 C4
Perdiguera E (Zar.) 66 C2
Perdoma, La E (S.Cruz T.) 196 A2
Perdones E (Ast.) 6 C3
Pereda E (Ast.) 6 A4
Pereda E (Ast.) 6 C5
Pereda E (Bur.) 22 A3
Pereda de Ancares E (Le.) 17 A4
Pereda, La E (Ast.) 6 C5
Pereda, La E (Ast.) 5 D4
Peredilla E (Le.) 18 D4
Peredo P (Bra.) 56 D4
Peredo da Bemposta P (Bra.) 57 B5
Peredo dos Castelhanos P (Bra.) 76 B1
Pereira E (A Co.) 14 A1
Pereira E (A Co.) 14 C1
Pereira E (A Co.) 14 C3
Pereira E (A Co.) 13 D2
Pereira E (Our.) 34 D5
Pereira E (Po.) 14 C5
Pereira P (Br.) 53 D3
Pereira P (Bra.) 56 A4
Pereira P (Co.) 94 B3
Pereira P (V. R.) 55 A2
Pereira P (Vis.) 74 D2
Pereiras E (Our.) 35 B2
Pereiras E (Po.) 34 A3
Pereiras P (Fa.) 174 B3
Pereiras P (Vis.) 74 D4
Pereiras-Gare P (Be.) 159 D3
Pereiriña E (A Co.) 13 B1
Pereiro E (Lu.) 4 A3
Pereiro E (Our.) 36 C4
Pereiro E (Po.) 15 A5
Pereiro P (Ave.) 74 A5
Pereiro P (Fa.) 161 B3
Pereiro P (Guar.) 95 A1
Pereiro P (Guar.) 76 B4
Pereiro P (Lis.) 110 D5
Pereiro P (Por.) 113 D3
Pereiro P (San.) 112 A1
Pereiro P (San.) 112 C2
Pereiro P (San.) 112 D2
Pereiro P (Vis.) 75 D1
Pereiro P (Vis.) 75 B3
Pereiro de Aguiar, O E (Our.) 35 B2
Pereiro de Palhacana P (Lis.) 126 D1
Pereiros P (Bra.) 56 A5
Pereiros P (C. B.) 95 B4
Pereiros P (San.) 112 A1
Pereiros P (Vis.) 75 D1
Peralada E (Gir.) 52 B2
Perelhal P (Br.) 53 D2
Perelló E (Val.) 125 B5
Perelló, El E (Gi.) 52 A4
Perelló, el E (Ta.) 88 D3
Perellonet, el E (Val.) 125 B5
Peremos, Los E (Sev.) 166 A5
Pereña de la Ribera E (Sa.) 57 B5
Perera, La E (So.) 62 D4
Pereruela E (Zam.) 58 B4
Perex E (Bur.) 22 B3
Pérez, Los E (Alm.) 182 D3
Pérez, Los E (Sev.) 166 A5
Periana E (Mál.) 181 A3
Peribáñez E (Alb.) 137 D3
Perilla de Castro E (Zam.) 58 B2
Perillo E (A Co.) 2 C4
Perín E (Mu.) 172 A2
Perio P (San.) 111 D2
Perleta, La E (Ali.) 156 D3
Perlío E (A Co.) 2 D3
Perlora E (Ast.) 6 C3
Permisán E (Hues.) 47 D5
Pernelhas P (Lei.) 111 B1
Pernes P (San.) 111 C3
Pernigem P (Lis.) 126 B2
Pero Calvo P (San.) 112 A2
Pero Fuertes E (Sa.) 78 D5
Pêro Goncalves P (San.) 112 C2
Pero Moniz P (Lis.) 110 D4
Pêro Neto P (Lei.) 111 B1
Pero Pinheiro P (Lis.) 126 B2
Pêro Ponto P (Fa.) 160 C4
Pero Soares P (Guar.) 75 D5
Pêro Viseu P (C. B.) 95 C3
Peroamigo E (Sev.) 163 B1
Peroferreiro P (Guar.) 75 D3
Peroficôs P (Guar.) 96 B1
Perofilho P (San.) 111 C4
Peroguarda P (Be.) 144 C3
Peroledo P (C. B.) 113 A2
Peroleite P (Lis.) 126 B2
Perolet E (Ll.) 49 B4
Perolivas P (Év.) 145 B1
Peromingo E (Sa.) 98 B1
Perona, lugar E (Cu.) 122 A4
Perondo P (Ave.) 74 B1
Peroniel del Campo E (So.) 64 A2
Perorrubio E (Seg.) 81 D1
Perosillo E (Seg.) 61 A5
Peroxa E (Our.) 35 B1
Peroxa, A E (Our.) 35 B1
Perozelo P (Port.) 54 C5
Perozinho P (Port.) 73 D1
Perre P (V. C.) 53 D1
Perrelos E (Our.) 35 C4
Perrunal E (Huel.) 162 C1
Persegueiro P (Ave.) 74 A2
Pertegaces, Los E (Te.) 106 D4
Pertegàs E (Bar.) 71 C1
Pertusa E (Hues.) 47 B5
Perulaca, La E (Alm.) 184 D1
Perulera, La E (Alm.) 170 C4
Perulheira P (Lei.) 111 C1
Pesadas de Burgos E (Bur.) 21 D4
Pesadoira E (A Co.) 13 D2
Pesaguero E (Can.) 20 C2
Pescoso E (Po.) 15 A4
Pescueza E (Các.) 97 A5
Pesebre E (Alb.) 137 D5
Pesegueiro E (Po.) 33 D4
Pesga, La E (Các.) 97 D2
Pesinho P (C. B.) 95 C3
Peso P (C. B.) 95 C3
Peso P (Fa.) 159 C4
Peso P (Lei.) 111 A3
Peso da Régua P (V. R.) 75 B1
Pesos P (Vis.) 74 D3
Pesoz E (Ast.) 4 D5
Pesqueira E (A Co.) 13 C4
Pesqueiras E (Po.) 34 B3
Pesquera E (Áv.) 99 A1
Pesquera E (Can.) 21 B2
Pesquera de Duero E (Vall.) 61 A3
Pesquera de Ebro E (Bur.) 21 D4
Pesquera, La E (Cu.) 123 A3
Pessegueiro P (Co.) 94 D4
Pessegueiro P (Fa.) 160 D3
Pessegueiro do Vouga P (Ave.) 74 B4
Pestana P (Guar.) 76 A2
Pesués E (Can.) 8 C4
Petán E (Po.) 34 C2
Petelos E (Po.) 34 A3

Petilla de Aragón

Petilla de Aragón E (Na.) 45 D2
Petimão P (Br.) 54 D3
Petín E (Our.) 36 B2
Petisqueira P (Bra.) 57 B1
Petra E (Bal.) 92 B3
Petrer E (Ali.) 156 C1
Petrés E (Val.) 125 B2
Pétrola E (Alb.) 139 B4
Peuso P (Ave.) 74 C2
Peva P (Guar.) 76 C4
Peva P (Vis.) 75 B3
Pexeirós E (Our.) 35 B5
Peza, La E (Gr.) 168 C5
Pezuela de las Torres E (Mad.) 102 C2
Pi E (Ll.) 50 B2
Pi de Sant Just, El E (Ll.) 50 A5
Pia Furada P (Lei.) 93 D4
Piantón E (Ast.) 4 C3
Pías E (Lu.) 15 D2
Pías E (Po.) 34 B3
Pías E (Zam.) 36 C4
Pias P (Be.) 145 B4
Pias P (Év.) 129 B5
Pias P (San.) 112 A1
Pias P (V. C.) 34 B4
Piasca E (Can.) 20 B2
Pica P (Lei.) 94 C4
Pica, La E (Huel.) 146 C5
Picadas, Las, lugar E (Mad.) 100 D2
Picadoiro P (Co.) 94 C2
Picamilho P (Lei.) 111 B1
Picamoixons E (Ta.) 69 C5
Picanceira P (Lis.) 126 B1
Picanya E (Val.) 125 A4
Picão P (Vis.) 75 A2
Piçarras P (Be.) 160 B1
Piçarras P (Év.) 127 C4
Picassent E (Val.) 125 A4
Picazo E (Gua.) 83 B5
Picazo, El E (Cu.) 122 B4
Picena E (Gr.) 183 A2
Pico P (Br.) 54 B1
Pico da Pedra P (Aç.) 109 B4
Pico de Regalados P (Br.) 54 B1
Picões P (Bra.) 56 C5
Picoitos P (Be.) 161 B2
Picón E (C. R.) 135 A2
Piconcillo E (Cór.) 148 D3
Picones E (Sa.) 77 B2
Picoña E (Po.) 34 A3
Picota E (A Co.) 13 C2
Picota P (Fa.) 174 B2
Picote P (Bra.) 57 C4
Picoteira Monte P (C. B.) 113 A2
Picoto P (Ave.) 73 D5
Picoto P (Lei.) 93 B5
Picotos E (A Co.) 13 D1
Picouto E (Our.) 35 A3
Pido E (Can.) 20 A2
Pidre E (Po.) 34 A1
Piedade P (Aç.) 109 C3
Piedade P (Ave.) 74 A5
Piedeloro E (Ast.) 6 C3
Piedra Amarilla, La E (Alm.) 170 B4
Piedra de la Sal, lugar E (Sev.) 164 C2
Piedra, La E (Bur.) 21 C5
Piedrabuena E (C. R.) 134 D2
Piedraceda E (Ast.) 18 C1
Piedraescrita E (To.) 118 A3
Piedrafita E (Le.) 18 D2
Piedrafita de Babia E (Le.) 17 D3
Piedrafita de Jaca E (Hues.) 27 A5
Piedrahita E (Áv.) 99 A1
Piedrahita E (Can.) 10 A4
Piedrahita E (Te.) 85 D2
Piedrahita de Castro E (Zam.) 58 C2
Piedralá E (C. R.) 119 A5
Piedralaves E (Áv.) 100 A2
Piedralba E (Le.) 38 A2
Piedramillera E (Na.) 24 A5
Piedras Albas E (Các.) 114 C1
Piedras Albas E (Le.) 37 C2
Piedras Blancas E (Ast.) 6 B3
Piedras
Blancas, Las, lugar E (Alm.) 183 C1
Piedrasluengas E (Pa.) 20 C2
Piedratajada E (Zar.) 46 B4
Piedros, Los E (Cór.) 166 B4
Piera E (Bar.) 70 B3
Piérnigas E (Bur.) 42 B1
Pieros E (Le.) 17 A5
Pigara E (Lu.) 3 C5
Pigeiros P (Ave.) 74 A2
Pil·larí, Es E (Bal.) 91 D4
Pilado P (Lei.) 93 B5
Pilancón E (Alm.) 169 C4
Pilar de Jaravia E (Alm.) 171 B4
Pilar de la Horadada E (Ali.) 172 C1
Pilar de la Mola E (Bal.) 90 D5
Pilar, El E (Alm.) 184 C1
Pilarejo E (Mál.) 181 A3
Pilas E (Sev.) 163 B4
Pilas de Algaida E (Gr.) 181 A2
Pilas Dedil E (Gr.) 181 A2
Piles E (Val.) 141 C2
Piles, les E (Ta.) 69 D3
Piloñeta E (Ast.) 7 A4
Piloño E (Po.) 14 C3
Pilzán E (Hues.) 48 B4
Pillarno E (Ast.) 6 B3
Pimiango E (Ast.) 8 C4
Pina E (Bal.) 92 A3
Pina de Ebro E (Zar.) 66 D4
Pina de Montalgrao E (Cas.) 106 C5
Pinar de Antequera E (Vall.) 60 A3
Pinar de
Campoverde, El E (Ali.) 156 C5
Pinar de la
Vidriera, lugar E (Gr.) 153 C4
Pinar de Simancas E (Vall.) 60 A3
Pinar, El E (S. Cruz T.) 194 C5
Pinar, El E (S. Cruz T.) 193 B2
Pinar, El E (Ta.) 89 B1
Pinar, El E (Vall.) 60 A3
Pinarejo E (Cu.) 121 D3
Pinarejos E (Seg.) 80 D1
Pinarnegrillo E (Seg.) 81 A1
Pindelo P (Ave.) 74 A2
Pindelo P (Vis.) 74 C2
Pindelo P (Vis.) 74 D5
Pindelo dos Milagres P (Vis.) 74 D3
Pindo P (Vis.) 75 B4
Pindo, O E (A Co.) 13 B2
Pineda de Bages E (Bar.) 70 C1
Pineda de Gigüela E (Cu.) 103 C4
Pineda de la Sierra E (Bur.) 42 B3
Pineda de Mar E (Bar.) 71 D2
Pineda, La E (Bar.) 70 A1
Pineda, La E (Ta.) 89 C1
Pinedas E (Sa.) 98 A1
Pinedas, Las E (Cór.) 165 D2
Pineda-Trasmonte E (Bur.) 61 D1
Pinedillo E (Bur.) 41 C5
Pinedo E (Val.) 125 B4
Pinela P (Bra.) 56 D2
Pinelo P (Bra.) 57 B2
Pinell de Brai, el E (Ta.) 88 C2
Pinell de Solsonès E (Ll.) 49 D5
Pinet E (Val.) 141 B2
Pinhal P (Lei.) 110 D3
Pinhal P (San.) 111 D1
Pinhal do Douro P (Bra.) 76 A1
Pinhal do Norte P (Bra.) 56 A5
Pinhal Novo P (Set.) 127 A4
Pinhanços P (Guar.) 95 B1
Pinhão P (V. R.) 55 C5
Pinhão Cele P (V. R.) 55 C4
Pinheirinho P (Vis.) 94 C1
Pinheirinhos P (Set.) 126 C5
Pinheiro P (Ave.) 74 A4
Pinheiro P (Br.) 54 D2
Pinheiro P (Co.) 93 D3
Pinheiro P (Fa.) 175 A3
Pinheiro P (Guar.) 75 C3
Pinheiro P (Port.) 74 B1
Pinheiro P (Set.) 127 B5
Pinheiro P (Vis.) 94 B1
Pinheiro P (Vis.) 74 D2
Pinheiro da Bemposta P (Ave.) 74 A3
Pinheiro da Cõja P (Co.) 94 D2
Pinheiro da Cruz P (Set.) 143 B2
Pinheiro de Ázere P (Vis.) 94 C1
Pinheiro de Lafões P (Vis.) 74 C4
Pinheiro de Loures P (Lis.) 126 C2
Pinheiro Grande P (San.) 112 A3
Pinheiro Novo P (Bra.) 36 B5
Pinheiros P (Lei.) 93 C5
Pinheiros P (Lei.) 111 B1
Pinheiros P (San.) 112 A1
Pinheiros P (Set.) 126 D4
Pinheiros P (V. C.) 34 B4
Pinheiros P (Vis.) 75 C1
Pinhel P (Guar.) 76 B4
Pinho P (V. R.) 55 C2
Pinho P (Vis.) 74 D3
Pinhovelo P (Bra.) 56 C3
Pinilla E (Alb.) 154 A1
Pinilla E (Alb.) 139 B4
Pinilla E (Mu.) 154 C5
Pinilla Ambroz E (Seg.) 80 D2
Pinilla de Fermoselle E (Zam.) 57 C4
Pinilla de Jadraque E (Gua.) 83 A2
Pinilla de la Valdería E (Le.) 38 A3
Pinilla de
los Barruecos E (Bur.) 62 B1
Pinilla de los Moros E (Bur.) 42 B5
Pinilla de Molina E (Gua.) 84 C5
Pinilla de Toro E (Zam.) 59 A3
Pinilla del Campo E (So.) 64 B2
Pinilla del Olmo E (So.) 63 C5
Pinilla del Valle E (Mad.) 81 C3
Pinilla, La E (Mu.) 171 D2
Pinilla, lugar E (Alb.) 137 C4
Pinilla-Trasmonte E (Bur.) 61 D1
Pinillo, El E (Las P.) 191 A2
Pinillos E (La R.) 43 C4
Pinillos de Esgueva E (Bur.) 61 C1
Pinillos de Polendos E (Seg.) 81 A2
Pino E (Lu.) 3 D5
Pino E (Zam.) 57 D3
Pino Alto E (S. Cruz T.) 196 A3
Pino de Bureba E (Bur.) 22 B5
Pino de Tormes, El E (Sa.) 78 B2
Pino de Viduerna E (Pa.) 20 B4
Pino del Río E (Pa.) 20 A5
Pino do Val E (A Co.) 13 C2
Pino Santo E (Las P.) 191 C2
Pino, El E (Ast.) 19 A2
Pino, El E (Các.) 113 D4
Pino, O E (A Co.) 14 C2
Pinofranqueado E (Các.) 97 C2
Pinos E (Le.) 18 B3
Pinós E (Ll.) 70 A1
Pinos del Valle E (Gr.) 182 A3
Pinos Genil E (Gr.) 182 A1
Pinos Puente E (Gr.) 167 D5
Pinós, el → Pinoso E (Ali.) 156 A2
Pinoso/Pinós, el E (Ali.) 156 A2
Pinseque E (Zar.) 65 D2
Pinsoro E (Zar.) 45 C4
Pintado P (San.) 112 A1
Pintainhos P (San.) 111 D3
Pintano E (Zar.) 46 A1
Pintás E (Our.) 35 B5
Pinténs E (Po.) 33 D2
Pinto E (Mad.) 101 D3
Pintueles E (Ast.) 7 B4
Pinya, La E (Gi.) 51 B3
Pinzio P (Guar.) 76 B5
Pinzón E (Sev.) 177 D1
Piña de Campos E (Pa.) 40 C3
Piña de Esgueva E (Vall.) 60 C2
Piñar E (Gr.) 168 B4
Piñas, Las E (Cád.) 186 C4
Piñeira E (Lu.) 35 D1
Piñeira E (Lu.) 15 D4
Piñeira E (Lu.) 4 C3
Piñeira E (Lu.) 16 B1
Piñeira de Arcos E (Our.) 35 B3
Piñeiro E (A Co.) 3 A1
Piñeiro E (A Co.) 1 D5
Piñeiro E (A Co.) 14 A2
Piñeiro E (A Co.) 14 B1
Piñeiro E (A Co.) 2 D3
Piñeiro E (A Co.) 14 B3
Piñeiro E (Lu.) 15 C5
Piñeiro E (Lu.) 16 A2
Piñeiro E (Po.) 33 D2
Piñeiro E (Po.) 33 D4
Piñeiro E (Po.) 33 D1
Piñeiro E (Po.) 14 C4
Piñeiro E (Po.) 14 A4
Piñeiros E (A Co.) 2 D3
Piñel de Abajo E (Vall.) 61 A2
Piñel de Arriba E (Vall.) 61 A2
Piñera E (Ast.) 5 B3
Piñera E (Ast.) 6 C3
Piñera E (Ast.) 4 D3
Piñera, La E (Ast.) 6 B5
Piñera, La E (Ast.) 6 C3
Piñeres E (Ast.) 18 D1
Piñero, El E (Zam.) 58 D5
Piñor E (Our.) 35 A1
Piñuécar E (Mad.) 81 D2
Piñuel E (Zam.) 58 A5
Piñuelas, Los E (Mu.) 172 B2
Pío de Sajambre E (Le.) 19 D2
Piódão P (Co.) 95 A2
Piornal E (Các.) 98 B4
Piornedo E (Le.) 18 D2
Piornedo E (Our.) 36 A4
Pioz E (Gua.) 102 C1
Pipa P (Lis.) 126 D1
Pipaón E (Ál.) 43 B1
Pipaona E (La R.) 44 A3
Piquera de
San Esteban E (So.) 62 C4
Piqueras E (Gua.) 84 D5
Piqueras del Castillo E (Cu.) 122 B2
Piquillo, El, lugar E (Mad.) 100 C3
Piquín E (Lu.) 4 B5
Pira E (Ta.) 69 C4
Piracés E (Hues.) 47 A5
Pisão P (Co.) 94 D2
Pisão P (Co.) 94 A2
Pisão P (Por.) 113 B5
Pisão P (Por.) 128 D1
Pisão P (Vis.) 74 C3
Pisão P (Vis.) 75 A5
Piscifactoría E (Gua.) 83 C3
Pisões P (Be.) 145 A4
Pisões P (C. B.) 112 D1
Pisões P (Lei.) 94 C4
Pisões P (Lei.) 111 A1
Pisões P (V. R.) 55 A1
Pisón de Castrejón E (Pa.) 20 B4
Pisoria P (C. B.) 95 A4
Pisueña E (Can.) 21 D1
Pita P (San.) 128 A1
Pitarque E (Te.) 86 D5
Piteira E (Our.) 35 A1
Pitiegua E (Sa.) 78 D2
Pitillas E (Na.) 45 A2
Pitões das Junias P (V. R.) 35 A5
Pitres E (Gr.) 182 B3
Piúgos E (Lu.) 15 D2
Pixeiros E (Our.) 36 B4
Pizarra E (Mál.) 180 A4
Pizarral E (Sa.) 78 C5
Pizarrera, La E (Mad.) 101 A1
Pizarro E (Các.) 132 B1
Pla d'Amunt E (Gi.) 51 D4
Pla d'Avall E (Gi.) 51 D4
Pla de Baix E (Gi.) 52 A4
Pla de la Font, el E (Ll.) 68 B2
Pla de la Vallonga E (Ali.) 156 D2
Pla de Manlleu, el E (Ta.) 70 A4
Pla de na Tesa, Es E (Bal.) 91 C3
Pla de Sant Josep E (Ali.) 156 C3
Pla de Sant Tirs, el E (Ll.) 49 D2
Pla de Santa Maria, el E (Ta.) 69 D4
Pla del Castell, el E (Bar.) 70 C3
Pla del Penedès, el E (Bar.) 70 B4
Pla del Remei, El E (Bar.) 71 C1
Pla del Temple E (Bar.) 71 C1
Pla, El E (Bar.) 71 C2
Pla, El E (Bar.) 71 B2
Pla, El E (Bar.) 70 A2
Pla, el E (Cas.) 107 C3
Placa, La E (Le.) 37 B1
Placencia de las
Armas → Soraluze E (Gui.) 23 D1
Plademont E (Gi.) 51 D4
Pladevall E (Gi.) 51 C3
Pladevall E (Gi.) 51 D4
Plan E (Hues.) 28 A5
Plan, El E (Mu.) 172 B2
Plana del Pont Nou, La E (Bar.) 70 C1
Plana, la E (Ta.) 89 C1
Planas, Las E (Te.) 87 B4
Planassa, La E (Bar.) 70 D3
Planes E (Ali.) 141 B4
Planes d'Hostoles, les E (Gi.) 51 C4
Planes, les E (Bar.) 71 A4
Planoles E (Gi.) 50 D2
Plans, els E (Ali.) 157 D1
Plasencia E (Các.) 97 D4
Plasencia de Jalón E (Zar.) 65 C2
Plasencia del Monte E (Hues.) 46 C3
Plasenzuela E (Các.) 115 D4
Platera, La E (J.) 153 B3
Platja → Playa E (Val.) 141 C3
Platja d'Alcúdia E (Bal.) 92 B1
Platja d'Aro E (Gi.) 52 C5
Platja de Calafell, La E (Ta.) 70 A5
Platja del Francàs, La E (Ta.) 90 A1
Platja, la → Playa, La E (Cas.) 108 A4
Platosa, La, lugar E (Sev.) 165 A4
Playa Blanca E (Las P.) 192 A5
Playa de Arinaga E (Las P.) 191 D3
Playa
de las Américas E (S. Cruz T.) 195 C5
Playa de Melenara E (Las P.) 191 D2
Playa de Mogán, La E (Las P.) 191 B3
Playa de San Juan E (S. Cruz T.) 195 C4
Playa de San Nicolás E (Las P.) 191 A2
Playa de Santiago E (S. Cruz T.) 194 C2
Playa del Inglés E (Las P.) 191 C4
Playa del Matorral E (Las P.) 189 C5
Playa del Sol-Villacana E (Mál.) 187 D2
Playa Honda E (Las P.) 192 C4
Playa Muchavista E (Ali.) 157 D1
Playa, La/Platja, la E (Cas.) 108 A4
Playa/Platja E (Val.) 141 C3
Playas de Chacón E (Zar.) 67 C5
Playitas, Las E (Las P.) 190 A4
Plaza, La (Teverga) E (Ast.) 18 A1
Pleitas E (Zar.) 65 D2
Plenas E (Zar.) 86 A2
Plentzia E (Viz.) 11 A4
Pliego E (Mu.) 155 B5
Plines E (Gr.) 181 A1
Plou E (Te.) 86 B2
Pó P (Lei.) 110 C4
Poago E (Ast.) 6 C3
Poal, El E (Bar.) 70 C1
Poal, el E (Ll.) 69 A2
Pobar E (So.) 64 A1
Pobeña E (Viz.) 10 C5
Pobes E (Ál.) 23 A4
Pobla de
Benifassà, la →
Puebla de Benifasar E (Cas.) 88 A5
Pobla de Cérvoles, la E (Ll.) 69 A4
Pobla de Claramunt, la E (Bar.) 70 B3
Pobla de Farnals, la E (Val.) 125 B3
Pobla de Lillet, la E (Bar.) 50 C2
Pobla de Mafumet, la E (Ta.) 89 C1
Pobla de Massaluca, la E (Ta.) 88 B1
Pobla de Montornès, la E (Ta.) 89 D1
Pobla de Segur, la E (Ll.) 49 A3
Pobla de Vallbona, la E (Val.) 124 D3
Pobla del Duc, la E (Val.) 141 A3
Pobla Llarga, la E (Val.) 141 A1
Pobla Tornesa, la E (Cas.) 107 D4
Pobla, Sa E (Bal.) 92 A2
Población de Arreba E (Bur.) 21 C3
Población de Arroyo E (Pa.) 39 D2
Población de Campos E (Pa.) 40 C3
Población de Cerrato E (Pa.) 60 C2
Población de Soto E (Pa.) 40 B2
Poblachuela, La, lugar E (C. R.) 135 B3
Poblado C.N.V E (Bad.) 117 B5
Poblado de Alfonso XIII E (Sev.) 177 D1
Poblado de Potasas E (Na.) 25 A5
Poblado del Iara E (J.) 151 C5
Poblado Permanente
de Hidroeléctrica
Española E (Các.) 114 C1
Poblado San Julián E (J.) 150 D5
Poblados Marítimos/
Port de Borriana, el E (Cas.) 125 C1
Pobladura de Aliste E (Zam.) 57 C1
Pobladura de Fontecha E (Le.) 38 C2
Pobladura de la Sierra E (Le.) 37 C2
Pobladura de la Tercia E (Le.) 18 C3
Pobladura
de las Regueras E (Le.) 17 D5
Pobladura de Luna E (Le.) 18 B3
Pobladura
de Pelayo García E (Le.) 38 C3
Pobladura de Somoza E (Le.) 17 A5
Pobladura de Sotiedra E (Vall.) 59 B2
Pobladura
de Valderaduey E (Zam.) 58 D2
Pobladura de Yuso E (Le.) 38 A3
Pobladura
del Bernesga E (Le.) 18 D5
Pobladura del Valle E (Zam.) 38 C4
Poblenou →
Pueblo Nuevo E (Val.) 125 A3
Poblenou
de Benitatxell, el →
Benitachell E (Ali.) 142 A4
Poblenou del Delta, El E (Ta.) 88 D5
Poblenou, El E (Gi.) 52 A2
Pobles, les E (Ta.) 89 B2
Pobles, les E (Ta.) 69 D4
Poble-sec, El E (Bar.) 51 A4
Poble-sec, El E (Ll.) 49 D2
Poblet E (Ta.) 69 B4
Poblete E (C. R.) 135 B3
Poblets, els E (Ali.) 141 D3
Pobo de Dueñas, El E (Gua.) 85 A4
Pobo, El E (Te.) 106 B1
Poboleda E (Ta.) 69 A5
Pobra de Brollón, A/
Puebla del Brollón E (Lu.) 16 A5
Pobra de Burón, A E (Lu.) 16 C1
Pobra de San Xulián
(Láncara) E (Lu.) 16 A3
Pobra de Trives, A E (Our.) 36 B2
Pobra do Caramiñal/
Puebla del Caramiñal E (A Co.) 13 C4
Pocariça P (Co.) 93 D1

Pozo de Almoguera

Pocariça	P	(Lis.)	110	D5
Poceirão	P	(Set.)	127	B4
Pocicas-Galeras, Las	E	(Alm.)	170	B4
Pocico, El	E	(Alm.)	170	C5
Pocico, El	E	(Gr.)	169	A5
Pocicos, Los	E	(Alb.)	138	C4
Pocinho	P	(Fa.)	175	B2
Pocinho	P	(Guar.)	76	B1
Poço	P	(Ave.)	94	A1
Poço da Chainça	P	(Lei.)	111	B2
Poço do Canto	P	(Guar.)	76	A2
Poço Longo	P	(Fa.)	174	D3
Poço Velho	P	(Guar.)	76	D5
Podame	P	(V. C.)	34	B4
Podence	P	(Bra.)	56	C3
Podentes	E	(Our.)	35	A3
Podentes	P	(Co.)	94	A3
Podes	E	(Ast.)	6	B2
Poiares	P	(Bra.)	76	D2
Poiares	P	(V. C.)	54	A2
Poiares	P	(V. R.)	55	B5
Poio	E	(Po.)	34	A1
Poios	P	(Lei.)	93	D4
Pol	E	(Lu.)	16	A1
Pol	E	(Our.)	35	A1
Pola de Allande	E	(Ast.)	5	B5
Pola de Gordón, La	E	(Le.)	18	D4
Pola de Laviana	E	(Ast.)	6	D5
Pola de Lena	E	(Ast.)	18	C1
Pola de Siero	E	(Ast.)	6	D4
Pola de Somiedo	E	(Ast.)	17	D2
Pola del Pino	E	(Ast.)	19	A2
Polaciones	E	(Can.)	20	C2
Polán	E	(To.)	119	A1
Polanco	E	(Can.)	9	B4
Polavieja	E	(Ast.)	5	B3
Polentinos	E	(Pa.)	20	C3
Poleñino	E	(Hues.)	67	A1
Polícar	E	(Gr.)	168	C5
Polientes	E	(Can.)	21	B4
Polígono de Santa María de Benquerencia	E	(To.)	119	B1
Polígono Residencial de Arinaga	E	(Las P.)	191	D3
Polinyà	E	(Bar.)	71	A3
Polinyà de Xúquer	E	(Val.)	141	B1
Polop	E	(Ali.)	141	C5
Polopos	E	(Alm.)	184	C2
Polopos	E	(Gr.)	182	C4
Poloria	E	(Gr.)	168	A4
Polvacera, La	E	(S. Cruz T.)	193	C3
Polvoredo	E	(Le.)	19	C2
Polvorosa	P	(Por.)	113	A4
Pollença	E	(Bal.)	92	A1
Pollos	E	(Vall.)	59	C4
Pomaluengo	E	(Can.)	9	B5
Pomar de Cinca	E	(Hues.)	67	D1
Pomar de Valdivia	E	(Pa.)	21	A4
Pomarão	P	(Be.)	161	B2
Pomares	P	(Co.)	95	A2
Pomares	P	(Guar.)	76	B5
Pombal	P	(Bra.)	55	D5
Pombal	P	(Bra.)	56	C4
Pombal	P	(Lei.)	93	D4
Pombalinho	P	(Co.)	94	A4
Pombalinho	P	(San.)	111	D4
Pombar	E	(Our.)	35	D2
Pombaria	P	(Lei.)	94	A5
Pombas	P	(C. B.)	94	C5
Pombeira	P	(San.)	112	B1
Pombeiras	P	(Co.)	94	C2
Pombeiro	E	(Lu.)	35	C1
Pombeiro da Beira	P	(Co.)	94	C2
Pombeiro de Ribavizela	P	(Port.)	54	C4
Pombeiros	P	(Be.)	144	C5
Pombriego	E	(Le.)	37	A1
Pomer	E	(Zar.)	64	D3
Pompajuela, lugar	E	(To.)	117	D1
Poncebos	E	(Ast.)	8	A5
Pondras	P	(V. R.)	55	A2
Ponferrada	E	(Le.)	37	B1
Ponjos	E	(Le.)	18	A4
Pont d'Armentera, el	E	(Ta.)	69	D4
Pont de Bar, el	E	(Ll.)	50	A2
Pont de Claverol, el	E	(Ll.)	49	A3
Pont de Molins	E	(Gi.)	52	A2
Pont de Suert, el	E	(Ll.)	48	D2
Pont de Vilomara, el	E	(Bar.)	70	C2
Pont del Príncep, El	E	(Gi.)	52	B2
Pont Major, El	E	(Gi.)	52	A4
Ponta	P	(Ma.)	109	B1
Ponta Delgada	P	(Aç.)	109	B5
Ponta Delgada	P	(Aç.)	109	A2
Ponta Delgada	P	(Ma.)	110	B1
Ponta do Pargo	P	(Ma.)	109	D1
Ponta do Sol	P	(Ma.)	110	A2
Ponta Garça	P	(Aç.)	109	C5
Ponte	E	(Ast.)	5	C4
Ponte	E	(Lu.)	4	A5
Ponte	E	(Po.)	14	D4
Ponte	P	(Br.)	54	B3
Ponte	P	(Br.)	54	B1
Ponte Beluso	E	(A Co.)	13	D4
Ponte da Barca	P	(V. C.)	54	B1
Ponte da Bica	P	(San.)	111	A3
Ponte da Mucela	P	(Co.)	94	C2
Ponte de Fajão	P	(Co.)	94	D3
Ponte de Fora	P	(Vis.)	74	C4
Ponte de Lima	P	(V. C.)	54	A1
Ponte de Olo	P	(V. R.)	55	A4
Ponte de Sôr	P	(Por.)	112	C5
Ponte de Sótão	P	(Co.)	94	C3
Ponte de Telhe	P	(Ave.)	74	C2
Ponte de Vagos	P	(Ave.)	73	D5
Ponte do Abade	P	(Vis.)	75	C3
Ponte do Ave	P	(Port.)	53	D4
Ponte do Celeiro	P	(San.)	111	C4
Ponte do Porto	E	(A Co.)	1	B5
Ponte do Reguengo	P	(San.)	111	B5
Ponte do Rol	P	(Lis.)	110	C5
Ponte Nafonso, A	E	(A Co.)	13	D3
Ponte Nefonso	E	(A Co.)	13	D3
Ponte Noalla	E	(Our.)	35	B2
Ponte Sampaio	E	(Po.)	34	A1
Ponte Ulla	E	(A Co.)	14	C3
Ponte Valga	E	(Po.)	14	A4
Ponte Veiga	E	(Our.)	34	D1
Ponte Velha	P	(Co.)	94	B3
Ponte, A	E	(Our.)	36	D3
Ponteareas	E	(Po.)	34	B3
Ponte-Caldelas	E	(Po.)	34	B1
Ponteceso	E	(A Co.)	1	D4
Pontecesures	E	(Po.)	14	A4
Pontedeume	E	(A Co.)	2	D3
Pontedeva	E	(Our.)	34	D3
Pontedo	E	(Le.)	18	D3
Ponteira	P	(V. R.)	55	A1
Pontejos	E	(Can.)	9	C4
Pontejos	E	(Zam.)	58	C4
Pontellas	E	(A Co.)	2	D4
Pontellas	E	(Po.)	34	A3
Pontenova, A	E	(Lu.)	4	B4
Pontepedra	E	(A Co.)	14	B1
Pontes	P	(Set.)	127	B5
Pontes de García Rodríguez, As/ Puentes de García Rodríguez	E	(A Co.)	3	B3
Pontevedra	E	(Po.)	34	A1
Pontevel	P	(San.)	111	B5
Pontica	E	(Ast.)	6	D3
Ponticella	E	(Ast.)	5	A4
Pontido	P	(V. R.)	55	B3
Pontils	E	(Ta.)	69	D3
Pontón Alto	E	(J.)	153	B4
Pontón, El	E	(Val.)	124	A4
Pontón, El	E	(Viz.)	22	D1
Pontones	E	(Can.)	9	D4
Pontones	E	(J.)	153	B4
Pontons	E	(Bar.)	70	A4
Pontós	E	(Gi.)	52	A3
Ponts	E	(Ll.)	49	C5
Ponzano	E	(Hues.)	47	C4
Poo	E	(Ast.)	8	A4
Pópulo	P	(V. R.)	55	D4
Porciones	E	(Sa.)	77	C4
Porcuna	E	(J.)	167	A1
Porches	P	(Fa.)	173	D2
Poreño	E	(Ast.)	7	A4
Porís de Abona	E	(S. Cruz T.)	196	A4
Porley	E	(Ast.)	17	C1
Porqueira	E	(Our.)	35	B4
Porquera de los Infantes	E	(Pa.)	21	A4
Porquera de Santullán	E	(Pa.)	20	D3
Porquera del Butrón	E	(Bur.)	21	D4
Porqueres	E	(Gi.)	51	D3
Porqueriza	E	(Sa.)	78	A2
Porquerizas, lugar	E	(Cád.)	186	B2
Porqueros	E	(Le.)	18	A5
Porrais	P	(Bra.)	56	D4
Porrais	P	(V. R.)	55	D4
Porreiras	P	(V. C.)	34	A4
Porrera	E	(Ta.)	89	A1
Porreres	E	(Bal.)	92	B4
Porrinheiro	P	(Vis.)	74	D5
Porriño, O	E	(Po.)	34	A3
Porrosa, La	E	(J.)	152	D2
Porrosillo, El	E	(J.)	152	A3
Porrúa	E	(Ast.)	8	A4
Port	E	(Ali.)	142	A4
Port d'Alcúdia, Es	E	(Bal.)	92	B1
Port de Borriana, el → Poblados Marítimos	E	(Cas.)	125	C1
Port de la Selva, el	E	(Gi.)	52	C1
Port de Pollença	E	(Bal.)	92	B1
Port de Sagunt, el → Puerto, El	E	(Val.)	125	B2
Port, El	E	(Bal.)	91	C2
Port, El	E	(Gi.)	52	C1
Port, Es	E	(Bal.)	91	C2
Port, Es	E	(Bal.)	91	A4
Porta	E	(A Co.)	15	A2
Porta	E	(Val.)	125	A4
Porta Coeli	E	(Val.)	125	A2
Portagem	P	(Por.)	113	D4
Portaje	E	(Các.)	97	A5
Portal, El	E	(Cád.)	177	C5
Portalegre	P	(Por.)	113	C4
Portales, Los	E	(Las P.)	191	C1
Portalrubio	E	(Te.)	86	A4
Portalrubio de Guadamajud	E	(Cu.)	103	C3
Portals Nous	E	(Bal.)	91	C4
Portazgo, El	E	(Cór.)	166	D4
Portbou	E	(Gi.)	52	C1
Portel	P	(Év.)	145	A2
Portela	E	(A Co.)	14	A3
Portela	E	(Po.)	34	A2
Portela	E	(Po.)	15	B4
Portela	E	(Po.)	34	A3
Portela	E	(Po.)	33	D2
Portela	E	(Po.)	14	A5
Portela	E	(Po.)	14	B4
Portela	P	(Ave.)	74	A2
Portela	P	(Br.)	54	B3
Portela	P	(Bra.)	56	D1
Portela	P	(C. B.)	94	C5
Portela	P	(Co.)	93	D2
Portela	P	(Lei.)	94	B5
Portela	P	(Lei.)	110	D4
Portela	P	(Lis.)	110	D5
Portela	P	(San.)	112	A3
Portela	P	(San.)	112	B2
Portela	P	(V. C.)	34	B5
Portela	P	(V. C.)	34	B4
Portela	P	(V. R.)	55	B5
Portela da Teira	P	(San.)	111	B3
Portela das Cabras	P	(Br.)	54	A2
Portela de Aguiar	E	(Le.)	36	D1
Portela de Portomourisco	E	(Our.)	36	B2
Portela de São Caetano	P	(Lei.)	94	A5
Portela de Valcarce, La	E	(Le.)	16	D5
Portela de Vila Verde	P	(San.)	112	A1
Portela do Fojo	P	(Co.)	94	C4
Portela Susã	P	(V. C.)	53	D1
Portela, A	E	(Our.)	36	C1
Portelárbol	E	(So.)	63	D1
Portelas	P	(Fa.)	173	B2
Portelas	P	(Lei.)	93	C4
Portelas	P	(San.)	112	C3
Portelas, Las	E	(S. Cruz T.)	195	B3
Portelinha	P	(Set.)	143	C5
Portelinha	P	(V. C.)	34	D4
Portelo	P	(Bra.)	37	A5
Portelrubio	E	(So.)	63	D1
Portell de Morella	E	(Cas.)	107	B1
Portella, la	E	(Ll.)	68	C2
Portellada, La	E	(Te.)	87	D3
Portera, La	E	(Val.)	124	A4
Portezuelo	E	(Các.)	115	B1
Portezuelo, El	E	(S. Cruz T.)	196	B1
Portilla	E	(Ál.)	23	A5
Portilla	E	(Cu.)	104	B3
Portilla de la Reina	E	(Le.)	20	A2
Portilla, La	E	(Alm.)	170	D5
Portillejo	E	(Pa.)	40	B1
Portillo	E	(Sa.)	78	D4
Portillo	E	(Vall.)	60	B4
Portillo de Soria	E	(So.)	64	B3
Portillo de Toledo	E	(To.)	100	D4
Portimão	P	(Fa.)	173	C2
Portinatx	E	(Bal.)	89	D3
Portinha	P	(San.)	112	B1
Portinho da Arrábida	P	(Set.)	127	A5
Portlligat, lugar	E	(Gi.)	52	D2
Portman	E	(Mu.)	172	C3
Porto	E	(A Co.)	2	D3
Porto	E	(Our.)	35	C3
Porto	E	(Zam.)	36	D3
Porto	P	(Port.)	53	D5
Porto Alto	P	(San.)	127	A2
Porto Brandão	P	(Set.)	126	C3
Porto Carreiro	P	(Co.)	94	D3
Porto Carvalhoso	P	(Fa.)	174	D2
Porto Colom	E	(Bal.)	92	C4
Porto Covo	P	(Set.)	143	A5
Porto Cristo	E	(Bal.)	92	D3
Porto da Carne	P	(Guar.)	76	A5
Porto da Cruz	P	(Ma.)	110	C1
Porto da Espada	P	(Por.)	113	D4
Porto da Luz	P	(Lis.)	127	A1
Porto de Bares	E	(A Co.)	3	D1
Porto de Espasante	E	(A Co.)	3	C1
Porto de Lagos	P	(Fa.)	173	C2
Porto de Mendo	P	(San.)	112	A2
Porto de Mós	P	(Lei.)	111	B2
Porto de Muge	P	(San.)	111	B5
Porto de Ovelha	P	(Guar.)	76	C5
Porto de Santa Cruz	E	(A Co.)	2	C4
Porto do Barqueiro	E	(A Co.)	3	C1
Porto do Carro	P	(Co.)	94	A2
Porto do Carro	P	(Lei.)	111	B1
Porto do Son	E	(A Co.)	13	C4
Porto Formoso	P	(Aç.)	109	C4
Porto Liceia	P	(Co.)	93	C2
Porto Moniz	P	(Ma.)	109	D1
Porto Novo	P	(Ave.)	74	B2
Porto Novo	P	(Lis.)	110	C5
Porto Petro	E	(Bal.)	92	C5
Porto Salvo	P	(Lis.)	126	C3
Porto Santo	P	(Ma.)	109	C1
Porto Velho	P	(San.)	112	A1
Portobravo (Lousame)	E	(A Co.)	13	D3
Portocarrero	E	(Alm.)	183	D1
Pòrtol	E	(Bal.)	91	D3
Portomar	P	(Co.)	73	C5
Portomarín	E	(Lu.)	15	C3
Portomeiro	E	(A Co.)	14	A2
Portomouro	E	(A Co.)	14	A2
Portonovo	E	(Po.)	33	D1
Portos dos Fusos	P	(C. B.)	94	B5
Portosín	E	(A Co.)	13	C3
Portua	E	(Gui.)	12	D4
Portugalete	E	(A Co.)	13	B3
Portugalete	E	(Viz.)	10	D5
Pórtugos	E	(Gr.)	182	C2
Portunhos	P	(Co.)	93	D2
Portús, El	E	(Mu.)	172	B3
Portuzelo	P	(V. C.)	53	D1
Porvenir de la Industria	E	(Cór.)	149	A2
Porvorais	P	(Co.)	94	C3
Porzomillos	E	(A Co.)	2	D4
Porzuna	E	(C. R.)	135	A1
Posada	E	(Ast.)	5	C5
Posada	E	(Ast.)	8	A4
Posada de la Valduerna	E	(Le.)	38	A2
Posada de Llanera	E	(Ast.)	6	C4
Posada de Valdeón	E	(Le.)	19	D1
Posada del Bierzo	E	(Le.)	37	A1
Posadas	E	(Cór.)	165	C1
Posadas Ricas	E	(J.)	151	D5
Posadilla	E	(Cór.)	149	A3
Posadilla de la Vega	E	(Le.)	38	B2
Posmarcos	E	(A Co.)	13	C4
Possacos	P	(V. R.)	56	A2
Possanco	P	(Set.)	143	B1
Posto Fiscal do Caia	P	(Por.)	130	B3
Potes	E	(Can.)	20	B1
Potiche	E	(Alb.)	138	B5
Potries	E	(Val.)	141	C3
Pouca Pena	P	(Co.)	93	D3
Poulo	E	(A Co.)	14	C1
Poulo	E	(Our.)	34	D3
Pousa	E	(Our.)	35	D5
Pousa	P	(Br.)	54	A2
Pousa Foles	P	(Co.)	94	A3
Pousada	E	(Lu.)	16	B3
Pousada	E	(Lu.)	4	A5
Pousada	E	(Lu.)	16	B2
Pousada	E	(Lu.)	4	B3
Pousada	E	(Po.)	14	C5
Pousada	E	(Po.)	34	A2
Pousada	P	(Br.)	54	B2
Pousada	P	(Port.)	74	D1
Pousada de Saramagos	P	(Br.)	54	B3
Pousadas	P	(Co.)	94	A3
Pousadas	P	(V. R.)	55	A5
Pousadas	P	(Vis.)	74	C5
Pousadas	P	(Vis.)	75	B4
Pousade	P	(Guar.)	76	B5
Pousadela	P	(Vis.)	75	B3
Pousadouros	P	(Co.)	94	D2
Pousaflores	P	(C. B.)	95	B5
Pousaflores	P	(Lei.)	94	A5
Pousafoles do Bispo	P	(Guar.)	96	A1
Pousos	P	(Lei.)	111	C1
Pousos	P	(San.)	111	D2
Poutena	P	(Ave.)	93	D1
Poutomillos	E	(Lu.)	15	C2
Poveda	E	(Áv.)	99	C1
Poveda de la Obispalía	E	(Cu.)	103	D5
Poveda de la Sierra	E	(Gua.)	84	B5
Poveda de las Cintas	E	(Sa.)	79	B2
Póveda de Soria, La	E	(So.)	43	C5
Poveda, La, lugar	E	(Mad.)	100	D3
Povedilla	E	(Alb.)	137	C4
Póvoa	P	(Bra.)	57	C3
Póvoa	P	(Bra.)	56	B5
Póvoa	P	(C. B.)	112	C1
Póvoa	P	(Co.)	94	A4
Póvoa	P	(Co.)	94	B3
Póvoa	P	(Co.)	94	C3
Póvoa	P	(Lei.)	111	A2
Póvoa	P	(Port.)	73	D1
Povoa	P	(San.)	111	C3
Póvoa	P	(San.)	112	A1
Póvoa	P	(Vis.)	75	A1
Póvoa	P	(Vis.)	75	A3
Póvoa	P	(Vis.)	75	B3
Póvoa da Catarina	P	(Vis.)	74	D5
Póvoa da Galega	P	(Lis.)	126	C2
Póvoa da Isenta	P	(San.)	111	B5
Póvoa da Palhaça	P	(C. B.)	95	D3
Póvoa da Pégada	P	(Vis.)	74	D5
Póvoa da Rainha	P	(Guar.)	75	B5
Povoa da Ribeira Sardeira	P	(C. B.)	94	C5
Póvoa das Chãs	P	(Ave.)	74	B3
Póvoa das Leiras	P	(Vis.)	74	C3
Póvoa de Abraveia	P	(Co.)	94	B3
Póvoa de Agrações	P	(V. R.)	55	D2
Póvoa de Atalaia	P	(C. B.)	95	C4
Póvoa de Cebeçais	P	(Vis.)	74	D4
Póvoa de Cervães	P	(Vis.)	75	B5
Póvoa de Lanhoso	P	(Br.)	54	C2
Póvoa de Lila	P	(V. R.)	56	A3
Póvoa de Luzianes	P	(Vis.)	75	A5
Póvoa de Midões	P	(Co.)	94	D1
Póvoa de Mós	P	(San.)	111	C3
Póvoa de Pegas	P	(Co.)	94	A3
Póvoa de Penafirma	P	(Lis.)	110	C5
Póvoa de Penela	P	(Vis.)	75	D1
Póvoa de Rio de Moinhos	P	(C. B.)	95	C5
Póvoa de Santa Cristina	P	(Co.)	93	D2
Póvoa de Santa Iria	P	(Lis.)	126	D2
Póvoa de Santarém	P	(San.)	111	C4
Póvoa de Santo Adrião	P	(Lis.)	126	D2
Póvoa de Santo António	P	(Vis.)	74	D5
Póvoa de São Cosme	P	(Co.)	95	A1
Póvoa de São Miguel	P	(Be.)	145	C2
Póvoa de Tres	P	(San.)	111	B4
Póvoa de Varzim	P	(Port.)	53	D4
Póvoa d'El-Rei	P	(Guar.)	76	A4
Póvoa do Arcediago	P	(Vis.)	74	D5
Póvoa do Concelho	P	(Guar.)	76	A4
Póvoa do Conde	P	(San.)	111	B4
Póvoa do Forno	P	(Ave.)	73	D5
Póvoa do Manique	P	(Lis.)	111	B5
Povoa do Pereiro	P	(Ave.)	94	A1
Póvoa do Valado	P	(Ave.)	73	D5
Póvoa dos Mosqueiros	P	(Vis.)	94	C1
Póvoa dos Sobrinhos	P	(Vis.)	75	A4
Póvoa e Meadas	P	(Por.)	113	C3
Póvoa Nova	P	(Guar.)	95	B1
Póvoa Velha	P	(Guar.)	95	B1
Povoação	P	(Aç.)	109	D5
Póvoada Alagoa	P	(Vis.)	74	D5
Póvoas	P	(San.)	111	B3
Povolide	P	(Vis.)	75	A4
Poyales del Hoyo	E	(Áv.)	99	B3
Poyata, La	E	(Cór.)	167	A4
Poyatos	E	(Cu.)	104	B2
Poyo del Cid, El	E	(Te.)	85	C3
Poyo, El	E	(Zam.)	57	C1
Poyos, Los, lugar	E	(Alb.)	153	D4
Poza de la Sal	E	(Bur.)	22	A5
Poza de la Vega	E	(Pa.)	40	A1
Pozal de Gallinas	E	(Vall.)	60	A5
Pozáldez	E	(Vall.)	59	D5
Pozalmuro	E	(So.)	64	B2
Pozán de Vero	E	(Hues.)	47	C4
Pozanco	E	(Áv.)	80	B4
Pozancos	E	(Gua.)	83	B2
Pozo Alcón	E	(J.)	169	A2
Pozo Aledo	E	(Mu.)	172	C1
Pozo Bueno	E	(Alb.)	139	A4
Pozo Cano, lugar	E	(Alb.)	154	D1
Pozo de Abajo, lugar	E	(Alb.)	153	C1
Pozo de Almoguera	E	(Gua.)	102	D2

R

Rozas de Valdearroyo, Las

Rozas de Valdearroyo, Las E (Can.) 21 B 3
Rozas, Las E (Ast.) 7 C 4
Rozas, Las E (Mál.) 180 D 3
Rozuelas, Las E (Gr.) 181 A 1
Rozuelas, Las E (Gr.) 181 B 1
Rozuelo E (Le.) 17 C 5
Rúa E (Lu.) 4 A 2
Rua P (Vis.) 75 C 2
Rúa, A E (A Co.) 14 C 2
Rúa, A E (Our.) 36 C 2
Ruanes E (Các.) 116 A 5
Rubalcaba E (Can.) 9 D 5
Rubayo E (Can.) 9 D 4
Rubena E (Bur.) 42 A 2
Rubí E (Bar.) 70 D 3
Rubí de Bracamonte E (Vall.) 79 D 1
Rubiá E (Our.) 36 C 1
Rubia, La E (So.) 63 D 1
Rubiaco E (Các.) 97 C 2
Rubiães P (V. C.) 34 A 5
Rubiais E (Our.) 36 C 3
Rubiales E (Bad.) 148 A 2
Rubiales E (Te.) 105 C 3
Rubián E (Lu.) 15 D 5
Rubiano E (Ast.) 6 A 5
Rubiáns E (Po.) 13 D 5
Rubiás dos Mistos E (Our.) 35 B 5
Rubielos Altos E (Cu.) 122 C 4
Rubielos Bajos E (Cu.) 122 C 4
Rubielos de la Cérida E (Te.) 85 D 4
Rubielos de Mora E (Te.) 106 C 3
Rubillón E (Our.) 34 C 1
Rubín E (Po.) 14 B 4
Rubió E (Bar.) 70 A 2
Rubió E (Ll.) 49 A 5
Rubio, El E (Sev.) 165 C 4
Rubios, Los E (Bad.) 148 C 3
Rubite E (Gr.) 182 B 3
Rubite E (Mál.) 181 A 3
Rublacedo de Abajo E (Bur.) 42 A 1
Rublacedo de Arriba E (Bur.) 42 A 1
Rucandio E (Bur.) 22 A 5
Rucandio E (Can.) 9 D 5
Rucayo E (Le.) 19 B 3
Rudilla E (Te.) 86 A 2
Ruecas E (Bad.) 132 A 2
Rueda E (Vall.) 59 D 4
Rueda de Jalón E (Zar.) 65 C 3
Rueda de la Sierra E (Gua.) 84 D 3
Rueda de Pisuerga E (Pa.) 20 C 4
Rueda del Almirante E (Le.) 39 B 1
Ruente E (Can.) 8 D 5
Ruesca E (Zar.) 65 B 5
Ruescas E (Alm.) 184 B 3
Ruesga E (Pa.) 20 C 4
Rufrancos E (Bur.) 22 C 4
Rugat E (Val.) 141 B 3
Ruge Água P (Lei.) 93 D 5
Ruguilla E (Gua.) 83 C 4
Ruices, Los E (Val.) 123 D 4
Ruidera E (C. R.) 137 A 2
Ruiforco de Torío E (Le.) 19 A 4
Ruigómez E (S. Cruz T.) 195 C 3
Ruilhe P (Br.) 54 A 3
Ruiloba E (Can.) 9 A 4
Ruini, El E (Alm.) 183 D 3
Ruiseñada E (Can.) 8 D 4
Ruivães P (Br.) 54 D 3
Ruivães P (Br.) 54 B 4
Ruivães P (Br.) 54 D 2
Ruivais P (Vis.) 74 D 1
Ruivaqueira P (Lei.) 93 B 5
Ruivos P (Guar.) 96 B 1
Ruivos P (V. C.) 54 B 1
Runa P (Lis.) 126 C 1
Runes E (Mu.) 155 C 3
Rupelo E (Bur.) 42 B 4
Rupià E (Gi.) 52 B 4
Rupit E (Bar.) 51 C 4
Rus E (A Co.) 2 A 5
Rus E (J.) 152 A 4
Rute E (Cór.) 166 C 5
Ruvina P (Guar.) 96 B 1
Ruyales del Agua E (Bur.) 41 C 5
Ruyales del Páramo E (Bur.) 41 C 1

S

Sa E (Lu.) 16 A 5
Sa E (Po.) 15 A 4
Sa E (Po.) 15 A 5
Sa E (Po.) 33 D 3
Sá P (V. C.) 34 C 4
Sá P (V. C.) 34 B 5
Sa de Arriba E (A Co.) 3 B 3
Saa E (Lu.) 15 D 2
Saa E (Lu.) 15 D 3
Saavedra E (Lu.) 15 D 1
Sabaceda E (A Co.) 14 A 1
Sabacheira P (San.) 111 D 1
Sabadell E (Bar.) 71 A 3
Sabadelle E (Lu.) 15 C 4
Sabadelle E (Lu.) 15 C 5
Sabadelle E (Our.) 35 B 2
Sabadim P (V. C.) 34 B 5
Sabardes E (A Co.) 13 C 3
Sabariego E (J.) 167 B 3
Sabarigo E (Po.) 33 D 2
Sabaris P (Ave.) 74 B 1
Sabariz E (Our.) 34 D 4
Sabariz P (Br.) 54 B 2
Sabaxáns E (A Co.) 14 A 3
Sabaxáns E (Po.) 34 B 2
Sabayés E (Hues.) 46 D 3
Sabero E (Le.) 19 C 4
Sabina Alta E (S. Cruz T.) 196 A 3
Sabina, La E (S. Cruz T.) 193 C 3
Sabinal E (Mál.) 180 A 3
Sabinar, El E (Mu.) 154 B 3
Sabinar, El E (Zar.) 45 C 4
Sabinar, El, lugar E (Alm.) 170 B 1
Sabinares, lugar E (Alb.) 137 B 3
Sabinita, La E (S. Cruz T.) 195 C 4
Sabinita, La E (S. Cruz T.) 196 A 4
Sabinosa E (S. Cruz T.) 194 B 4
Sabiñán E (Zar.) 65 A 4
Sabiñánigo E (Hues.) 47 A 1
Sabiote E (J.) 152 B 4
Sabóia P (Be.) 159 D 2
Sabouga P (Co.) 94 C 2
Sabrexo E (Po.) 14 D 3
Sabrosa P (V. R.) 55 C 5
Sabroso P (V. R.) 55 B 5
Sabroso P (V. R.) 55 C 2
Sabucedo E (Our.) 35 B 4
Sabucedo de Montes E (Our.) 35 A 2
Sabugal P (Guar.) 96 B 2
Sabugo P (Lis.) 126 C 2
Sabugosa P (Vis.) 74 D 5
Sabugueira E (A Co.) 14 B 2
Sabugueiro P (Co.) 93 D 4
Sabugueiro P (Év.) 128 B 3
Sabugueiro P (Guar.) 95 B 1
Sabuzedo P (V. R.) 35 B 5
Sacañet E (Cas.) 124 C 1
Sacavém P (Lis.) 126 D 2
Sacecorbo E (Gua.) 83 D 4
Saceda E (Le.) 37 B 2
Saceda E (Our.) 35 C 5
Saceda del Río E (Cu.) 103 C 3
Saceda-Trasierra E (Cu.) 103 A 4
Sacedón E (Gua.) 103 B 1
Sacedoncillo E (Cu.) 104 A 3
Saceruela E (C. R.) 134 B 3
Sacões P (Co.) 94 C 3
Sacorelhe P (Vis.) 74 D 4
Sacramenia E (Seg.) 61 B 4
Sacramento E (Sev.) 178 A 2
Sada E (A Co.) 2 D 4
Sada de Sangüesa E (Na.) 45 B 1
Sádaba E (Zar.) 45 C 3
Sadernes E (Gi.) 51 C 2
Sado P (Set.) 127 B 5
Saelices E (Cu.) 103 B 5
Saelices de la Sal E (Gua.) 84 A 3
Saelices de Mayorga E (Vall.) 39 B 3
Saelices de Sabero E (Le.) 19 C 4
Saelices del Payuelo E (Le.) 39 B 1
Saelices del Río E (Le.) 39 D 1
Saelices el Chico E (Sa.) 77 A 5
Safara P (Be.) 145 D 3
Safres P (V. R.) 55 D 5
Safurdão P (Guar.) 76 B 5
Sagallos E (Zam.) 37 C 5
Saganta E (Hues.) 48 B 5
Sagarras Bajas E (Hues.) 48 C 4
Sagàs E (Bar.) 50 C 4
Sagides E (So.) 84 A 1
Sago P (V. C.) 34 B 4
Sagos E (Sa.) 78 A 3
Sagra E (Ali.) 141 D 3
Sagrada, La E (Sa.) 77 D 4
Sagrajas E (Bad.) 130 B 2
Sagres P (Fa.) 173 A 5
Sagunt → Sagunto E (Val.) 125 B 2
Sagunto/Sagunt E (Val.) 125 B 2
Sahagún E (Le.) 39 C 2
Sahechores de Rueda E (Le.) 19 B 5
Sahelicejos E (Sa.) 77 D 2
Sahúco, El, lugar E (Alb.) 138 B 4
Sahugo, El E (Sa.) 97 A 1
Sahún E (Hues.) 28 B 5
Saiar E (Po.) 14 A 5
Saide P (Ave.) 94 B 1
Saidres E (Po.) 14 D 4
Saigos E (Na.) 25 B 3
Sail P (Co.) 94 C 2
Saimes P (Vis.) 74 C 1
Saínza de Abaixo E (Our.) 35 B 4
Sairo P (San.) 127 D 1
Saja E (Can.) 20 D 2
Sajazarra E (La R.) 42 D 1
Sala, La E (Gi.) 52 B 4
Salada, La E (Sev.) 165 D 5
Saladar y Leche E (Alm.) 184 C 2
Saladar, El E (Ali.) 156 C 4
Saladavieja E (Mál.) 187 C 2
Saladillo E (Mu.) 171 D 2
Saladillo-Benamara E (Mál.) 187 D 2
Salado E (Mu.) 156 A 3
Salado, El E (Cór.) 167 A 4
Salamanca E (Sa.) 78 C 2
Salamir E (Ast.) 5 D 3
Salamón E (Le.) 19 C 3
Salamonde E (Our.) 35 A 1
Salamonde P (Br.) 54 D 2
Salão Frio P (Por.) 113 C 4
Salar E (Gr.) 181 A 1
Salar, El E (Mu.) 156 A 4
Salardú E (Ll.) 29 A 4
Salares E (Mál.) 181 B 3
Salas E (Ast.) 5 D 4
Salas Altas E (Hues.) 47 D 4
Salas Bajas E (Hues.) 47 D 4
Salas de Bureba E (Bur.) 22 A 5
Salas de la Ribera E (Le.) 36 D 1
Salas de los Barrios E (Le.) 37 B 1
Salas de los Infantes E (Bur.) 42 B 5
Salàs de Pallars E (Ll.) 49 A 3
Salas, Las E (Le.) 19 C 3
Salas-Contraviesa E (Gr.) 182 C 3
Salavessa P (Por.) 113 B 2
Salazar E (Bur.) 21 D 3
Salazar de Amaya E (Bur.) 21 A 5
Salazares, Los E (Mu.) 172 B 2
Salce E (Le.) 18 A 4
Salcé E (Zam.) 57 D 5
Salceda E (A Co.) 14 C 2
Salceda E (Po.) 34 A 3
Salceda de Caselas E (Po.) 34 A 3
Salceda, La E (Seg.) 81 B 2
Salcedilla, lugar E (Bur.) 21 D 2
Salcedillo E (Pa.) 20 D 3
Salcedillo E (Te.) 86 A 3
Salcedo E (Ál.) 22 D 5
Salcedo E (Ast.) 5 A 3
Salcedo E (Can.) 21 B 4
Salcedo E (Lu.) 16 A 5
Salcedo E (Po.) 34 A 1
Salces E (Can.) 21 A 3
Salcidos E (Po.) 33 C 5
Saldanha P (Bra.) 57 B 4
Saldaña E (Pa.) 40 A 1
Saldaña de Ayllón E (Seg.) 62 B 5
Saldaña de Burgos E (Bur.) 41 D 3
Saldeana E (Sa.) 77 A 2
Saldes E (Bar.) 50 B 3
Saldias E (Na.) 24 D 2
Saldón E (Te.) 105 B 2
Saldonha P (Bra.) 56 D 4
Salduero E (So.) 63 B 1
Salelles E (Bar.) 70 C 2
Salem E (Val.) 141 B 3
Salema P (Fa.) 173 A 3
Saler, El E (Val.) 125 B 4
Saleres E (Gr.) 182 A 3
Sales de Llierca E (Gi.) 51 D 2
Salgueira E (Our.) 35 D 5
Salgueira E (Po.) 33 D 1
Salgueira P (Ave.) 74 B 3
Salgueira de Baixo P (San.) 111 D 1
Salgueira de Cima P (Lei.) 93 D 5
Salgueira do Meio P (San.) 111 D 1
Salgueirais P (Guar.) 75 D 5
Salgueiral P (Ave.) 73 D 2
Salgueiral P (Ave.) 74 A 4
Salgueiral P (Guar.) 76 B 5
Salgueiral P (San.) 111 D 5
Salgueiro E (Po.) 33 D 3
Salgueiro P (Ave.) 74 B 4
Salgueiro P (Ave.) 73 D 5
Salgueiro P (C. B.) 95 D 3
Salgueiro P (Lei.) 110 D 4
Salgueiro do Campo P (C. B.) 95 B 5
Salgueiros E (A Co.) 13 B 1
Salgueiros E (Po.) 14 C 3
Salgueiros P (Ave.) 74 B 3
Salgueiros P (Bra.) 36 C 5
Salguerinha P (San.) 127 D 2
Salicos P (Fa.) 173 D 2
Saliente Alto E (Alm.) 170 B 3
Salientes E (Le.) 17 D 3
Salillas E (Hues.) 47 B 5
Salillas de Jalón E (Zar.) 65 C 3
Salina, La E (J.) 167 B 3
Salinas E (Ali.) 156 B 1
Salinas E (Ast.) 6 B 3
Salinas (Tella-Sin) E (Hues.) 27 D 5
Salinas de Añana → Añana-Gesaltza E (Ál.) 22 D 4
Salinas de Hoz E (Hues.) 47 D 4
Salinas de Jaca E (Hues.) 46 B 2
Salinas de Léniz → Leintz-Gatzaga E (Gui.) 23 C 3
Salinas de Medinaceli E (So.) 83 D 1
Salinas de Oro/Jaitz E (Na.) 24 C 4
Salinas de Pinilla, lugar E (Alb.) 137 C 3
Salinas de Pisuerga E (Pa.) 20 D 4
Salinas de Rosío E (Bur.) 22 B 3
Salinas de Trillo E (Hues.) 48 A 3
Salinas del Manzano E (Cu.) 105 B 4
Salinas, Las E (Vall.) 59 D 5
Salines, Ses E (Bal.) 90 C 1
Salines, Ses E (Bal.) 92 B 5
Salines, Ses, lugar E (Bal.) 90 C 2
Salinillas de Buradon E (Ál.) 23 A 5
Salinillas de Bureba E (Bur.) 42 B 1
Salionç E (Gi.) 72 B 1
Salir P (Fa.) 174 C 2
Salir de Matos P (Lei.) 110 D 3
Salir do Porto P (Lei.) 110 D 2
Salitja E (Gi.) 52 A 5
Salmerón E (Gua.) 103 D 1
Salmeroncillos de Abajo E (Cu.) 103 C 1
Salmoral E (Sa.) 79 B 4
Salo E (Bar.) 70 B 1
Salobral E (Áv.) 80 A 5
Salobral, El E (Alb.) 138 C 3
Salobralejo E (Áv.) 79 D 5
Salobrales, Los E (Mu.) 171 A 3
Salobre E (Alb.) 137 C 5
Salobreña E (Gr.) 182 A 4
Salom E (Gi.) 52 B 5
Salomó E (Ta.) 69 D 5
Salorino E (Các.) 114 B 3
Salou E (Ta.) 89 C 1
Salreu P (Ave.) 74 A 3
Salsas P (Bra.) 56 D 2
Salselas P (Bra.) 56 D 3
Salt E (Gi.) 52 A 4
Saltador Bajo, El E (Alm.) 184 D 2
Saltador, El E (Alm.) 170 D 4
Saltadouro P (Ave.) 73 D 3
Salteras E (Sev.) 163 D 4
Salto E (A Co.) 1 C 5
Salto E (Po.) 15 B 4
Salto P (V. R.) 55 A 2
Salto de Aldeadávila E (Sa.) 77 A 1
Salto de Bolarque E (Gua.) 103 A 2
Salto de Castro E (Zam.) 57 D 3
Salto de Saucelle E (Sa.) 76 D 2
Salto de Villalba E (Cu.) 104 B 3
Salto del Negro E (Mál.) 181 A 3
Salto del Negro, El E (Las P.) 191 D 1
Salto, El E (S. Cruz T.) 195 D 4
Saludes de Castroponce E (Le.) 38 C 4
Salut, La E (Bar.) 71 A 3
Salvacañete E (Cu.) 105 B 4
Salvada P (Be.) 144 D 4
Salvadiós E (Áv.) 79 C 3
Salvador P (C. B.) 96 B 4
Salvador P (San.) 112 A 5
Salvador de Zapardiel E (Vall.) 79 D 1
Salvador do Monte P (Port.) 54 D 5
Salvadorinho P (San.) 112 B 3
Salvadoriquez E (Sa.) 78 C 3
Salvaleón E (Bad.) 130 C 5
Salvariz P (Vis.) 75 A 2
Salvaterra de Magos P (San.) 127 B 1
Salvaterra de Miño E (Po.) 34 B 3
Salvaterra do Extremo P (C. B.) 96 C 5
Salvatierra → Agurain E (Ál.) 23 D 4
Salvatierra de Esca E (Zar.) 26 A 5
Salvatierra de los Barros E (Bad.) 146 D 1
Salvatierra de Santiago E (Các.) 115 D 5
Salvatierra de Tormes E (Sa.) 78 C 5
Salzadella, la E (Cas.) 108 A 1
Salzedas P (Vis.) 75 B 1
Sallent E (Bar.) 70 C 1
Sallent de Gállego E (Hues.) 27 A 4
Sama E (Ast.) 6 D 5
Samaiões P (V. R.) 55 D 2
Samaniego E (Ál.) 43 B 1
Sámano E (Can.) 10 C 5
Samão P (Br.) 55 A 2
Samardã P (V. R.) 55 B 4
Samarugo E (Lu.) 3 D 4
Sambade P (Bra.) 56 C 4
Sambado P (C. B.) 94 B 5
Sambellín E (Sa.) 78 D 4
Samboal E (Seg.) 80 C 1
Sameice P (Guar.) 95 A 1
Sameiro P (Guar.) 95 C 1
Samel P (Ave.) 93 D 1
Sames E (Ast.) 7 C 5
Samiano E (Bur.) 23 B 5
Samieira E (Po.) 33 D 1
Samil P (Bra.) 56 D 1
Samir de los Caños E (Zam.) 57 D 2
Samitier E (Hues.) 47 D 3
Samodães P (Vis.) 75 A 1
Samoedo E (A Co.) 2 D 4
Samões P (Bra.) 56 B 5
Samora Correia P (San.) 127 B 2
Samorinha P (Bra.) 56 A 5
Samos E (Lu.) 16 A 4
Samouco P (Set.) 127 A 3
Sampaio P (Bra.) 56 B 5
Sampaio P (Bra.) 57 A 4
Sampaio P (Co.) 93 B 3
Sampaio P (Set.) 126 D 5
Samper E (Hues.) 48 A 2
Samper de Calanda E (Te.) 87 A 1
Samper del Salz E (Zar.) 86 B 1
Samuel P (Co.) 93 C 3
San Adrián E (Na.) 44 C 3
San Adrián de Juarros E (Bur.) 42 A 3
San Adrián del Valle E (Le.) 38 C 4
San Agustín E (Alm.) 183 C 4
San Agustín E (Las P.) 191 C 4
San Agustín E (S. Cruz T.) 195 D 2
San Agustín E (Te.) 106 C 4
San Agustín de Guadalix E (Mad.) 81 D 5
San Agustín del Pozo E (Zam.) 58 D 1
San Amaro E (Our.) 34 D 1
San Ambrosio E (Cád.) 186 A 4
San Andrés E (Ast.) 6 B 5
San Andrés E (Can.) 21 B 1
San Andrés E (Las P.) 191 C 1
San Andrés E (S. Cruz T.) 196 C 1
San Andrés E (S. Cruz T.) 194 C 4
San Andrés E (S. Cruz T.) 193 C 2
San Andrés de Agues E (Ast.) 19 A 1
San Andrés de la Regla E (Pa.) 39 D 1
San Andrés de las Puentes E (Le.) 37 C 1
San Andrés de Montejos E (Le.) 17 B 5
San Andrés de San Pedro E (So.) 44 A 5
San Andrés de Soria E (So.) 43 D 5
Sãn Andrés de Teixido E (A Co.) 3 B 1
San Andrés del Congosto E (Gua.) 82 D 3
San Andrés del Rabanedo E (Le.) 18 D 5
San Andrés del Rey E (Gua.) 83 A 5
San Antolín (Ibias) E (Ast.) 16 D 2
San Antón E (Sev.) 165 C 3
San Antoniño (Barro) E (Po.) 14 A 5
San Antonio E (Ast.) 7 B 4
San Antonio E (Cór.) 150 B 5
San Antonio E (Gr.) 182 D 1
San Antonio E (Our.) 35 B 5
San Antonio E (S. Cruz T.) 193 C 3
San Antonio E (S. Cruz T.) 196 A 2
San Antonio E (Val.) 123 D 3
San Antonio Abad E (Mu.) 172 B 2
San Antonio de Benagéber E (Val.) 125 A 3
San Antonio del Fontanar, lugar E (Sev.) 179 A 1
San Asensio E (La R.) 43 B 1
San Bartolomé E (Ali.) 156 B 4
San Bartolomé E (Ast.) 6 A 4
San Bartolomé E (Las P.) 192 C 4
San Bartolomé de Béjar E (Áv.) 98 C 2

Sarreaus E (Our.) 35 C4
Sarria E (Ál.) 23 A3
Sarria E (Lu.) 16 A4
Sarrià de Ter E (Gi.) 52 A4
Sarriés/Sarzo E (Na.) 25 D4
Sarrión E (Te.) 106 B4
Sarroca de Bellera E (Ll.) 49 A2
Sarroca de Lleida E (Ll.) 68 C4
Sarsamarcuello E (Hues.) 44 B2
Sartaguda E (Na.) 44 B2
Sartajada E (To.) 100 A3
Sartalejo E (Các.) 97 C4
Sartenilla E (Alm.) 184 A2
Sarvisé E (Hues.) 47 B1
Sarzeda E (Bra.) 56 D2
Sarzeda P (Lei.) 94 A5
Sarzeda P (Vis.) 75 D3
Sarzedas P (C. B.) 95 B5
Sarzedas de São Pedro P (Lei.) 94 B4
Sarzedas do Vasco P (Lei.) 94 B4
Sarzedela P (C. B.) 112 D1
Sarzedinha P (C. B.) 95 D2
Sarzedo P (Co.) 94 C5
Sarzedo P (Port.) 73 D1
Sarzedo P (Vis.) 75 B2
Sarzo → Sarriés E (Na.) 25 D4
Sas de Penelas E (Our.) 36 A2
Sas do Monte P (Our.) 35 D2
Sasa del Abadiado E (Hues.) 47 A4
Sasamón E (Bur.) 41 B2
Sasdónigas E (Lu.) 4 A4
Sáseta E (Bur.) 23 C5
Sástago E (Zar.) 67 A5
Sátão P (Vis.) 75 B4
Saúca E (Gua.) 83 C2
Sauceda E (Các.) 97 C2
Sauceda, La E (Mál.) 186 D1
Saucedilla E (Các.) 116 C1
Saucedilla E (Mál.) 180 B4
Saucedilla, La E (Gr.) 167 A5
Saucejo, El E (Sev.) 179 B2
Saucelle E (Sa.) 76 D2
Sauces, Los E (Áv.) 98 D2
Sauces, Los E (S. Cruz T.) 193 C2
Saucillo E (Las P.) 191 C1
Saúco, El E (Gr.) 169 D3
Saudim P (Port.) 74 A1
Saulons d'en Déu, els E (Bar.) 71 A2
Saulons-Finca Ribó, els E (Bar.) 71 A2
Sauquillo de Alcázar E (So.) 64 B3
Sauquillo de Boñices E (So.) 63 D3
Sauquillo de Cabezas E (Seg.) 81 A1
Sauquillo de Paredes E (So.) 62 D5
Saus E (Gi.) 52 B3
Sauzal E (S. Cruz T.) 196 A2
Savallà del Comtat E (Ta.) 69 D3
Savina, Sa E (Bal.) 90 C5
Sax E (Ali.) 156 C1
Sayalonga E (Mál.) 181 B4
Sayatón E (Gua.) 103 A2
Sazes da Beira P (Guar.) 95 B2
Sazes do Lorvão P (Co.) 94 B2
Scala-Dei E (Ta.) 69 A5
Seadur E (Our.) 36 B2
Seaia E (A Co.) 1 D4
Seana E (Ast.) 6 C5
Seana E (Ll.) 69 B2
Seara E (Lu.) 16 C5
Seara E (Lu.) 4 B3
Seara E (Po.) 34 A1
Seara P (Br.) 54 C1
Seara P (V. C.) 54 A1
Seara P (V. R.) 55 A2
Seara P (V. R.) 55 C1
Seara Velha P (V. R.) 55 C1
Seara, A E (Our.) 35 A2
Seares E (Ast.) 4 C3
Seavia E (A Co.) 2 A5
Sebadelhe P (Guar.) 76 A2
Sebadelhe da Serra P (Guar.) 75 D3
Sebal Grande P (Co.) 94 A3
Sebarga E (Ast.) 7 C5
Sebolido P (Port.) 74 B1
Sebúlcor E (Seg.) 61 C5
Seca, La E (Le.) 18 B4
Seca, La E (So.) 63 B3
Seca, La E (Vall.) 59 D4
Secadero E (Mál.) 187 B4
Secadura E (Can.) 10 A5
Secar de la Real, Es E (Bal.) 91 C3
Secarejo E (Le.) 18 C5
Secarias P (Co.) 94 D2
Secastilla E (Hues.) 48 A3
Seceda E (Lu.) 16 B5
Secerigo P (V. R.) 55 B2

Secorio P (San.) 111 B4
Secos de Porma E (Le.) 19 A5
Secuita, la E (Ta.) 69 D5
Seda P (Por.) 113 A5
Sedano E (Bur.) 21 D5
Sedas P (Be.) 161 B2
Sedavi E (Val.) 125 A4
Sedella E (Mál.) 181 B3
Sedes E (A Co.) 3 A2
Sedielos P (V. R.) 55 A5
Sediles E (Zar.) 65 B5
Sedó E (Ll.) 69 C1
Segadães P (Ave.) 74 A4
Segade P (Co.) 94 B3
Segán E (Lu.) 15 C4
Segart E (Val.) 125 A2
Sege P (Alb.) 154 A2
Segodim P (Lei.) 93 B5
Segões P (Vis.) 75 B4
Segorbe E (Cas.) 125 A1
Segovia E (Seg.) 81 A3
Segoviela E (So.) 63 D1
Segoyuela de los Cornejos E (Sa.) 78 A5
Segude P (V. C.) 34 B4
Segueró E (Gi.) 51 D2
Segunda del Río/ Hostalnou, l' E (Cas.) 87 C5
Segur de Calafell E (Ta.) 70 B5
Segura E (Gui.) 24 A3
Segura P (C. B.) 114 B1
Segura de la Sierra E (J.) 153 C2
Segura de León E (Bad.) 147 A3
Segura de los Baños E (Te.) 86 A3
Segura de Toro E (Các.) 98 A3
Segurilla E (To.) 99 D5
Seia P (Guar.) 95 B1
Seiça P (San.) 111 D1
Seidões P (Br.) 54 D4
Seira E (A Co.) 14 A3
Seira E (Hues.) 48 B1
Seiró P (Our.) 35 C3
Seirós P (V. R.) 55 B2
Seixadas E (Our.) 35 A2
Seixal P (Lis.) 126 B1
Seixal P (Lis.) 110 C4
Seixal P (Lis.) 126 B2
Seixal P (Ma.) 110 A1
Seixal P (Set.) 126 D4
Seixas E (A Co.) 3 B2
Seixas E (A Co.) 1 D4
Seixas P (Bra.) 36 B5
Seixas P (Co.) 94 A1
Seixas P (Guar.) 76 A1
Seixas P (V. C.) 33 D5
Seixezelo P (Ave.) 74 A1
Seixido E (Po.) 34 C1
Seixo E (Po.) 33 D1
Seixo P (Ave.) 74 A3
Seixo P (C. B.) 94 C5
Seixo E (Co.) 73 C5
Seixo P (Lu.) 94 B1
Seixo P (Lei.) 93 C4
Seixo P (V. R.) 55 D2
Seixo P (Vis.) 75 D2
Seixo Amarelo P (Guar.) 95 D1
Seixo da Beira P (Co.) 95 A1
Seixo de Ansiães P (Bra.) 56 A5
Seixo de Gatões P (Co.) 93 C2
Seixo de Manhoses P (Bra.) 56 B5
Seixo do Côa P (Guar.) 96 B1
Seixo, O (Tomiño) P (Po.) 33 D4
Seixos Alvos P (Co.) 94 D1
Seixosmil E (Lu.) 4 B5
Sejães P (Vis.) 74 C3
Sejas de Aliste E (Zam.) 57 B2
Sel de la Carrera E (Can.) 21 C2
Sela E (Po.) 34 C3
Sela de Nunyes → Cela de Núñez E (Ali.) 141 A4
Selas E (Gua.) 84 B3
Selaya E (Can.) 21 C1
Selgua E (Hues.) 47 D5
Selim P (V. C.) 34 B5
Selmes P (Be.) 145 A3
Selores P (Bra.) 56 A5
Selorio E (Ast.) 7 B3
Selva E (Bal.) 92 A2
Selva de Mar, la E (Gi.) 52 C1
Selva del Camp, la E (Ta.) 69 C5
Selva, La E (Ll.) 50 A5
Sella E (Ali.) 141 B5
Sellano E (Ast.) 7 C5
Sellent E (Val.) 140 D2

Sello E (Po.) 14 D4
Sellón E (Ast.) 7 A5
Semblana P (Be.) 160 C2
Semideiro P (San.) 112 B4
Semillas E (Gua.) 82 C2
Semineira P (Lis.) 126 C2
Semitela P (Vis.) 75 C2
Sena E (Hues.) 67 C2
Sena de Luna E (Le.) 18 B3
Senan E (Ta.) 69 B3
Senande E (A Co.) 13 B1
Sencelles E (Bal.) 92 A3
Sendadiano E (Ál.) 23 A3
Sendas P (Bra.) 56 D3
Sendelle E (A Co.) 14 D2
Sendim P (Bra.) 57 B4
Sendim P (Port.) 54 C4
Sendim P (V. R.) 35 B5
Sendim P (Vis.) 75 C1
Sendim da Ribeira P (Bra.) 56 C5
Sendim da Serra P (Bra.) 56 C5
Sendín E (Ast.) 6 B4
Senegüé E (Hues.) 47 A1
Senés E (Alm.) 184 A1
Senés de Alcubierre E (Hues.) 66 D1
Senhora da Graça de Padrões P (Be.) 160 C2
Senhora da Hora P (Port.) 53 D5
Senhorim P (Vis.) 75 A5
Sénia, la E (Ta.) 88 A5
Senija E (Ali.) 141 D4
Senín E (Po.) 14 A4
Seno E (Te.) 87 A4
Senouras P (Guar.) 76 C5
Senra E (A Co.) 14 C2
Senterada E (Ll.) 49 A2
Sentieiras P (San.) 112 B3
Sentinela P (Be.) 161 B4
Sentiu de Sió, la E (Ll.) 69 A1
Sentmenat E (Bar.) 71 A2
Senyera E (Val.) 141 A2
Senz E (Hues.) 48 A2
Seña E (Can.) 10 B4
Señoráns E (A Co.) 1 C5
Señuela E (So.) 63 D5
Seoane E (Lu.) 15 D5
Seoane E (Lu.) 16 B5
Seoane E (Our.) 35 A1
Seoane Vello E (Our.) 35 D2
Sepins P (Co.) 94 A1
Sepulcro Hilario E (Sa.) 77 D4
Sepúlveda E (Sa.) 77 C4
Sepúlveda E (Seg.) 61 C5
Sequeade P (Br.) 54 A3
Sequeira P (Br.) 54 A3
Sequeiro E (A Co.) 2 D2
Sequeiro P (Br.) 54 B1
Sequeiro P (Port.) 54 B4
Sequeiros E (Lu.) 36 B1
Sequeiros E (Po.) 34 A2
Sequeiros E (Po.) 14 A5
Sequeiros P (Bra.) 76 B1
Sequeiros P (Guar.) 75 C3
Sequeiros P (Guar.) 76 A2
Sequeiros P (Vis.) 74 B2
Sequera de Fresno E (Seg.) 62 A5
Sequera de Haza, La E (Bur.) 61 C3
Sequeros E (Sa.) 98 A1
Ser E (A Co.) 13 D2
Serandinas E (Ast.) 5 A3
Serantellos E (A Co.) 2 D3
Serantes E (A Co.) 13 C3
Serantes E (A Co.) 2 C1
Serantes E (Ast.) 4 D1
Serantes E (Po.) 13 D5
Serapicos P (Bra.) 57 B2
Serapicos P (Bra.) 56 D2
Serapicos P (V. R.) 55 D3
Serapicos P (V. R.) 55 D2
Serdedelo P (V. C.) 54 A1
Serena, La E (Alm.) 184 D1
Serés E (Lu.) 16 A2
Sergude E (A Co.) 14 B3
Sergudo P (Co.) 94 D2
Serín E (Ast.) 6 C3
Serinyà E (Gi.) 51 D3
Serinyà E (Gi.) 52 A5
Sermonde P (Port.) 74 A1
Serna del Monte, La E (Mad.) 81 D2
Serna, La E (Can.) 21 B4
Serna, La E (Pa.) 40 B2
Sernada P (Bra.) 36 B5

Sernada P (Vis.) 75 A4
Sernadinha P (Co.) 94 B3
Sernancelhe P (Vis.) 75 C3
Sernande P (Port.) 74 A1
Sernande P (Port.) 54 C4
Seró E (Ll.) 49 B5
Seroa P (Port.) 54 B3
Seroiro E (Ast.) 17 A2
Serois E (Our.) 35 B5
Serón E (Alm.) 169 D5
Serón de Nágima E (So.) 64 A4
Seròs E (Ll.) 68 B4
Serpa P (Be.) 145 A4
Serpins P (Co.) 94 C3
Serra E (Val.) 125 A2
Serra P (San.) 112 C2
Serra P (San.) 112 B2
Serra da Boa Viagem P (Co.) 93 B2
Serra da Pescaria P (Lei.) 110 D2
Serra da Vila P (Lis.) 126 C1
Serra d'Almos, la E (Ta.) 88 D1
Serra de Água P (Ma.) 110 A2
Serra de Daró E (Gi.) 52 C4
Serra de Dentro P (Ma.) 109 C1
Serra de Jancanes E (Co.) 94 A3
Serra de Outes, A (Outes) E (A Co.) 13 C3
Serra de Santo António P (San.) 111 C2
Serra de São Bento P (Co.) 93 C3
   de São Domingos P (C. B.) 94 C5
Serra d'El-Rei P (Lei.) 110 C4
Serra d'en Galceran, la → Sierra Engarcerán E (Cas.) 107 D3
Serra do Bouro P (Lei.) 110 D3
Serra dos Mangues P (Lei.) 110 D3
Serra Morena E (Bal.) 90 D2
Serracines E (Mad.) 82 B5
Serrada E (Vall.) 59 D4
Serrada de la Fuente E (Mad.) 82 A3
Serrada, La E (Áv.) 80 A5
Serradelo P (Ave.) 74 B1
Serradell E (Ll.) 49 A3
Serradilla E (Các.) 115 D1
Serradilla del Arroyo E (Sa.) 97 C1
Serradilla del Llano E (Sa.) 97 C1
Serraduy E (Hues.) 48 C2
Serralva P (Ave.) 74 A2
Serramo E (A Co.) 13 C1
Serranillo E (Sa.) 77 A4
Serranillos E (Áv.) 99 D2
Serranillos del Valle E (Mad.) 101 A5
Serranillos Playa E (To.) 100 A5
Serrano E (Các.) 177 C5
Serranos P (Lei.) 111 D4
Serrapio E (Ast.) 18 C1
Serrasqueira P (C. B.) 113 B1
Serrat de Castellnou, El E (Bar.) 70 C1
Serrate E (Hues.) 48 B2
Serrateix E (Bar.) 50 B5
Serrato E (Mál.) 179 C3
Serrazes P (Vis.) 74 C3
Serrazina P (Co.) 93 D3
Serrejón E (Các.) 116 B1
Serreleis P (V. C.) 53 D1
Serres E (Gi.) 72 A1
Serreta P (Aç.) 109 A5
Serro Ventoso P (Co.) 93 C3
Serro Ventoso P (Lei.) 111 D4
Sertã P (C. B.) 94 C5
Serval, El E (Gr.) 167 A4
Servoi E (A Co.) 2 C2
Serzedelo P (Br.) 54 C2
Sesa E (Hues.) 47 B5
Sésamo E (Le.) 17 A4
Seseña E (To.) 101 D4
Seseña Nuevo E (To.) 101 D4
Sesimbra P (Set.) 126 D5
Sesma E (Na.) 44 B2
Sesmarias P (C. B.) 112 C1
Sesmarias P (Fa.) 174 A3
Sesmarias P (San.) 112 B2
Sesmarias do Pato P (Set.) 127 A4
Sesmo P (C. B.) 95 A5
Sesnández de Tábara E (Zam.) 58 A1
Sestao E (Viz.) 10 D5
Sestrica E (Zar.) 65 A4
Sesué E (Hues.) 48 B1
Setados P (Port.) 74 A1
Setcases E (Gi.) 51 A1
Sete P (Be.) 160 C2
Sete Casas P (Lis.) 126 C2
Sete Cidades P (Aç.) 109 A4

Sete Sobreiras P (Por.) 112 C4
Setecoros E (Po.) 14 A4
Setefilla E (Sev.) 164 D2
Setenil de las Bodegas E (Các.) 179 B3
Setién E (Can.) 9 D4
Setienes E (Ast.) 5 B3
Setil P (San.) 111 B5
Setiles E (Gua.) 85 A4
Setúbal P (Set.) 127 A5
Seu d'Urgell, la E (Ll.) 49 D2
Seva E (Bar.) 51 B5
Sevares E (Ast.) 7 B4
Sever E (Our.) 36 C4
Sever P (V. R.) 55 B5
Sever P (Vis.) 75 B2
Sever do Vouga P (Ave.) 74 B3
Sevilha P (Co.) 94 D1
Sevilla E (Sev.) 164 A4
Sevilla la Nueva E (Mad.) 101 B2
Sevillana, La E (Cór.) 149 A5
Sevillanos, Los, lugar E (Gr.) 182 C3
Sevilleja de la Jara E (To.) 117 C3
Sexmiro E (Sa.) 76 A1
Sexmo E (Mál.) 180 B4
Sezelhe P (V. R.) 55 A1
Sezulfe P (Bra.) 56 C3
Sezures P (Bra.) 54 A3
Sezures P (Vis.) 75 B4
Siabal P (Our.) 35 B2
Siador P (Po.) 14 C4
Sidamon E (Ll.) 69 A2
Sidrós P (V. R.) 54 D1
Sienes E (Gua.) 83 B1
Sieres E (Ast.) 7 B4
Siero de la Reina E (Le.) 19 D3
Sierpe, La E (Các.) 178 B4
Sierpe, La E (Sa.) 78 B5
Sierra E (Alb.) 139 A5
Sierra E (Ast.) 5 C5
Sierra E (Mál.) 179 A5
Sierra E (Viz.) 22 B1
Sierra de Fuentes E (Các.) 115 C4
Sierra de Ibio E (Can.) 9 A5
Sierra de Luna E (Zar.) 46 A5
Sierra de María Ángela E (J.) 153 A4
Sierra de Ojete E (Gr.) 167 A5
Sierra de San Cristóbal E (Các.) 177 C5
Sierra de Yeguas E (Mál.) 179 D1
Sierra Elvira E (Gr.) 167 D5
Sierra Engarcerán/ Serra d'en Galceran, la E (Cas.) 107 D3
Sierra Menera E (Te.) 85 B5
Sierra Nevada E (Gr.) 182 B1
Sierra, La E (Alb.) 154 B3
Sierra, La E (Ast.) 6 C4
Sierra, La E (Mál.) 179 A5
Sierra, La o Buenavista E (Cór.) 166 B3
Sierrapando E (Can.) 9 B5
Sierro E (Alm.) 170 A5
Sieso de Huesca E (Hues.) 47 A4
Siesta E (Bal.) 89 D4
Siétamo E (Hues.) 47 A4
Siete Aguas E (Val.) 124 B4
Siete Iglesias de Trabancos E (Vall.) 59 B4
Siete Puertas E (Las P.) 191 D2
Sieteiglesias de Tormes E (Sa.) 78 B4
Sietes E (Ast.) 7 B4
Sigarrosa P (V. R.) 55 B4
Sigeres E (Áv.) 79 D4
Sigrás E (A Co.) 2 C4
Sigüeiro E (A Co.) 14 B2
Sigüenza E (Gua.) 83 C2
Siguero E (Seg.) 81 D1
Sigüeruelo E (Seg.) 81 D1
Sigüés E (Zar.) 26 A5
Sigüeya E (Le.) 37 A2
Sileras E (Cór.) 167 B4
Siles E (J.) 153 C2
Sililos E (Cór.) 165 B2
Silió E (Can.) 9 C4
Silos, Los E (Alm.) 170 D4
Silos, Los E (S. Cruz T.) 195 C2
Sils E (Gi.) 52 A5
Silva E (A Co.) 13 C3
Silva E (A Co.) 2 B5
Silva E (Lu.) 16 A1
Silva P (Br.) 54 A2
Silva P (V. C.) 33 D4
Silva P (V. R.) 55 D3

Silvã de Cima

Silvã de Cima P (Vis.) 75 B 4
Silva Escura P (Ave.) 74 B 3
Silva Escura P (Port.) 54 A 5
Silva, La E (Le.) 17 D 5
Silvalde P (Ave.) 73 D 1
Silván E (Le.) 37 A 2
Silvares P (C. B.) 95 B 3
Silvares P (Vis.) 75 A 3
Silvares P (Vis.) 74 B 4
Silvares P (Vis.) 74 C 4
Silvarrei E (Lu.) 15 D 1
Silveira P (Ave.) 74 A 5
Silveira P (Ave.) 74 B 4
Silveira P (C. B.) 113 A 2
Silveira P (Fa.) 160 A 4
Silveira P (Lis.) 110 B 5
Silveiras P (Év.) 128 A 4
Silveirinho P (Co.) 94 C 2
Silveiros P (Br.) 54 A 3
Silvela E (Lu.) 15 B 2
Silves P (Fa.) 173 D 2
Silvosa P (C. B.) 95 B 4
Silvoso E (Po.) 34 A 1
Silla E (Val.) 125 A 4
Sillar Baja E (Gr.) 168 B 5
Silleda E (Po.) 14 C 4
Sillero, lugar E (J.) 152 D 4
Sillobre E (A Co.) 3 A 3
Simancas E (Vall.) 60 A 3
Simarro, El E (Cu.) 122 A 5
Simat de la Valldigna E (Val.) 141 B 2
Simões P (Be.) 161 A 2
Simões P (Co.) 93 D 4
Sin E (Hues.) 28 A 5
Sinarcas E (Val.) 123 D 2
Sinde P (Co.) 94 D 2
Sindrán E (Lu.) 36 A 1
Sines P (Set.) 143 A 4
Sineu E (Bal.) 92 A 3
Singla E (Mu.) 154 C 4
Singra E (Te.) 85 C 5
Sinlabajos E (Áv.) 80 A 2
Sinovas E (Bur.) 61 D 2
Sinterra P (San.) 111 B 4
Sintra P (Lis.) 126 B 3
Sintrão P (Guar.) 75 D 3
Sinués E (Hues.) 26 C 5
Siñeriz E (Ast.) 5 B 3
Sionlla de Abaixo E (A Co.) 14 B 2
Sipán E (Hues.) 47 A 4
Sipote P (C. B.) 112 D 1
Siresa E (Hues.) 26 B 4
Siruela E (Bad.) 133 C 2
Sirves E (A Co.) 13 C 5
Sísamo E (A Co.) 2 A 5
Sisamón E (Zar.) 84 C 1
Sisante E (Cu.) 122 A 4
Siscar, El E (Mu.) 156 A 4
Sismaria P (Lei.) 93 B 5
Sisoi E (Lu.) 15 D 1
Sispony A 49 D 1
Sisquer E (Ll.) 49 D 3
Sistallo E (Lu.) 3 D 5
Sistelo P (V. C.) 34 B 4
Sisto E (A Co.) 1 D 5
Sisto E (A Co.) 14 A 3
Sitges E (Bar.) 70 C 5
Sitrama de Tera E (Zam.) 38 B 5
Siurana E (Gi.) 52 B 2
Siurana E (Ta.) 69 A 5
Soajo P (V. C.) 34 C 5
Soalhães P (Port.) 54 D 5
Soalheira P (C. B.) 114 A 2
Soalheira P (C. B.) 95 C 4
Soalheira P (Fa.) 174 B 2
Soandres E (A Co.) 2 B 5
Soaserra E (A Co.) 3 A 3
Sobarzo E (Can.) 9 C 5
Sober E (Lu.) 35 D 1
Sobrada E (Lu.) 15 D 1
Sobrada E (Po.) 33 D 4
Sobradelo E (Our.) 36 D 2
Sobradelo E (Our.) 35 C 3
Sobradelo P (Ave.) 74 A 3
Sobradelo P (V. R.) 55 C 2
Sobradelo da Goma P (Br.) 54 C 2
Sobradiel E (Zar.) 66 A 2
Sobradillo E (Sa.) 76 D 3
Sobradillo de Palomares E (Zam.) 58 B 4
Sobradillo, El E (S.Cruz T.) 196 B 2
Sobradinho P (Fa.) 160 B 4
Sobrado E (A Co.) 15 A 2
Sobrado E (Ast.) 5 B 4
Sobrado E (Le.) 36 D 1
Sobrado E (Lu.) 16 A 3
Sobrado P (Port.) 54 A 5
Sobrado (Gomesende) E (Our.) 34 D 3
Sobrados P (V. R.) 55 C 5
Sobrainho dos Baios P (C. B.) 95 A 5
Sobral E (Our.) 35 B 1
Sobral E (Po.) 34 A 2
Sobral E (Po.) 34 A 1
Sobral P (Ave.) 73 D 2
Sobral P (C. B.) 94 D 4
Sobral P (Co.) 94 C 2
Sobral P (Co.) 94 D 4
Sobral P (Lei.) 110 D 4
Sobral P (Lis.) 110 C 4
Sobral P (San.) 111 D 2
Sobral P (San.) 111 C 4
Sobral P (Vis.) 74 D 3
Sobral P (Vis.) 94 C 1
Sobral Basto P (San.) 112 B 2
Sobral da Abelheira P (Lis.) 126 C 1
Sobral da Adiça P (Be.) 145 D 4
Sobral da Lagoa P (Lei.) 110 D 3
Sobral da Serra P (Guar.) 76 A 5
Sobral de Baixo P (Co.) 93 D 4
Sobral de Monte Agraço P (Lis.) 126 D 1
Sobral de Papízios P (Vis.) 94 D 1
Sobral de São Miguel P (C. B.) 95 B 3
Sobral do Campo P (C. B.) 95 C 4
Sobral Gordo P (Co.) 95 A 2
Sobral Magro P (Co.) 95 A 2
Sobral Pichorro P (Guar.) 75 D 4
Sobral Volado P (Co.) 94 D 4
Sobralinho P (Lis.) 127 A 2
Sobrão P (Port.) 54 B 4
Sobrecastiello E (Ast.) 19 B 1
Sobreda P (Ave.) 74 A 1
Sobreda P (Bra.) 56 D 3
Sobreda P (Co.) 95 A 1
Sobreda P (Set.) 126 C 4
Sobreda P (Vis.) 74 D 2
Sobredo E (Po.) 34 A 3
Sobredo P (V. R.) 55 D 4
Sobrefoz E (Ast.) 19 C 1
Sobreganade E (Our.) 35 B 4
Sobreira P (Ave.) 74 B 5
Sobreira P (Co.) 94 C 2
Sobreira P (Guar.) 96 A 1
Sobreira P (Lei.) 111 B 2
Sobreira P (Lis.) 126 D 2
Sobreira P (Port.) 54 B 5
Sobreira P (V. R.) 56 A 4
Sobreira P (Vis.) 74 B 4
Sobreira Formosa P (C. B.) 113 A 1
Sobreiro P (Lei.) 94 C 5
Sobreiro P (Lis.) 126 B 1
Sobreiro Curvo P (Lis.) 110 C 5
Sobreiro de Baixo P (Bra.) 56 C 1
Sobreiro de Cima P (Bra.) 56 B 1
Sobreiros P (Ave.) 74 A 4
Sobreiros P (Lis.) 126 D 1
Sobrelapeña E (Can.) 20 C 1
Sobremunt E (Bar.) 51 A 4
Sobrena P (Lis.) 111 A 4
Sobreposta P (Br.) 54 B 2
Sobretâmega P (Port.) 54 C 5
Sobrón E (Ál.) 22 D 4
Sobrosa P (Port.) 54 B 5
Socorro, El E (S.Cruz T.) 196 B 3
Socorro, El E (S.Cruz T.) 196 B 1
Socovos E (Alb.) 154 C 2
Socuéllamos E (C. R.) 121 B 5
Sodeto E (Hues.) 67 B 1
Sodupe E (Viz.) 22 D 1
Soeima P (Bra.) 56 C 4
Soeira P (Bra.) 56 C 1
Soeirinho P (Co.) 94 D 3
Soengas P (Br.) 54 C 2
Soesto E (A Co.) 1 C 5
Sofán E (A Co.) 2 A 5
Sofuentes E (Zar.) 45 C 2
Sogo E (Zam.) 58 A 4
Sogueire P (Vis.) 74 C 1
Soguillo del Páramo E (Le.) 38 C 3
Soianda P (San.) 112 A 1
Soito P (Guar.) 96 C 2
Sojuela E (La R.) 43 C 2
Sol i Vista E (Ta.) 89 B 1
Solán de Cabras E (Cu.) 104 B 1
Solana E (Các.) 116 D 4
Solana de Ávila E (Áv.) 98 C 2
Solana de Fenar E (Le.) 18 D 4
Solana de los Barros E (Bad.) 131 A 4
Solana de Padilla E (J.) 153 B 4
Solana de Pontes, La, lugar E (Alm.) 170 C 1
Solana de Rioalmar E (Áv.) 79 C 4
Solana de Torralba E (J.) 152 C 5
Solana del Pino E (C. R.) 151 A 1
Solana, La E (Alb.) 138 C 4
Solana, La E (Alm.) 170 B 3
Solana, La E (C. R.) 136 C 3
Solana, La E (Las P.) 191 C 2
Solanas de Valdelucio E (Bur.) 21 B 5
Solanas del Valle E (Sev.) 148 A 5
Solanell E (Ll.) 49 C 1
Solanilla E (Alb.) 137 C 5
Solanilla del Tamaral E (C. R.) 151 B 1
Solanillo, El E (Alm.) 183 C 4
Solanillos del Extremo E (Gua.) 83 B 4
Solano E (Mál.) 180 D 3
Solarana E (Bur.) 41 D 5
Solares E (Can.) 9 D 4
Solarte-Gallete E (Viz.) 11 C 5
Soldeu A 30 A 5
Soledad, La E (Sev.) 164 B 4
Soler, El E (Hues.) 48 B 3
Solera E (J.) 168 B 2
Solera de Gabaldón E (Cu.) 122 C 2
Soleràs, el E (Ll.) 68 D 4
Solerche E (Cór.) 166 D 5
Soleres, Los E (Alm.) 171 A 4
Solete Alto E (Cád.) 177 C 4
Soliedra E (So.) 63 D 4
Solís E (Ast.) 6 C 3
Solius E (Gi.) 52 B 5
Solivella E (Ta.) 69 C 4
Solivent E (Gi.) 51 D 4
Solórzano E (Can.) 10 A 4
Solosancho E (Áv.) 99 D 1
Solposta P (Ave.) 73 D 4
Solsona E (Ll.) 50 A 4
Soltaria P (Lis.) 110 B 5
Solvay E (Ast.) 6 D 4
Solveira E (Our.) 35 C 4
Solveira E (Our.) 35 A 3
Solveira E (Our.) 35 B 2
Solveira P (V. R.) 55 C 1
Solymar E (Ta.) 88 C 5
Sollana E (Val.) 125 A 5
Sollano-Llantada E (Viz.) 22 C 1
Solle E (Le.) 19 B 3
Sóller E (Bal.) 91 C 2
Somado E (Ast.) 6 A 3
Somaén E (So.) 84 A 1
Somahoz E (Can.) 21 B 1
Somanes E (Hues.) 46 C 1
Somarriba E (Can.) 9 C 5
Sombrera, La E (S.Cruz T.) 196 A 4
Somo E (Can.) 9 D 4
Somolinos E (Gua.) 82 D 1
Somontín E (Alm.) 170 A 4
Somosierra E (Mad.) 82 A 1
Somoza E (Po.) 14 B 4
Somozas, As E (A Co.) 3 B 2
Son E (Ll.) 29 B 5
Son Bou E (Bal.) 90 C 2
Son Carrió E (Bal.) 92 C 3
Son de Abaixo E (A Co.) 14 B 2
Son Fe E (Bal.) 92 B 1
Son Ferrer E (Bal.) 91 B 4
Son Ferriol E (Bal.) 91 C 3
Son Macià E (Bal.) 92 C 4
Son Mesquida E (Bal.) 92 B 4
Son Morell E (Bal.) 90 A 2
Son Moro E (Bal.) 92 D 3
Son Morro, lugar E (Bal.) 90 A 2
Son Negre E (Bal.) 92 B 4
Son Prohens E (Bal.) 92 C 4
Son Roca-Son Ximelis E (Bal.) 91 C 3
Son Sardina E (Bal.) 91 C 3
Son Serra de Marina E (Bal.) 92 C 2
Son Servera E (Bal.) 92 D 3
Son Valls E (Bal.) 92 B 4
Son Xoriguer E (Bal.) 90 A 2
Soncillo E (Bur.) 21 C 3
Sondica E (Viz.) 11 A 5
Sonega P (Set.) 143 B 5
Soneja E (Cas.) 125 A 1
Sonim P (V. R.) 56 A 2
Sonneland E (Las P.) 191 C 4
Sonseca E (To.) 119 B 2
Soñar E (Lu.) 15 D 2
Soñeiro E (A Co.) 2 D 4
Sóo E (Las P.) 192 C 3
Sopeira E (Hues.) 48 D 2
Sopelana E (Viz.) 10 D 4
Sopenilla E (Can.) 9 B 5
Sopeña E (Can.) 20 D 1
Sopeña de Curueño E (Le.) 19 A 4
Sopeñano E (Bur.) 22 B 2
Sopo P (V. C.) 33 D 5
Soportújar E (Gr.) 182 B 3
Sopuerta E (Viz.) 10 C 5
Sora E (Bar.) 51 A 3
Sorabilla E (Gui.) 24 B 1
Soraluze/Placencia de las Armas E (Gui.) 23 D 1
Sorauren E (Na.) 25 A 4
Sorbas E (Alm.) 184 C 1
Sorbeda del Sil E (Le.) 17 B 4
Sorda, Sa E (Bal.) 92 A 5
Sordillos E (Bur.) 41 A 2
Sorgaçosa P (Co.) 95 A 2
Soria E (So.) 63 D 2
Soriguera E (Ll.) 49 B 2
Sorihuela E (Sa.) 98 C 1
Sorihuela del Guadalimar E (J.) 152 D 3
Sorita → Zorita del Maestrazgo E (Cas.) 87 B 4
Sorlada/Suruslada E (Na.) 44 A 1
Sorna E (A Co.) 13 B 1
Sorpe E (Ll.) 29 B 5
Sorriba E (Le.) 19 C 4
Sorribas E (A Co.) 14 A 3
Sorribas E (Le.) 17 A 5
Sorribes E (Ll.) 49 D 3
Sorribos de Alba E (Le.) 18 D 4
Sorrizo E (A Co.) 2 B 4
Sort E (Ll.) 49 B 1
Sortelha P (Guar.) 96 A 2
Sortelhão P (Guar.) 96 A 1
Sortes P (Bra.) 56 D 2
Sorval P (Guar.) 76 A 3
Sorvilán E (Gr.) 182 C 4
Sorzano E (La R.) 43 C 2
Sos E (Hues.) 48 B 1
Sos del Rey Católico E (Zar.) 45 C 1
Sosa P (Ave.) 73 D 5
Sosas de Laciana E (Le.) 17 D 3
Sosas del Cumbral E (Le.) 18 A 4
Soscaño E (Viz.) 22 B 1
Soses E (Ll.) 68 B 3
Sot de Chera E (Val.) 124 B 3
Sot de Ferrer E (Cas.) 125 A 1
Sota de Valderrueda, La E (Le.) 19 D 4
Sota, La E (Can.) 21 C 2
Sotalvo E (Áv.) 99 D 1
Sotelo E (Le.) 16 D5
Sotés E (La R.) 43 C 2
Sotiel Coronada E (Huel.) 162 C 2
Sotiello E (Ast.) 6 C 3
Sotillo E (Seg.) 81 D 1
Sotillo de Boedo E (Pa.) 40 C 1
Sotillo de la Adrada E (Áv.) 100 B 3
Sotillo de la Ribera E (Bur.) 61 C 2
Sotillo de las Palomas E (To.) 99 D 4
Sotillo del Rincón E (So.) 63 C 1
Sotillo, El E (C. R.) 135 B 1
Sotillo, El E (Gua.) 83 C 3
Sotillos de Sabero E (Le.) 19 C 4
Soto E (Ast.) 6 B 4
Soto E (Ast.) 18 D 1
Soto E (Ast.) 19 B 1
Soto E (Can.) 21 A 2
Soto de Aldovea E (Mad.) 102 A 2
Soto de Cangas E (Ast.) 7 C 5
Soto de Cerrato E (Pa.) 40 C 5
Soto de la Barca E (Ast.) 5 C 5
Soto de la Marina E (Can.) 9 C 4
Soto de la Vega E (Le.) 38 B 2
Soto de los Infantes E (Ast.) 5 D 4
Soto de Luiña E (Ast.) 5 D 3
Soto de Ribera E (Ast.) 6 C 5
Soto de Sajambre E (Le.) 19 D 1
Soto de San Esteban E (So.) 62 B 3
Soto de Valdeón E (Le.) 19 D 2
Soto del Barco E (Ast.) 6 A 3
Soto del Real E (Mad.) 81 C 4
Soto del Rey E (Ast.) 6 C 5
Soto en Cameros E (La R.) 43 D 3
Soto y Amío E (Le.) 18 B 4
Soto, El E (Áv.) 99 A 1
Soto, El E (Cád.) 186 B 3
Soto, El E (Hues.) 47 D 2
Soto, El E (Mad.) 101 D 1
Sotobañado y Priorato E (Pa.) 40 C 1
Sotoca E (Cu.) 104 A 4
Sotoca de Tajo E (Gua.) 83 C 4
Sotodosos E (Gua.) 83 D 3
Sotogordo E (Cór.) 166 A 4
Sotogordo E (J.) 151 D 5
Sotopalacios E (Bur.) 41 D 2
Sotoparada E (Le.) 16 D 5
Sotos E (Cu.) 104 B 3
Sotos del Burgo E (So.) 62 D 3
Sotosalbos E (Seg.) 81 B 2
Sotoserrano E (Sa.) 98 A 1
Sotovellanos E (Bur.) 40 D 1
Sotragero E (Bur.) 41 D 2
Sotres E (Ast.) 20 A 1
Sotresgudo E (Bur.) 41 A 1
Sotrondio (San Martín del Rey Aurelio) E (Ast.) 6 D 5
Sotuélamos E (Alb.) 137 C 2
Soudes P (Fa.) 161 B 4
Soudos P (San.) 111 D 2
Soure P (Co.) 93 D 3
Sourões P (San.) 111 B 3
Souropires P (Guar.) 76 B 4
Sousa P (Port.) 54 C 4
Sousel P (Por.) 129 A 2
Sousela P (Port.) 54 B 4
Souselas P (Co.) 94 A 2
Souselo P (Vis.) 74 C 1
Soutadoiro E (Our.) 36 D 2
Soutaria P (San.) 111 D 1
Soutelinho P (V. R.) 55 C 2
Soutelinho P (V. R.) 55 C 5
Soutelinho da Raia P (V. R.) 55 C 1
Soutelinho do Amésio P (V. R.) 55 B 4
Souteliño E (Our.) 35 D 4
Soutelo E (A Co.) 14 C 1
Soutelo E (Po.) 14 C 5
Soutelo P (Ave.) 74 A 3
Soutelo P (Ave.) 74 A 4
Soutelo P (Ave.) 74 B 4
Soutelo P (Br.) 54 B 2
Soutelo P (Br.) 54 C 2
Soutelo P (Bra.) 56 D 4
Soutelo P (Bra.) 36 D 5
Soutelo P (Co.) 94 B 2
Soutelo P (V. R.) 55 A 5
Soutelo P (V. R.) 55 D 1
Soutelo P (Vis.) 74 D 2
Soutelo P (Vis.) 75 A 3
Soutelo de Aguiar P (V. R.) 55 C 3
Soutelo do Douro P (Vis.) 55 D 5
Soutelo Mourisco P (Bra.) 56 C 2
Soutelo Verde E (Our.) 35 D 4
Soutilha P (Bra.) 56 B 2
Souto E (Our.) 34 D 2
Souto E (Po.) 14 B 5
Souto E (Po.) 14 B 4
Souto P (Ave.) 74 A 2
Souto P (Br.) 54 B 1
Souto P (San.) 112 B 2
Souto P (V. C.) 34 B 5
Souto P (V. C.) 54 A 1
Souto P (Vis.) 75 D 2
Souto P (Vis.) 74 D 3
Souto (São Salvador) P (Br.) 54 C 3
Souto (Toques) E (A Co.) 15 A 2
Souto Bom P (Vis.) 74 C 4
Souto Cico P (Lei.) 111 C 1
Souto da Carpalhosa P (Lei.) 93 B 5
Souto da Casa P (C. B.) 95 C 3
Souto da Ruiva P (Co.) 95 A 2
Souto da Velha P (Bra.) 56 C 5
Souto de Aguiar da Beira P (Guar.) 75 C 3
Souto de Lafões P (Vis.) 74 C 4
Souto do Brejo P (Co.) 95 A 4
Souto Maior P (Guar.) 75 D 3
Souto Maior P (V. R.) 55 C 5
Souto Mau P (Ave.) 74 B 3
Soutochao E (Our.) 36 B 5
Soutolongo E (Po.) 14 D 5
Soutomaior E (Our.) 35 B 3
Soutomaior E (Po.) 34 A 2
Soutomel E (Our.) 35 A 3
Soutopenedo E (Our.) 35 B 2
Soutordei E (Lu.) 36 A 1
Soutos P (Lei.) 111 C 1
Soutosa P (Vis.) 75 B 3
Soutullo E (A Co.) 2 B 4
Suances E (Can.) 9 B 4
Suares E (Ast.) 6 D 4
Suarna E (Lu.) 16 C 1
Subilana Gasteiz E (Ál.) 23 B 4
Subportela P (V. C.) 53 D 1
Subserra P (Lis.) 126 D 2
Suçães P (Bra.) 56 A 3
Sucastro E (Lu.) 15 B 4
Sucina E (Mu.) 156 B 5
Sucs E (Ll.) 68 B 2
Sudanell E (Ll.) 68 C 3

Tirapu

Tirapu E (Na.) 24 D5
Tires P (Lis.) 126 B3
Tirgo E (La R.) 43 A1
Tiriez E (Alb.) 138 A3
Tirieza y el Gigante E (Mu.) 170 C2
Tírig E (Cas.) 107 D1
Tirimol E (Lu.) 15 D2
Tiroco E (Ast.) 6 D4
Tirteafuera E (C. R.) 134 D4
Tírvia E (Ll.) 49 C1
Tiscamanita E (Las P.) 190 A3
Tíscar-Don Pedro E (J.) 169 A1
Titaguas E (Val.) 124 A1
Titulcia E (Mad.) 102 A4
Tiurana E (Ll.) 49 C5
Tivenys E (Ta.) 88 C3
Tivissa E (Ta.) 88 D2
Tó P (Bra.) 57 B5
Toba E (A Co.) 13 B2
Toba de Valdivielso E (Bur.) 22 A4
Toba, La E (Gua.) 82 D2
Toba, La E (J.) 153 C3
Tobalinilla E (Bur.) 22 C4
Tobar E (Bur.) 41 B1
Tobar, El E (Cu.) 104 B1
Tobarra E (Alb.) 139 A5
Tobaruela-La Tortilla E (J.) 151 D4
Tobed E (Zar.) 65 B5
Tobera E (Bur.) 22 B5
Tobes E (Bur.) 42 A1
Tobía E (La R.) 43 A3
Tobillos E (Gua.) 84 B3
Toboso, El E (To.) 120 D3
Tocina E (Sev.) 164 B2
Tocón E (Gr.) 167 B5
Tocón E (Gr.) 168 B5
Tocha P (Co.) 93 C1
Todolella E (Cas.) 87 B5
Todoque E (S. Cruz T.) 193 B3
Todosaires E (Cór.) 167 A3
Toedo E (Po.) 14 B4
Toén E (Our.) 35 A2
Tões P (Vis.) 75 B1
Toga E (Cas.) 107 A4
Togilde P (Ave.) 74 A3
Toirán E (Lu.) 16 A3
Toiriz E (Lu.) 15 D5
Toiriz E (Po.) 14 D3
Toito P (Guar.) 76 B5
Tojeira P (Lis.) 126 B2
Tojeira P (San.) 112 C2
Tojeiras P (C. B.) 113 B1
Tojeiras de Baixo P (San.) 112 B4
Tojeiro P (Co.) 93 C2
Tojera, La E (Bad.) 113 D5
Tôjo P (Co.) 95 A3
Tojos, Los E (Can.) 20 D2
Tol E (Ast.) 4 D3
Tola E (Zam.) 57 C2
Tola P (Co.) 94 A4
Tolbaños E (Áv.) 80 B4
Tolbaños de Abajo E (Bur.) 42 C4
Tolbaños de Arriba E (Bur.) 42 D4
Toldanos E (Le.) 39 A1
Toledillo E (So.) 63 C2
Toledo E (To.) 119 B1
Toledo P (Lis.) 110 C5
Tolibia de Arriba E (Le.) 19 A3
Tolilla E (Zam.) 57 D2
Tolinas E (Ast.) 6 A5
Tolivia E (Ast.) 18 D1
Tolocirio E (Seg.) 80 B1
Tolosa E (Alb.) 139 C1
Tolosa E (Gui.) 24 B2
Tolosa P (Por.) 113 A3
Tolox E (Mál.) 179 D4
Tolva E (Hues.) 48 C4
Tollos E (Ali.) 141 B4
Tom P (Por.) 112 D4
Tomadias P (Guar.) 76 B2
Tomar P (San.) 112 A2
Tomareis P (San.) 111 D1
Tomares E (Sev.) 163 D4
Tombrio de Abajo E (Le.) 17 B4
Tombrio de Arriba E (Le.) 17 B4
Tomelloso E (Gua.) 83 A5
Tomelloso E (C. R.) 136 D1
Tomeza E (Po.) 34 A1
Tomillares, Los E (Mál.) 180 B5
Tomiño E (Po.) 33 D4
Tona E (Bar.) 51 A5
Tonda P (Vis.) 74 D5
Tondela P (Vis.) 74 D5
Tondos E (Cu.) 104 A4
Tonín de Arbás E (Le.) 18 D2
Tonosa E (Alm.) 170 C3
Toñanes E (Can.) 9 A4
Topares E (Alm.) 170 B1
Topas E (Sa.) 78 C1
Topo P (Aç.) 109 D3
Toques E (A Co.) 15 A2
Tor E (Gi.) 52 B3
Tor E (Lu.) 15 D5
Tor E (Ll.) 29 D5
Torà E (Ll.) 69 D1
Toral de Fondo E (Le.) 38 B2
Toral de los Guzmanes E (Le.) 38 D3
Toral de los Vados E (Le.) 37 A1
Toral de Merayo E (Le.) 37 B1
Torás E (Cas.) 106 C5
Torazo E (Ast.) 7 A4
Torbeo E (Lu.) 36 A1
Torbiscal, El E (Sev.) 178 A1
Torcela E (Our.) 15 A5
Tordea E (Lu.) 16 A2
Tordehúmos E (Vall.) 59 C1
Tordelalosa E (Sa.) 78 B3
Tordelpalo E (Gua.) 84 D4
Tordelrábano E (Gua.) 83 B1
Tordellego E (Gua.) 85 A5
Tordelloso E (Gua.) 83 A1
Tordera E (Bar.) 71 D1
Tordesalas E (So.) 64 B3
Tordesilos E (Gua.) 85 A5
Tordesillas E (Vall.) 59 D4
Tordillos E (Sa.) 79 A3
Tordoia E (A Co.) 14 B1
Tordómar E (Bur.) 41 C5
Tordueles E (Bur.) 41 D5
Torea E (A Co.) 13 C3
Torelló E (Bar.) 51 A4
Toreno E (Le.) 17 B4
Torerera, lugar E (Huel.) 162 B2
Torés E (Lu.) 16 B4
Torete E (Gua.) 84 B4
Torgal P (Lei.) 94 C4
Torgueda P (V. R.) 55 B5
Torija E (Gua.) 82 D4
Toril E (Các.) 98 B5
Toril E (Mál.) 181 A3
Toril E (Te.) 105 B3
Torilonte de la Peña E (Pa.) 20 B4
Torís → Turís E (Val.) 124 C4
Torla E (Hues.) 27 B5
Torlengua E (So.) 64 B4
Tormaleo E (Ast.) 17 A3
Tormantos E (La R.) 42 D1
Torme E (Bur.) 22 A3
Tormellas E (Áv.) 98 D2
Tormillo, El E (Hues.) 67 C1
Tormo, El E (Cas.) 107 A4
Tormón E (Te.) 105 C3
Tormos E (Ali.) 141 D3
Torms, els E (Ll.) 68 D4
Tornabous E (Ll.) 69 B2
Tornada P (Lei.) 110 D3
Tornadijo E (Bur.) 41 D4
Tornadizo, El E (Sa.) 98 B1
Tornadizos E (Sa.) 78 B4
Tornadizos de Arévalo E (Áv.) 80 A2
Tornadizos de Ávila E (Áv.) 80 B5
Tornafort E (Ll.) 49 B2
Tornavacas E (Các.) 98 C3
Torneira Vilarinho P (Lei.) 93 C4
Torneiro P (Fa.) 161 B3
Torneiros E (Lu.) 4 A5
Torneiros E (Our.) 34 D4
Torneiros E (Our.) 35 B3
Torneiros E (Po.) 34 A3
Torneros de Jamuz E (Le.) 37 D3
Torneros de la Valdería E (Le.) 37 D3
Torneros del Bernesca E (Le.) 38 D1
Torno E (Our.) 34 D5
Torno P (Co.) 94 B4
Torno P (Port.) 54 C4
Torno, El E (C. R.) 118 D5
Torno, El E (Các.) 98 A4
Torno, El E (Cád.) 177 D5
Tornón E (Ast.) 7 A3
Tornos E (Te.) 85 B3
Toro E (Zam.) 59 A3
Toro, El E (Bal.) 91 B4
Toro, El E (Cas.) 106 C5
Toronjil E (Cád.) 178 B3
Toroyes E (Ast.) 7 B3
Torquemada E (Pa.) 40 D5
Torrados P (Port.) 54 C4
Torralba E (Cu.) 104 A3
Torralba de Aragón E (Hues.) 46 D5
Torralba de Calatrava E (C. R.) 135 C2
Torralba de los Frailes E (Zar.) 85 A2
Torralba de los Sisones E (Te.) 85 B3
Torralba de Oropesa E (To.) 99 B5
Torralba de Ribota E (Zar.) 65 A4
Torralba del Burgo E (So.) 63 A3
Torralba del Moral E (So.) 83 C1
Torralba del Pinar E (Cas.) 107 A5
Torralba del Río E (Na.) 43 D1
Torralba, lugar E (Gr.) 169 C1
Torralbilla E (Zar.) 85 C1
Torrano → Dorrao E (Na.) 24 B4
Torraño E (So.) 62 B4
Torrão P (Set.) 144 A2
Torraos, Los E (Mu.) 155 D4
Torre E (Lu.) 3 C5
Torre E (Lu.) 15 D3
Torre P (C. B.) 95 C4
Torre P (C. B.) 96 B5
Torre P (Co.) 94 D1
Torre P (Fa.) 173 B2
Torre P (Fa.) 173 C2
Torre P (Guar.) 96 B2
Torre P (Lei.) 111 C1
Torre P (Lis.) 126 B3
Torre P (San.) 112 A1
Torre P (Set.) 143 B1
Torre P (V. C.) 53 D1
Torre P (Vis.) 74 C1
Torre Baixa, la E (Bar.) 70 B3
Torre Cimeira P (Por.) 112 D3
Torre Clemente de Abajo E (Sa.) 78 D5
Torre da Marinha P (Set.) 126 D4
Torre das Vargens P (Por.) 112 D4
Torre de Arcas E (Te.) 87 C4
Torre de Babia E (Le.) 18 A3
Torre de Benagalbón E (Mál.) 180 D4
Torre de Besoeira P (Lis.) 126 C2
Torre de Cabdella, la E (Ll.) 49 A1
Torre de Claramunt, la E (Bar.) 70 B3
Torre de Coelheiros P (Év.) 144 D1
Torre de Don Miguel E (Các.) 97 A3
Torre de Dona Chama P (Bra.) 56 B2
Torre de Esgueva E (Vall.) 61 A2
Torre de Esteban Hambrán, La E (To.) 100 D4
Torre de Fontaubella, la E (Ta.) 89 A1
Torre de Juan Abad E (C. R.) 136 D5
Torre de la Higuera o Matalascañas E (Huel.) 177 A2
Torre de la Horadada E (Ali.) 156 C5
Torre de la Reina E (Sev.) 163 D3
Torre de las Arcas E (Te.) 86 C3
Torre de Les Maçanes, la → Torremanzanas E (Ali.) 141 A5
Torre de l'Espanyol, la E (Ta.) 88 C1
Torre de los Molinos E (Pa.) 40 B3
Torre de Matella, la E (Cas.) 107 C3
Torre de Miguel Sesmero E (Bad.) 130 C5
Torre de Moncorvo P (Bra.) 76 B1
Torre de Natal P (Fa.) 174 D3
Torre de Obato E (Hues.) 48 A3
Torre de Peñafiel E (Vall.) 61 A3
Torre de Santa María E (Các.) 115 D5
Torre de Valdealmendras E (Gua.) 83 B1
Torre de Vale de Todos P (Lei.) 94 A4
Torre de Vilela P (Co.) 94 A2
Torre del Bierzo E (Le.) 17 D5
Torre del Burgo E (Gua.) 82 D4
Torre del Compte E (Te.) 87 D3
Torre del Mar E (Mál.) 181 A4
Torre del Puerto E (Cór.) 166 C3
Torre del Rico E (Mu.) 156 A2
Torre del Valle, La E (Zam.) 38 C4
Torre dels Domenges, la → Torre Endomenech E (Cas.) 107 D3
Torre d'En Besora, la E (Cas.) 107 C2
Torre d'en Lloris, la → Torre Lloris E (Val.) 141 A2
Torre do Bispo P (San.) 111 C4
Torre do Pinhão P (V. R.) 55 C4
Torre do Terranho P (Guar.) 75 D3
Torre d'Oristà, La E (Bar.) 50 D5
Torre en Cameros E (La R.) 43 C3
Torre Endomenech/Torre dels Domenges, la E (Cas.) 107 D3
Torre Fundeira P (Por.) 112 D3
Torre la Ribera E (Hues.) 48 B2
Torre los Negros E (Te.) 85 D3
Torre Lloris/Torre d'en Lloris, la E (Val.) 141 A2
Torre Melgarejo E (Cád.) 177 D4
Torre Molina E (Mu.) 156 A5
Torre Portela P (Br.) 54 B2
Torre Saura E (Bal.) 90 A2
Torre Trencada E (Bal.) 90 A2
Torre Uchea E (Alb.) 155 A1
Torre Vã P (Be.) 143 D5
Torre Val de San Pedro E (Seg.) 81 C2
Torre y El Charco, La E (Mu.) 171 B2
Torre Zapata E (Sa.) 78 C4
Torre, A E (Our.) 34 D3
Torre, La E (Áv.) 79 D5
Torre, La E (Val.) 123 D2
Torre, Sa E (Bal.) 91 D4
Torreadrada E (Seg.) 61 C4
Torreagüera E (Mu.) 156 A5
Torre-Alháquime E (Cád.) 179 B3
Torrealta E (Mu.) 155 D4
Torrealvilla E (Mu.) 171 A1
Torreandaluz E (So.) 63 A3
Torrearévalo E (So.) 43 D5
Torrebaja E (Val.) 105 D4
Torrebarrio E (Le.) 18 B2
Torrebeleña E (Gua.) 82 C3
Torrebesses E (Ll.) 68 C4
Torreblacos E (So.) 63 A3
Torreblanca E (Bar.) 70 C2
Torreblanca E (Cas.) 108 A3
Torreblanca de los Caños E (Sev.) 164 A4
Torreblascopedro E (J.) 151 D5
Torrebonica E (Bar.) 70 D3
Torrecaballeros E (Seg.) 81 B3
Torrecampo E (Cór.) 150 A1
Torre-Cardela E (Gr.) 168 B3
Torrecera E (Cád.) 178 A5
Torrecica, La E (Alb.) 138 D2
Torrecilla E (Cór.) 150 C4
Torrecilla E (Cu.) 104 A3
Torrecilla de Alcañiz E (Te.) 87 C3
Torrecilla de la Abadesa E (Vall.) 59 C4
Torrecilla de la Jara E (To.) 118 A2
Torrecilla de la Orden E (Vall.) 79 B1
Torrecilla de la Torre E (Vall.) 59 C2
Torrecilla de los Ángeles E (Các.) 97 B3
Torrecilla de Valmadrid E (Zar.) 66 B4
Torrecilla del Ducado E (Gua.) 83 C1
Torrecilla del Monte E (Bur.) 41 D4
Torrecilla del Pinar E (Seg.) 61 B5
Torrecilla del Pinar, lugar E (Gua.) 84 B4
Torrecilla del Rebollar E (Te.) 86 A3
Torrecilla del Valle E (Vall.) 59 C5
Torrecilla en Cameros E (La R.) 43 C3
Torrecilla sobre Alesanco E (La R.) 43 A2
Torrecillas de la Tiesa E (Các.) 116 B3
Torrecillas, lugar E (Cór.) 166 A4
Torrecitores E (Bur.) 41 C5
Torreciudad E (Hues.) 48 A3
Torrecuadrada de los Valles E (Gua.) 83 C3
Torrecuadrada de Molina E (Gua.) 84 D4
Torrecuadradilla E (Gua.) 83 C4
Torrecuevas E (Gr.) 181 D4
Torrechiva E (Cas.) 107 A4
Torredeita P (Vis.) 74 D4
Torredelcampo E (J.) 167 C1
Torredembarra E (Ta.) 89 D1
Torredondo E (Seg.) 81 A3
Torredonjimeno E (J.) 167 B1
Torrefarrera E (Ll.) 68 C2
Torrefeta E (Ll.) 69 C1
Torreforta E (Ta.) 89 C1
Torrefrades E (Zam.) 58 A5
Torrefresneda E (Bad.) 131 D2
Torregalindo E (Bur.) 61 C3
Torregamones E (Zam.) 57 D4
Torregrossa E (Ll.) 69 A3
Torreguadiaro E (Cád.) 187 B3
Torregutiérrez E (Seg.) 60 D4
Torrehermosa E (Zar.) 84 B1
Torreiglesias E (Seg.) 81 B2
Torreira P (Ave.) 73 D3
Torrejón de Alba E (Sa.) 78 D4
Torrejón de Ardoz E (Mad.) 102 A1
Torrejón de la Calzada E (Mad.) 101 C3
Torrejón de Velasco E (Mad.) 101 C3
Torrejón del Rey E (Gua.) 82 B5
Torrejón el Rubio E (Các.) 116 A1
Torrejoncillo E (Các.) 97 B5
Torrejoncillo del Rey E (Cu.) 103 C5
Torrelacárcel E (Te.) 85 C5
Torrelaguna E (Mad.) 82 A4
Torrelameu E (Ll.) 68 D2
Torrelapaja E (Zar.) 64 C3
Torrelara E (Bur.) 42 A4
Torrelavega E (Can.) 9 B5
Torrelavit E (Bar.) 70 B3
Torrelengua E (Cu.) 121 A1
Torrelobatón E (Vall.) 59 C3
Torrelodones E (Mad.) 101 B1
Torrella E (Val.) 140 D2
Torrellano E (Ali.) 156 D2
Torrellas E (Zar.) 64 D1
Torrelles de Foix E (Bar.) 70 A4
Torrelles de Llobregat E (Bar.) 70 D4
Torremanzanas/Torre de Les Maçanes, la E (Ali.) 141 A5
Torremayor E (Bad.) 131 A3
Torremejía E (Bad.) 131 B3
Torremendo E (Ali.) 156 C5
Torremenga E (Các.) 98 B4
Torremocha E (Các.) 115 C4
Torremocha de Ayllón E (So.) 62 C4
Torremocha de Jadraque E (Gua.) 83 A2
Torremocha de Jarama E (Mad.) 82 A4
Torremocha de Jiloca E (Te.) 85 C5
Torremocha del Campo E (Gua.) 83 C3
Torremocha del Pinar E (Gua.) 84 B3
Torremochuela E (Gua.) 84 D4
Torremolinos E (Mál.) 180 B5
Torremontalbo E (La R.) 43 B1
Torremormojón E (Pa.) 40 A5
Torrent E (Gi.) 52 C4
Torrent E (Val.) 125 A4
Torrentbò E (Bar.) 71 C2
Torrente de Cinca E (Hues.) 68 A4
Torrentes, Los E (Alm.) 170 C3
Torrenueva E (C. R.) 136 B5
Torrenueva E (Gr.) 182 A4
Torreón de Fique, lugar E (J.) 152 A5
Torreorgaz E (Các.) 115 C4
Torre-Pacheco E (Mu.) 172 B1
Torrepadierne E (Bur.) 41 B3
Torrepadre E (Bur.) 41 B5
Torre-Pedro E (Alb.) 154 A1
Torreperogil E (J.) 152 B4
Torrequebradilla E (J.) 151 D5
Torrequemada E (Các.) 115 C4
Torres E (A Co.) 3 A4
Torres E (Ali.) 158 A1
Torres E (Can.) 9 B5
Torres E (J.) 168 A1
Torres E (Zar.) 65 A5
Torres P (Ave.) 93 D1
Torres P (Guar.) 76 A4
Torres Cabrera E (Cór.) 166 A1
Torres de Abajo E (Bur.) 21 C3
Torres de Albánchez E (J.) 153 B2
Torres de Albarracín E (Te.) 105 B2
Torres de Alcanadre E (Hues.) 47 B5
Torres de Aliste, Las E (Zam.) 57 C1
Torres de Arriba, lugar E (Bur.) 21 C3
Torres de Barbués E (Hues.) 46 D5
Torres de Berrellén E (Zar.) 65 D2
Torres de Cotillas, Las E (Mu.) 155 D4
Torres de la Alameda E (Mad.) 102 B2
Torres de Montes E (Hues.) 47 B4
Torres de Sanui, les E (Ll.) 68 C2
Torres de Segre E (Ll.) 68 C3
Torres del Carrizal E (Zam.) 58 C3
Torres del Obispo E (Hues.) 48 B4
Torres del Río E (Na.) 44 A1
Torres Novas P (San.) 111 D3
Torres Torres E (Val.) 125 A2
Torres Vedras P (Lis.) 110 C5
Torres, Las E (Las P.) 191 D1
Torres, Las E (Sa.) 78 C3
Torres, Las, lugar E (Gr.) 167 D5
Torres, Los, lugar E (Cu.) 121 D5
Torresandino E (Bur.) 61 B1
Torresaviñán, La E (Gua.) 83 C3
Torrescárcela E (Vall.) 60 D4
Torre-serona E (Ll.) 68 C2
Torresmenudas E (Sa.) 78 B1
Torrestío E (Le.) 18 A2
Torresuso E (So.) 62 C5
Torret E (Bal.) 90 D3
Torreta, La E (Alm.) 170 C4
Torreta, la E (Bar.) 71 B2

Urgueira

Torretartajo E (So.) 63 D1
Torrevelilla E (Te.) 87 C3
Torrevicente E (So.) 63 A5
Torrevieja E (Ali.) 156 D5
Torrico E (To.) 117 B1
Torrijas E (Te.) 106 A5
Torrijo de la Cañada E (Zar.) 64 C4
Torrijo del Campo E (Te.) 85 C4
Torrijos E (To.) 100 D5
Torroella de Baix E (Bar.) 70 C1
Torroella de Fluvià E (Gi.) 52 B3
Torroella de Montgrí E (Gi.) 52 C4
Torroja del Priorat E (Ta.) 69 A5
Torroña E (Po.) 33 C4
Torroso E (Po.) 34 A3
Torrox E (Mál.) 181 B4
Torrox-Costa E (Mál.) 181 B4
Torrozelo P (Guar.) 95 A1
Torrubia E (Gua.) 84 C3
Torrubia de Soria E (So.) 64 B3
Torrubia del Campo E (Cu.) 120 D1
Torrubia del Castillo E (Cu.) 122 A2
Torrubia-Valenzuela E (J.) 151 D4
Tortajada E (Te.) 106 A2
Tortellà E (Gi.) 51 D2
Tortilla, La, lugar E (J.) 151 D4
Tórtola E (Cu.) 104 B5
Tórtola de Henares E (Gua.) 82 C5
Tórtoles E (Áv.) 99 B1
Tórtoles E (Zar.) 64 D1
Tórtoles de Esgueva E (Bur.) 61 B1
Tortonda E (Gua.) 83 C3
Tortoreos E (Po.) 34 B3
Tortosa E (Ta.) 88 C3
Tortozendo P (C. B.) 95 C2
Tortuera E (Gua.) 84 D3
Tortuero E (Gua.) 82 B3
Torviscal, El E (Bad.) 132 B1
Torvizcón E (Gr.) 182 C3
Tosalet, El E (Cas.) 107 B5
Tosalnou/Tossalnou E (Val.) 141 A2
Tosantos E (Bur.) 42 C2
Toscana Nueva E (Gr.) 170 A1
Toscón, El E (Las P.) 191 D1
Tosende E (Our.) 35 B5
Toses E (Gi.) 50 D2
Tosos E (Zar.) 66 A5
Tossa de Mar E (Gi.) 72 B1
Tossalnou → Tosalnou E (Val.) 141 A2
Tosta E (Ál.) 22 D4
Tostão P (C. B.) 113 B1
Totalán E (Mál.) 180 D4
Totana E (Mu.) 171 C1
Totanés E (To.) 118 D2
Totenique P (Be.) 159 D2
Totero E (Can.) 9 C5
Toto E (Las P.) 190 A3
Toubres P (V. R.) 55 D3
Touça P (Guar.) 76 A2
Toucinhos P (San.) 111 D2
Tougues P (Port.) 53 D4
Touguinha P (Port.) 53 D4
Touguinhó P (Port.) 53 D4
Toulões P (C. B.) 96 B5
Tourais P (Guar.) 95 B1
Toural (Vilalboa) E (Po.) 34 A1
Tourém P (V. R.) 35 A5
Tourencinho P (V. R.) 55 B4
Touria P (Lei.) 111 C1
Tourigo P (Vis.) 74 C5
Touriñán E (A Co.) 13 A1
Touro E (A Co.) 14 C3
Touro P (Vis.) 75 B3
Tourón E (Po.) 34 B1
Tous E (Val.) 140 D1
Toutón E (Po.) 34 B2
Toutosa P (Port.) 54 C5
Touville E (Lu.) 16 A3
Touza E (Lu.) 3 C3
Touza E (Our.) 35 B2
Touza E (Our.) 35 A1
Tox E (Ast.) 5 B3
Toxal E (Our.) 35 B4
Toxofal de Baixo P (Lis.) 110 C4
Toxofal de Cima P (Lis.) 110 C4
Toxosoutos E (A Co.) 13 D3
Toya E (J.) 168 D1
Tozalmoro E (So.) 64 A2
Tózar E (Gr.) 167 C4
Tozo E (Ast.) 7 A5
Traba E (A Co.) 1 C5
Trabada E (Lu.) 4 B3
Trabadelo E (Le.) 16 D5
Trabalhia P (Lei.) 110 D3
Trabalhias P (Lei.) 110 D3
Trabanca E (Sa.) 57 C5
Trabancas E (Po.) 15 A4
Trabanca-Sardiñeira E (Po.) 13 D4
Trabazos E (Zam.) 57 B2
Trabe E (A Co.) 1 D4
Trado E (Our.) 34 D3
Trafaria P (Set.) 126 C3
Tragacete E (Cu.) 104 D2
Tragove E (Po.) 13 D5
Traguntía E (Sa.) 77 C2
Traid E (Gua.) 84 D5
Traiguera E (Cas.) 108 A1
Trajano E (Sev.) 178 A1
Trajouce P (Lis.) 126 B3
Tralhariz P (Bra.) 55 D5
Tramacastiel E (Te.) 105 D3
Tramacastilla E (Te.) 105 A2
Tramacastilla de Tena E (Hues.) 27 A5
Tramaced E (Hues.) 47 A5
Tramaga P (Por.) 112 C5
Tramagal P (San.) 112 B3
Tranancas P (V. R.) 56 A1
Tranco E (J.) 153 B3
Trancoso P (Guar.) 75 D4
Trancoso de Baixo P (Lis.) 126 D1
Trancoso de Cima P (Lis.) 126 D1
Trancozelos P (Vis.) 75 B4
Trandeiras P (Br.) 54 B3
Tranquera, La E (Zar.) 84 D1
Traña-Matiena E (Viz.) 23 C1
Trapa E (Ast.) 6 C5
Trápaga E (Viz.) 10 D5
Trapiche E (Las P.) 191 C1
Trapiche E (Mál.) 181 A3
Trás de Figueiró P (Lei.) 94 A4
Trás do Outeiro P (Lei.) 110 D3
Trasalba E (Our.) 35 A2
Trasancos E (A Co.) 2 D2
Trasanquelos E (A Co.) 2 D5
Trascastro E (Ast.) 17 C2
Trascastro E (Le.) 17 B3
Trasestrada E (Our.) 36 A5
Trashaedo E (Bur.) 21 B5
Trasierra E (Bad.) 147 D3
Trasierra E (Can.) 9 A4
Traslasierra E (Huel.) 162 D1
Traslaviña E (Viz.) 22 C1
Trasmañó E (Po.) 34 A2
Trasmiras E (Our.) 35 C4
Trasmontaña E (Las P.) 191 C1
Trasmonte E (A Co.) 14 B2
Trasmonte E (Ast.) 6 B4
Trasmoz E (Zar.) 64 D1
Trasmulas E (Gr.) 181 C1
Trasobares E (Zar.) 65 A3
Trasona E (Ast.) 6 C3
Tras-os-Matas P (Lei.) 93 D5
Traspando E (Ast.) 6 D4
Trasparga E (Lu.) 3 B5
Traspielas E (Po.) 34 B2
Traspinedo E (Vall.) 60 C3
Trasponte E (Ál.) 23 B4
Trasvassos P (Br.) 54 C2
Trasvía E (Can.) 8 D4
Travanca P (Ave.) 74 A3
Travanca P (Ave.) 74 A2
Travanca P (Bra.) 56 C3
Travanca P (Bra.) 57 B4
Travanca P (Co.) 94 C2
Travanca P (Port.) 54 C5
Travanca P (Vis.) 75 B1
Travanca P (Vis.) 74 C1
Travanca de Lagos P (Co.) 95 A1
Travanca de Tavares P (Vis.) 75 B4
Travanca do Mondego P (Co.) 94 C2
Travanca do Monte P (Port.) 54 D5
Travancinha P (Guar.) 95 A1
Travanco P (Bra.) 36 C5
Travasso P (Ave.) 94 A1
Travassô P (Ave.) 74 A4
Travasso P (Br.) 55 A2
Travassos P (Br.) 54 B2
Travassos P (Br.) 54 C3
Travassos P (Port.) 74 C1
Travassos P (V. R.) 55 A4
Travassos P (V. R.) 55 A1
Travassos P (Vis.) 74 D1
Travassos P (Vis.) 74 C4
Travassos P (Vis.) 75 A4
Travassós de Baixo P (Vis.) 75 A4
Travassós de Cima P (Vis.) 75 A4
Travassos de Chã P (V. R.) 55 B1
Traveira P (Co.) 94 A3
Travesas E (A Co.) 13 D1
Trazo E (A Co.) 14 B2
Trebuesto E (Can.) 10 B5
Trebujena E (Cád.) 177 C3
Treceño E (Can.) 8 D5
Tredòs E (Ll.) 29 A4
Trefacio E (Zam.) 37 A4
Tregosa P (Br.) 53 D2
Tregurà de Dalt E (Gi.) 51 A2
Treinta, Los, lugar E (Alm.) 170 B2
Treixedo P (Vis.) 94 C1
Trelle E (Our.) 35 A2
Trelles E (Ast.) 5 A3
Tremaya E (Pa.) 20 C3
Tremedal E (Áv.) 98 C2
Tremedal de Tormes E (Sa.) 77 D2
Tremellos, Los E (Bur.) 41 C1
Tremês P (San.) 111 B4
Tremoa P (Co.) 94 A3
Tremoceira P (Lei.) 111 B2
Tremor de Abajo E (Le.) 17 D5
Tremor de Arriba E (Le.) 17 D4
Tremp E (Ll.) 49 A3
Treos E (A Co.) 13 C1
Tres Alquerías E (Bal.) 90 A2
Tres Barrios E (Las P.) 191 C1
Tres Cales, les E (Ta.) 89 A3
Tres Cantos E (Mad.) 81 D5
Três Figos P (Fa.) 159 B4
Tresaldeas E (Po.) 14 B5
Tresali E (Ast.) 7 A4
Trescasas E (Seg.) 81 B3
Tresjuncos E (Cu.) 121 B2
Tresmundes P (V. R.) 55 D2
Tresouras P (Port.) 75 A1
Trespaderne E (Bur.) 22 B4
Tresviso E (Can.) 8 B5
Treto E (Can.) 10 A4
Treumal E (Gi.) 52 C5
Trévago E (So.) 64 B1
Trevejo E (Các.) 96 D3
Trevélez E (Gr.) 182 C2
Treviana E (La R.) 42 D1
Trevías E (Ast.) 5 C3
Treviño E (Bur.) 23 B5
Trevões P (Vis.) 75 D1
Trez E (Our.) 35 D4
Trezoi P (Vis.) 94 B1
Triabá E (Lu.) 3 D5
Triacastela E (Lu.) 16 B4
Triana E (Mál.) 181 A3
Triana E (S.Cruz T.) 193 B3
Tribaldos E (Cu.) 103 A5
Tricias, Las E (S.Cruz T.) 193 B2
Tricio E (La R.) 43 B2
Trigaches P (Be.) 144 C3
Trigais P (C. B.) 95 B2
Trigais P (Guar.) 96 A2
Trigueros E (Huel.) 162 C4
Trigueros del Valle E (Vall.) 60 B1
Trijueque E (Gua.) 82 D4
Trillo E (Gua.) 83 C5
Trincheto, El E (C. R.) 135 A1
Trindade P (Be.) 144 C5
Trindade P (Bra.) 56 B4
Trinidad, La, lugar E (Gr.) 169 A5
Trinta P (Guar.) 95 D1
Triñanes E (A Co.) 13 D4
Triollo E (Pa.) 20 B3
Triongo E (Ast.) 7 C4
Triós E (Our.) 35 C2
Triquivijate E (Las P.) 190 A3
Triste E (Hues.) 46 C2
Triufé E (Zam.) 37 B4
Trobajo del Camino E (Le.) 18 D5
Trobajo del Cerecedo E (Le.) 38 D1
Trobal, El E (Sev.) 178 A1
Trobika E (Viz.) 11 A5
Trobo E (Lu.) 3 D5
Trobo, O E (Lu.) 4 C5
Trofa P (Ave.) 74 A4
Trofa P (Port.) 54 A4
Trogal P (V. C.) 53 D1
Tróia P (Set.) 127 A5
Tronceda E (Our.) 36 A1
Troncedo E (Hues.) 48 A2
Tronco P (V. R.) 56 A1
Tronchón E (Te.) 87 A5
Trones E (Ast.) 17 B1
Tropeço P (Ave.) 74 B2
Troporiz P (V. C.) 33 A4
Trouxemil P (Co.) 94 A2
Troviscais P (Be.) 159 C1
Troviscal P (Ave.) 73 D5
Troviscal P (C. B.) 94 D5
Troviscal P (Lei.) 94 B4
Troviscoso P (V. C.) 53 C1
Troyanas E (Las P.) 191 C2
Trubia E (Ast.) 6 B4
Trucios E (Viz.) 10 C5
Truchas E (Le.) 37 C3
Truchillas E (Le.) 37 B3
Truébano E (Le.) 18 B3
Trujillanos E (Bad.) 131 C2
Trujillo E (Các.) 116 A4
Trujillo-Cabeza Sordo E (Sev.) 164 B5
Trujillos E (Gr.) 167 C4
Truta de Baixo P (Vis.) 74 B5
Trutas P (C. B.) 112 B1
Trutas P (Lei.) 93 B5
Trute P (V. C.) 34 B4
Tubaral P (San.) 112 C3
Tubilla del Agua E (Bur.) 21 C5
Tubilla del Lago E (Bur.) 62 A2
Tuda, La E (Zam.) 58 B4
Tudanca E (Can.) 20 D2
Tudela E (Na.) 45 A5
Tudela de Agueria E (Ast.) 6 C5
Tudela de Duero E (Vall.) 60 B3
Tudela de Segre E (Ll.) 69 B1
Tudela Veguín E (Ast.) 6 C4
Tudelilla E (La R.) 44 B3
Tudera E (Zam.) 57 D4
Tudons, Es E (Bal.) 90 A2
Tuéjar E (Val.) 124 A2
Tuelas, Los E (Mu.) 171 C2
Tuernes el Pequeño E (Ast.) 6 B4
Tuero E (Ast.) 7 A3
Tufiones E (A Co.) 1 B5
Tui E (Po.) 34 A4
Tuias P (Port.) 54 C5
Tuilla E (Ast.) 6 D5
Tuineje E (Las P.) 190 A4
Tuixén E (Ll.) 50 A3
Tuizelo P (Bra.) 36 C5
Tujena E (Huel.) 163 B3
Tulebras E (Na.) 45 A5
Tulha Nova P (Vis.) 74 D2
Tulha Velha P (Vis.) 74 D2
Tumbalejo, El E (Huel.) 162 D3
Tuna, Sa E (Gi.) 52 D4
Tunes P (Fa.) 174 A2
Tuña E (Ast.) 5 C5
Turces E (A Co.) 14 D3
Turcia E (Le.) 38 B1
Turcifal P (Lis.) 126 C1
Turégano E (Seg.) 81 B1
Turieno E (Can.) 20 B1
Turienzo Castañero E (Le.) 17 C5
Turís/Toris E (Val.) 124 C4
Turiso E (Ál.) 23 A4
Turiz P (Br.) 54 B2
Turleque E (To.) 119 D3
Turmiel E (Gua.) 84 B2
Turó, el E (Bar.) 71 A2
Turón E (Ast.) 18 C1
Turón E (Gr.) 182 D3
Turquel P (Lei.) 111 A3
Turquía E (Val.) 123 D3
Turra de Alba E (Sa.) 79 A4
Turre E (Alm.) 184 D1
Turrilla E (Alb.) 154 A3
Turrillas E (Alm.) 184 B2
Turro, El E (Gr.) 181 B1
Tus E (Alb.) 153 D2
Tuta E (Sa.) 78 A2
Txabarri E (Viz.) 22 D1
Txarama E (Gui.) 24 B2
Txipio E (Viz.) 11 A4

U

Úbeda E (J.) 152 B5
Ubeda E (Lu.) 4 A4
Ubera E (Gui.) 23 D2
Ubiarco E (Can.) 9 A4
Ubidea E (Viz.) 23 B2
Ubiergo E (Hues.) 48 A4
Ubierna E (Bur.) 41 D1
Ubrique E (Cád.) 178 D4
Ucanha P (Vis.) 75 B1
Ucar/Ukar E (Na.) 24 D5
Uceda E (Gua.) 82 A4
Ucenda E (Mu.) 155 A5
Ucero E (So.) 62 D2
Uces, Las E (Sa.) 77 B1
Ucieda E (Can.) 21 A1
Ucio E (Ast.) 7 C4
Uclés E (Cu.) 103 A5
Uclías E (Gr.) 169 C5
Ucha P (Br.) 54 A2
Udalla E (Can.) 10 A5
Uestra, S' E (Bal.) 90 D3
Ufones E (Zam.) 57 C2
Uga E (Las P.) 192 B4
Ugaldetxo E (Gui.) 12 C5
Ugao-Miraballes E (Viz.) 23 A1
Ugarana (Dima) E (Viz.) 23 B2
Ugarte E (Viz.) 23 B2
Ugarte E (Viz.) 11 A4
UgartE (Muxika) E (Viz.) 11 B5
Ugejar E (Mu.) 171 C3
Ugena E (To.) 101 C4
Ugeraga E (Viz.) 10 D4
Ugíjar E (Gr.) 182 D2
Uharte → Huarte E (Na.) 25 A4
Uharte-Arakil E (Na.) 24 C3
Uitzi E (Na.) 24 C2
Ujados E (Gua.) 82 D1
Ujo E (Ast.) 18 C1
Ujué E (Na.) 45 B1
Ukar → Ucar E (Na.) 24 D5
Ulea E (Mu.) 155 C4
Uleila del Campo E (Alm.) 184 B1
Ulibarri E (Na.) 24 A5
Ulme P (San.) 112 A4
Ulmeiro P (Lei.) 111 C1
Ulqueira P (Lis.) 126 A3
Ultramort E (Gi.) 52 B4
Ullà E (Gi.) 52 C4
Ullastrell E (Bar.) 70 D3
Ullastret E (Gi.) 52 C4
Ulldecona E (Ta.) 88 B5
Ulldemolins E (Ta.) 69 A5
Uma E (Po.) 34 B3
Umbrete E (Sev.) 163 C4
Umbria P (Fa.) 175 A2
Umbría de Arriba, La E (Alm.) 170 A3
Umbría de Fresnedas E (C. R.) 135 D5
Umbría, La E (Huel.) 147 A5
Umbrías E (Áv.) 98 C2
Unanu E (Na.) 24 B4
Uncastillo E (Zar.) 45 D2
Unciti/Untziti E (Na.) 25 B4
Undués de Lerda E (Zar.) 45 D1
Undués-Pintano E (Zar.) 45 D1
Undurraga E (Viz.) 23 B2
Ungilde E (Zam.) 37 A4
Unhais da Serra P (C. B.) 95 B2
Unhais-o-Velho P (Co.) 95 A3
Unhão P (Port.) 54 C4
Unhos P (Lis.) 126 D2
Unión de Campos, La E (Vall.) 39 B4
Unión de los Tres Ejércitos, La E (La R.) 43 D2
Unión, La E (Mu.) 172 C2
Untes E (Our.) 35 A2
Untziti → Unciti E (Na.) 25 B4
Unzué E (Na.) 25 A5
Uña E (Cu.) 104 C3
Uña de Quintana E (Zam.) 37 D4
Uña, La E (Le.) 19 C2
Ura E (Bur.) 42 A5
Urarte E (Ál.) 23 C5
Urbanización El Dique E (Zar.) 67 C5
Urbanización El Peña El Zorongo E (Zar.) 66 B2
urbanización La Veleta E (Ali.) 156 D5
Urbanización Playa de las Américas E (S.Cruz T.) 195 C5
Urbanización Roquetas de Mar E (Alm.) 183 C4
Urbanizaciones Noroeste E (Mad.) 101 B2
Urbasako benta → Venta de Urbasa E (Na.) 24 A4
Urbel del Castillo E (Bur.) 21 C5
Urbi E (Viz.) 23 A1
Urbiés E (Ast.) 18 D1
Urbilla-Urberuaga E (Viz.) 11 C5
Urbina E (Ál.) 23 B3
Urbiso E (Ál.) 23 D5
Úrcal E (Alm.) 170 D4
Urda E (To.) 119 D3
Urdax → Urdazubi E (Na.) 25 A1
Urdazubi/Urdax E (Na.) 25 A1
Urdiain E (Na.) 24 B4
Urdiales del Páramo E (Le.) 38 C2
Urdilde E (A Co.) 14 A3
Urdimalas E (Các.) 116 A1
Urdués E (Hues.) 26 B5
Urduliz E (Viz.) 10 D4
Uresarantze Auzoa E (Viz.) 11 A4
Urgeiriça P (Vis.) 75 A5
Urgueira P (Co.) 94 C2

Urgueira

Urgueira	P	(Guar.)	96	B2
Uribarri-Dibina	E	(Ál.)	23	B4
Uribarri-Harana	E	(Ál.)	23	D4
Uribe	E	(Viz.)	23	B2
Uriona/ Villabuena de Álava	E	(Ál.)	43	B1
Urizaharra → Peñacerrada	E	(Ál.)	23	B5
Urjariça	P	(Lei.)	94	A4
Urkillaga	E	(Gui.)	24	A3
Urkizaur-Alde	E	(Viz.)	11	A4
Urkizu	E	(Viz.)	23	B1
Urnieta	E	(Gui.)	24	B1
Urones de Castroponce	E	(Vall.)	39	B4
Urqueira	P	(San.)	111	D1
Urra	P	(Por.)	113	C5
Urrácal	E	(Alm.)	170	A4
Urraca-Miguel	E	(Áv.)	80	B5
Urraul Alto	E	(Na.)	25	C4
Urraul Bajo	E	(Na.)	25	C5
Urrea de Gaén	E	(Te.)	86	D1
Urrea de Jalón	E	(Zar.)	65	C2
Urrestilla	E	(Gui.)	24	A2
Urretxu	E	(Gui.)	23	D2
Urrez	E	(Bur.)	42	B3
Urriés	E	(Zar.)	45	D1
Urrô	P	(Ave.)	74	B2
Urrô	P	(Port.)	54	B5
Urrós	E	(Our.)	35	B3
Urros	P	(Bra.)	76	C1
Urrós	P	(Bra.)	57	B5
Urrotz	E	(Na.)	24	D2
Urrotz → Urroz	E	(Na.)	25	B4
Urroz/Urrotz	E	(Na.)	25	B4
Urrutias, Los	E	(Mu.)	172	C2
Urteta	E	(Gui.)	12	A5
Urturi	E	(Ál.)	23	C5
Urueña	E	(Vall.)	59	B2
Urueñas	E	(Seg.)	61	C5
Uruñuela	E	(La R.)	43	B2
Urús	E	(Gi.)	50	C2
Urxal	E	(Po.)	33	D3
Urz, La	E	(Le.)	18	B4
Urzainki → Urzainqui	E	(Na.)	26	A4
Urzainqui/Urzainki	E	(Na.)	26	A4
Urzelina	P	(Aç.)	109	C3
Usagre	E	(Bad.)	147	C2
Usall	E	(Gi.)	51	D3
Usanos	E	(Gua.)	82	B5
Usansolo	E	(Viz.)	23	A1
Uscarrés	E	(Na.)	25	D4
Used	E	(Zar.)	85	A2
Useras/Useres, les	E	(Cas.)	107	C3
Useres, les → Useras	E	(Cas.)	107	C3
Usón	E	(Hues.)	47	B5
Usseira	P	(Lei.)	110	D4
Ustés	E	(Na.)	25	D4
Usurbil	E	(Gui.)	12	B5
Utande	E	(Gua.)	83	A4
Utebo	E	(Zar.)	66	A2
Uterga	E	(Na.)	24	D5
Utiaca	E	(Las P.)	191	C2
Utiel	E	(Val.)	123	D3
Utrera	E	(Sev.)	164	B5
Utrera, La	E	(Le.)	18	B5
Utrilla	E	(So.)	64	A5
Utrillas	E	(Te.)	86	B4
Uva	P	(Bra.)	57	B3
Uxanuri → Genevilla	E	(Na.)	23	D5
Uxes	E	(A Co.)	2	C4
Uznayo	E	(Can.)	20	D2
Uzquiza, lugar	E	(Bur.)	42	B3
Uztarroz	E	(Na.)	26	A3

V

Vacalar	P	(Vis.)	75	B1
Vacar, El	E	(Cór.)	149	D4
Vacaría	E	(Po.)	34	A3
Vacarisses	E	(Bar.)	70	C2
Vacariza	E	(A Co.)	13	D4
Vade (São Tomé)	P	(V. C.)	54	B1
Vadillo	E	(So.)	62	D2
Vadillo Castril	E	(J.)	153	A5
Vadillo de la Guareña	E	(Zam.)	59	A5
Vadillo de la Sierra	E	(Áv.)	79	C5
Vadillo, El	E	(Cór.)	166	D5
Vadima, La	E	(Sa.)	78	A1
Vado	E	(Pa.)	20	C4
Vado, El	E	(Bur.)	22	A3
Vadocondes	E	(Bur.)	62	A3
Vadofresno	E	(Cór.)	166	C5
Vadohornillo	E	(J.)	167	B2
Vados de Torralba	E	(J.)	151	D5
Vage Fresca	P	(San.)	127	C1
Vagos	P	(Ave.)	73	D5
Vaiamonte	P	(Por.)	129	C1
Vainazo, El	E	(Mu.)	171	A2
Vairão	P	(Port.)	53	D4
Vais	P	(Co.)	93	B2
Vajol, la	E	(Gi.)	52	A1
Val	E	(A Co.)	2	D2
Val	E	(A Co.)	2	D3
Val	E	(Po.)	15	A3
Val de Algoso	P	(Bra.)	57	B3
Val de San García	E	(Gua.)	83	C4
Val de San Lorenzo	E	(Le.)	38	A2
Val de San Martín	E	(Zar.)	85	B2
Val de San Román	E	(Le.)	38	A2
Val de Santa María	E	(Zam.)	37	D5
Val do Dubra	E	(A Co.)	14	A1
Val, O	E	(Our.)	36	C1
Vala do Carregado	P	(Lis.)	127	A1
Valacloche	E	(Te.)	106	A3
Valada	P	(San.)	127	B1
Valadares	E	(A Co.)	13	C2
Valadares	E	(Po.)	33	D3
Valadares	P	(Port.)	73	D1
Valadares	P	(Port.)	74	D1
Valadares	P	(V. C.)	53	D1
Valadares	P	(V. C.)	34	B4
Valadares	P	(Vis.)	74	C3
Valadas	P	(C. B.)	112	B1
Valado de Frades	P	(Lei.)	111	A2
Valados	P	(Fa.)	174	C3
Valadouro	E	(Lu.)	4	A2
Valareña	E	(Zar.)	45	C4
Valas	P	(Be.)	159	B2
Valboa	E	(Po.)	33	D1
Valbom	P	(Guar.)	76	B4
Valbom	P	(Port.)	54	A5
Valbom	P	(Vis.)	74	C1
Valbom (São Pedro)	P	(Br.)	54	B1
Valbom dos Figos	P	(Bra.)	56	B3
Valbona	E	(Te.)	106	B3
Valbonilla	E	(Bur.)	41	A4
Valbuena	E	(Sa.)	98	B2
Valbuena de Duero	E	(Vall.)	60	D3
Valbuena de la Encomienda	E	(Le.)	18	A5
Valbuena de Pisuerga	E	(Pa.)	40	D4
Valcabado	E	(Zam.)	58	C3
Valcarca	E	(Hues.)	68	A1
Valcárceres, Los	E	(Bur.)	21	B5
Valcarlos → Luzaide	E	(Na.)	25	C2
Valcarria	E	(Lu.)	3	D2
Valcavado de Roa	E	(Bur.)	61	B2
Valcavado del Páramo	E	(Le.)	38	C3
Valcerto	P	(Bra.)	57	A4
Valcova	P	(Ave.)	74	A1
Valcueva-Palazuelo, La	E	(Le.)	19	A4
Valchillón	E	(Cór.)	165	D1
Valdanzo	E	(So.)	62	B3
Valdanzuelo	E	(So.)	62	B4
Valdaracete	E	(Mad.)	102	C3
Valdarachas	E	(Gua.)	102	C1
Valdastillas	E	(Các.)	98	B4
Valdavida	E	(Le.)	39	D1
Valdeajos	E	(Bur.)	21	C5
Valdealbín	E	(So.)	62	C2
Valdealcón	E	(Le.)	19	B5
Valdealgorfa	E	(Te.)	87	C2
Valdealiso	E	(Le.)	19	B5
Valdealvillo	E	(So.)	63	A3
Valdeancheta, lugar	E	(Gua.)	82	D3
Valdeande	E	(Bur.)	62	A1
Valdearcos	E	(Le.)	39	A1
Valdearcos de la Vega	E	(Vall.)	61	B3
Valdearenas	E	(Gua.)	82	D4
Valdearnedo	E	(Bur.)	42	A1
Valdeavellano	E	(Gua.)	82	D5
Valdeavellano de Tera	E	(So.)	63	C1
Valdeavellano de Ucero	E	(So.)	62	D2
Valdeavero	E	(Mad.)	82	B5
Valdeaveruelo	E	(Gua.)	82	B5
Valdeazogues	E	(C. R.)	134	C4
Valdeazores	E	(To.)	118	A4
Valdebárzana	E	(Ast.)	7	A4
Valdebótoa	E	(Bad.)	130	B2
Valdecaballeros	E	(Bad.)	117	B5
Valdecabras	E	(Cu.)	104	C4
Valdecabrillas	E	(Cu.)	103	D4
Valdecañas	E	(Cu.)	104	A3
Valdecañas de Cerrato	E	(Pa.)	41	A5
Valdecañas de Tajo	E	(Các.)	116	C1
Valdecarros	E	(Sa.)	79	A4
Valdecasa	E	(Áv.)	79	C5
Valdecastillo	E	(Le.)	19	B3
Valdecazorla	E	(J.)	152	C5
Valdecebro	E	(Te.)	106	A2
Valdecilla	E	(Can.)	9	D4
Valdecolmenas de Abajo	E	(Cu.)	103	D4
Valdecolmenas de Arriba	E	(Cu.)	103	D4
Valdeconcha	E	(Gua.)	103	A2
Valdeconejos	E	(Te.)	86	B4
Valdecuenca	E	(Te.)	105	C3
Valdecuna	E	(Ast.)	18	C1
Valdefinjas	E	(Zam.)	59	A4
Valdeflores	E	(Sev.)	163	B1
Valdefrancos	E	(Le.)	37	B1
Valdefresno	E	(Le.)	19	A5
Valdefuentes	E	(Các.)	115	D5
Valdefuentes de Sangusín	E	(Sa.)	98	B1
Valdefuentes del Páramo	E	(Le.)	38	B2
Valdeganga	E	(Alb.)	139	A1
Valdeganga de Cuenca	E	(Cu.)	104	B5
Valdegas	P	(V. R.)	55	C2
Valdegeña	E	(So.)	64	A1
Valdegovía	E	(Ál.)	22	D4
Valdegrudas	E	(Gua.)	82	D5
Valdehierro	E	(C. R.)	119	B5
Valdehijaderos	E	(Sa.)	98	B2
Valdehorna	E	(Zar.)	85	B2
Valdehornillos	E	(Bad.)	132	A2
Valdehuesa	E	(Le.)	19	B3
Valdehúncar	E	(Các.)	116	D1
Valdeiglesias	E	(Gr.)	181	A2
Valdeinfierno	E	(Cór.)	148	C3
Valdeíñigos	E	(Các.)	98	B5
Valdelacalzada	E	(Bad.)	130	D3
Valdelacasa	E	(Sa.)	98	B1
Valdelacasa de Tajo	E	(Các.)	117	A2
Valdelafuente	E	(Le.)	39	A1
Valdelageve	E	(Sa.)	98	A2
Valdelagrana	E	(Cád.)	177	C5
Valdelagua	E	(Gua.)	83	B5
Valdelagua	E	(Mad.)	81	D5
Valdelagua	E	(Sa.)	78	C3
Valdelagua del Cerro	E	(So.)	64	B1
Valdelaguna	E	(Mad.)	102	B4
Valdelaloba	E	(Le.)	17	B5
Valdelama	E	(Sa.)	77	D3
Valdelamatanza	E	(Sa.)	98	A2
Valdelamusa	E	(Huel.)	162	C1
Valdelaras de Abajo	E	(Alb.)	138	B3
Valdelaras de Arriba	E	(Alb.)	138	A3
Valdelarco	E	(Huel.)	146	D5
Valdelateja	E	(Bur.)	21	C4
Valdelcubo	E	(Gua.)	83	B1
Valdelinares	E	(So.)	62	D2
Valdelinares	E	(Te.)	106	D2
Valdelosa	E	(Sa.)	78	B1
Valdeltormo	E	(Te.)	87	D2
Valdemadera	E	(La R.)	44	B5
Valdemaluque	E	(So.)	62	D3
Valdemanco	E	(Mad.)	81	D3
Valdemanco del Esteras	E	(C. R.)	133	D3
Valdemanzanos, lugar	E	(Gr.)	168	D3
Valdemaqueda	E	(Mad.)	100	D1
Valdemarín	E	(J.)	153	B2
Valdemeca	E	(Cu.)	104	D3
Valdemierque	E	(Sa.)	78	D4
Valdemora	E	(Ast.)	6	A3
Valdemora	E	(Le.)	39	A3
Valdemorales	E	(Các.)	115	D5
Valdemorilla	E	(Le.)	39	B3
Valdemorillo	E	(Mad.)	101	A1
Valdemorillo de la Sierra	E	(Cu.)	104	D5
Valdemoro	E	(Mad.)	101	D3
Valdemoro del Rey	E	(Cu.)	103	C3
Valdemoro-Sierra	E	(Cu.)	104	D4
Valdenarros	E	(So.)	62	D3
Valdencín	E	(Các.)	97	B5
Valdenebro	E	(So.)	62	D3
Valdenebro de los Valles	E	(Vall.)	59	D1
Valdenoceda	E	(Bur.)	21	D4
Valdenoches	E	(Gua.)	82	D5
Valdenuño Fernández	E	(Gua.)	82	B4
Valdeobispo	E	(Các.)	97	C4
Valdeolivas	E	(Cu.)	103	D1
Valdeolmillos	E	(Pa.)	40	C5
Valdeolmos	E	(Mad.)	82	A5
Valdepares	E	(Ast.)	4	D3
Valdepeñas	E	(C. R.)	136	B4
Valdepeñas de Jaén	E	(J.)	167	C3
Valdepeñas de la Sierra	E	(Gua.)	82	B3
Valdeperdices	E	(Zam.)	58	B3
Valdepiélago	E	(Le.)	19	A3
Valdepiélagos	E	(Mad.)	82	A4
Valdepinillos	E	(Gua.)	82	C1
Valdepolo	E	(Le.)	39	B1
Valdeprado	E	(So.)	64	B1
Valdeprados	E	(Seg.)	80	D4
Valderas	E	(Le.)	39	A4
Valderas	E	(Sa.)	78	A2
Valderias	E	(Bur.)	21	C4
Valderrábano	E	(Pa.)	40	B1
Valderrama	E	(Bur.)	22	C5
Valderrebollo	E	(Gua.)	83	B4
Valderrey	E	(Le.)	38	A2
Valderrey	E	(Mad.)	82	A5
Valderrobres	E	(Te.)	87	D3
Valderrodilla	E	(So.)	63	A3
Valderrodrigo	E	(Sa.)	77	B2
Valderromán	E	(So.)	62	C5
Valderrubio	E	(Gr.)	167	C5
Valderrueda	E	(Le.)	19	D4
Valderrueda	E	(So.)	63	B3
Valdés	E	(Mál.)	180	D4
Valdesalor	E	(Các.)	115	B4
Valdesamario	E	(Le.)	18	B4
Valdesandinas	E	(Le.)	38	B2
Valdesangil	E	(Sa.)	98	B2
Valdesaz	E	(Gua.)	83	A4
Valdesaz de los Oteros	E	(Le.)	39	A3
Valdescapa de Cea	E	(Le.)	39	D1
Valdescobela	E	(Sa.)	78	D3
Valdescorriel	E	(Zam.)	38	D5
Valdesimonte	E	(Seg.)	81	C1
Valdesogo de Arriba	E	(Le.)	39	A1
Valdesoto	E	(Ast.)	6	D4
Valdesotos	E	(Gua.)	82	B3
Valdespina	E	(Pa.)	40	C4
Valdespino	E	(Le.)	38	A2
Valdespino	E	(Zam.)	37	A4
Valdespino Cerón	E	(Le.)	39	A3
Valdespino de Vaca	E	(Le.)	39	C3
Valdestillas	E	(Vall.)	60	A4
Valdetablas	E	(Mad.)	101	A2
Valdetorres	E	(Bad.)	131	D3
Valdetorres de Jarama	E	(Mad.)	82	A5
Valdevacas	E	(Seg.)	81	B1
Valdevacas de Montejo	E	(Seg.)	61	D4
Valdevarnés	E	(Seg.)	62	A4
Valdeverdeja	E	(To.)	117	B1
Valdevez	P	(Vis.)	75	B1
Valdeviejas	E	(Le.)	38	A1
Valdevimbre	E	(Le.)	38	D2
Valdezate	E	(Bur.)	61	B3
Valdezorras	E	(Sev.)	164	A4
Valdezufre	E	(Huel.)	147	A5
Valdició	E	(Can.)	21	D1
Valdigem	P	(Vis.)	75	B1
Valdilecha	E	(Mad.)	102	B3
Valdín	E	(Our.)	36	C3
Valdío	E	(Mu.)	171	A3
Valdivia	E	(Bad.)	132	B2
Valdoré	E	(Le.)	19	C4
Valdorros	E	(Bur.)	41	D4
Valdosende	P	(Br.)	54	C2
Valdoviño	E	(A Co.)	3	A2
Valdreu	P	(Br.)	54	B1
Valdujo	P	(Guar.)	76	A3
Valdunciel	E	(Sa.)	78	C2
Valdunquillo	E	(Vall.)	39	B5
Valduvieco	E	(Le.)	19	B5
Vale	P	(Ave.)	74	A2
Vale	P	(Lei.)	93	D5
Vale	P	(V. C.)	34	B5
Vale	P	(Vis.)	74	C5
Vale (São Cosme)	P	(Br.)	54	A3
Vale (São Martinho)	P	(Br.)	54	A3
Vale Abrigoso	P	(Vis.)	75	A2
Vale Alto	P	(San.)	111	C2
Vale Beijinha	P	(Be.)	159	B1
Vale Benfeito	P	(Bra.)	56	C3
Vale Benfeito	P	(Lis.)	110	D5
Vale Covo	P	(Fa.)	174	B2
Vale Covo	P	(Lei.)	110	D4
Vale da Amoreira	P	(Guar.)	95	D1
Vale da Bezerra	P	(C. B.)	113	A2
Vale da Cerdeira	P	(C. B.)	95	A3
Vale da Feiteira	P	(Por.)	113	A4
Vale da Galega	P	(C. B.)	94	C5
Vale da Madeira	P	(Por.)	112	D4
Vale da Madre	P	(Bra.)	57	A4
Vale da Mua	P	(San.)	112	D2
Vale da Mula	P	(Guar.)	76	D4
Vale da Parra	P	(Fa.)	174	A3
Vale da Pedra	P	(San.)	111	B5
Vale da Pena	P	(Bra.)	57	B2
Vale da Pinta	P	(San.)	111	B5
Vale da Porca	P	(Bra.)	56	C3
Vale da Rasca	P	(Set.)	127	A5
Vale da Rosa	P	(Fa.)	160	C4
Vale da Rosa	P	(San.)	111	B4
Vale da Senhora da Póvoa	P	(C. B.)	96	A2
Vale da Silva	P	(Co.)	94	B3
Vale da Telha	P	(Fa.)	159	A4
Vale da Torre	P	(C. B.)	95	D4
Vale da Trave	P	(San.)	111	B3
Vale da Urra	P	(San.)	112	C1
Vale da Ursa	P	(C. B.)	113	A1
Vale da Ursa	P	(Fa.)	174	A3
Vale da Vila	P	(Fa.)	173	D2
Vale da Vila	P	(Set.)	127	A4
Vale da Vila	P	(Vis.)	75	D1
Vale das Custas	P	(Év.)	128	A3
Vale das Éguas	P	(Guar.)	96	B1
Vale das Fontes	P	(Bra.)	56	B2
Vale das Moitas	P	(Lei.)	93	C5
Vale de Açor	P	(Be.)	144	D5
Vale de Açor	P	(Por.)	112	D5
Vale de Açor	P	(San.)	112	B2
Vale de Afonsinho	P	(Guar.)	76	B3
Vale de Água	P	(Co.)	94	A2
Vale de Água	P	(Set.)	143	C4
Vale de Anta	P	(V. R.)	55	D1
Vale de Arco	P	(Por.)	112	D4
Vale de Asnes	P	(Bra.)	56	B3
Vale de Avim	P	(Ave.)	94	A1
Vale de Azares	P	(Guar.)	75	D5
Vale de Barreiras	P	(Lei.)	111	C2
Vale de Boi	P	(Ave.)	94	A1
Vale de Boi	P	(Fa.)	173	A2
Vale de Bordalo	P	(Por.)	112	D4
Vale de Bouro	P	(Br.)	54	D3
Vale de Cambra	P	(Ave.)	74	B3
Vale de Casas	P	(V. R.)	56	A2
Vale de Cavalos	P	(Por.)	113	D5
Vale de Cavalos	P	(San.)	111	D4
Vale de Coelha	P	(Guar.)	76	D4
Vale de Colmeias	P	(Co.)	94	B3
Vale de Cortiças	P	(San.)	112	B3
Vale de Cunho	P	(V. R.)	55	D4
Vale de Ebros	P	(Fa.)	175	B2
Vale de Égua	P	(V. R.)	55	D3
Vale de Éguas	P	(Fa.)	174	C3
Vale de Espinho	P	(Guar.)	96	C2
Vale de Estrela	P	(Guar.)	96	A1
Vale de Ferro	P	(Be.)	159	C1
Vale de Figueira	P	(Be.)	159	B2
Vale de Figueira	P	(Lis.)	126	D2
Vale de Figueira	P	(San.)	111	C4
Vale de Figueira	P	(Vis.)	75	C1
Vale de Figueira	P	(Vis.)	75	D1
Vale de Gaviões	P	(Por.)	112	D4
Vale de Gouvinhas	P	(Bra.)	56	B2
Vale de Guizo	P	(Set.)	143	D2
Vale de Janeiro	P	(Bra.)	56	B1
Vale de Judeus	P	(Set.)	127	B4
Vale de Junco	P	(Por.)	112	D3
Vale de Lagoa	P	(Bra.)	56	C3
Vale de Lama	P	(San.)	111	D5
Vale de Lobos	P	(Lis.)	126	C2
Vale de Lousas	P	(Fa.)	173	D2
Vale de Maceira	P	(Lei.)	110	D2
Vale de Madeira	P	(Guar.)	76	B4
Vale de Madeiros	P	(Vis.)	95	A1
Vale de Marinhas	P	(San.)	111	B4
Vale de Mendiz	P	(V. R.)	55	C5
Vale de Milhaços	P	(Set.)	126	C4
Vale de Mira	P	(Bra.)	57	C4
Vale de Moura	P	(Év.)	128	D5
Vale de Nogeira	P	(Bra.)	56	D2
Vale de Nogueira	P	(Co.)	94	B3
Vale de Nogueiras	P	(V. R.)	55	B5
Vale de Óbidos	P	(San.)	111	A4
Vale de Odre	P	(Fa.)	160	D4
Vale de Pedras	P	(Co.)	93	C4
Vale de Pedro Dias	P	(San.)	112	D3
Vale de Pereiras	P	(Co.)	94	D4
Vale de Pinheiro	P	(Fa.)	161	B4
Vale de Porco	P	(Bra.)	57	A5
Vale de Pradinhos	P	(Bra.)	56	C3
Vale de Prados	P	(Bra.)	56	B2
Vale de Prados	P	(Bra.)	56	C3
Vale de Prazeres	P	(C. B.)	95	D3
Vale de Reis	P	(Set.)	143	D1
Vale de Remígio	P	(Vis.)	94	B1
Vale de Rocins	P	(Be.)	144	D5

Vegacebrón

Vale de Sancha P (Bra.) 56 B4
Vale de Santarém P (San.) 111 C5
Vale de Santiago P (Be.) 159 D1
Vale de São Domingos P (San.) 112 D2
Vale de São Joao P (Por.) 112 D3
Vale de Soutos P (C. B.) 94 D5
Vale de Tábuas P (Lei.) 94 B5
Vale de Telhas P (Bra.) 56 A2
Vale de Todos P (Lei.) 94 A4
Vale de Torno P (Bra.) 56 A5
Vale de Vaíde P (Co.) 94 B3
Vale de Vargo P (Be.) 145 C4
Vale de Zebrinho P (San.) 112 C3
Vale Direito P (Port.) 54 A5
Vale do Barco P (San.) 111 B4
Vale do Calvo P (San.) 111 D2
Vale do Carro P (San.) 111 B3
Vale do Carvão P (San.) 111 D3
Vale do Coelheiro P (C. B.) 113 A1
Vale do Couço P (Vis.) 94 C1
Vale do Grou P (San.) 112 D2
Vale do Homem P (C. B.) 113 B1
Vale do Mouro P (Guar.) 76 A4
Vale do Paraíso P (Lei.) 110 D2
Vale do Paraíso P (Lis.) 111 B5
Vale do Pereiro P (Év.) 128 D3
Vale do Peso P (Por.) 113 B4
Vale do Poço P (Be.) 161 B1
Vale do Poço P (San.) 112 A1
Vale do Porco P (Vis.) 74 C5
Vale do Porvo P (Guar.) 76 A2
Vale do Rio P (Lei.) 94 B5
Vale do Seixo P (Guar.) 76 A3
Vale do Vilão P (Por.) 112 C5
Vale d'Urso P (C. B.) 95 C4
Vale Feitoso P (C. B.) 96 B4
Vale Figueira P (Fa.) 160 A4
Vale Flor P (Guar.) 76 A3
Vale Flores P (Set.) 126 C4
Vale Florido P (Lei.) 94 A4
Vale Florido P (San.) 111 B3
Vale Fontes de Cima P (Fa.) 160 A4
Vale Formoso P (C. B.) 95 D1
Vale Formoso P (Fa.) 174 C3
Vale Formoso P (San.) 112 C2
Vale Francos P (Lis.) 110 D4
Vale Frechoso P (Bra.) 56 B4
Vale Fuzeiros P (Fa.) 160 A4
Vale Godinho P (C. B.) 112 C1
Vale Grande P (Ave.) 74 A5
Vale Grande P (Co.) 95 A3
Vale Judeu P (Fa.) 174 B3
Vale Longo P (Guar.) 96 B1
Vale Maior P (Ave.) 74 A4
Vale Mansos P (San.) 127 D1
Vale Mourisco P (Guar.) 96 B1
Vale Pereiro P (Bra.) 56 C4
Vale Perneto P (Lei.) 94 A5
Vale Porco P (C. B.) 94 C5
Vale Salgueiro P (Bra.) 56 A2
Vale Salgueiro P (Lei.) 111 B1
Vale Santiago P (San.) 112 D2
Vale Serrão P (Co.) 94 D4
Vale Torrado P (Por.) 128 B1
Vale Travesso P (San.) 111 D1
Vale Verde P (C. B.) 95 C3
Vale Verde P (Guar.) 76 C4
Vale Zebro P (San.) 127 C1
Válega P (Ave.) 73 D3
Valeixe E (Po.) 34 C3
Valença P (V. C.) 34 A4
Valença do Douro P (Vis.) 75 C1
Valencia E (A Co.) 1 D5
Valencia E (Val.) 125 A4
València d'Àneu E (Ll.) 29 B5
Valencia de Alcántara E (Các.) 113 D4
Valencia de Don Juan E (Le.) 38 D3
Valencia de la Encomienda E (Sa.) 78 C1
Valencia de las Torres E (Bad.) 147 D1
Valencia del Mombuey E (Bad.) 146 A2
Valencia del Ventoso E (Bad.) 147 A2
Valencina de la Concepción E (Sev.) 163 D4
Valenoso E (Pa.) 40 B1
Valentín E (Mu.) 155 A3
Valentins, els E (Ta.) 88 B5
Valenzuela E (Cór.) 166 D1
Valenzuela E (Gr.) 181 B1
Valenzuela de Calatrava E (C. R.) 135 C3
Valenzuela y Llanadas E (Cór.) 166 D5
Valenzuela, lugar E (J.) 151 D4
Valer E (Zam.) 57 D2
Valera de Abajo E (Cu.) 122 B2
Valera, lugar E (Bad.) 146 D3
Valeria E (Cu.) 122 B1
Valero E (Sa.) 98 A1
Valero, El, lugar E (Alb.) 138 B4
Vales E (Lu.) 15 D5
Vales E (Our.) 15 A5
Vales P (Bra.) 56 C4
Vales P (C. B.) 113 A1
Vales P (Fa.) 159 A4
Vales P (V. R.) 56 A3
Vales P (V. R.) 55 D3
Vales de Cardigos P (San.) 112 D1
Vales de Pero Viseu P (C. B.) 95 D3
Vales Mortos P (Be.) 145 B5
Valezim P (Guar.) 95 B2
Valfarta E (Hues.) 67 B3
Valfermoso de Tajuña E (Gua.) 83 A5
Valfonda de Santa Ana E (Hues.) 46 D5
Valgañón E (La R.) 42 D3
Valgoma, La E (Le.) 17 A5
Valhascos P (San.) 112 C3
Valhelhas P (Guar.) 95 D1
Valhelhas P (San.) 111 D2
Valhermoso E (Gua.) 84 C4
Valhermoso de la Fuente E (Cu.) 122 C3
Valinho P (V. C.) 33 D5
Valiñas E (Po.) 14 A5
Valiño E (Lu.) 4 A3
Valjunquera E (Te.) 87 D3
Valmadrid E (Zar.) 66 B4
Valmala E (Bur.) 42 C3
Valmartino E (Le.) 19 C4
Valmojado E (To.) 101 A3
Valmuel E (Te.) 87 B1
Valões P (Br.) 54 B1
Valonga E (Hues.) 68 A2
Valonga E (Lu.) 16 B1
Valongo E (Our.) 34 D3
Valongo P (C. B.) 112 C1
Valongo P (Fa.) 175 B2
Valongo P (Lei.) 93 C5
Valongo P (Lei.) 94 C4
Valongo P (Lis.) 110 C5
Valongo P (Por.) 112 D5
Valongo P (Port.) 54 A5
Valongo das Meadas P (Bra.) 56 A3
Valongo de Milhais P (V. R.) 55 D4
Valongo do Vouga P (Ave.) 74 A4
Valongo dos Azeites P (Vis.) 75 D1
Válor E (Gr.) 182 D2
Valoria de Aguilar E (Pa.) 20 D4
Valoria del Alcor E (Pa.) 60 A1
Valoria la Buena E (Vall.) 60 C1
Valoura P (V. R.) 55 C3
Valpaços P (Bra.) 56 B1
Valpaços P (V. R.) 56 A2
Valpalmas E (Zar.) 46 B4
Valparaíso E (Zam.) 37 C5
Valparaíso de Abajo E (Cu.) 103 C4
Valparaíso de Arriba E (Cu.) 103 C4
Valpedre P (Port.) 74 B1
Valporquero de Rueda E (Le.) 19 B4
Valporquero de Torío E (Le.) 18 D3
Valpuesta E (Bur.) 22 C4
Valrío E (Các.) 97 B4
Valsaín E (Seg.) 81 B3
Valsalabroso E (Sa.) 77 B1
Valsalada E (Hues.) 46 C5
Valsalobre E (Cu.) 84 B5
Valsalobre E (Gua.) 84 C4
Valseca E (Seg.) 81 A2
Valseco E (Le.) 17 C4
Valsemana E (Le.) 18 C4
Valsendero E (Las P.) 191 C2
Valsequillo E (Cór.) 149 A1
Valsequillo E (Las P.) 191 D2
Valsera E (Ast.) 6 B4
Valsurbio, lugar E (Pa.) 20 B4
Valtablado del Río E (Gua.) 83 D5
Valtajeros E (So.) 64 A1
Valtiendas E (Seg.) 61 B4
Valtierra E (Na.) 45 A4
Valtierra de Albacastro E (Bur.) 21 A5
Valtierra de Riopisuerga E (Bur.) 40 D2
Valtocado-Alquería E (Mál.) 180 A5
Valtorres E (Zar.) 64 D5
Valtueña E (So.) 64 A4
Valtuille de Abajo E (Le.) 17 A5
Valtuille de Arriba E (Le.) 17 A5
Valuengo E (Bad.) 146 C2
Valujera E (Bur.) 22 B4
Valvenedizo E (So.) 62 D5
Valverda E (Ali.) 156 D3
Valverde E (C. R.) 135 A3
Valverde E (La R.) 44 C5
Valverde E (S. Cruz T.) 194 C4
Valverde E (So.) 64 C1
Valverde E (Te.) 85 D3
Valverde P (Bra.) 56 C4
Valverde P (Bra.) 56 D5
Valverde P (C. B.) 95 C3
Valverde P (Év.) 128 C5
Valverde P (Fa.) 173 B2
Valverde P (Guar.) 75 C3
Valverde P (Lis.) 126 B2
Valverde P (San.) 127 D1
Valverde P (San.) 111 B3
Valverde P (V. R.) 56 A2
Valverde P (Vis.) 75 B2
Valverde de Alcalá E (Mad.) 102 B2
Valverde de Burguillos E (Bad.) 147 A2
Valverde de Campos E (Vall.) 59 C1
Valverde de Curueño E (Le.) 19 A3
Valverde de Gonzaliáñez E (Sa.) 78 D5
Valverde de Júcar E (Cu.) 122 A2
Valverde de la Sierra E (Le.) 20 A3
Valverde de la Vera E (Các.) 98 D4
Valverde de la Virgen E (Le.) 38 C1
Valverde de Leganés E (Bad.) 130 B4
Valverde de los Ajos E (So.) 63 A3
Valverde de los Arroyos E (Gua.) 82 C2
Valverde de Llerena E (Bad.) 148 A3
Valverde de Mérida E (Bad.) 131 C3
Valverde de Valdelacasa E (Sa.) 98 B1
Valverde del Camino E (Huel.) 162 C2
Valverde del Fresno E (Các.) 96 C3
Valverde del Majano E (Seg.) 80 D3
Valverde-Enrique E (Le.) 39 B3
Valverdejo E (Cu.) 122 C3
Valverdes E (Mál.) 181 A3
Valverde-Villarmarín E (Le.) 16 D4
Valverdón E (Sa.) 78 C2
Valverzoso E (Pa.) 20 D3
Valvieja E (Seg.) 62 B5
Vall d'Alba E (Cas.) 107 C3
Vall d'Alcalà, La E (Ali.) 141 B4
Vall de Almonacid E (Cas.) 107 A5
Vall de Bianya, la E (Gi.) 51 C3
Vall de Ebo/ Vall d'Ebo, la E (Ali.) 141 C3
Vall de Gallinera E (Ali.) 141 C3
Vall de Laguar E (Ali.) 141 C4
Vall de Santa Creu, La E (Gi.) 52 C1
Vall d'Ebo, la → Vall de Ebo E (Ali.) 141 C3
Vall del Sol E (Bar.) 70 D4
Vall d'Uixó, la E (Cas.) 125 B1
Vall Suau-Can Feliu E (Bar.) 70 D3
Vall, la E (Bar.) 71 D2
Vallada E (Val.) 140 C3
Valladolid E (Vall.) 60 A2
Valladolises E (Mu.) 172 A1
Vallanca E (Val.) 105 C4
Vallarta de Bureba E (Bur.) 42 C1
Vallat E (Cas.) 107 B4
Vallbona d'Anoia E (Bar.) 70 B3
Vallbona de les Monges E (Ll.) 69 B3
Vallcanera E (Gi.) 51 D5
Vallcarca E (Bar.) 70 C5
Vallcebre E (Bar.) 50 C3
Vallclara E (Ta.) 69 B4
Valldavià E (Gi.) 52 B3
Valldemossa E (Bal.) 91 C2
Valldoreix E (Bar.) 70 D3
Valle E (Ast.) 7 B5
Valle E (Can.) 10 A5
Valle Abajo E (S. Cruz T.) 194 B1
Valle de Abdalajís E (Mál.) 180 A3
Valle de Agaete E (Las P.) 191 B1
Valle de Cabuérniga E (Can.) 20 D1
Valle de Cerrato E (Pa.) 60 D1
Valle de Escombreras E (Mu.) 172 C3
Valle de Finolledo E (Le.) 17 A4
Valle de Guerra E (S. Cruz T.) 196 B1
Valle de Jinámar E (Las P.) 191 D2
Valle de la Serena E (Bad.) 132 B4
Valle de la Valduerna E (Le.) 38 A2
Valle de las Casas E (Le.) 19 C4
Valle de las Nueve E (Las P.) 191 D2
Valle de Mansilla E (Le.) 39 B1
Valle de Matamoros E (Bad.) 146 C1
Valle de San Agustín, El E (Ast.) 4 D3
Valle de San Lorenzo E (S. Cruz T.) 195 D4
Valle de Santa Ana E (Bad.) 146 C1
Valle de Santa Inés E (Las P.) 190 A3
Valle de Tabladillo E (Seg.) 61 C5
Valle de Vegacervera E (Le.) 18 D3
Valle Hermoso Bajo, lugar E (Cád.) 179 B2
Valle Tahodio E (S. Cruz T.) 196 C2
Valle, El E (Alm.) 169 D5
Valle, El E (Ast.) 6 C3
Valle, El E (Huel.) 163 B4
Valle, El E (Le.) 17 C5
Vallebrón E (Las P.) 190 B2
Vallecillo E (Le.) 39 B2
Vallecillo, El E (Te.) 105 A3
Vallegera E (Bur.) 41 A4
Vallehermoso E (S. Cruz T.) 194 B1
Vallehondo E (Áv.) 98 D2
Vallejas E (Cád.) 178 B4
Vallejera de Riofrío E (Sa.) 98 C2
Vallejimeno E (Bur.) 42 C4
Vallejo E (Bur.) 21 D4
Vallejo de Mena E (Bur.) 22 B2
Vallejo de Orbó E (Pa.) 20 D4
Vallelado E (Seg.) 60 C4
Vallequemado E (Gr.) 167 C4
Valleruela de Pedraza E (Seg.) 81 C1
Valleruela de Sepúlveda E (Seg.) 81 C1
Valles E (Ast.) 7 B4
Vallés E (Val.) 140 D2
Valles de Ortega E (Las P.) 190 A3
Valles de Palenzuela E (Bur.) 41 A4
Valles de Valdavia E (Pa.) 40 B1
Valles, Los E (Las P.) 192 D3
Valles, Los E (S. Cruz T.) 196 B2
Vallesa de la Guareña E (Zam.) 79 A1
Valleseco E (Las P.) 191 C2
Valleta, La E (Gi.) 52 C1
Vallfogona de Balaguer E (Ll.) 68 D1
Vallfogona de Ripollès E (Gi.) 51 B3
Vallfogona de Riucorb E (Ta.) 69 C3
Vallgorguina E (Bar.) 71 C2
Vallibona E (Cas.) 87 D5
Vallín, El E (Ast.) 5 B3
Vallina, La E (Ast.) 6 C4
Vallirana E (Bar.) 70 D4
Vallivana E (Cas.) 107 D1
Vall-llobrega E (Gi.) 52 C5
Vallmanya E (Ll.) 70 A1
Vallmoll E (Ta.) 69 C5
Valloria E (So.) 43 D5
Vallpineda E (Bar.) 70 C5
Vallromanes E (Bar.) 71 B3
Valls E (Ta.) 69 C5
Vallserrat E (Bar.) 70 C3
Valluerca E (Ál.) 22 C3
Valluércanes E (Bur.) 42 C1
Vallunquera E (Bur.) 41 A3
Vallverd E (Ll.) 69 A2
Vallvidrera E (Bar.) 71 A4
Vandellòs E (Ta.) 89 A2
Vandoma P (Port.) 54 B5
Vanidodes E (Le.) 38 A1
Vañes E (Pa.) 20 C3
Vaqueira E (Ll.) 29 A4
Vaqueiros P (Fa.) 161 A3
Vaqueiros P (San.) 111 C3
Vara de Rey E (Cu.) 122 A4
Varadero, El E (Gr.) 182 A4
Varadouro P (Aç.) 109 A3
Varatojo P (Lis.) 110 C5
Varche P (Por.) 129 D3
Vardemilho P (Ave.) 73 D4
Varea E (La R.) 43 D2
Varela P (San.) 112 B1
Varelas E (A Co.) 15 A3
Vargas E (Can.) 9 B5
Vargas E (Las P.) 191 D3
Vargas, Los, lugar E (Gr.) 182 C3
Varge P (Bra.) 57 A1
Vargem P (Por.) 113 C4
Vargens P (Be.) 161 A3
Varges P (V. R.) 55 D4
Vargos P (San.) 111 D2
Variaça P (Ave.) 94 A1
Variz P (Bra.) 57 A4
Várzea P (Ave.) 74 B2
Várzea P (Br.) 54 A3
Várzea P (Lei.) 94 B5
Várzea P (Port.) 54 D5
Várzea P (Port.) 54 C4
Várzea P (San.) 111 C4
Várzea P (Vis.) 74 D3
Várzea P (Vis.) 74 D4
Várzea P (Vis.) 74 C5
Várzea P (Vis.) 75 A3
Várzea Cova P (Br.) 54 D3
Várzea da Ovelha e Aliviada P (Port.) 54 D5
Várzea da Serra P (Vis.) 75 A2
Várzea de Abrunhais P (Vis.) 75 B1
Várzea de Meruge P (Guar.) 95 A1
Várzea de Tavares P (Vis.) 75 C5
Várzea de Trevões P (Vis.) 75 D1
Várzea do Douro P (Ave.) 74 B1
Várzea dos Cavaleiros P (C. B.) 112 D1
Várzeas P (Lei.) 93 B5
Varziela P (Co.) 93 D1
Varziela P (Port.) 54 C4
Varzielas P (Vis.) 74 C5
Vascão P (Fa.) 161 B3
Vasco Esteves de Baixo P (Guar.) 95 B2
Vasco Esteves de Cima P (Guar.) 95 B2
Vasco Rodrigues P (Be.) 161 A2
Vascões P (V. C.) 34 A5
Vasconha P (Vis.) 74 D4
Vascoveiro P (Guar.) 76 B4
Vassal P (V. R.) 56 A2
Vau P (Fa.) 173 C2
Vau P (Lei.) 110 C3
Veade P (Br.) 55 A4
Veciana E (Bar.) 70 A2
Vecilla de Curueño, La E (Le.) 19 A4
Vecilla de la Polvorosa E (Zam.) 38 C4
Vecilla de la Vega E (Le.) 38 B2
Vecilla de Trasmonte E (Zam.) 38 C5
Vecindad de Enfrente E (Las P.) 191 B1
Vecindario E (Las P.) 191 D3
Vecinos E (Sa.) 78 B4
Vedat de Torrent, el → Monte Vedat E (Val.) 125 A4
Vedor P (Por.) 130 A2
Vedra E (A Co.) 14 B3
Vedra E (A Co.) 14 B3
Vega E (Ast.) 5 B3
Vega E (Ast.) 6 D3
Vega E (Ast.) 18 D1
Vega E (Ast.) 7 C4
Vega E (Can.) 21 C1
Vega E (Mál.) 179 A5
Vega de Almanza, La E (Le.) 19 D5
Vega de Antoñán E (Le.) 38 B1
Vega de Bur E (Pa.) 20 C4
Vega de Caballeros E (Le.) 18 C4
Vega de Doña Olimpa E (Pa.) 40 B1
Vega de Enmedio E (Las P.) 191 C2
Vega de Espinareda E (Le.) 17 A4
Vega de Gordón E (Le.) 18 D3
Vega de Infanzones E (Le.) 38 D1
Vega de las Mercedes E (S. Cruz T.) 196 B1
Vega de los Árboles E (Le.) 39 B1
Vega de Magaz E (Le.) 38 A1
Vega de Mesillas E (Các.) 98 C5
Vega de Nuez E (Zam.) 57 B1
Vega de Pas E (Can.) 21 C2
Vega de Poja E (Ast.) 6 D4
Vega de Rengos E (Ast.) 17 B2
Vega de Río Palmas E (Las P.) 190 A3
Vega de Robledo, La E (Le.) 18 B3
Vega de Ruiponce E (Vall.) 39 C4
Vega de San Mateo E (Las P.) 191 C2
Vega de Santa Lucía E (Cór.) 165 A2
Vega de Santa María E (Áv.) 80 B4
Vega de Santa María, La E (J.) 152 A5
Vega de Tera E (Zam.) 38 A5
Vega de Tirados E (Sa.) 78 B2
Vega de Valcarce E (Le.) 16 D5
Vega de Valdetronco E (Vall.) 59 C3
Vega de Viejos E (Le.) 17 D3
Vega de Villalobos E (Zam.) 39 A5
Vega de Yeres E (Le.) 37 A2
Vega del Castillo E (Zam.) 37 C4
Vega del Ciego E (Ast.) 18 C1
Vega del Codorno E (Cu.) 104 C2
Vega del Rey E (Ast.) 18 C2
Vega Malilla, lugar E (Mál.) 180 A3
Vega Santa María E (Mál.) 180 A4
Vega Sicilia E (Vall.) 60 D3
Vega, La E (Ast.) 18 C1
Vega, La E (Ast.) 6 B5
Vega, La E (Bad.) 114 A5
Vega, La E (Can.) 20 B2
Vega, La E (Gr.) 169 B4
Vega, La E (S. Cruz T.) 195 C3
Vega, La E (Sev.) 163 D5
Vega, La E (Val.) 140 A2
Vega, La (Riosa) E (Ast.) 6 B5
Vega, La (Sariego) E (Ast.) 6 D4
Vegacebrón E (Ast.) 5 D3

Vilela

Vila Flor P (Bra.) 56 B5
Vila Fonche P (V. C.) 34 B5
Vila Franca P (V. C.) 53 D1
Vila Franca da Beira P (Co.) 95 A1
Vila Franca da Serra P (Guar.) 75 C5
Vila Franca das Naves P (Guar.) 76 A4
Vila Franca de Xira P (Lis.) 127 A1
Vila Franca do Campo P (Aç.) 109 C5
Vila Franca do Deão P (Guar.) 76 A4
Vila Franca do Rosário P (Lis.) 126 C1
Vila Fria P (Ave.) 74 B3
Vila Fria P (Br.) 54 C4
Vila Fria P (V. C.) 53 D1
Vila Garcia P (Guar.) 96 A1
Vila Garcia P (Guar.) 76 A3
Vila Garcia P (Port.) 54 D4
Vila Gosendo P (Vis.) 94 C1
Vila Grande E (Lu.) 15 D1
Vila Joiosa, la → Villajoyosa E (Ali.) 158 A1
Vila Jusã P (Vis.) 74 D5
Vila Longa P (Vis.) 75 C4
Vila Maior P (Ave.) 74 A1
Vila Maior P (Vis.) 74 D3
Vila Marim P (V. R.) 55 B4
Vila Marim P (V. R.) 55 A5
Vila Meã P (Bra.) 57 B1
Vila Meã P (V. C.) 33 D4
Vila Mea P (V. R.) 55 C3
Vila Mea P (Vis.) 94 C1
Vila Meã P (Vis.) 75 B1
Vila Mendo de Tavares P (Vis.) 75 C5
Vila Moinhos P (Vis.) 74 C1
Vila Moreira P (San.) 111 C3
Vila Mou P (V. C.) 53 D1
Vila Nogueira de Azeitão P (Set.) 126 D5
Vila Nova P (Bra.) 56 C4
Vila Nova P (Bra.) 56 D1
Vila Nova P (Co.) 94 B2
Vila Nova P (Co.) 93 D2
Vila Nova P (Co.) 94 B4
Vila Nova P (Co.) 94 A3
Vila Nova P (Lei.) 94 A4
Vila Nova P (Lei.) 111 A3
Vila Nova P (Port.) 53 D4
Vila Nova P (Set.) 126 C4
Vila Nova P (V. R.) 55 D2
Vila Nova P (Vis.) 74 D4
Vila Nova P (Vis.) 94 C1
Vila Nova da Barca P (Co.) 93 D3
Vila Nova da Baronia P (Be.) 144 C2
Vila Nova da Barquinha P (San.) 112 A3
Vila Nova da Rainha P (Lis.) 127 A1
Vila Nova da Rainha P (Vis.) 94 C1
Vila Nova de Anços P (Co.) 93 D3
Vila Nova de Anha P (V. C.) 53 D1
Vila Nova de Cacela P (Fa.) 175 B2
Vila Nova de Cerveira P (V. C.) 33 D4
Vila Nova de Corvo P (Aç.) 109 A2
Vila Nova de Famalicão P (Br.) 54 A3
Vila Nova de Foz Côa P (Guar.) 76 B1
Vila Nova de Fusos P (Ave.) 74 A4
Vila Nova de Gaia P (Port.) 53 D5
Vila Nova de Milfontes P (Be.) 159 B1
Vila Nova de Monsarros P (Ave.) 94 A1
Vila Nova de Muía P (V. C.) 54 B1
Vila Nova de Oliveirinha P (Co.) 95 A1
Vila Nova de Ourém P (San.) 111 D1
Vila Nova de Paiva P (Vis.) 75 B3
Vila Nova de Poiares P (Co.) 94 B2
Vila Nova de São Bento P (Be.) 145 C5
Vila Nova de Souto d'El Rei P (Vis.) 75 B1
Vila Nova de Tazem P (Guar.) 75 B5
Vila Nova do Ceira P (Co.) 94 C3
Vila Nova do Coito P (San.) 111 B4
Vila Nova do São Pedro P (Lis.) 111 B5
Vila Novinha P (Guar.) 75 D3
Vila Nune P (Br.) 55 A3
Vila Pequena P (V. R.) 55 B2
Vila Pouca P (Co.) 94 A3
Vila Pouca P (Lis.) 126 C1
Vila Pouca P (Vis.) 75 B1
Vila Pouca P (Vis.) 94 B1
Vila Pouca P (Vis.) 94 C1
Vila Pouca P (Vis.) 75 A2
Vila Pouca da Beira P (Co.) 94 D2
Vila Pouca de Aguiar P (V. R.) 55 C3
Vila Praia de ncora P (V. C.) 33 C5
Vila Real P (V. R.) 55 B4
Vila Real de Santo António P (Fa.) 175 C2
Vila Ruiva P (Be.) 144 C2
Vila Ruiva P (Guar.) 75 C5
Vila Ruiva P (Vis.) 75 B5
Vila Seca P (Br.) 53 D3
Vila Seca P (Co.) 94 A3
Vila Seca P (Co.) 94 D1
Vila Seca P (Lis.) 110 D5
Vila Seca P (V. R.) 55 B5
Vila Seca P (Vis.) 75 B1
Vila Soeiro P (Guar.) 75 D5
Vila Soeiro do Chão P (Guar.) 75 C5
Vila Velha de Ródão P (C. B.) 113 B2
Vila Vella, la → Villavieja E (Cas.) 125 C1
Vila Verde P (Br.) 54 B2
Vila Verde P (Bra.) 56 B4
Vila Verde P (Bra.) 56 C1
Vila Verde P (Co.) 93 D2
Vila Verde P (Co.) 93 C3
Vila Verde P (Guar.) 95 A1
Vila Verde P (Lis.) 126 B2
Vila Verde P (Port.) 54 C4
Vila Verde P (V. C.) 33 D5
Vila Verde P (V. R.) 55 C4
Vila Verde P (V. R.) 55 C2
Vila Verde da Raia P (V. R.) 55 D1
Vila Verde de Ficalho P (Be.) 145 C4
Vila Verde de Mato P (Lei.) 110 D4
Vila Verde dos Francos P (Lis.) 110 D5
Vila Viçosa P (Ave.) 74 C2
Vila Viçosa P (Év.) 129 C3
Vila Viçosa P (Vis.) 74 D1
Vilabella E (Ta.) 69 D5
Vilabertran E (Gi.) 52 B2
Vilablareix E (Gi.) 52 A4
Vilaboa E (A Co.) 3 A2
Vilaboa E (A Co.) 2 C4
Vilaboa E (Lu.) 4 B4
Vilabol E (Lu.) 16 C2
Vilac E (Ll.) 28 D4
Vilaça P (Br.) 54 A3
Vilacaiz E (Lu.) 15 C4
Vilacoba E (A Co.) 2 D5
Vilacoba E (A Co.) 13 D3
Vilachá E (A Co.) 3 A4
Vilachá E (Lu.) 16 A2
Vilachá E (Lu.) 36 A1
Vilachá E (Lu.) 3 D1
Vilachá E (Our.) 34 D1
Vilachán E (Po.) 33 D4
Vilada E (Bar.) 50 C3
Viladamat E (Gi.) 52 B3
Viladasens E (Gi.) 52 B3
Viladavil E (A Co.) 14 D2
Viladecans E (Bar.) 70 D4
Viladecavalls E (Bar.) 70 D3
Vilademuls E (Gi.) 52 A3
Viladesuso E (Po.) 33 C4
Viladomiu E (Bar.) 50 C5
Viladomiu Nou E (Bar.) 50 C4
Viladomiu Vell E (Bar.) 50 C4
Viladordis E (Bar.) 70 C1
Viladrau E (Gi.) 51 B5
Vilaesteva E (Lu.) 15 C4
Vilaestrofe E (Lu.) 4 A2
Vilafamés E (Cas.) 107 C4
Vilafant E (Gi.) 52 B2
Vilafiz E (Lu.) 15 C2
Vilafiz E (Lu.) 16 A3
Vilaflor E (S. Cruz T.) 195 D4
Vilaformán E (Lu.) 4 B4
Vilafortuny E (Ta.) 89 B1
Vilafranca de Bonany E (Bal.) 92 B3
Vilafranca del Maestrat → Villafranca del Cid E (Cas.) 107 B1
Vilafranca del Penedès E (Bar.) 70 B4
Vilafreser E (Gi.) 52 A3
Vilafruns E (Bar.) 50 C5
Vilagarcía de Arousa E (Po.) 13 D5
Vilagrassa E (Ll.) 69 B2
Vilagromar E (Lu.) 4 A5
Vilaimil E (Lu.) 4 B4
Vilajoan E (Gi.) 52 B3
Vilajuïga E (Gi.) 52 B2
Vilalba E (Lu.) 3 C4
Vilalba dels Arcs E (Ta.) 88 B1
Vilalba Sasserra E (Bar.) 71 C2
Vilalboa E (Po.) 34 A1
Vilalén E (Po.) 14 B5
Vilalonga E (Po.) 33 D1
Vilalvite E (Lu.) 15 C2
Vilalle E (Lu.) 16 B2
Vilalleons E (Bar.) 51 B5
Vilaller E (Ll.) 48 D1
Vilallonga E (Gi.) 51 C3
Vilallonga de Ter E (Gi.) 51 B2
Vilallonga del Camp E (Ta.) 69 C5
Vilamacolum E (Gi.) 52 B2
Vilamaior E (A Co.) 14 A1
Vilamaior E (A Co.) 14 C1
Vilamaior E (Lu.) 16 C1
Vilamaior da Boullosa E (Our.) 35 B5
Vilamaior de Negral E (Lu.) 15 C2
Vilamaior do Val E (Our.) 35 D5
Vilamalla E (Gi.) 52 B2
Vilamane E (Lu.) 16 C3
Vilamaniscle E (Gi.) 52 B1
Vilamar E (Lu.) 4 B3
Vilamar P (Co.) 93 D1
Vilamarí E (Gi.) 52 A3
Vilamarín E (Our.) 35 B1
Vilamarxant E (Val.) 124 D3
Vilameán E (Po.) 33 D4
Vilameán (Nigrán) E (Po.) 33 D3
Vilameñe E (Lu.) 15 C4
Vilamolat de Mur E (Ll.) 48 D4
Vilamor E (Lu.) 16 B5
Vilamor E (Lu.) 4 B3
Vilamòs E (Ll.) 28 C4
Vilamoura P (Fa.) 174 B3
Vilamoure E (Our.) 35 A1
Vilanant E (Gi.) 52 A2
Vilandriz E (Lu.) 4 C3
Vilanova E (A Co.) 2 D4
Vilanova E (A Co.) 1 D4
Vilanova E (Lu.) 15 B3
Vilanova E (Lu.) 4 B3
Vilanova E (Our.) 35 A3
Vilanova E (Our.) 36 D3
Vilanova E (Our.) 36 C1
Vilanova E (Our.) 35 B2
Vilanova E (Po.) 14 D5
Vilanova E (Po.) 33 D2
Vilanova d'Alcolea E (Cas.) 107 D3
Vilanova de Arousa E (Po.) 13 D5
Vilanova de Bellpuig E (Ll.) 69 A2
Vilanova de la Barca E (Ll.) 68 D2
Vilanova de la Muga E (Gi.) 52 B2
Vilanova de la Sal E (Ll.) 68 D1
Vilanova de l'Aguda E (Ll.) 49 C5
Vilanova de Meià E (Ll.) 49 B5
Vilanova de Prades E (Ta.) 69 A4
Vilanova de Sau E (Bar.) 51 B5
Vilanova de Segrià E (Ll.) 68 C2
Vilanova del Camí E (Bar.) 70 B3
Vilanova del Vallès E (Bar.) 71 B2
Vilanova d'Escornalbou E (Ta.) 89 A1
Vilanova d'Espoia E (Bar.) 70 B3
Vilanova i la Geltrú E (Bar.) 70 B5
Vilanustre E (A Co.) 13 D4
Vilaosende E (Lu.) 4 C3
Vilapedre E (Lu.) 3 D4
Vilapedre E (Lu.) 16 A3
Vilaperdius E (Ta.) 69 D3
Vilaplana E (Ta.) 69 B5
Vilapol E (Lu.) 4 A1
Vilaquinte E (Lu.) 16 D3
Vilaquinte E (Lu.) 35 B1
Vilar E (A Co.) 1 C5
Vilar E (A Co.) 14 A3
Vilar E (A Co.) 13 D2
Vilar E (A Co.) 14 C3
Vilar E (A Co.) 2 D3
Vilar E (Our.) 34 D3
Vilar E (Our.) 36 A3
Vilar E (Our.) 36 A4
Vilar E (Our.) 35 A5
Vilar E (Our.) 35 B2
Vilar E (Our.) 35 B4
Vilar E (Po.) 34 B2
Vilar E (Po.) 34 A2
Vilar E (Po.) 34 C3
Vilar E (Po.) 14 B5
Vilar E (Po.) 14 A4
Vilar P (Ave.) 74 B3
Vilar P (Br.) 54 C3
Vilar P (Br.) 54 C1
Vilar P (Co.) 94 B2
Vilar P (Lei.) 94 C4
Vilar P (Lis.) 110 D5
Vilar P (Port.) 74 B1
Vilar P (V. R.) 55 B2
Vilar P (Vis.) 75 C2
Vilar Barroco P (C. B.) 95 A4
Vilar Chão P (Br.) 54 D2
Vilar Chão P (Bra.) 56 D5
Vilar Chão P (C. B.) 112 C2
Vilar da Lapa P (San.) 112 D2
Vilar da Luz P (Port.) 54 A4
Vilar da Mó P (Por.) 112 D2
Vilar da Veiga P (Br.) 54 C1
Vilar das Almas P (V. C.) 54 A2
Vilar de Amargo P (Guar.) 76 C2
Vilar de Andorinho P (Port.) 74 A1
Vilar de Barrio E (Our.) 35 C3
Vilar de Besteiros P (Vis.) 74 D5
Vilar de Boi P (C. B.) 113 B2
Vilar de Canes E (Cas.) 107 C2
Vilar de Cas E (Lu.) 16 A2
Vilar de Céltigos E (A Co.) 13 D1
Vilar de Cerreda E (Our.) 35 C1
Vilar de Cervos E (Our.) 36 A5
Vilar de Condes E (Our.) 34 D2
Vilar de Cunhas P (Br.) 55 A3
Vilar de Donas E (Lu.) 15 B3
Vilar de Ferreiros P (V. R.) 55 A4
Vilar de Figos P (Br.) 53 D3
Vilar de Flores E (Our.) 35 B3
Vilar de Lebres E (Our.) 35 C4
Vilar de Lomba P (Bra.) 56 B1
Vilar de Lor E (Lu.) 36 A1
Vilar de Maçada P (V. R.) 55 C4
Vilar de Mouros E (Lu.) 4 B5
Vilar de Mouros P (V. C.) 33 D5
Vilar de Murteda P (V. C.) 53 D1
Vilar de Nantes P (V. R.) 55 D2
Vilar de Ordem P (Vis.) 75 A4
Vilar de Ossos P (Bra.) 36 C5
Vilar de Perdizes P (V. R.) 35 C5
Vilar de Peregrinos P (Bra.) 56 C1
Vilar de Rei E (Our.) 35 C4
Vilar de Rei P (Bra.) 57 A5
Vilar de Santiago E (Lu.) 4 B4
Vilar de Santos E (Our.) 35 B4
Vilar de Sarria E (Lu.) 16 A4
Vilar de Suento P (V. C.) 34 C5
Vilar de Vacas E (Our.) 35 A3
Vilar do Monte P (Br.) 53 D2
Vilar do Monte P (Bra.) 56 C3
Vilar do Monte P (V. C.) 34 A5
Vilar do Monte P (Vis.) 75 A3
Vilar do Paraíso P (Port.) 73 D1
Vilar do Peso P (Vis.) 74 D1
Vilar do Torno e Alentém P (Port.) 54 C4
Vilar Formoso P (Guar.) 76 D5
Vilar Maior P (Guar.) 96 C1
Vilar Ruivo P (C. B.) 112 B1
Vilar Seco P (Bra.) 57 C3
Vilar Seco P (Bra.) 56 D4
Vilar Seco P (Vis.) 75 A5
Vilar Seco de Lomba P (Bra.) 36 B5
Vilar Torpim P (Guar.) 76 C3
Vilar, el E (Gi.) 50 C1
Vilaranda P (V. R.) 55 D2
Vilarandelo P (V. R.) 56 A2
Vilarbacu E (Lu.) 16 B5
Vilarbuxán E (Lu.) 15 D4
Vilarchán E (Po.) 34 A1
Vilarchao E (Our.) 35 B1
Vilardevós E (Our.) 36 A5
Vila-Real → Villarreal E (Cas.) 107 C5
Vilarelho P (V. R.) 55 C3
Vilarelho da Raia P (V. R.) 55 D1
Vilarelhos P (Bra.) 56 C4
Vilarello E (Lu.) 16 C4
Vilarello E (Our.) 56 A1
Vilarente E (Lu.) 4 A4
Vilares E (Lu.) 3 B5
Vilares P (Bra.) 56 B2
Vilares P (Guar.) 76 A4
Vilares P (V. R.) 55 C4
Vilares de Vilariça P (Bra.) 56 C4
Vilariça P (Bra.) 57 A4
Vilarig E (Gi.) 52 A2
Vilarinha P (Fa.) 173 A2
Vilarinho P (Ave.) 74 B4
Vilarinho P (Ave.) 74 B3
Vilarinho P (Br.) 54 B1
Vilarinho P (C. B.) 95 A4
Vilarinho P (Co.) 94 B3
Vilarinho P (Co.) 94 C2
Vilarinho P (Port.) 74 B1
Vilarinho P (Port.) 53 D4
Vilarinho P (Port.) 54 B4
Vilarinho P (V. C.) 33 C5
Vilarinho P (V. R.) 55 A4
Vilarinho P (Vis.) 75 B2
Vilarinho P (Vis.) 74 C3
Vilarinho P (Vis.) 74 C1
Vilarinho da Castanheira P (Bra.) 56 A5
Vilarinho das Azenhas P (Bra.) 56 A4
Vilarinho das Cambas P (Br.) 54 A4
Vilarinho das Paranheiras P (V. R.) 55 C2
Vilarinho de Agrochão P (Bra.) 56 C2
Vilarinho de Cotas P (V. R.) 55 C5
Vilarinho de Samardã P (V. R.) 55 B4
Vilarinho de São Luís P (Ave.) 74 A3
Vilarinho de São Romão P (V. R.) 55 C5
Vilarinho dos Freires P (V. R.) 55 B5
Vilarinho dos Galegos P (Bra.) 57 A5
Vilarinho Seco P (V. R.) 55 B2
Vilarinhodo Souto P (V. C.) 34 C5
Vilariño E (A Co.) 15 A1
Vilariño E (Lu.) 16 A2
Vilariño E (Our.) 34 D4
Vilariño E (Our.) 35 B2
Vilariño E (Po.) 14 C5
Vilariño E (Po.) 15 A4
Vilariño E (Po.) 33 D2
Vilariño E (Po.) 34 A1
Vilariño E (Po.) 13 D5
Vilariño das Poldras E (Our.) 35 B4
Vilariño das Touzas E (Our.) 36 A5
Vilariño de Conso E (Our.) 36 B3
Vilarmaior E (A Co.) 3 A4
Vilarmosteiro E (Lu.) 15 D3
Vilarnadal E (Gi.) 52 B1
Vilarnaz E (Our.) 35 B1
Vila-rodona E (Ta.) 69 D5
Vila-roja E (Gi.) 52 A4
Vilaronte E (Lu.) 4 B3
Vilarouco P (Vis.) 75 D1
Vilarraso E (A Co.) 3 A5
Vilarreme E (Lu.) 15 C5
Vilarrodís E (A Co.) 2 B4
Vilarromà E (Gi.) 52 C5
Vilarromariz E (A Co.) 14 C2
Vilarrube E (A Co.) 3 A2
Vilarrubín E (Our.) 35 B1
Vilartolí E (Gi.) 52 B1
Vilas E (Po.) 33 D3
Vilas Boas P (Bra.) 56 B4
Vilas del Turbón E (Hues.) 48 B2
Vila-sacra E (Gi.) 52 B2
Vila-sana E (Ll.) 69 A2
Vilasantar E (A Co.) 14 D1
Vilasante E (Lu.) 15 C5
Vilaseca E (Our.) 35 C4
Vila-seca E (Ta.) 89 C1
Vilaseco E (Our.) 36 C4
Vilasinde E (Lu.) 4 A2
Vilasobroso E (Po.) 34 B3
Vilasouto E (Lu.) 16 A5
Vilaspasantes E (Lu.) 16 C4
Vilassar de Dalt E (Bar.) 71 B3
Vilassar de Mar E (Bar.) 71 B3
Vilastose E (A Co.) 13 B1
Vilatenim E (Gi.) 52 B2
Vilatuxe E (Our.) 35 C2
Vilatuxe E (Po.) 14 D5
Vilaür E (Gi.) 52 B3
Vilaúxe E (Lu.) 15 C5
Vilavedelle E (Ast.) 4 C3
Vilavella E (A Co.) 3 B3
Vilavella E (Our.) 36 C4
Vilavenut E (Gi.) 52 A3
Vilaverd E (Ta.) 69 C4
Vilaverde E (A Co.) 1 D4
Vilavidal E (Our.) 34 D3
Vilaxoán E (Po.) 13 D5
Vilaza E (Our.) 35 D5
Vilaza E (Po.) 33 D3
Vilches E (J.) 152 A3
Vildé E (So.) 62 D4
Vile P (V. C.) 33 C5
Vilecha E (Le.) 38 D1
Vileiriz E (Lu.) 15 D3
Vilela E (A Co.) 2 A4
Vilela E (Le.) 17 A5
Vilela E (Lu.) 15 C4
Vilela E (Lu.) 4 C3
Vilela E (Po.) 33 D2
Vilela P (Br.) 55 A3
Vilela P (Br.) 54 D3
Vilela P (Br.) 54 C2